SECRETS D'AVOCATS

DES MÊMES AUTEURS

La Commissaire et le corbeau, Seuil, 1998.
Contribuables, vous êtes cernés, Seuil, 2000.
Trafic de drogue... trafic d'États, Fayard, 2002.
Carnets intimes de la DST, Fayard, 2003.
Ma sécu : de la Libération à l'ère Sarkozy, Fayard, 2008.

DE FRÉDÉRIC PLOQUIN

Parrains et caïds. Le grand banditisme dans l'œil de la PJ, Fayard, 2005.
Parrains et caïds II. Ils se sont fait la belle, Fayard, 2007.
Parrains et caïds III. Les règlements de comptes dans l'œil de la PJ, Fayard, 2009.
La Colonie du docteur Schaefer, une secte nazie au pays de Pinochet, avec Maria Poblete, Fayard, 2004.
Une affaire sous François Mitterrand : la Française des jeux, Fayard, 2001.
Ils ont tué Ben Barka : révélations sur un crime d'État, avec Jacques Derogy, Fayard, 1999.

Éric Merlen
Frédéric Ploquin

Secrets d'avocats

Fayard

Couverture : Atelier Christophe Billoret

ISBN : 978-2-213-64256-7

Les avocats occupent l'espace médiatique comme jamais. Que l'on parle faits divers, corruption, sport, *people*, droits de l'homme ou diplomatie occulte, ils sont dans tous les journaux télévisés, toutes les émissions de radio, toutes les pages de la presse... Leur influence est-elle à la hauteur du temps d'antenne qu'ils occupent ? Leur pouvoir est-il proportionnel à cette visibilité ? Quels rapports entretiennent-ils avec les journalistes qui font le siège de leur cabinet, les classent comme on dresse le hit-parade des hommes politiques, des hôpitaux ou des universités ? Ces questions sont au cœur de *Secrets d'avocats*.

Pénalistes, avocats d'affaires, civilistes, fiscalistes ou spécialistes du divorce de stars, ils conseillent les puissants comme les faibles, les plus riches comme les plus démunis. Ils parlent à l'oreille de la France, toutes catégories sociales confondues, dans l'intimité de leur cabinet ; nous les avons interrogés sur ce lien si particulier qui fait d'eux, désormais, des femmes et des hommes parmi les plus écoutés.

Ce livre est le résultat d'une centaine de rencontres à travers la France avec les avocats qui comptent en tous domaines, les « médiatisés » comme ceux qui œuvrent discrètement dans les coulisses du pouvoir ou des grandes entreprises. Avocats des patrons du CAC 40, des ministres et des présidents de la République, des stars du show-biz, des producteurs de cinéma, des footballeurs, des médias, des « ennemis publics », des violeurs, des terroristes, des assassins, des gangsters chevronnés ou non, des trafiquants de drogue, ils nous ont confié leurs secrets petits et grands.

De la plus lourde fusion-acquisition qui fait la une de la presse économique aux accusations de « viol » portées contre Johnny Hallyday, des pseudo-espions de Renault au « groupe de Tarnac » brandi comme le symbole du retour de l'ultra-gauche, du très politique procès Clearstream au divorce de Nicolas Sarkozy et de Cécilia, de l'affaire Karachi, où l'on parle financement politique, à Bernard Tapie, qui a usé plus d'un avocat, de l'affaire d'Outreau, qui s'est retournée contre la justice, à Dominique Strauss-Kahn, piégé par le sexe, de l'affaire Elf, véritable roman du XXe siècle, au cas Chirac, des bavures policières aux crimes passionnels, des scandales de santé publique aux bergers corses en passant par la folie Bettencourt, les nouveaux « maîtres » de l'actualité nous racontent *le* dossier de leur vie : celui qui les a le plus profondément marqués ou qu'ils estiment emblématique de leur pratique professionnelle.

Sans tabou, nous avons abordé avec eux aussi bien les sujets qui flattent l'ego que ceux qui fâchent. Comment le pénaliste le plus médiatique, Éric Dupond-Moretti, gère-t-il son image ? Combien gagne l'avocat d'affaires le plus en vue, Jean-Michel Darrois ? Comment l'avocat le plus influent, Jean Veil, entretient-il son carnet d'adresses ? Pourquoi Olivier Metzner, Didier Martin et Georges Kiejman, stars du barreau parisien, se sont-ils déchirés autour des milliards de la famille Bettencourt ? Comment Olivier Morice a-t-il mené bataille contre le « secret défense » dans l'affaire Karachi ? En quelles circonstances Patrick Maisonneuve a-t-il recueilli les ultimes confidences de l'ancien Premier ministre Pierre Bérégovoy à la veille de son suicide ? Comment Richard Malka a-t-il médiatisé la défense de DSK dans l'affaire du Carlton de Lille ? Pourquoi Jean-Pierre Versini-Campinchi est-il entré en guerre avec Philippe Courroye après l'incarcération surprise d'un des fils Mitterrand ? Comment son ancien associé, Arnaud Claude, a-t-il fait prospérer le cabinet fondé avec Nicolas Sarkozy pendant que son ami était aux commandes du pays ?

Ce livre fourmille d'anecdotes drôles ou tragiques, souvent inédites. C'est aussi un portrait de la France soumise au prisme judiciaire. Une France où la justice, à l'instar de ce que l'on constate dans les pays anglo-saxons, occupe une place de plus en plus centrale, à tel point que nombre de femmes et d'hommes politiques, à un moment ou à un autre de leur carrière, rêvent aujourd'hui d'endosser la robe noire. Et les cabinets sont demandeurs : le politique qui a accompagné les dirigeants du CAC 40 en Chine quand il était ministre ne fera-t-il pas un excellent VRP ? « Cela revient à miser ouvertement sur le réseau plus que sur la technique juridique », suggère à ce propos un avocat parisien. Non seulement ça passe, mais le mélange des genres est conseillé par les autorités, le quinquennat Sarkozy ayant même accouché d'un texte pour favoriser ces transferts...

La France est-elle devenue la République des avocats ? C'est une question que nous avons posée à tous nos interlocuteurs, car force est de le constater : s'ils ont pesé sous la IIIe et la IVe République, les avocats occupent toujours une place de choix sous la Ve. François Mitterrand était avocat. Nicolas Sarkozy, avocat lui aussi, a parfois dit qu'il reviendrait vers le barreau si les électeurs lui tournaient le dos. Marine Le Pen, patronne du Front national, est avocate, tout comme Jean-Louis Borloo, chef de file des centristes, Frédéric Lefebvre, Sarko-boy élégant, les socialistes Claude Évin et Hubert Védrine, l'écolo Noël Mamère, l'ambitieux Jean-François Copé, mais aussi Pierre Joxe, Ségolène Royal, Dominique Strauss-Kahn, Patrick Devedjian ou Dominique de Villepin qui veut oublier sous la robe ses espoirs présidentiels déçus...

Comme si le passage d'un monde à l'autre était naturel, comme si les deux métiers, avocat et politique, se tenaient la main, le pays regorge depuis longtemps de gens du barreau passés au service de la République, au niveau national comme au niveau local, rares étant les conseils municipaux où l'on n'en compte pas au moins un, surtout dans les grandes villes. La nouvelle tendance, ce sont les politiques qui entrent au barreau sur le tard, au grand dam de nombreux avocats qui les soupçonnent de vouloir rentabiliser leur « relationnel », d'assurer leur train de vie quand ils n'ont pas la chance d'être fonctionnaires, voire de brasser des billets à l'abri du secret professionnel...

« Ils ne deviennent pas avocats pour plaider, commente le pénaliste Patrick Maisonneuve, qui a défendu plus d'un politique au cours de sa carrière. Ils veulent exercer une activité de conseil et mettre à profit leur réseau relationnel. Ils entrent dans une profession encadrée, régulée, qui leur offre en même temps une forme de protection... »

« Ils entrent au barreau pour vendre leur carnet d'adresses, assène le pénaliste Thierry Herzog, défenseur entre autres de Nicolas Sarkozy. Ils sont apporteurs de clientèle. Ils font du lobbying. On leur offre des ponts d'or et ils sont rémunérés au pourcentage. » Lequel Herzog confirme au passage qu'il ne fera pas le chemin inverse, celui qui mène du Palais de Justice aux ors de la République, contrairement à nombre de ses aînés : « C'est trop tard. Il faut commencer comme Sarko, à vingt et un ans, et consacrer sa vie à ça ! »

« Les politiques ont l'impression que l'avocat peut tout faire et monnayer son influence, renchérit Jean-Yves Dupeux. Outre que cela n'est pas donné à n'importe qui de plaider, les dépenses sont plus lourdes qu'ils ne l'imaginent. Ils doivent s'inscrire comme profession libérale, avec un plancher de cotisation élevé et une vraie domiciliation. Ils pensent à tort qu'ils vont continuer à exercer le pouvoir sous une autre forme. Avocat, ce n'est un métier de pouvoir que pour les bons pros, après trente-cinq années de carrière ! »

« Ils viennent pour gratter un peu d'argent, confirme William Goldnadel, pénaliste lui aussi, bon connaisseur de la sphère politique. Ils veulent optimiser leur pouvoir, mais je n'ai jamais vu Michel Jobert [ancien ministre des Affaires étrangères en 1973] dans un beau dossier. » Et l'avocat parisien d'expliquer qu'il ne les perçoit pas comme des « concurrents », pas davantage qu'Olivier Metzner n'a eu le sentiment de défendre un confrère lorsqu'il a plaidé pour Dominique de Villepin dans l'affaire Clearstream.

Pourquoi rêvent-ils tous de prendre la robe, de Rachida Dati (UMP) à Julien Dray (PS) ? « L'avocat, c'est celui qui a le droit de dire non ; alors, forcément, cela attire les politiques », suggère le pénaliste Pascal Garbarini. « Les politiques veulent devenir avocats parce que c'est le seul métier d'expression libre où l'on gagne de l'argent de manière légitime, complète le pénaliste Olivier Pardo. Un avocat peut s'exprimer comme il veut, ce qui est un des rêves des hommes politiques. »

Emmanuel Marsigny, également pénaliste, renvoie à l'évolution de la manière d'exercer le métier de député ou de ministre : « Le pouvoir politique a transféré aux juges le soin de régler les conflits sociétaux qu'il ne voulait pas traiter. C'est l'une des raisons pour lesquelles on voit migrer les politiques vers le barreau. Le droit et le contentieux prennent sans cesse plus de place, même les politiques règlent maintenant leurs problèmes dans le prétoire ! »

« Le barreau mène à tout à condition d'en sortir », disait parfois François Mitterrand. Que les politiques d'aujourd'hui veuillent y entrer ne chagrine pas tous les avocats. Didier Seban, qui défend nombre d'élus locaux, leur accorde même des circonstances atténuantes : « Il leur faut bien une porte de sortie. Quelle rédaction reprendrait un Noël Mamère comme journaliste après son passage chez les écolos ? La seule profession logique, après avoir été député et avoir contribué à faire la loi, c'est avocat. » Avocats et politiques, mêmes combats ? « La politique est un prétoire naturel, constate Arnaud Claude, l'associé de toujours de Nicolas Sarkozy. Que l'on soit dans la salle d'audience ou à l'Assemblée nationale, le job est le même. »

Jean-Michel Darrois, l'un des avocats les mieux implantés dans les milieux économiques, met en garde lui aussi les politiques contre certaines désillusions : « En France, explique-t-il, la loi émane du peuple, *via* ses représentants. Historiquement, depuis la Révolution, le pouvoir du juge a été limité. C'est le contraire de ce qui se passe dans les pays anglo-saxons, où le juge élabore la norme. La place de l'avocat est liée à celle du juge. Les avocats américains sont proches du pouvoir et de l'entreprise ; ils étaient dans le train au XIXe siècle, à l'heure de la conquête de l'Ouest. Le droit a toujours eu moins d'importance en France. Quand j'ai commencé, les patrons consultaient les avocats en aval, lorsqu'ils étaient menacés de procès. Une majorité d'avocats entretient cette idée qu'ils sont là pour s'agiter et polémiquer dans le cadre du procès, alors que les avocats d'affaires interviennent aujourd'hui plus en amont. »

Cette attirance des politiques pour la robe doit sans doute également beaucoup aux « affaires ». « Vous ne pouvez pas savoir comment les politiques considèrent les magistrats, confiait Robert Badinter, passé du barreau au gouvernement, à ses anciens confrères. La justice est pour eux une administration comme les autres, mise à leur disposition. » C'était dans les années 1980. Depuis lors, bien des politiques ont été entraînés dans la spirale infernale des scandales financiers. Face à des juges qu'ils méconnaissaient quand ils ne les méprisaient pas, ils ont été contraints de s'en remettre corps et âme à leur avocat pour tenter de préserver leur chère réputation. L'avocat, seule personne à laquelle ils peuvent se confier au bord du gouffre de la mise en examen et de la condamnation. L'avocat, figure de plus en plus centrale au sein d'une société où le droit prétend à l'hégémonie au point d'être plus fort que les politiques et de laisser parfois la puissante administration désemparée. L'avocat qui se targue aujourd'hui de considérer l'État « comme une partie que l'on peut attaquer », selon les mots de Me Olivier Pardo. L'avocat dont on sait qu'il détient une parcelle non négligeable des secrets de la République. L'avocat dont on a remarqué qu'il tutoyait facilement le personnel politique et les grands patrons et formait à l'occasion un duo infernal avec le journaliste...

Autant de bonnes (et mauvaises) raisons pour faire de ce métier un « job » couru parmi les politiques, et même au-delà.

Chapitre premier

Secrets du pouvoir

Thierry Herzog, avocat du Président

Mi-juillet 2010 : un journal satirique lance son numéro d'été avec un photomontage représentant Nicolas Sarkozy derrière des barreaux en train de sodomiser une chèvre. Le sénateur Pierre Charon, conseiller du chef de l'État, veille à l'Élysée. Il appelle l'avocat préféré du Président, Thierry Herzog : « Nico est en Espagne, il attend que tu sortes l'artillerie lourde ! »

En cette période de semi-trêve estivale, l'avocat hésite. Le bouillant Charon le rappelle et insiste : « On attaque ! » Thierry Herzog ne se précipite toujours pas. Il voudrait avoir son client et ami en direct, et finit par prendre son téléphone. « On y va ! confirme Nicolas Sarkozy. – Tu mesures l'effet de buzz que ça va produire ? interroge l'avocat. – Oui, répond le Président. – D'accord, on déclenche demain. »

Le vacarme médiatique, inévitable, est au rendez-vous après le dépôt d'une « assignation d'heure en heure ». Le groupe de presse est condamné trois jours plus tard à verser un euro à Nicolas Sarkozy et à retirer la photo *trash* de tous les numéros en vente, sous peine d'une astreinte de 100 euros par photo non occultée.

Liés par une fidélité à toute épreuve, « Nicolas » et « Thierry » sont parés pour les tempêtes judiciaires. Depuis qu'ils se connaissent – plus de trente ans –, jamais ces deux-là ne se sont « manqués ». Ils sont nés tous deux en 1955, Nicolas en juin, Thierry en octobre. L'un est devenu président de la République, l'autre est resté avocat et agit pour son compte devant les tribunaux, mais le ton du premier est toujours amical à l'heure de commenter la dernière prestation du second : « Bonjour, mon Thierry... T'as été géant, hier ! »

« J'ai eu la chance inouïe de commencer avec Nicolas Sarkozy dans le métier, dit Thierry Herzog. Il est chez Guy Danet, et moi chez Jean-Louis Pelletier[1], quand il se lance dans sa première campagne et me fait entrer dans son équipe : Danet est élu triomphalement bâtonnier en 1982. »

L'année suivante, Sarkozy troque la robe noire pour l'écharpe tricolore et devient maire de Neuilly-sur-Seine. Les deux hommes conservent un point de chute commun : La Baule, où ils passent quinze jours en famille tous les étés. Quels que soient les aléas, l'élu ne lâche pas l'avocat, et *vice versa*. Nicolas connaît quelques déboires, et même un passage politique à vide, mais il n'en continue pas moins de fréquenter leur plage commune. De nouveau ministre en 2002, il invite naturellement son ami Thierry à la première garden-party qu'il organise place Beauvau, sa nouvelle tête de pont.

« Je ne lui ai jamais rien demandé, ni logement ni décoration, souligne l'avocat. On a un rapport très sain. Je ne l'ai pas fréquenté pour les fonctions qu'il occupait. »

Le 31 janvier 2006, Nicolas téléphone à Thierry pour lui souhaiter une bonne année. Il le rappelle quinze jours plus tard pour des raisons plus sérieuses : le scandale Clearstream couve.

« Je dépose plainte, annonce le presque candidat à l'élection présidentielle. Tu veux être mon avocat ? – Oui,

---

1. Deux des avocats qui pèsent à l'époque dans la capitale.

répond sans hésiter Herzog. – Tu peux me dire non. Ce n'est pas à l'ami que je fais appel, c'est au professionnel. Je veux un pénaliste. Tu as carte blanche. »

Nicolas Sarkozy n'a nul besoin de son avocat pour savoir que le procureur a transmis une commission rogatoire internationale à Milan, pour vérifier l'existence d'un compte en banque à son nom ; à ce stade, il sait aussi que les recherches ont été infructueuses, mais que l'obstiné juge Renaud Van Ruymbeke ne lâchera pas prise.

« Choisi » par celui qui va se lancer bientôt à la conquête de l'Élysée, l'ami et avocat est de tous les meetings. « Par passion, pas pour fayoter », précise-t-il. Il observe cette « bête de scène » depuis les coulisses, privilège du *backstage*. Avec Didier Barbelivien, autre fidèle du futur Président et ex-faiseur de tubes, il a accès à la loge où il découvre le candidat « parfois contrarié, parfois en pleine forme ». « Un véritable acteur », songe Mᵉ Herzog en voyant Nicolas « plaider sa cause auprès des Français ». « Un bon avocat » aussi, tranche-t-il. Celui dont on se dit, quand il se rassoit : « Il a raison, ça ne vaut pas douze ans de prison, ça en vaut huit. »

Thierry Herzog se montre rue d'Enghien, au QG de campagne. Il est là au soir du premier tour, et bien sûr durant la nuit du second. Jusqu'à 20 heures, ce 16 mai 2007, il n'y croit pas. Quelques minutes plus tard, il veut féliciter l'élu, mais les mots lui manquent. « Je peux continuer à te tutoyer ? – Ah, mon Thierry ! Tu vas pas bien ? »

L'avocat fait poser le Président avec son fils, pour la photo, mais c'est décidé : il ne le tutoiera plus en public.

« Il a commencé au barreau, comme moi, et il va être président de la République après trente ans de sacrifices ; c'est un mec qui ne s'arrête jamais », pense Thierry Herzog tandis que son confrère entre au palais de l'Élysée.

Trois ans plus tard, à la veille du 14 juillet 2010, attablé en terrasse chez Paul, place Dauphine, à Paris, l'avocat digère Clearstream, « une affaire de droit commun avec des enjeux politiques » : le tribunal « n'a pas voulu » condamner Dominique de Villepin.

« Je suis meurtri d'avoir perdu dans cette affaire. Je me dis : "Tu as déçu ton ami." Cela n'aurait jamais dû se passer comme ça. C'est mon plus grand échec. J'aurais dû faire en sorte que ce soit bien jugé. J'ai plaidé trop long-temps, sans petites phrases pour les journalistes. J'ai plaidé longtemps, car je voulais convaincre des magistrats qui ne connaissaient pas le dossier. »

Le pire est que l'avocat n'a pas droit à sa revanche. Le Président ayant décidé de ne pas participer au procès en appel, il regarde le deuxième procès Clearstream de loin, sans le moindre espoir de pouvoir corriger ce qu'il consi-dère presque comme une « erreur judiciaire ».

Une affaire mettant en cause un président de la Répu-blique, avec pour prévenu un ancien Premier ministre : par-delà la « frustration » de ne pas prendre part au « deu-xième tour », Thierry Herzog sait qu'il n'en verra pas deux comme celle-là durant sa carrière. Fallait-il que le Président retire sa constitution de partie civile, une fois élu ? « Cette affaire a été montée pour l'empêcher d'être un jour Président, plaide l'avocat. Il était victime avant son élection, il le reste après. S'il se retirait, on aurait dit : "C'est cousu de fil blanc, il se déballonne !" »

Comme si c'était hier, Thierry Herzog se souvient de cette phrase lancée à son intention, en plein procès, par un Villepin qui jouait sa carrière politique : « Quand je l'ai connu alors que j'étais secrétaire général de l'Élysée, il était moins agressif... N'est-ce pas, maître ? »

« Je me suis complètement investi dans ce dossier, confie Thierry Herzog. J'étais convaincu de la justesse de la cause. Défendre le président de la République me crée plus de devoirs que de droits. J'ai une obligation de résul-tat. L'assignation préparée en son nom doit toujours être nickel ! »

En janvier 2008, à l'offensive, Thierry Herzog attaque la compagnie aérienne low cost Ryanair pour usage abusif de l'image du couple présidentiel dans le cadre d'une campagne publicitaire ; de même, quelques années plus tôt, Valéry Giscard d'Estaing avait fait interdire un féroce jeu de cartes baptisé « giscartes », tandis que Georges Pompidou s'en était pris à une publicité le représentant sur un hors-bord. Succès ! Pas deux fois de suite : lorsqu'il tente d'interdire la vente d'une poupée vaudou à l'effigie de Nicolas Sarkozy, en octobre 2008, au nom de son « droit à l'image absolu et exclusif », le tribunal le déboute en invoquant la liberté d'expression. Quelques semaines plus tard, Herzog lance les hostilités après le piratage par des escrocs du compte bancaire personnel du Président, qui devient « une victime comme les autres ». En mars 2009, il défend son ami, assigné pour atteinte à la présomption d'innocence par les défenseurs du nationaliste corse Yvan Colonna qui l'accuse de l'avoir, au soir de son arrestation, publiquement présenté comme coupable de l'assassinat du préfet Claude Érignac...

« Un avocat, c'est comme un médecin, explique Mᵉ Herzog. Je ne suis pas le "collaborateur" de mon client, mais j'ai besoin d'avoir avec lui un rapport direct. » C'est le cas avec Nicolas Sarkozy, l'un des rares clients qu'il voit dans son propre bureau, autrement dit à l'Élysée, « aux heures qui sont les siennes ». Un client qui « fait confiance », se contentant, selon lui, de cette unique consigne : « Fais pour le mieux. » Un client qui sait apparemment surmonter les échecs, puisque l'issue du procès Clearstream n'aurait en rien altéré la relation entre les deux hommes : peut-être est-ce parce que Nicolas Sarkozy a été avocat, métier qu'il n'a que provisoirement abandonné – toujours inscrit au barreau, il s'est « omis », selon le terme officiel. La preuve : il emmène bientôt son ami avec lui en voyage officiel en Inde !

Issu d'un milieu aisé parisien (son père vend des fournitures de bureau), Thierry Herzog est devenu avocat en 1979, époque où les offres de stage étaient plus nombreuses que les demandes. Il ne connaît personne au barreau lorsqu'il tombe sur la petite annonce de Jean-Louis Pelletier, qui l'embauche et l'installe dans ses bureaux du quai de Montebello, face à Notre-Dame. Il se serait improvisé chanteur s'il avait pu viser le destin d'un Johnny, mais Me Pelletier – « un immense avocat, un géant » – lui apprend un autre métier : il est aux premières loges, avec son confrère Hervé Temime, lorsque Pelletier, quarante-quatre ans à l'époque, cherche à sauver la tête de Philippe Maurice, fils d'un inspecteur divisionnaire devenu à vingt-trois ans le « tueur de la rue Monge » pour avoir assassiné le gardien de la paix qui tentait de l'arrêter au fond d'une impasse. Les deux jeunes avocats sont là quand la mère du prévenu, « superbe, parfaite », essaie de sauver son fils devant la Cour. Ils sont toujours là quand on annonce à Philippe Maurice qu'il aura la tête tranchée.

Thierry Herzog ne s'éloignera jamais vraiment des tours de Notre-Dame : il s'installera place Saint-Michel, avec le Palais de Justice pour agréable vis-à-vis – la meilleure façon de ne pas faire attendre les greffières, dit-il. En attendant, il vit une expérience inattendue alors qu'il se relaie avec les autres collaborateurs du cabinet pour soutenir le moral du condamné à mort à la maison d'arrêt de Fresnes.

Nous sommes le 24 février 1981 et le prisonnier, pull bleu marine et pantalon gris, a déjà reçu la visite d'un prêtre, d'un dentiste et d'une avocate. Thierry Herzog fait chou blanc à l'heure du déjeuner. Philippe Maurice, pense-t-il, préfère prendre son repas chaud plutôt que de le recevoir. Sauf que vers 15 heures, ce jour-là, le prisonnier tire deux balles sur le premier surveillant venu le chercher pour la promenade, avant de tenter une évasion.

Qui a introduit le revolver dans la cellule ? Thierry Herzog se retrouve en garde à vue avant d'être mis hors de cause, tandis que Jean-Louis Pelletier mise sur la défaite de Valéry Giscard d'Estaing et le succès du candidat socialiste François Mitterrand à la présidentielle pour obtenir la grâce de son client – Philippe Maurice, premier gracié de l'ère Mitterrand, sera libéré vingt-trois ans plus tard et, ayant préparé en cellule et soutenu un doctorat en histoire, obtiendra un strapontin... au CNRS comme médiéviste.

Le quartier des condamnés à mort définitivement fermé à la suite de l'abolition de la peine capitale, Thierry Herzog s'impose sur le marché des pénalistes tout terrain en même temps que ses deux amis et concurrents : Hervé Temime et Pierre Haïk. Ils se croisent dans les couloirs de prison qu'ils arpentent presque tous les matins, et prennent la tête d'une nouvelle vague où les rejoindront Michel Konitz et Françoise Cotta. Ils forment une petite famille à eux seuls : Haïk deviendra le parrain du fils Herzog, qui lui-même sera le meilleur camarade du fils Temime, tandis que Herzog sera le parrain du fils Pelletier...

Thierry Herzog défend « sans rougir » quelques grands noms de la pègre, trafiquants de stups ou braqueurs. Le « puzzle policier » le fascine, mais il se garde bien d'admirer ces clients hors norme qui attendent de leur avocat « un service, ni plus ni moins qu'un patron du CAC 40 ». Il sent combien le métier peut être « dangereux » pour ceux qui « sortent des clous ». « La tentation est grande, mais si tu acceptes une montre en guise d'honoraires, tu n'es plus avocat », assure-t-il.

Son entrée dans la sphère politique, Thierry Herzog la doit à Jean Tibéri, qui a succédé à Jacques Chirac à la tête de la mairie de Paris. Voit-il un lien quelconque entre la pègre et le monde des élus ? Au moins un : « Comme le vrai voyou, l'homme politique ne demande rien à son avocat qui puisse le mettre en difficulté. »

Jean Tibéri, lui-même ancien magistrat, est le voisin de palier de l'arrière-grand-père de Thierry Herzog, qu'il a connu en culottes courtes : ça aide. Quand se profilent les ennuis judiciaires – d'abord ceux de son fils, doté d'un appartement contesté, puis ceux de son épouse Xavière, auteur d'un rapport qui sent la complaisance –, Jean « fait son casting ». Pourquoi opter pour un avocat qui défend des trafiquants de stups ? Herzog a une explication : « La tactique est la même pour Mouloud ou pour Tibéri. Si le maire de Paris a un problème pénal, ce n'est pas un avocat avec quarante décorations qui va l'en sortir. Ou alors, son client court à l'abattoir ! »

C'est ce qu'ont fait jusqu'alors la plupart des élus, mais les temps changent. « Face aux politiques, tout le monde trichait, poursuit l'avocat. Personne n'osait leur dire les choses en face. Jean Tibéri a apprécié ma franchise. »

Dès leur premier rendez-vous, en présence du bâtonnier de Paris qui y met les formes, Thierry Herzog annonce au maire que le juge d'instruction pourrait fort bien décider d'une perquisition à son domicile – ce que fera précisément l'entreprenant Éric Halphen, protégé par les caméras mobilisées par ses soins, pour rechercher la fiche de paie correspondant au rapport rédigé par Xavière Tibéri, dont *Le Canard enchaîné* a pointé les curieuses fautes d'orthographe.

Tout comme d'autres glisseront à l'oreille de Nicolas Sarkozy de ne pas prendre « un avocat qui défend les voyous », de bonnes âmes tentent de dissuader le maire de Paris de choisir Herzog : la chasse au bon client passe par le dénigrement des confrères. Beaucoup auraient même payé pour le défendre, sauf que les Tibéri, c'est un peu son clan. Au point qu'il ne veut pas avoir de rapports d'argent avec eux, pas plus qu'il ne fera d'ailleurs payer « Nico » : parce qu'« on ne fait pas payer les avocats ».

Thierry Herzog a un autre atout : depuis 1976 et la prise du parti par Jacques Chirac, il a sa carte du RPR, ancêtre de l'UMP. « Par pure conviction, assure-t-il, je ne pouvais pas savoir que Chirac deviendrait président de la République, et Tibéri maire de Paris ! »

Lorsqu'elle fait surface en mai 1996, l'affaire Tibéri est l'une des premières à affecter la droite. De même qu'il ira plus tard se concerter avec Sarkozy à l'Élysée, Herzog rencontre son client dans son bureau de la mairie de Paris, où il passe des demi-journées entières. Comme ce sera le cas pour le Président, il défend d'abord un « ami » : quelqu'un qui ne l'appelle pas seulement quand il a des ennuis avec la justice. Et, dans ces cas-là, plus encore qu'avec les autres clients, affirme-t-il, mieux vaut s'en tenir au dossier et « ne pas chercher à connaître la vérité » : « On n'est pas des confesseurs ! On est là pour définir une défense qui tienne la route. »

En l'occurrence, Herzog vole au secours de Xavière Tibéri en plaidant avec succès la nullité de procédure au début de l'été 1997. L'épouse du maire de Paris est rejugée à Évry, mais le tribunal valide à nouveau l'argument et annule la procédure : le procureur Laurent Davenas – premier magistrat vedette de l'ère contemporaine, bien avant Eva Joly et Laurence Vichnievsky – aurait outrepassé ses pouvoirs en ouvrant une enquête. L'affaire aura rempli les journaux pendant des mois, sans déboucher sur le moindre procès. Elle n'en aura pas moins coûté la mairie de Paris à Jean Tibéri (et à la droite).

« Les avocats ne sont que les porte-parole de ceux qu'ils défendent, tempère Thierry Herzog. Ils tentent de convaincre, mais leur pouvoir est très relatif au regard de celui des politiques. Encore que, s'ils avaient vraiment du pouvoir, Dominique de Villepin aurait été condamné dans l'affaire Clearstream, et j'aurais gagné notre procès contre les poupées vaudou ! C'est bien le procureur qui a l'opportunité des poursuites, et le juge qui a le dernier mot. L'avocat a le devoir de faire son job, mais il ne maîtrise rien. Selon l'expression consacrée : "La Cour appréciera." »

L'affaire Tibéri fournit à Herzog l'occasion de se confronter à la presse. « Xavière est la première épouse d'un politique à avoir été condamnée médiatiquement, se souvient-il. Elle avait sa marionnette aux *Guignols de l'Info*. Entre les dessins de Plantu et les procès-verbaux du juge Halphen étalés dans *Le Monde*, elle a été lynchée avant même d'avoir pu s'expliquer... Résister à la vague ? Charles Pasqua [ancien ministre de l'Intérieur], Michel Roussin [ancien ministre de la Coopération] et Jean

Tibéri s'y sont essayés. Le risque est grand d'alimenter le feuilleton médiatique jusqu'à ce que mort s'ensuive. Il faut évidemment user du pouvoir de la presse et allumer des contre-feux, mais la seule contre-offensive qui vaille, c'est celle qu'on mène devant les tribunaux. »

L'affaire Clearstream aurait pu permettre à l'avocat d'exploiter sa bonne connaissance des mécanismes médiatiques. Seulement, la communication lui a complètement échappé, confisquée par l'Élysée, et les journalistes n'auraient pas forcément été au rendez-vous, comme il l'admet volontiers lui-même : « L'affaire Clearstream pouvait se gagner avant le procès, en sortant les procès-verbaux les plus durs pour Villepin, mais la presse ne voulait pas voir gagner Nicolas Sarkozy. Il y avait dans l'opinion un *a priori* négatif, l'idée que le président de la République aurait dû s'abstenir d'être partie prenante au procès alors que son statut le mettait à l'abri de toute poursuite. On ne peut défendre médiatiquement le président de la République comme on défendrait Liliane Bettencourt. Pour autant, si tu restes muet face aux médias, tu es cuit. Si c'était à refaire, je demanderais à mon client plus de latitude en matière de communication. »

Pas sûr que cela aurait inversé le cours de l'Histoire, mais les journaux auraient certainement mordu à l'hameçon, surtout si l'avocat avait mis en pratique cet adage réaliste : « Si tu veux être aimé des journalistes, il faut leur donner des infos exclusives. »

OLIVIER METZNER MÈNE LE BAL DES « AFFAIRES »

Dans la vie d'Olivier Metzner, il y a un avant Françoise Bettencourt et un après. Avant ce différend familial devenu l'affaire d'État que l'on sait, l'avocat adorait passer ses week-ends, seul, dans le jardin de sa gentilhommière du XVIe siècle, à Rambouillet, à lire ses dossiers en écoutant un opéra. Le scandale retombé, il s'est séparé de cette demeure pour s'éloigner un peu plus de Paris, lui qui ne cherche pas, dit-il, « à être près du roi », pour acheter une petite île dans la baie du Morbihan, dotée d'une chapelle où il entend donner des concerts de musique classique. Seul maître sur son coin de terre, il mène le bal, comme dans ce dossier dont il a été dès le premier jour le « moteur ». Il a eu en main les cartes maîtresses, pas comme dans le dossier Clearstream où il n'a débarqué que sur le tard pour défendre celui qui était accusé d'être à l'origine du « complot » fomenté contre Nicolas Sarkozy : Dominique de Villepin.

« J'ai tenu l'enquête secrète pendant deux ans, ce qui est énorme », remarque-t-il. Ensuite, cela a été tout le contraire : un dossier où même lui, pourtant orfèvre en la matière, ne pouvait plus complètement « commander les médias ». François-Marie Banier, le photographe soupçonné de pomper hardiment la fortune colossale de Liliane Bettencourt (la mère), avait été placé en garde à vue et, par miracle, aucun journaliste ne l'avait appris. Olivier Metzner avait géré le cas discrètement avec le procureur de Nanterre, Philippe Courroye, avec qui il entretenait encore de bonnes relations. Il lui avait apporté les informations disponibles en mains propres, et le patron de la brigade financière avait été désigné pour agir à une époque où tout contact était rompu entre la fille, Françoise Bettencourt-Meyers, et la mère, phagocytée par un entourage un peu trop généreux avec lui-même. Entourage dont la ligne de conduite n'avait pas varié d'un iota après la plainte déposée par Metzner, bien au contraire, puisque ses membres avaient rapporté à la maman que son héritière déposait plainte contre elle...

L'enquête de la brigade financière fait exploser le compteur : partis pour remonter la piste de 500 millions d'euros, les policiers vont de surprise en surprise. D'assurances-vie en tableaux, ils estiment bientôt les fonds captés à un milliard. Jusque-là, l'avocat n'envisage même pas les prolongements politiques du dossier, mais, en juillet 2009, le procureur de Nanterre change brusquement de position après un rendez-vous à l'Élysée dont Metzner n'a vent que tardivement.

Ce sont les enregistrements réalisés au domicile de Liliane Bettencourt par un majordome zélé et écœuré qui transforment le « différend familial » en formidable scandale. Lorsque Françoise Bettencourt reçoit copie de ces bandes, elle appelle aussitôt Metzner.

« Une seule démarche possible : la transparence, tranche l'avocat. On donne tout, ou rien. »

Ce sera tout, et un huissier est désigné pour retranscrire les cassettes les plus explosives que la République ait connues depuis des décennies. Le dossier « Banier » devient alors le dossier Woerth, Éric de son prénom, trésorier de la campagne de Nicolas Sarkozy en 2007, devenu ministre du Budget après la victoire électorale. La panique gagne à l'Élysée, la presse feuilletonne, avec Olivier Metzner dans ce rôle d'acteur principal qui lui sied bien. Un acteur mieux informé que tous les autres, puisqu'il a sous les yeux une copie de l'habile et prémonitoire déclaration faite deux ans plus tôt par le photographe confident de Liliane aux policiers : « Vous devriez vous renseigner auprès de Nicolas Sarkozy, d'Éric Woerth et de Thierry Breton. »

Quelques étés plus tard, Metzner savoure ce qu'il considère comme une victoire : au-delà du protocole d'accord négocié dans le plus grand secret entre la mère et la fille, il a évité le procès qui les aurait définitivement séparées. « J'ai servi de paravent, je suis là pour ça », dit l'avocat, rassuré par l'épaisseur de sa carapace, au terme d'une affaire qui a été celle de tous les excès. Et plutôt ravi de voir son pronostic confirmé par l'absence de suites judiciaires visant des politiques.

Au temps de l'affaire Clearstream, défendant le rival du Président, Metzner avait guetté des coups bas qui n'étaient pas venus. Lorsqu'il a défendu en première instance le *trader* Jérôme Kerviel contre la Société Générale, les coups avaient volé, mais « jamais sous la ceinture ». Cette fois, l'avocat n'y coupe pas. Alors que le scandale Bettencourt menace de contaminer le sommet de l'État, il est curieusement convoqué par la brigade criminelle. Il téléphone et entend un policier murmurer que ses supérieurs sont « très inquiets ». L'interrogatoire qui suit a lieu sous l'œil attentif d'un commissaire. « Connaissez-vous Peter Hatt ? demande-t-on avec insistance à l'avocat. – Non. – C'est le patron de Warner. – Je l'ai rencontré une fois. – On dit que vous seriez dépositaire d'un testament le concernant. – Je n'en ai pas entendu parler. – Quelles étaient vos relations avec monsieur C. ? – Monsieur C. ? » Le policier de la Crim' lui apprend que ce monsieur est suspecté d'avoir tué l'homme d'affaires australien Peter Hatt, et qu'il est actuellement en prison...

Fin du premier acte. La suite se déroule sur la place publique. Le soir même de cette convocation, Metzner reçoit un appel de l'AFP : l'*Express.fr* évoque l'audition d'un pénaliste par la brigade criminelle, sans donner son nom, du moins dans un premier temps. La presse australienne ne tarde pas à se manifester au standard du cabinet, rue de l'Université, mais plusieurs rédactions flairent le coup tordu orchestré par l'Élysée, et pas seulement parce que le suspect incarcéré est défendu par Thierry Herzog, l'avocat de Nicolas Sarkozy...

Le lendemain, affirme Metzner, trois anciens ministres de droite viennent lui apporter leur soutien, comme s'ils souhaitaient faire contrepoids à Nicolas Sarkozy, le Président qui « surréagit ».

Metzner dérange. Il n'a pas seulement fait relaxer Dominique de Villepin dans l'affaire des faux listings. Il a obtenu en appel que Jean-Paul Huchon, président socialiste de la région Île-de-France, poursuivi pour une affaire financière, puisse briguer à nouveau son siège, une fois passée la tempête judiciaire, permettant ainsi à la gauche de conserver le contrôle de la région. Il est l'« emmerdeur » (le mot est de lui), mais tient à rassurer ceux qui lui en veulent : « De gauche ou de droite, je m'en fous. Quand je prends un client, je vais jusqu'au bout. »

Le Scud élyséen l'écorche, mais ne le déstabilise pas. Il assure même que ces attaques le renforcent. Et il rumine tranquillement sa vengeance, avec une prédilection pour les flèches empoisonnées dont voici un premier exemple : « Sarkozy n'a pas été bon dans l'affaire Clearstream. Il se serait retiré du dossier, mon client aurait été condamné. Il a manqué de distance, autrement il n'aurait jamais asséné la culpabilité de son adversaire : une grave erreur, pour un président de la République. » Et cet autre : « Si on avait laissé le tribunal de Nanterre traiter le cas Banier par une citation directe, comme je le proposais, l'affaire Bettencourt n'aurait pas rebondi. En mettant des obstacles, en déclarant irrecevable notre constitution de partie civile, le procureur nous a obligés à sortir un certain nombre de choses. Mais qu'avaient-ils donc de si énorme à cacher ? »

Quand on défend à la fois un ancien secrétaire général de l'Élysée, un *trader* fou, l'ex-dictateur panaméen et marionnette de la CIA, Manuel Noriega, le groupe Thalès (avec vue de biais sur l'affaire Karachi), et l'héritière d'une des plus grosses fortunes de France, l'avantage n'est pas seulement matériel : l'avocat se retrouve au cœur des secrets du pays. « J'ai une vision transversale de la vie politique, économique et boursière du pays, reconnaît-il. Je touche tous les secteurs, avec cette approche par le bas qui est la meilleure. Quelques avocats en savent plus long que les services secrets français. Je veille cependant à rester discret, à la différence de certains de mes confrères qui se sont grillés. On garde sa crédibilité en étant indépendant. Je ne dois rien à personne, ce qui m'interdit bien sûr de faire de la politique. Je ne supporterais pas d'avoir quelqu'un au-dessus de moi. On m'a attribué la qualité de franc-maçon, mais je ne le suis pas. J'ai une vague Légion d'honneur que m'a

remise Henri Leclerc [avocat] dans le jardin de mon cabinet, mais je n'ai pas accédé au grade d'officier : une main
a stoppé le cours des choses et je m'en suis réjoui. Dans
mon bocage normand, il y avait peu de "légionnaires" ! »

Les premiers coups bas, Olivier Metzner les a essuyés,
quand il avait quarante ans, avec l'affaire du pasteur
Doucé, militant homosexuel retrouvé mort dans une forêt
de la région parisienne, trois mois après son arrestation
par une équipe de « bras cassés » des Renseignements
généraux parisiens. Soudain se répand dans les rédactions la rumeur selon laquelle l'avocat participerait à des
parties fines avec deux de ses voisins de la rue de Baby-
lone, les célèbres couturiers Pierre Bergé et Yves Saint-
Laurent ! Personne ne les a vus, mais il y aurait des photos. Metzner a beau répéter qu'il n'a jamais mis les pieds
dans cet appartement, l'écran de fumée fait son effet.
L'avocat Jacques Vergès, qui défend Jean-Marc Dufourg,
le policier aux méthodes un peu trop musclées, est-il pour
quelque chose dans cette offensive de bas étage ? Metzner
ne le saura jamais, mais il ne doute pas qu'une telle mani-
pulation aurait amusé ce « grand jouisseur ». Dufourg, qui
s'était fait remarquer en tirant à travers la porte d'un
indicateur, n'est pas forcément étranger à la rumeur,
laquelle peut aussi très bien émaner de l'abominable
« cellule élyséenne » qui sévit alors autour d'un quarteron
de gendarmes à l'ombre de François Mitterrand.

Nous sommes au début de l'été 1988 lorsque éclate le
scandale. C'est le petit ami du pasteur, disparu après une
visite de la police à son domicile, qui fait appel à Olivier
Metzner en passant par une de ses anciennes collabora-
trices. Encore inconnu du public, l'avocat affûte ses
armes face aux officines de la République qui l'épient et
le filochent dans l'espoir d'identifier ses sources au sein
de l'administration et des médias. Un voyou venu le
consulter l'avertit un jour de la présence d'un « sous-
marin » (une voiture) du Quai des Orfèvres au bas de
l'immeuble. Le lendemain, c'est un flic, client du cabinet

pour raisons personnelles, qui reconnaît dans la rue une voiture de sa « maison ». L'avocat convoque des amis photographes, mais le « sous-marin » disparaît à leur approche.

Metzner se forme en même temps à la communication. « Si je n'avais pas pris la parole, c'était fini ! assure-t-il. Les RG se croyaient très forts, comme Sarkozy aujourd'hui[1]. J'ai osé affronter les RG, et j'ai été vacciné ! »

L'avocat envoie le petit ami du pasteur raconter son histoire à un journaliste de *Libération*, spécialiste des affaires religieuses, en lui expliquant que c'est la meilleure façon de se protéger. Un pasteur enlevé par des flics qui cherchaient le fichier secret des pédophiles parisiens ? Le journaliste juge l'affaire crédible, et il n'a pas tort. L'animateur de télévision Christophe Dechavanne invite promptement sur son plateau l'avocat, qui balance des noms... Metzner signe au passage une première : jamais un compagnon homo n'avait jusque-là été admis comme partie civile par la justice. La brigade criminelle, elle, espère bien sortir l'affaire, pas forcément mécontente de traquer les barbouzes avinées des RG.

Le ministre de l'Intérieur de l'époque, le socialiste Pierre Joxe, pousse à la transparence et demande que soient déclassifiées les notes blanches des RG qui révèlent l'existence d'écoutes administratives, mais aussi le cambriolage de la librairie du pasteur – lequel tenait une cellule de dialogue pour les pédophiles –, commis dans l'espoir de dérober une liste secrète d'amateurs de soirées parisiennes perverses... Metzner fait renvoyer devant le tribunal correctionnel le préfet de police, Pierre Verbrugghe, et le patron des RG, le commissaire Claude Bardon... qui seront relaxés en vertu d'une loi votée entre-temps (en 1991) encadrant ce type d'écoutes.

---

1. Lorsque nous rencontrons Olivier Metzner, l'affaire Bettencourt bat son plein.

Vingt ans plus tard, l'avocat n'est pas loin de penser que le parquet de Nanterre, dirigé par le « jusqu'au-boutiste » Philippe Courroye, l'avait placé sur écoutes. Une idée comme ça, qu'il modère aussitôt : « Quand on sait comment ça fonctionne, on peut devenir parano... » Cette affaire Doucé lui aura fait toucher de près, pour la première fois, les bas-fonds de la République.

Certains considèrent l'avocat comme un intellectuel ; Metzner, lui, se voit davantage en « scientifique ». Avec Jérôme Kerviel, qu'il défend lors de son premier procès, il demande ainsi à examiner les scellés et les disques durs... Le *trader* de la Société Générale lui a été recommandé par... des journalistes. Un de ses clients, un milliardaire américain, apprenant qu'il assurerait sa défense, l'a appelé : « C'est Kerviel ou moi. » Le PDG de la banque a fait lui-même pression sur quelques autres clients, mais Metzner affirme qu'il « prend toujours le plus faible » : « J'aime les défis et ne supporte pas les pressions. » Le seul à l'avoir vraiment plaqué à l'époque, c'est Jean-Marie Messier, l'ancien patron de Vivendi, qu'il sortait pourtant régulièrement de ses ennuis depuis huit ans. Pas pour longtemps : le lendemain, il le rappelait pour lui dire qu'il le gardait quand même comme conseil.

Metzner voit venir de loin un jeune avocat nommé David Koubbi, qui déjà fait la cour à Jérôme Kerviel, lui promet monts et merveilles, tant et si bien que le *trader* finit par lui demander de le défendre lors du procès en appel. Par mail, Metzner fait savoir à son client que, dans ces conditions, il se retire. Impossible de s'afficher avec cet avocat « qui se donne en spectacle » et dont il est persuadé qu'il connaîtra le destin de ceux qui montent trop vite : une dégringolade rapide. Kerviel, qui désire une défense « plus agressive », n'en démord pas, avec la suite que l'on sait : une peine largement confirmée, y compris les colossaux dommages et intérêts réclamés par la banque, équivalant aux pertes reprochées au *trader*.

Mᵉ Koubbi mis à part, Olivier Metzner trouve nombre de ses confrères « beaucoup trop traditionnalistes ». Il leur prête de lourdes connivences, condamne un Ordre des avocats « totalement dépassé » et « complètement fermé », avec un Jean-René Farthouat (ancien bâtonnier et figure du droit pénal des affaires) que l'on verra plaider un jour pour Liliane Bettencourt et, le lendemain, pour l'avocat Pascal Wilhelm, précisément en charge des intérêts de l'héritière de L'Oréal, sans y voir l'ombre d'un conflit d'intérêts...

Mais le « plus pénible », assure l'avocat, c'est la « médisance des confrères » : « Ils ne pensent qu'à vous piquer la place. » Une anecdote ? Un jour, un avocat appelle le directeur d'un journal qui s'apprête à publier un classement des avocats... pour lui demander, par pitié, de ne pas mettre encore une fois Metzner en couverture !

Comment devient-on Olivier Metzner, l'un des avocats les plus médiatiques de sa génération ? C'est parce qu'il était sur le banc des cancres, explique-t-il, que ce garçon issu d'une famille rurale protestante a opté pour le droit. Mais aussi parce qu'il avait lu dans *Le Nouvel Observateur* l'histoire d'un berger des Alpes condamné à mort pour avoir violé et tué une fillette, au début du XIXᵉ siècle, sans pouvoir se défendre : il parlait un patois incompréhensible. Et peut-être également à cause de Kafka, dont la lecture lui a permis d'entrevoir un autre avenir que celui de moniteur de voile : il se voyait bien défendre ceux que broie le système.

Entré dans le métier en 1975, Metzner ne connaît personne dans la capitale, raison pour laquelle il est lui-même (un peu) surpris de ce qu'il est devenu. Son premier vrai client est un braqueur qui s'est fait passer pour pauvre afin d'obtenir une commission d'office. Le succès étant au rendez-vous, le voyou lui envoie ses amis. Il se reconnaît un faible talent oratoire, mais se met très tôt à la procédure pénale. Les avocats – Henri Leclerc en particulier – soulèvent des nullités lorsqu'ils plaident devant la Cour de sûreté de l'État ? Il applique la recette aux affaires de droit commun. La détention d'un braqueur est-elle prolongée avec un jour de retard ? Il fait annuler l'ordonnance. Ce qui lui vaut très vite, parmi les voyous, le sobriquet de « Docteur Miracle ».

De Paris à Marseille en passant par Toulon, les familles régnantes du crime organisé se font « soigner » auprès de lui. Lorsque survient sa première affaire politico-financière, le scandale de la Cogedim, société de promotion immobilière, il offre ses services de technicien du droit. Son approche « arithmétique » paie : l'avocat de Bouygues, géant du BTP, l'appelle, et il se « donne à fond » – « par timidité », prétend-il. Résultat : quatre non-lieux pour Martin (Bouygues).

Alsthom, Daimler, Nike et Yahoo frappent déjà à la porte de cet avocat qui tient tête à ses clients, comme ce jour où Dominique de Villepin lui dresse la liste de ses « ennemis » : « Vous en oubliez un, remarque Metzner. – Ah bon ? – Oui, vous ! »

PATRICK MAISONNEUVE ET LE SUICIDÉ DE MATIGNON

Boulevard Saint-Germain, entre Assemblée nationale et Sénat, à deux pas du siège du Parti socialiste et du ministère des Armées, sur ce trottoir (côté pair) où cohabitent Georges Kiejman, Jean-Yves Dupeux et tant d'autres avocats parisiens, le pénaliste Patrick Maisonneuve reçoit dans une salle de réunion neutre où s'empilent les dossiers. Grillant les cigarettes une à une, comme ses cartes un joueur de poker avide de victoires, il va droit au but : « L'avocat est le réceptacle de confidences qu'il ne pourra pas relayer. Il est au cœur des secrets du Milieu, du pouvoir économique et du pouvoir politique. »

C'est lui que Pierre Bérégovoy choisit pour le défendre dans le cadre de sa dernière affaire, celle au bout de laquelle le Premier ministre de François Mitterrand va se donner la mort, le 1er mai 1993. L'avocat rencontre son client tous les jours à Matignon, à l'heure du déjeuner, les mercredis exceptés pour cause de Conseil des ministres. Au lendemain de la lourde défaite de la gauche aux élections législatives du printemps 1993, il continue à lui rendre visite tous les matins à 7 h 30, chez lui, dans cet appartement de la rue des Belles-Feuilles qui alimente sans discontinuer la une des journaux : 100 mètres carrés au cœur de ce XVIe arrondissement où vivent maints bienfaiteurs occultes des partis politiques. L'objet du scandale sur lequel enquête le très pointu juge d'instruction Thierry Jean-Pierre, pas encore officiellement encarté à droite : « Une chambre et un bureau minuscule, un truc très simple et très modeste », assure l'avocat. Sauf que le socialiste Pierre Bérégovoy, issu d'un milieu populaire, n'avait pas tout à fait les moyens de s'offrir ce pied-à-terre...

« Je connais les raisons pour lesquelles Pierre Bérégovoy s'est suicidé, mais je suis tenu au secret, poursuit Patrick Maisonneuve, dont le cabinet fut victime d'un cambriolage en plein scandale. Ce dont je puis attester, c'est qu'il était habité par cette affaire. "Je vois bien que les gens me regardent comme un homme malhonnête, répétait-il en boucle. Le juge va s'attaquer à mes enfants." J'ai eu beau lui expliquer qu'on le lâcherait, une fois passées les législatives [du printemps 1993], il ne m'a pas écouté. J'ai d'ailleurs fini par lui dire, à lui et à sa famille, que j'étais son avocat, pas son psy ! »

Une bonne partie du pouvoir de l'avocat réside dans ces secrets petits et grands. Ses interlocuteurs imaginent qu'il sait parce qu'il a défendu tel ou tel homme politique, grand patron ou voyou notoire, et parfois c'est vrai. En l'occurrence, ceux qui étaient proches de Pierre Bérégovoy, à l'époque, savent qu'il a tout dit à Patrick Maisonneuve avant de subtiliser l'arme à feu de son garde du corps. Pas question, pour autant, de s'emballer : vieux routier du Palais de Justice, Me Maisonneuve répète, comme d'autres, que l'avocat ne sera jamais rien de plus que « le porte-parole de son client ».

Un porte-parole très introduit, néanmoins, puisque Bérégovoy le présente à ses collaborateurs, à Matignon, avec cette consigne à l'appui : « Vous travaillez avec lui. » Un jour, en pleine réunion sur l'« affaire », le téléphone sonne : c'est le président de la République. Tous les conseillers du Premier ministre quittent la pièce, mais pas l'avocat : il ignore les usages de la maison. Ce qui lui permet aujourd'hui de rectifier certaines affirmations : « On prétend que Mitterrand se désintéressait de Bérégovoy. C'est faux. "Tenez bon, ne vous laissez pas faire !" lui disait-il. Bérégovoy avait organisé le financement de cet appartement de façon transparente. Le seul problème, c'était ce prêt sans intérêt contracté, à une époque où il n'était pas ministre, auprès de Roger-Patrice Pelat. » Pelat, vieil ami de Mitterrand pour le meilleur et pour le pire, mort d'une crise cardiaque au printemps 1989 alors que l'« affaire Triangle » entraînait plusieurs inculpations, dont la sienne, pour recel de délit d'initié...

L'appartement de la rue des Belles-Feuilles coûtait 4 millions de francs et Bérégovoy ne disposait alors que de 3 millions. Pelat lui avait avancé le million manquant comme il lui aurait donné un croissant (au beurre) et, Bérégovoy ayant insisté, il avait accepté d'en passer par l'acte notarié et la reconnaissance de dette... sur lesquels était tombé le juge Jean-Pierre en perquisitionnant les locaux d'un notaire de la Nièvre. Document publié dans *Le Canard enchaîné* au début de février 1993, à quelques semaines des législatives.

Bérégovoy a alors déjà remboursé la moitié de l'argent emprunté et voudrait finir de rembourser en nature (avec des livres anciens), mais le feuilleton est lancé. Personnellement mis en cause, l'ancien gazier autodidacte pressent que l'affaire peut contribuer à l'échec de la gauche. « J'aurais dû rester à Clichy, se morfond-il à l'oreille de son avocat. Je n'aurais jamais dû acheter cet appartement. – Je vous assure qu'il n'y a rien de pénal dans cette affaire, lui répond Patrick Maisonneuve. – Est-ce que vous pensez que je suis malhonnête ? – Un avocat ne se pose pas ce genre de question. »

« Pierre, tu nous emmerdes ! » lâche au passage un conseiller du Premier ministre, espérant sans doute l'extraire ainsi de son obsession. Mais l'homme s'enfonce. D'autant plus sûrement que la presse pilonne, *Le Monde* en tête, en guerre ouverte contre les turpitudes de la Mitterrandie. Pelat aurait consenti ce « prêt » moyennant une contrepartie, assurent les journaux. Pelat avait besoin pour ses affaires (un hôtel en Asie du Sud-Est, en l'occurrence) d'une garantie de la Coface, organisme d'État, croient-ils savoir. Faux ! réplique l'avocat, exhibant la mention manuscrite portée par Bérégovoy sur la demande d'intervention : « NON ». La presse ne recule pas pour autant. Elle s'accroche à ce Premier ministre de gauche pris en défaut, une si belle cible !

Dans la tempête, l'avocat se tient tous les jours auprès de son client, qu'il vouvoie : « Je ne suis pas là en tant que camarade. » C'est dans ce contexte que Bérégovoy lui annonce son intention de se suicider. « Vous savez, je vais partir très loin, et je vous demande de protéger les miens », dit-il à Patrick Maisonneuve qui, pour le retenir, lui parle justement de ses enfants et de ses petits-enfants. Mais il est trop tard : Bérégovoy est déjà dans cette phase aiguë de mélancolie qui le conduira à se supprimer.

« Il ne verra un médecin que quelques jours avant sa mort, un inspecteur général des armées qui lui aurait certainement proposé une cure de sommeil s'il n'avait eu affaire à un ancien Premier ministre », se souvient l'avocat près de vingt ans plus tard.

La veille de mourir, l'homme politique relance encore son avocat : « Pouvez-vous aller revoir le procureur du Mans, Yves Bot, pour savoir où ils en sont ? – Oui, j'irai mardi pour voir si ça évolue », promet Patrick Maisonneuve.

Le lendemain, la voiture de fonction se gare près d'un canal non loin de Nevers. Pierre Bérégovoy prie son chauffeur et son garde du corps de le laisser passer un appel téléphonique. Il attrape une arme dans la boîte à gants et s'éloigne à son tour. Tire une balle en l'air pour voir si l'arme fonctionne bien, comme le lui a appris son père, puis retourne le canon contre lui.

Le jour des obsèques, François Mitterrand lâche cette formule entrée dans l'Histoire : « Toutes les explications du monde ne justifieront pas que l'on ait pu livrer aux chiens l'honneur d'un homme et finalement sa vie... »

Au bas du rapport qu'il rédige pour répondre à la colère du président de la République, le procureur Yves Bot ajoute ce curieux post-scriptum : « J'ai eu l'occasion de parler avec Me Maisonneuve. Il n'était pas informé du dossier, ce qui prouve que ses amis politiques l'avaient lâché. »

Une version officielle que conteste l'avocat : il a bel et bien croisé le magistrat, la veille du suicide, en marge d'un colloque. « Il n'y a rien de pénal, a-t-il insisté. – Vous avez lu le dossier ? lui a demandé le procureur. – Non », a prétendu l'avocat – petit mensonge destiné à couvrir ses sources à Matignon. Malentendu dont le magistrat aura fait son miel...

Lorsqu'il débarque dans la capitale au début des années 1980, treize ans plus tôt, Patrick Maisonneuve a certes une petite amie, mais aucun avocat ne figure dans son carnet d'adresses. Fils de paysans, il a grandi dans une ville du Cantal, Mauriac, il a gagné ses premiers sous comme guide de randonnée à cheval, il a étudié le droit à Clermont-Ferrand, et rêve de devenir pénaliste depuis qu'il a lu les livres de Robert Badinter. Il emprunte pour s'acheter costumes et automobile, puis « décroche » un poste dans un cabinet civiliste. Il enchaîne sur une année chez des avocats communistes façon « banlieue rouge », et fréquente le tribunal des flagrants délits où son confrère Michel Konitz se fait les dents en même temps que lui.

L'année 1982 voit Mᵉ Maisonneuve acquérir le statut envié de « collaborateur » chez l'un des géants du barreau parisien, Philippe Lemaire, où il se coltine le pénal général, pendant à gauche de son confrère Thierry Herzog. Maisonneuve a frayé avec la Ligue communiste révolutionnaire quand il était étudiant ; Herzog affiche déjà ses sympathies pour le parti gaulliste. Pour l'un comme pour l'autre, être avocat, c'est s'engager sous une autre forme. Henri Leclerc, leur aîné, a défendu les « paysans travailleurs » ; Maisonneuve s'implique dans les comités de soldats, les castagnes avec l'extrême droite, le combat contre la peine de mort...

« On était tous les samedis dans les maisons d'arrêt, se souvient-il. On avait une ambition démesurée... Après, il y a eu la chance, le hasard... »

Se présenter comme le collaborateur de Philippe Lemaire peut aider, surtout un jeune qui s'est permis de refuser la Conférence du stage[1], « un système trop bourgeois ». Maisonneuve hérite d'une parcelle de l'autorité de celui pour lequel il se donne « corps et âme », jusqu'au jour où le besoin d'espace se fait sentir et où le « saltimbanque » s'installe en solitaire... pour « mieux défendre celui qui est seul contre tous ».

« On était les vilains canards, nous, les pénalistes, raconte-t-il. On était les avocats des voyous, des terroristes, des braqueurs de banques. Tout a changé vers la fin des années 1980. Une alliance objective s'est dessinée entre juges d'instruction et journalistes d'investigation, ouvrant la porte aux scandales politico-financiers. Les avocats d'affaires n'ont pas tardé à faire appel à nous... »

---

1. Concours d'éloquence organisé par une association d'avocats, fondée en 1810, qui permet de sélectionner chaque année douze lauréats, les « secrétaires de la conférence ». Trois anciens présidents de la République (Jules Grévy, Raymond Poincaré, Alexandre Millerand) ont été « secrétaires », ainsi que des dizaines de ministres et parlementaires.

Un tournant dans la carrière de Me Maisonneuve, comme dans celle de tous les pénalistes en vue. À la différence des avocats d'affaires, eux savent ce qui se trame sous le capot du pénal. Ce savoir fait leur force et leur valeur sur le marché.

« On s'est retrouvés confrontés aux femmes et aux hommes de pouvoir dans une vraie relation de proximité, poursuit Maisonneuve. Les cabinets d'affaires étaient en contact avec les services juridiques des grosses sociétés. On est devenus les avocats des patrons. »

Si Total ou Axa réquisitionnent le pénaliste, c'est qu'il y a le feu à la maison et que les flammes se rapprochent du bureau du PDG. L'avocat habituel, spécialiste du droit commercial, ne fait plus le poids, d'autant qu'il a souvent participé à la mise en place du système épinglé par la justice. Le patron gère l'affaire en direct avec le « spécialiste », cet homme habitué à tutoyer les flammes, dont il apprécie « la liberté de ton et de regard, une certaine distance aussi ». Sans oublier la formation accélérée que les pénalistes peuvent dispenser en vue d'une éventuelle garde à vue, ou à l'approche d'une convocation chez un « affreux » juge d'instruction.

« Autant le gendarme fait partie de la vie du voyou, autant le pénal effraie ceux qui exercent des responsabilités », note Patrick Maisonneuve.

C'est ainsi que le Cantalou se retrouve dans le secret des « dieux » : les politiques. Plus précisément ceux du Parti socialiste, dont il devient l'un des conseils réguliers. L'affaire Urba, à l'époque, met le feu à la rue de Solférino. Le financement occulte du PS s'étale au grand jour dans la presse. Les manchettes des journaux acculent François Mitterrand dans ses retranchements. Patrick Maisonneuve assure la défense de Henri Emmanuelli, trésorier du parti au moment des faits. Cette affaire contribue grandement à ce qu'il appelle sa « maturité professionnelle » : elle durera dix ans.

Pionnier des juges qui lavent plus blanc, Thierry Jean-Pierre est (déjà) à la manœuvre, fracas médiatique à l'appui. C'est la première affaire du genre, et elle tombe sur la gauche au pouvoir depuis 1981 – dix ans déjà ! Les suspects sont « inculpés » (on ne dit pas encore « mis en examen ») par lettre recommandée, et peinent à comprendre ce qui leur arrive. Henri Emmanuelli n'est rien de moins que président de l'Assemblée nationale lorsqu'il reçoit la mauvaise nouvelle.

Énorme est la pression sur les épaules de l'avocat, de l'ordre de celle qui pèsera sur celles de Thierry Herzog, défenseur de Nicolas Sarkozy, lors de l'affaire Clearstream. Patrick Maisonneuve tente de « résister » pour le bien du client. De résister à cette tentation, récurrente chez les politiques, de mettre en cause le juge d'instruction, « posture » dont il sait qu'elle paie rarement, à l'heure de solder les comptes devant le tribunal.

Plus combatif que la moyenne, persuadé de son bon droit, Henri Emmanuelli s'en prend en effet frontalement au juge. Le congrès du PS réuni à Bordeaux au mois de juillet 1992 est même l'occasion d'une furieuse bronca contre le magistrat, ponctuée par le discours d'un ancien résistant qui dénonce une agression caractérisée contre le parti, « attaqué au cœur ». Quelle était la première qualité des élus impliqués dans le système Urba ? « L'honnêteté ! » clament les socialistes, convaincus des mauvaises intentions d'une magistrature qui a mal vécu l'élection de François Mitterrand et vote à droite, croient-ils savoir. Pourquoi cette pompe à finance ? « La droite bénéficie de l'argent du capital, il fallait bien que l'on s'organise, répond la rue de Solférino. Urba était une structure aussi hiérarchisée que transparente, créée à l'initiative de Mitterrand, en 1974, quand le parti manquait de vivres, avec l'aide d'un flic de gauche, qui plus est syndicaliste[1]. »

---

1. Il s'agit de Gérard Monate, devant lequel les policiers se mettront au garde-à-vous à l'heure de son arrestation...

L'avocat livre un « combat judiciaire et politique ». Il fait face aux journalistes, mais ne parvient pas à infléchir le cap choisi par le parti, du moins dans un premier temps, en dépit de ses nombreuses visites à l'Assemblée nationale. Et ce qu'il pressentait se produit : devant la cour d'appel de Rennes, Henri Emmanuelli écope de deux ans d'inéligibilité. Ses clients sont allés dans le mur, comme il le leur avait prédit. Il est temps d'assumer publiquement la collecte des « soldats » du parti, insiste-t-il : c'est la seule façon de gagner en autorité...

L'avocat finit apparemment par se faire entendre. Un an plus tard, devant la cour d'appel de Lyon, l'ancien trésorier assume les faits. Il écope d'une peine de prison avec sursis, mais, son intégrité personnelle n'étant pas en cause, il n'est plus inéligible et préserve à la fois son honneur et la suite de sa carrière politique.

Devant une troisième juridiction, à Pau, celui qui est devenu premier secrétaire du PS, puis président de la Commission des finances de l'Assemblée en 1997, bénéficie même d'un non-lieu. Voilà près de dix ans qu'il a liquidé Urba et mis un terme à ces pratiques d'un autre temps. Dix ans durant lesquels l'avocat s'est retrouvé pris en tenailles entre son client et une presse qui exploite systématiquement les procès-verbaux, parfois avec une rapidité confondante, comme ce jour où *Le Monde* publie un PV en provenance directe du palais de justice de Rennes où est instruite l'affaire Urba... avant même que les avocats en aient reçu copie !

Bilan d'étape : la protection dont jouissaient les représentants du pouvoir, au plan local comme au plan national, s'est largement fissurée, et c'est pain bénit pour les avocats !

Les politiques, pas seulement de gauche, affluent vers Patrick Maisonneuve, à la recherche d'un guide capable de les mener au bout d'une randonnée judiciaire jalonnée de chausse-trapes. Ils sont souvent un peu perdus, observe l'avocat, « frappé par le fossé qui sépare le monde politique du monde judiciaire : deux univers qui ne se connaissent pas, deux cultures et deux éducations différentes ». Une incompréhension qui culmine dans ce bref échange entre un politique et l'avocat :

Le politique : « Il faut qu'il s'arrête, ce juge ! »

L'avocat : « Mais on n'arrête pas un juge ! »

Le politique : « Qu'est-ce que vous me racontez là ? »

L'avocat : « Mais c'est vous qui avez fait la loi ! »

Loin est cependant le temps où la juge Eva Joly posait dans son manteau rouge devant cinquante journalistes à l'heure d'une perquisition chez Roland Dumas, avocat devenu ministre des Affaires étrangères de François Mitterrand. Loin sont ces excès que Maisonneuve impute pour sa part à une « difficile émancipation ». « On en est revenu », constate-t-il. Pas seulement du côté des juges, mais aussi du côté des politiques où les mises en examen ne suscitent plus, aujourd'hui, le même tollé qu'au début. « Ils ont appris à gérer autrement, analyse l'avocat. Ils ont compris que la mise en cause systématique du juge ne faisait que crisper les choses. Ils sont plus discrets, plus habiles, finalement plus productifs. »

Une subtilité partagée des deux côtés : il ne viendrait plus à l'esprit du directeur de cabinet du garde des Sceaux de téléphoner directement à un juge d'instruction ; mais il n'empêche : le procureur veille discrètement. L'Élysée aussi, parfois ; du moins a-t-on vu le cas sous la présidence de Nicolas Sarkozy quand, à l'approche de l'élection de 2012, il s'est agi de pousser les feux judiciaires sous certaines affaires afin de tenter de « plomber » le Parti socialiste. Notamment à Marseille où les frères Jean-Noël et Alexandre Guérini, maîtres d'œuvre de la fédération socialiste des Bouches-du-Rhône, allaient se retrouver alourdis d'une mise en examen pour « association de malfaiteurs » passablement « humiliante », selon le mot de Mᵉ Maisonneuve, défenseur de Jean-Noël, patron du Conseil général des Bouches-du-Rhône, face à un héritier du juge Jean-Pierre : Charles Duchaîne, le juge d'instruction qui a affiché une cible sur la fenêtre de son bureau du palais de justice de Marseille, dans son dos.

Dans un autre registre, les affaires de terrorisme vont contribuer elles aussi à rapprocher certains avocats des plus hautes sphères du pouvoir. En particulier les affaires corses, dont Patrick Maisonneuve est l'un des spécialistes incontournables depuis 1987. Plusieurs fois, l'avocat s'est ainsi retrouvé à l'intersection entre détenus « politiques » et instances officielles, dans la peau d'une sorte d'agent de liaison. C'est ainsi vers lui que se tournent un jour les émissaires de l'Intérieur pour négocier la libération de trois militants nationalistes à la veille du déplacement officiel du ministre en Corse. Rencontres confidentielles, à l'aube, dont nul organe de presse ne mentionnera la trace. Pas plus que ne sera confirmée l'existence de tractations officieuses pour calmer les poseurs de bombes cagoulés.

En 1989, un an après la réélection de François Mitterrand à l'Élysée, l'avocat négocie directement avec François Roussely, directeur général de la Police nationale ; il court-circuite le représentant du parquet, Alain Marsaud, encarté à droite, pour fixer les modalités de l'opération avec le juge d'instruction, au parfum de ses contacts place Beauvau. Soixante-dix des clients corses de Mᵉ Maisonneuve sont libérés en même temps, moyennant promesse d'apaisement sur l'île. Il en reste un sous les verrous, le plus dur à cuire : François Santoni, chef (provisoire) du FLNC[1].

Durant l'été qui suit, l'avocat reçoit un appel téléphonique : des Corses ont pris en otage un ferry et ses quelque 2 000 passagers. Ils réclament la libération de leur camarade. Patrick Maisonneuve se retrouve face au ministre de la Justice, Pierre Arpaillange, qui lui demande de palabrer avec les preneurs d'otages. Le leader nationaliste ne peut être élargi le jour même, mais le sera à la

---

1. Front de libération nationale corse.

fin de la belle saison. L'épisode propulse l'avocat au rang d'acteur d'une histoire dont il n'est plus seulement le discret témoin.

Des liens se tissent dans l'ombre entre juges, grands flics, émissaires et avocats. C'est encore vers Patrick Maisonneuve que se tourne l'Élysée entre 1993 et 1995 : isolés par une cohabitation dure, alors que Charles Pasqua règne sur le dossier corse depuis la place Beauvau, les conseillers de François Mitterrand ne veulent pas perdre complètement la main.

C'est encore et toujours Me Maisonneuve que Bernard Squarcini, ancien numéro deux des RG, devenu patron de la direction centrale du Renseignement intérieur (DCRI), appelle pour le défendre quand la justice lui demande des comptes sur un cercle de jeux parisien ou sur des fadettes sifflées hors jeu par la justice. Le policier connaît d'autant mieux l'avocat qu'il a procédé à l'interpellation d'un grand nombre de ses clients. Le fait qu'il soit catalogué « espion de Sarkozy » et que l'avocat soit celui de nombreux socialistes ne les empêche nullement de s'accorder : la défense a ses raisons que la politique ignore.

Olivier Schnerb, torpilleur professionnel

Si l'on devait affubler Olivier Schnerb d'un petit nom, ce serait « le Professionnel » : « L'avocat connaît la face cachée, les *traders* véreux, les joueurs de poker, les milliardaires douteux, dit-il. Il échafaude des scénarios criminels comme d'autres font leur liste de courses. »

Il assiste Serge Dassault lorsque l'armurier, depuis son balcon parisien, aperçoit au dos du kiosque voisin la une que le premier numéro de *Marianne* lui a consacrée. Il est d'ailleurs à deux doigts de tuer le nouvel hebdomadaire : à raison de 1 000 francs d'amende par exemplaire diffusé, les fonds propres du journal n'y auraient jamais suffi. Mais l'avocat fait savoir à l'hebdomadaire que le plaignant fait cadeau de l'astreinte. En réalité, l'homme d'affaires n'a eu qu'un mot : « On oublie. »

On n'est plus là dans le droit de la presse, mais dans la haute diplomatie politico-médiatique.

L'avocat se mobilise auprès de Georges Tron, député-maire (UMP) mis en cause dans un scandale sexuel, pour démontrer que la procédure a été « fabriquée » par des militants du Front national. Il pilote l'affaire comme on pilote un avion : pas de communication dans les médias, pour éviter que les plaignantes n'ajustent le tir et ne dénichent d'autres (faux ?) témoins. Black-out total jusqu'au moment où il n'y a plus qu'à « retirer la bonde pour que la barque coule ».

Ce qui lui a mis la puce à l'oreille ? Les deux plaignantes ont pris le même avocat (Gilbert Collard) et rédigé la même plainte, alors qu'elles disaient ne pas se connaître. D'ordinaire, observe Me Schnerb, ces affaires de mœurs se déroulent dans la plus grande discrétion ; mais là, en perquisitionnant un mois après la divulgation de l'affaire par un quotidien, ne s'est-on pas ménagé la possibilité de ne rien trouver ? Simple hypothèse, mais l'avocat venait de ferrailler contre les « crypto-frontistes » de Draveil, la ville dont son client est alors maire. En attendant d'en savoir plus, laisser les deux talentueuses accusatrices s'enivrer de communication et s'enferrer dans leurs contradictions, avec la certitude que le mensonge finit toujours par atteindre son point d'inefficacité... en misant sur le fait que nombre de flics mettent un point d'honneur à ne pas se laisser berner.

On n'est plus là dans la face cachée de la politique, mais dans ses bas-fonds. Où les attaques au-dessous de la ceinture ne sont pas exclues, en l'occurrence à propos de fétichisme du pied et de réflexologie, vice prêté à l'élu. Avec, à la manœuvre, ce « professionnel » qui se délecte parce qu'il sait déjà que les victimes ne sont pas celles que l'on croit, et que l'adversaire a perdu, comme le tireur d'élite sait, avant qu'elle achève sa trajectoire, que sa balle va neutraliser le *sniper*. Sans pouvoir accélérer le mouvement, car, dans le monde judiciaire, « il n'y a que les acharnés qui refusent d'admettre qu'ils ont perdu ».

« Je sais que le gars en face est mort, mais la balle met une seconde à franchir la distance », assène Olivier Schnerb. Sa relation avec le client, durant ce laps de temps ? « Confiance et respect mutuel », assure l'avocat qui anticipe la suite des événements : « Mon devoir est de ne pas chercher à devenir copain. La reconnaissance d'un homme politique est le pire cadeau que l'on puisse faire à l'avocat, car c'est pour toujours. Je veux que le client reparte sans rien me devoir, et que chacun puisse garder son indépendance. »

Il a été l'avocat d'un certain nombre de caciques de la droite, de Patrick Devedjian (avocat lui-même) à Christian Estrosi en passant par Pierre Lellouche, Pierre Bédier et François Loncle, sans oublier, à gauche, Édith Cresson. Mais il insiste : sa relation avec le pouvoir reste « accidentelle ». D'aucuns, chez ses confrères, pensent qu'ils exercent une parcelle du pouvoir de leur clientèle, mais ce n'est pas son genre. « Prendre l'initiative d'appeler un ministre qui n'a plus de dossier en cours, c'est déplacé », affirme-t-il.

Pour comprendre la mécanique Schnerb, il convient de faire un crochet par le début des années 1980. Avec Olivier Metzner, Olivier Schnerb se targue d'être l'un des tout premiers « procéduriers ». À l'époque, on ne traitait pas les personnes mises en cause comme de futurs coupables, mais encore comme des « témoins n° 1 », la garde à vue était rare et la chambre de l'instruction ne pouvait être saisie pour une nullité qu'à l'initiative du juge ou du procureur.

« La procédure pénale était encore limitée à de grands principes issus de l'après-guerre, rappelle l'avocat. La sanction était prévisible, et le talent de l'avocat consistait à orienter vers les facteurs garantissant une tradition de clémence, comme la misère. Le droit pénal ne concernait que la pègre ou les délinquants d'habitude. Le député était un individu que l'autorité judiciaire ne pouvait rattraper. Quand on s'est attaqué aux chefs d'entreprise, la justice pénale a été prise de boulimie... »

Au début des années 1980, dans la même saison, Olivier Metzner fait libérer des délinquants financiers parce que le juge a confondu le premier jour à minuit... et la première heure du lendemain, tandis qu'Olivier Schnerb tire d'affaire les responsables du *Cléopâtre*, une boîte échangiste, poursuivis pour proxénétisme par le juge Jean-Louis Debré. Mot d'ordre des deux subversifs de la robe : faire le procès du procès avant de faire celui du suspect n° 1. Ne tardent pas à les imiter plusieurs confrères, au premier rang desquels on reconnaît Hervé Temime, Thierry Herzog, Pierre Haïk, Jean-Yves Liénard, Francis Szpiner, Jean-Yves Le Borgne ou Jean-Louis Pelletier.

« Les lois vont changer pour contrer les avocats, explique Schnerb qui joue utilement de toute la palette de l'humour, mais la loi n'est pas là pour englober toute la population dans ses mailles, sinon c'est la tolérance zéro ; or on ne peut punir les infractions avant qu'elles ne soient commises... Les juges faisaient de l'arbitrage de peine ; ils vont se mettre à faire du droit. »

C'est à cette époque qu'il hérite d'un dossier criminel qui ne concerne pas directement les grands de ce monde, heureusement pour eux, mais qui va contribuer à aiguiser son œil de joueur d'échecs. L'histoire se situe entre Noël et le jour de l'An, au milieu des années 1980, dans la périphérie parisienne. Un soir neigeux, une femme se présente aux gendarmes et leur annonce qu'elle a tué son compagnon. Elle l'a couché, car il était ivre, comme presque tous les soirs, elle s'est emparée du marteau posé près du lit et lui a fracassé le crâne.

Dans la grande roulotte où s'est noué le drame vivaient, outre cette femme plutôt jeune et jolie, son mari (un robuste au passé de cascadeur) un aveugle et un homme handicapé d'une jambe. L'enquête démontre que le mari était extrêmement violent, s'adonnait immodérément à la boisson et hébergeait régulièrement des compagnons de bar pour partager avec eux leur pension.

Le juge d'instruction, « un brave homme », est désolé de devoir incarcérer la jeune femme et la remet en liberté au bout de six mois. « Quand elle va féliciter son avocat commis d'office, raconte Olivier Schnerb, il lui dit cette chose stupide, lourde de conséquences : "Le juge ne pouvait pas vous garder davantage." Ce qui était vrai, mais seulement en matière correctionnelle. »

Le juge range le dossier en haut de l'armoire, derrière laquelle il glisse, et tombe dans l'oubli. Personne n'a remarqué que dans la caravane on faisait des mots croisés de haut niveau, encore moins que le handicapé et la jeune femme étaient amants. Ils ont d'ailleurs un enfant. Ils ignorent que le juge, parti à la retraite, a été remplacé, et que le dossier a été retrouvé derrière l'armoire à la faveur d'un coup de peinture. Ils étudient les peines prononcées devant les assises, et la femme a soudain une idée : désormais maman, ce serait trop bête qu'elle retourne en prison. Et si le handicapé disait que c'était lui ? Et pourquoi pas dès maintenant ? Comme ça, on cesserait de l'importuner dans les bistrots où on l'appelle « la Tueuse »...

Ces conversations suspectes parviennent aux oreilles de gendarmes, qui relancent l'enquête. Si cette liaison devient le mobile du crime, l'affaire prend une tout autre tournure, mais le handicapé ne proteste pas quand on l'incarcère : il est persuadé qu'il ne fera pas plus de six mois de prison et qu'on n'en reparlera plus.

Quelques années plus tard. Alors que la femme a presque cessé de lui écrire, l'homme se désespère au fond de son trou et désigne un nouvel avocat qu'un voisin de cellule, poursuivi pour assassinat, lui recommande : Olivier Schnerb. Lequel demande au juge de saisir la correspondance que son client a envoyée, mais aussi les brouillons des lettres écrites par la femme. Convaincu que tout le monde fait fausse route en imaginant avoir affaire à des débiles profonds, l'avocat tente de faire partager ses découvertes au juge d'instruction. Il s'emploie à affaiblir un dossier déjà bancal, puisque les gendarmes ont bâclé les premières constatations (ils avaient des aveux) et omis de relever les empreintes sur le couteau. « Pour s'accuser à la place de quelqu'un, encore faut-il un mobile, plaide-t-il. La nuit du meurtre, cette femme n'a pas de raison d'endosser un crime qu'elle n'a pas commis. Il aura fallu six mois et un enfant pour que son amant s'accuse ! Madame le Juge, vous n'avez pas d'autres éléments. En bonne logique, vous êtes d'accord avec moi, non ? – Je vais réfléchir. »

La femme se retrouve elle aussi incarcérée. Schnerb dépose une demande de mise en liberté pour son client, refusée par la chambre de l'instruction qui considère qu'il est bien l'assassin. « La sagesse ne voudrait-elle pas que vous rendiez un double non-lieu ? » revient-il à la charge, mais la juge se retranche derrière le parquet qui entend les renvoyer, elle et lui, devant les assises.

« Vous êtes ici neuf honnêtes citoyens et trois magistrats », commence l'avocat à l'heure de plaider devant les jurés, alors que les deux « coupables » se sont rétractés. « Si vous les acquittez tous les deux, il y aura un assassin en liberté, mais surtout un innocent qui aura échappé à l'injustice. Les chances que ce soit lui sont nulles. Les chances que ce soit elle sont énormes, mais en condamner un plutôt que l'autre ne peut être satisfaisant. »

Et ce que l'avocat (dont le père fut procureur) avait prédit à la juge se produit : un double acquittement, qui n'efface aucunement la haine que se vouent désormais ces deux-là.

« Cette affaire, c'est le dossier absolu, commente Olivier Schnerb dans son bureau de fumeur, boiseries et tentures rouges, entouré de livres d'art et de tableaux, à deux pas de la Sorbonne. Les mécanismes que j'ai vus là à l'œuvre sont les mêmes que ceux que je retrouverai dans les affaires impliquant le pouvoir. La relaxe n'est jamais une erreur, alors qu'une condamnation dans une affaire douteuse peut en constituer une. »

À son rythme, il a formé dans ce cabinet plus d'une cinquantaine d'avocats en trente ans, mais aussi des députés, des sénateurs, des ministres. Il n'en dira pas plus long et nous explique pourquoi :

« La société a besoin de professionnels dans le cabinet desquels on peut aller en sachant que l'on peut tout dire. Vous êtes sur le point de céder à votre libido ? Vous allez voir un psy qui doit lui aussi être tenu à un secret absolu. Quelques imbéciles appellent les journalistes pour tout leur dire et se faire de la pub, mais les vrais avocats n'ont qu'un besoin relatif de connaître la vérité, et nous devons aux gens un secret éternel, absolu et indivis. »

Chapitre 2

Secrets de riches

1989 : Jean-Michel Darrois n'est plus tout à fait un anonyme, mais reste peu connu du grand public. L'avocat d'affaires vient cependant de signer l'opération financière de l'année : le « raid » victorieux du groupe Suez sur la compagnie d'assurances Victoire. Le milieu des affaires s'esbaudit devant cette opération de facture quasi militaire. Un journaliste du *Monde* demande à rencontrer le général-avocat qui a mené la bataille à son terme en balayant un à un tous les obstacles. Nouveauté pour le quotidien d'Hubert Beuve-Méry : l'article est illustré d'une photo.

Scandale au Palais de Justice ! Mᵉ Darrois est convoqué quelques jours plus tard par le bâtonnier, qui lui fait la leçon : « Beaucoup de membres du Conseil de l'Ordre et d'anciens bâtonniers sont venus se plaindre. Ils protestent contre ce qu'ils considèrent comme une page de publicité dans le journal. "C'est une honte", m'a dit l'un d'eux. Je vous ai fait venir pour vous le dire, mais, entre nous, je vous félicite. »

Que les avocats acceptent d'être photographiés en marge des grands procès pénaux et d'illustrer les pages de faits divers, passe encore. Mais cette photo de Jean-Michel

Darrois a visiblement provoqué quelques froissements de robes. C'était au siècle dernier. Un autre temps où les avocats n'étaient pas de toutes les émissions télé, où leurs physionomies ne s'exposaient pas à propos de tous les scandales – évolution que Mᵉ Darrois est loin de cautionner les yeux fermés.

« Quand un client est mis en examen par le tribunal de l'opinion, il est normal de le défendre, observe-t-il. Étaler dans les médias des conflits qui relèvent de la sérénité de l'audience, attaquer publiquement des confrères, comme on l'a vu dans l'affaire Bettencourt, ce n'est pas tout à fait le rôle de l'avocat. On peut avoir parfois le sentiment que certains se font de la pub sur le dos de leurs clients, qu'ils vivent de la querelle et amplifient les conflits, alors qu'ils devraient donner l'impression de les résoudre. Ils prennent le risque de devenir la dernière marionnette des journalistes. »

Dans l'univers feutré des grandes entreprises, celles qui sont cotées en Bourse, dont Mᵉ Jean-Michel Darrois est aujourd'hui, au barreau de Paris, l'un des interlocuteurs réguliers, on ne fait pas dans la communication débridée. Trop d'intérêts en balance, de secrets à protéger, de conflits à étouffer. Trop de calculs en ce monde où la menace de procès sert le plus souvent à se retrouver en meilleure position possible à l'heure de négocier. Un jeu de stratégie dans lequel l'avocat excelle.

Une élégance jamais prise en défaut, une amabilité qui ne se dément jamais, même quand la température monte dans la *war room*, au plus fort de la bataille boursière : Jean-Michel Darrois creuse son sillon depuis qu'il a choisi le métier d'avocat sur le conseil d'un ami de la famille, Mᵉ Bernard Dupré, « l'un des premiers spécialistes du droit pénal financier ». Sa mère, elle-même avocate, n'était pas emballée par ce choix de carrière. Elle était même un peu « déçue » de voir son fils s'engager dans « ce métier très dur, qui, selon elle, dispense plus d'amertume que de satisfactions ». Il ne recule pas.

L'avocat d'affaires est encore mal vu. On le perçoit comme un « affairiste », mais, en cette fin des années 1970, Jean-Michel Darrois, né à Paris en 1947, commence par devenir un « pro » du contentieux fiscal. L'approche est technique, et ce sont les avocats qui lui envoient ses premiers clients lorsqu'il quitte le giron de Mᵉ Dupré et s'installe à son compte. « Il est facile de briller quand personne ne connaît la matière », dit-il, modeste.

Lorsque Mᵉ Gilles Dreyfus, considéré comme le défenseur des stars de l'époque, voit son client Johnny Hallyday « inculpé » de fraude fiscale, il se tourne vers son confrère Darrois. Paul Lombard et Roland Dumas le sollicitent à leur tour, et le voilà avocat de la moitié des têtes d'affiche du cinéma français : Romy Schneider, Catherine Deneuve, Alain Delon et Jean-Paul Belmondo, pour ne citer qu'eux. Tous ont de petits soucis avec le fisc. L'adresse du cabinet leur inspire sans doute confiance : un rez-de-chaussée avenue Foch, à Paris. Chez sa mère, mais lui seul le sait.

Jean-Michel Darrois avance vite. Il veut ouvrir un cabinet à New York, et c'est à l'occasion d'un voyage sur place, en 1979, qu'il rencontre un certain Alain Minc, agent d'influence en devenir. « *After you*, lui dit-il alors qu'ils partagent tous deux l'ascenseur. – Vous êtes français ? » Trahis par leur accent, les deux hommes se retrouvent dans le métro new-yorkais et deviennent amis. Minc présente à Darrois l'homme d'affaires Carlo de Benedetti qu'il accompagne en Belgique pour une OPA malheureuse, mais c'est la loi du genre. Au contact de ses confrères américains, Darrois acquiert un savoir-faire neuf qu'il mettra à contribution quand déferlera sur la France la mode des fusions-acquisitions.

Le grand bond en avant des avocats d'affaires doit beaucoup aux nationalisations de 1982 et 1983, au début du premier septennat de François Mitterrand. Le cabinet de Mᵉ Pierre Gide et Jean Loyrette, pionnier en la matière, assure la défense des grandes familles concernées et fait monter les prix, brandissant, les dents serrées, la menace de procès internationaux si le compte n'y est pas.

La France sort du capitalisme à la papa et découvre, incrédule et médusée, les Offres publiques d'achat (OPA) hostiles. Enjeux financiers énormes, milliers d'emplois menacés, survie des sociétés dans la balance, banquiers à l'affût, actionnaires l'arme au pied, ces conflits de titans demandent tact, mesure, doigté, autorité, sang-froid et entregent. Jean-Michel Darrois s'impose sur ce champ de bataille.

« Les avocats invoquent le droit et commencent à se faire entendre des tribunaux, raconte-t-il. C'est aujourd'hui d'une grande banalité, mais pas dans la France de l'époque qui vit encore sous le signe de la seule autorité de l'État. On voit apparaître dans le paysage des autorités administratives indépendantes, à la mode américaine, avec une nuance très française : on place à leur tête des hauts fonctionnaires marqués par la culture étatique. Ils pensent incarner l'intérêt général, et leurs décisions sont nécessairement bonnes. Les avocats vont peu à peu leur imposer le respect de la règle de droit. »

Jean-Michel Darrois se rapproche de son ami et confrère Jean Veil, avec lequel il s'associe, tandis que la période apporte son lot de bouleversements économiques. Entre faillites retentissantes et restructurations d'entreprises, les avocats d'affaires ne cessent de monter en puissance. Mᵉ Darrois bénéficie-t-il de son amitié avec Laurent Fabius ? Celui qu'il a connu sur les bancs de Sciences-Po est devenu, par décision de François Mitterrand, le plus jeune Premier ministre que la France ait connu, après avoir exercé comme ministre du Budget. Quelques clients se disent sans doute qu'il vaut mieux être défendu par l'ami d'un puissant que par un quidam, mais l'avocat assure qu'il n'a jamais abusé de cette relation privilégiée. « Sinon, nous nous serions fâchés », souligne-t-il.

Alain Minc et Jean-Michel Darrois se retrouvent parfois face à face sur l'échiquier du business. Ils font surtout la connaissance de François Pinault, l'un de ces entrepreneurs d'un nouveau genre qui a décidé de « surfer sur le droit » pour monter son groupe et devenir – mais personne ne l'imagine alors – l'un des patrons les plus puissants de France.

C'est ainsi que Jean-Michel Darrois, trois ans après le fameux article du *Monde*, se retrouve au centre de deux opérations boursières majeures : la prise de contrôle de Perrier par le Suisse Nestlé, et le rachat du Printemps par l'industriel breton François Pinault.

Luttant sur tous les fronts, Mᵉ Darrois a en même temps un pied dans la première grande affaire financière pénale, le dossier de la Cogedim, dont il défend le numéro deux et où se font les dents les pénalistes comme Olivier Metzner, Hervé Temime, Jean-Denis Bredin et quelques futures stars du barreau parisien...

Nous sommes au mois de janvier 1992 lorsque la multinationale Nestlé, numéro un mondial de l'agroalimentaire, décide de fondre sur Perrier qui, outre la télégénique petite bouteille verte et arrondie, compte dans son escarcelle Contrex, Vichy et Saint-Yorre. Est aussi sur les rangs le groupe italien Agnelli, dont on découvre brusquement qu'il contrôle 49,3 % du géant mondial des eaux minérales.

Le cabinet Darrois constitue une équipe légère. La première bataille se déroule devant la Commission des opérations de bourse (COB), dont il faut convaincre les experts. Argument choc : les « adversaires » n'ont pas respecté les règles ; la bonne foi et l'éthique sont du côté de Nestlé. La deuxième bataille a lieu devant le tribunal de commerce de Nîmes, le plus proche des sources d'eau minérale, et devant le tribunal de commerce de Paris, où il s'agit surtout de contester les droits de vote des Italiens et de leurs alliés français.

Le conflit s'étale à la une des journaux, Perrier oblige, et chacun fourbit ses armes. La guerre économique est aussi une guerre des mots, et le président de la Société

Générale, Marc Viénot, lié au groupe Agnelli, précise publiquement qu'il n'apportera pas ses titres à l'offre publique. La réplique prend la forme d'un article dans *Le Figaro*, plutôt défavorable aux Italiens. Les communicants de Nestlé redoublent d'efforts pour convaincre les pouvoirs publics de porter un regard bienveillant sur le raid en cours – raid franco-suisse, puisque Nestlé, soucieux d'échapper à l'accusation de « position dominante » que pourrait formuler Bruxelles, propose de céder la source Volvic à BSN (futur Danone). Les spécialistes du Monopoly industriel notent là, au passage, un spectaculaire retournement d'alliances, puisque BSN passait jusqu'ici pour un allié du groupe Agnelli dans l'agroalimentaire.

La Commission des opérations de bourse n'est pas vraiment favorable aux Italiens. Elle épingle de « graves défaillances dans l'information donnée au public » et transmet son rapport au Conseil des bourses de valeurs (CBV) en même temps qu'aux parquets de Nîmes et de Paris. Le camp Agnelli se voit reprocher de ne pas avoir « effectué en temps opportun » les déclarations de franchissement de seuil, mais échappe aux accusations d'autocontrôle...

Le Trésor donne finalement un accord de principe à l'OPA de Nestlé, avec l'aval du ministère de l'Agriculture, tandis que la cour d'appel de Paris contraint Agnelli et ses alliés à lancer une OPA sur la totalité du capital de Perrier... Mais le coup de massue vient du tribunal de commerce de Paris, dont le président rend un jugement sévère pour le président de Perrier, allié d'Agnelli : « Par son initiative solitaire, en agissant dans le cadre de structures artificielles et sans souci des formalités juridiques les plus habituelles du droit des sociétés, il a pris de court ses actionnaires, ses partenaires et les autorités de contrôle », peut-on lire. « Désinvolture », « manque de transparence » : Jean-Michel Darrois et ses clients n'en demandaient pas tant et, sauf à achopper sur l'orgueil des hommes, jamais absent lors de ces batailles, la voie est libre pour la prise de contrôle.

Les Italiens finissent par céder. Après quatre mois de bataille boursière, l'attaquant l'emporte pour 15,1 milliards de francs.

« Une victoire du droit, assure l'avocat, là où, jusque-là, comptait surtout le montant de l'argent mis sur la table. »

À peu près concomitamment, en cette même année 1992, l'homme d'affaires François Pinault, fortune faite dans le bois, est accusé par des actionnaires minoritaires de chercher à prendre le contrôle du Printemps, à leurs dépens. Il est en train de racheter à des Suisses des actions qui le feront détenteur de plus de la moitié du capital, ce qui devrait le contraindre à lancer une OPA sur 100 % des titres, expliquent les minoritaires.

Des négociations s'ouvrent, mais c'est bien un procès qui se prépare. En pleine « aventure » Perrier, Jean-Michel Darrois se retrouve face à ce qu'il appelle « un défi intellectuel et juridique exaltant ». La loi qui doit être appliquée est en rodage et, pour la cour d'appel de Paris, le cas constitue une première. Les enjeux techniques, incompréhensibles pour le commun des mortels, sont colossaux pour le monde des affaires à la veille d'une vague d'OPA sans précédent. Le cabinet Darrois est bien placé pour y jouer les premiers rôles.

Main basse sur le Printemps : la presse économique est mobilisée. Une certaine Colette Neuville prend la défense des actionnaires minoritaires. Ce rôle, elle ne le lâchera plus, celui de la « veuve de Carpentras » guerroyant contre le grand capital : accueil favorable garanti du côté des médias ! Sans oublier que le dossier intéresse le grand public, qui connaît le Printemps comme sa poche, ou plutôt aussi bien que la bouteille de Perrier.

Le 10 mars 1992, la cour d'appel de Paris rejette le recours des minoritaires, ouvrant à l'industriel breton la possibilité de lancer une OPA moins coûteuse, puisqu'il lui suffira de détenir 66 % des titres... La victoire est à nouveau totale. La célèbre enseigne change de mains avec, à la clef, l'émergence du groupe PPR (Printemps-Pinault-La Redoute) et celle de l'une des plus grosses fortunes françaises.

Jean-Michel Darrois, lui, s'est fait un nom, même si les articles publiés à l'époque mentionnent peu sa présence derrière les deux opérations : l'avocat n'a pas l'ego hypertrophié de certains de ses confrères ; on dit même qu'il préfère mettre en valeur ses associés, attitude assez rare dans le milieu.

Aux années Mitterrand succèdent les années Chirac, puis les années Sarkozy, nouvelle aubaine pour les avocats, à entendre Mᵉ Darrois, mais pour de tout autres raisons : « Nicolas Sarkozy a été élu sur la base de la promotion de l'individu, ce qui suppose davantage de droit. Le développement des relations internationales, des lois de plus en plus compliquées, et le renforcement continu de la réglementation européenne jouent aussi pour une place accrue de l'avocat. L'État français a longtemps pris ça par-dessous la jambe et envoyé des fonctionnaires défendre les dossiers à Bruxelles, mais ils ont pris tellement de coups que la place a été cédée aux juristes. »

Le cabinet monté par Jean-Michel Darrois et trois autres avocats, en 1987, se porte bien. Un peu plus d'une vingtaine d'associés, une dizaine de stagiaires : c'est peu au regard de certaines structures parisiennes, mais c'est un choix. « La concurrence est rude, reconnaît l'avocat. Des étrangers se sont installés avec d'énormes moyens financiers, un gros budget de com' et des antennes de par le monde entier, avec leurs méthodes qui consistent notamment à démarcher les clients, ce qui est contraire à la tradition française. Les cabinets français s'alignent. Sous l'influence anglaise, ils organisent des colloques pour les directeurs juridiques des entreprises et s'exposent, allant jusqu'à payer pour figurer dans certains médias spécialisés. Sur un même dossier, ils mettent des dizaines d'avocats hyper-pointus. Ils font de la *due dili-gence* dans des *data rooms*. Ils épluchent tout. Les contrats sont de plus en plus volumineux et de moins en moins lisibles. On négocie la nuit, on introduit des mots anglais dans des phrases françaises et, à la fin, plus personne ne comprend plus rien. Le juge a tellement de mal à trancher que l'on doit régulièrement recourir à l'arbitrage. L'avocat n'est plus le chef de régiment qu'il a été, il est là pour négocier. »

Avec son cabinet à taille humaine, Darrois n'en emporte pas moins l'adhésion de cette communauté juridico-financière dont il est l'un des personnages les plus influents. Beaucoup envient le carnet d'adresses de cet homme qui a épousé la célèbre photographe Bettina Rheims, rencontrée à l'occasion d'une exposition de peinture allemande à laquelle l'avait convié son confrère Hervé Temime. Ami de Laurent Fabius, il l'est aussi de Nicolas Sarkozy et ne s'en cache pas : les deux hommes se connaissent depuis ce jour de 1997 où ils défendirent ensemble, épaulés par le pénaliste Olivier Metzner, le géant du BTP Martin Bouygues, attaqué par l'industriel Vincent Bolloré. Il a apprécié, dit-il, ce confrère « persuasif et éloquent qui travaillait ses dossiers », sans imaginer un instant qu'il deviendrait un jour président de la République.

Depuis les fameux raids des années 1990, Darrois est l'avocat de Nestlé comme de Pinault et de bien d'autres grands groupes, mais il fait attention à « rester avocat » – pas comme ces confrères qui « oublient où se trouve le Palais de Justice ». « Le vrai métier d'avocat, ce sont les assises », dit-il.

Ce vrai métier, il avait eu l'impression de l'exercer, quand il a jeté sa robe sous son lit après une mauvaise décision « rendue par des gens qui ne sont pas dignes d'être juges ». C'était au soir de la condamnation en appel d'Alain Boublil, ex-directeur de cabinet du Premier ministre Pierre Bérégovoy, à plusieurs mois de prison, parce que l'hypothèse « la plus plausible, *dixit* le président, était qu'il soit partie prenante au délit d'initié » reproché dans le cadre de l'affaire Triangle à l'homme politique. Que dire aux journalistes après une telle décision alors que le client, également défendu par Thierry Lévy, avait été relaxé en première instance ? Cracher sur la justice ? Ce jour-là, se souvient-il, son confrère Francis Szpiner parvint à le calmer avant d'aller affronter la presse. Sa robe, elle, est restée où il l'avait abandonnée plusieurs mois d'affilée.

Des magistrats qui bâtissent des accusations sur du sable, Darrois en a connu d'autres. Comme ceux qui voulurent faire condamner Laurent Fabius devant la Cour de justice de la République dans l'« affaire du sang contaminé » pour une annotation manuscrite dont l'ancien Premier ministre contestait être l'auteur. « On s'est vite aperçu que tout ce qui était écrit dans l'ordonnance de renvoi était faux, raconte Darrois. Les magistrats avaient essayé de faire coïncider les faits avec leur propre opinion. Guy Canivet[1] a dit un jour que sa main tremblait lorsqu'il rédigeait une décision, mais la plupart des magistrats, eux, ne tremblent pas. Ils sont sûrs de ce qu'ils font, et la justice tombe. Face à eux, le rôle de l'avocat prend tout son sens. Le client lui remet sa liberté, sa fortune, sa carrière, sa famille. L'avocat doit honorer tout ça ; sinon, mieux vaut qu'il change de métier. »

Membre à part entière de l'*establishment*, Jean-Michel Darrois ne se prend apparemment pas pour un homme de pouvoir. « L'avocat est là pour convaincre, il ne prend jamais la décision, dit-il. C'est le tribunal qui décide, ou bien le client. Le pouvoir de l'avocat n'est jamais qu'un pouvoir de conviction et d'influence. » Et, pour joindre les actes à la parole, il a dernièrement demandé à l'un de ses confrères, Jean-Louis Pelletier, de lui permettre de plaider quelques affaires sans importance...

---

1. Ancien premier président de la Cour de cassation, aujourd'hui membre du Conseil constitutionnel.

Jean Veil, fils de Simone et ami des puissants

« Quand vous êtes avocat d'affaires, le mieux, c'est qu'on ne parle pas de vous. »

Jean Veil a visiblement accepté cet entretien à contrecœur. Nous voici néanmoins dans l'une des salles de réunion d'un cabinet qui figure parmi les plus actifs du pays. Et prévenus que les mots du maître, qui se présente volontiers comme un « timide contrarié », seront comptés.

Qui est cet avocat que s'arrachent Chirac, DSK, Publicis, Arnaud Lagardère ou la Société Générale ? « Ce qui m'amuse, dit-il, c'est de m'occuper des gens. Je suis le médecin des sociétés. Je suis pénaliste par accident. Je fais du pénal snob. Je gagne ma vie avec le droit des affaires. »

Au pénal, Mᵉ Veil défend des gens notoirement innocents, tout au moins des gens qui n'affectent pas son image. Les dirigeants d'entreprise sont trop pointilleux pour qu'il prenne le risque de ternir ou de brouiller sa propre réputation. Surtout, ne pas sortir du cadre ! Refuser les clients dont il estime qu'il n'est pas « adéquat », dans son cas, de les défendre, car « on ne peut défendre un truand et le groupe Total ».

Quels rapports un avocat de son poids entretient-il avec ses clients triés sur le volet ? « La relation n'est pas la même, que l'on conseille ou que l'on défende », explique Jean Veil, que tout distingue de ces jeunes collègues réduits au rôle de prestataires de services. « Ceux que l'on défend ne connaîtront en principe les procédures judiciaires qu'une fois dans leur vie. Ils n'ont pas été élevés pour ça. Ils sont perdus dans ce monde médiatico-judiciaire où l'on est condamné avant d'être jugé. Ils ont besoin de confort et de réconfort. C'est dur, même pour les gens les mieux trempés. Personne n'imagine l'atrocité du parcours qu'a subi un homme comme Éric Woerth. Je vois beaucoup de gens qui, à cause d'une affaire, sont conduits à modifier relations familiales et relations amicales, alors même qu'ils sont innocents. Certains hommes d'affaires qui font faillite n'osent plus se regarder dans la glace, ni regarder leur femme. Les plus structurés sont en quête d'une aide, d'explications sur le fonctionnement de la justice ou de la presse. Cette relation privilégiée peut s'interrompre à la fin de l'affaire, ou bien se poursuivre.

« Avec ceux que l'on conseille, enchaîne Me Veil, il y a davantage de distance. Ils savent mieux que vous ce qu'ils doivent faire. L'avocat n'est là qu'un technicien, au même titre que le banquier d'affaires. Les périodes de crise font naître une relation plus affective. Au fur et à mesure, vous passez du directeur financier au directeur général ou au président. On est souvent de la même génération, on parle la même langue... »

Ce langage commun, doublé d'une véritable proximité sociale, fait-il de l'avocat l'égal des puissants qu'il défend ? Un avocat de la trempe de Jean Veil, appuyé sur une lignée familiale (il est l'un des fils d'Antoine et de Simone) qu'il n'a nul besoin de mettre en avant pour se trouver au niveau de ses interlocuteurs, a-t-il facilement de l'ascendant sur les patrons et autres énarques qui franchissent en clients le seuil de son cabinet ?

« Le pouvoir, rappelle-t-il, ça se prend. Il y a des avocats béni-oui-oui comme il y a des cadres qui tremblent. Vous êtes hors hiérarchie. Vous n'êtes pas non plus prisonnier de la langue de bois. Vous pouvez dire ce que l'on attend de vous, mais il faut savoir choisir et le moment, et la forme. Il ne faut pas prendre la place du directeur financier, ni celle du directeur juridique : ils connaissent l'entreprise mieux que vous, mais, comme avocat, vous avez une expérience protéiforme. »

Peu d'avocats peuvent se targuer d'occuper une telle place sur l'échiquier parisien. Atypique et en même temps incontournable, il peut se comparer à Jean-Michel

Darrois et à (feu) Jean-François Prat. L'une de ses forces, c'est qu'il appartient de fait à ce « système » – selon le mot d'un célèbre chroniqueur judiciaire – qu'il défend. Membre du Siècle, le club des élites fondé à la Libération, il a connu nombre de ses clients quand ils avaient vingt ans. « J'ai une relation plus simple avec des tas de gens, parce que je les ai croisés chez mes parents », admet-il. Il est vrai que cela peut souvent simplifier les choses. Les cadres ont beau craindre que l'on passe par-dessus leur tête, Jean Veil connaît plus d'un chef d'entreprise. Il ne les appelle pas forcément par leur prénom, mais il fréquente aussi bien Lindsay Owen Jones (ex-L'Oréal) que Thierry Desmarest (président d'honneur de Total), Christophe de Margerie (PDG de Total) que Maurice Lévy. Au cours de dîners informels, il leur fait passer des messages que leurs cadres ne peuvent se permettre de leur transmettre. Il le dit sans forfanterie, comme il assure avoir une relation « transparente » avec la vérité et considérer les magistrats comme des « gens normaux ».

C'est donc en toute transparence que Jean Veil assure être devenu avocat parce qu'il n'était pas question qu'il fasse l'ENA, Polytechnique ou médecine : trop cancre pour ces dures études ! Après un accident au volant de la voiture de sa mère, en 1969, on l'incite fermement à travailler. Maman, qui aurait pu devenir avocate si elle n'avait pas redouté la complicité avec certains clients, ouvre son carnet d'adresses comme l'aurait fait n'importe quelle mère (ou presque). Le grand René Floriot est prêt à le prendre en stage dans son « usine », à faire des photocopies, mais c'est la porte de Jean Loyrette qu'il pousse, plus attiré par le monde des affaires que par les divorces. Il reste jusqu'au 31 décembre 1981 dans ce cabinet tourné vers l'international, pionnier dans le domaine qui deviendra le sien. La date est précise, car c'est celle de son installation avec trois confrères, eux aussi spécialisés dans le droit des affaires et les restructurations : Jean-Michel Darrois, Gabriel Sonier et Jean-Marc Coblence.

« J'ai rapidement adoré ce métier qui joint réflexion juridique et réflexion économique, dit-il. C'est nettement plus facile que d'aller suivre des affaires de divorce – sauf gratuitement, pour des amis sans enfant. C'est un métier de bon sens, un truc que j'ai acquis très jeune et que je dois à mes parents. Je ne suis pas dupe des choses ni des gens, ce qui permet d'éviter énormément de conneries. Je n'embarque pas les gens dans des procédures qui les condamnent à des victoires à la Pyrrhus. »

Faut-il voir un lien entre la judéité et le choix du métier d'avocat ? À la veille de ses soixante-trois ans, Jean Veil est formel : la réponse est oui. « Avocat, c'est un métier de contestataire, souligne-t-il. Marx, Freud et Cohn-Bendit ont été des fouteurs de merde. Nous sommes des fouteurs de merde. Nous sommes aussi le peuple du Livre. L'avocat est là pour défendre les principes et s'opposer à l'ordre établi que représente le ronron des magistrats. Et puis, tous les juifs ne pouvaient devenir luthiers ou rabbins ! Sachant qu'ils n'avaient pas accès à la terre, il leur restait la médecine, la banque et le barreau. »

Le peu orthodoxe Bernard Tapie le trouve plusieurs fois sur sa route, notamment lorsque Me Veil défend les intérêts du Crédit Lyonnais ; l'homme d'affaires lui en voudra tellement qu'il fera en sorte qu'il ne participe pas au fameux arbitrage orchestré sous Nicolas Sarkozy avec la ministre des Finances, Christine Lagarde, aux manettes. Les grandes faillites apportent leur lot d'heures de travail. Jean Veil est aussi l'avocat de Pierre Bergé lors de la vente des actions Yves Saint-Laurent ; le bouche-à-oreille fait le reste.

Jean Veil n'est-il pas très sympa, très intelligent, parfois très drôle ? C'est lui qui le dit, tout comme il assure ne pas avoir eu recours à la franc-maçonnerie pour réussir. Avoir été associé chez Jean Loyrette suffisait à faire briller sa carte de visite. Il ne lui est même pas nécessaire d'exhiber sa rosette chaque fois qu'il met le nez dehors.

Quelqu'un se serait-il tourné un jour vers Simone Veil pour lui demander : « Vous ne seriez pas par hasard la mère de Jean Veil ? » Pas certain, mais, désormais seul patron à bord de son cabinet, l'avocat gère une entreprise de près de 70 personnes, collaborateurs et salariés inclus. « On me prête plus d'influence que je n'en ai, et surtout que je n'en use, affirme-t-il. Ce qui facilite l'existence, c'est qu'on vous prend au téléphone. C'est un privilège que de pouvoir échanger avec des gens qui exercent eux-mêmes une influence. Je ne les joins pas pour obtenir un passe-droit, mais pour faire prévaloir mon intime conviction et faire triompher le bon sens. »

Aux yeux de Jean Veil, les avocats avaient plus de pouvoir sous la IIIᵉ République qu'ils n'en ont aujourd'hui. Ils sont moins notables, davantage « prestataires de services ». Quant au bâtonnier, il a perdu depuis longtemps, selon lui, toute influence politique. « Les banquiers d'affaires ont plus de pouvoir que nous. Ils interviennent en amont des avocats. Ils contribuent à structurer l'opération. On n'imagine pas un avocat dire : "C'est le moment de lancer une OPA sur Elf." Nous arrivons tel le technicien pour trouver le bon véhicule, le bon angle, le juste discours, l'agressivité nécessaire. » Technicien de plus en plus pointu, néanmoins, tant le droit s'est complexifié au fil des ans avec l'affinement du droit boursier, du droit de la concurrence, du droit fiscal, sans oublier les lois antitrust, les produits dérivés, l'actionnariat populaire...

Confrontés au *trader* Jérôme Kerviel, les patrons de la Société Générale ont consulté Jean Veil sur deux points : le juridique et la communication, mais, pour le reste, il assure qu'ils n'avaient nul besoin de ses conseils. C'est lui qui a milité dès le premier procès pour que l'on réclame à l'accusé la somme de 4,9 milliards d'euros, soit le montant des pertes, sans les intérêts ni le préjudice d'image, afin de montrer au tribunal et au public que la banque avait vraiment perdu cette somme et qu'elle en avait besoin ; que Kerviel n'était pas un « produit de la crise », comme le suggéraient certains.

Dès la première semaine du procès, l'avocat a utilisé sciemment le mot « terroriste » pour désigner Kerviel. Traduction : le jeune homme a posé une bombe dans les comptes et mis la banque en péril. Le résultat a été plutôt favorable à la banque, donnant à Jean Veil l'occasion de se gausser de celui qui défendait alors le *trader*, Olivier Metzner, lequel, selon lui, aurait trop « pris pour argent comptant ce que lui racontait Kerviel ». Un résultat dont il n'avait jamais douté depuis les aveux initiaux du suspect aux policiers, puis devant le juge.

La communication de crise judiciaire, c'est le rayon de Jean Veil, service après vente compris. Il s'en charge lors de la convocation de Jacques Chirac devant les juges, rompant le silence qu'il s'était jusque-là imposé. L'ancien président de la République et ses avocats font ce jour-là deux déclarations publiques au cours desquelles ils annoncent une mise en examen et expliquent la perception que Chirac lui-même a des faits. « C'était mieux que de prendre le risque de voir des procès-verbaux fuiter par petits bouts dans tous les sens », explique Mᵉ Veil.

« La communication est un moyen d'accompagnement, précise l'avocat. On est là pour faire du droit, pas de la com', mais on sait qu'il vaut mieux préempter ce terrain que courir après. » Lorsque Thierry Desmarest est convoqué devant le tribunal de Toulouse dans le cadre du procès AZF, Mᵉ Veil lui propose de s'y rendre à pied, veste sur l'épaule, plutôt qu'en voiture avec chauffeur, le moyen de locomotion habituel d'un PDG de groupe pétrolier.

Que des hommes ou des femmes politiques veuillent devenir avocats ne choque pas Jean Veil : « Avocat, ça vous donne un statut social et éventuellement un peu d'argent, observe-t-il. Certains ont une légitimité et ne sont pas mauvais en droit, et, pour l'instant, il n'y a pas d'incompatibilité. Et puis, on n'empêchera pas les avocats de devenir des politiques ! »

Si on lui fait remarquer que les femmes, pourtant plus nombreuses dans le métier, semblent avoir parfois du mal à percer, Jean Veil a son explication : « Premièrement, c'est un métier physique. Deuxièmement, elles sont trop consciencieuses, même s'il ne faut pas généraliser. Elles veulent aller au bout, tant qu'elles ont raison, alors qu'il faut savoir s'arrêter parce qu'on retrouve toujours les mêmes en face de nous. Troisièmement, la voix est importante, et on ne se fâche pas aussi facilement avec une voix aiguë. Or, on est obligé de crier dans des salles qui ne sont pas des salles de concert. »

Françoise Cotta, Frédérique Beaulieu et Béatrice Weiss-Gout n'en sont pas moins, à ses yeux, des avocates « épatantes ».

Les beaux jours des avocats d'affaires sont-ils derrière eux ? Sûrement pas, même si les fusions qu'ils ont eux-mêmes accompagnées ont, de fait, restreint le nombre des clients. Il n'y a plus qu'un groupe pétrolier en France, il y a de moins en moins de banques, et de surcroît les clients sont de plus en plus « volages », selon l'expression de Jean Veil. Volages et exigeants, eux qui invoquent le plus souvent le conflit d'intérêts pour empêcher « leur » avocat d'aller soutenir un adversaire !

Le CV de Jean Veil n'en fait pas l'égal d'un Michel Pébereau (ex-PDG de la BNP) ou d'un Claude Bébéar (ex-PDG d'AXA), mais il le place définitivement au cœur du monde des affaires. L'un des rares à pouvoir conduire l'une de ces OPA hostiles qui sont, au dire de l'avocat, « le mont Everest du droit des affaires ».

Un exemple ? « Cela dure des mois et ce n'est pas racontable », tranche notre interlocuteur, qui conserve cependant un souvenir assez précis du jour où il a aidé la BNP, avec son confrère Jean-François Prat, à « avaler » Paribas. Le temps du raid, un petit déjeuner réunissait tous les matins, à 7 h 30, une quarantaine de personnes, suivi parfois d'une deuxième réunion plus restreinte avec le *top management*, samedis et dimanches compris. À chacun sa *check-list* afin de n'oublier ni les actionnaires, ni les communicants. Café et croissants pour tout le monde, cigare pour Michel Pébereau, se rappelle Jean Veil, qui connaît bien les limites de l'exercice : « Chacun se sent important, mais on ne vous autorise à formuler des propositions que dans votre secteur. Les avocats peuvent avoir des idées, mais ce sont les banquiers qui mettent l'argent. »

« Vous devriez aller convaincre la Banque de France de l'intérêt de l'opération », suggèrent alors Veil et Prat à Pébereau, mais le banquier leur demande d'effectuer eux-mêmes la démarche. Le gouverneur de la Banque de France, Jean-Claude Trichet, les reçoit « comme des voyous » avant de leur lancer sèchement : « Votre client est mal conseillé ! » Bref moment d'énervement dans un monde feutré parce que l'OPA en cours mettait sens dessus dessous le paysage bancaire français…

DIDIER MARTIN DANS LES PETITS PAPIERS DE LA FAMILLE LA PLUS RICHE DE FRANCE

« Notre métier attire les egos. C'est un peu l'Opéra de Paris. Mais, pour que ça fonctionne, il faut une équipe de foot. "Un talent, un cabinet", c'est la tare française. La donne a changé. Il faut savoir attirer des talents complémentaires, déterminer une stratégie. Les enjeux d'aujourd'hui sont collectifs. Une équipe de premier plan qui réussit et accède aux grandes affaires de la planète, c'est possible, même en France. Le chef d'équipe s'occupe du lien de confiance avec le client, il doit convaincre l'entreprise qu'elle est entre les meilleures mains, mais l'œuvre, chez nous, est collective. À la différence du pénaliste qui se retrouve seul face à celui qu'il défend, on n'a généralement pas besoin de materner nos clients. »

Celui qui s'exprime dans son confortable bureau de la rue du Faubourg-Saint-Honoré, à quelques pâtés de maisons de l'Élysée, s'appelle Didier Martin. Élancé, élégant, ce grand défenseur des « cabinets à talents collectifs » est un pilier du cabinet Bredin-Prat, pionnier en la matière, puisque l'enseigne existe depuis 1967. Jean-Denis Bredin, désormais octogénaire, n'approche plus un dossier depuis une quinzaine d'années, mais il conserve une place dans ces étages où s'activent plus de 120 avocats, sans compter une vingtaine de stagiaires. L'autre fondateur, Jean-François Prat, entretenait notamment des relations suivies avec la banque d'affaires Lazard, bras armé du business à la française, mais le véritable envol de la « maison » remonte aux années 2000. Présent sur tous les fronts, une main dans la plupart des opérations d'envergure, de BNP Paribas à Aventis, d'Elf à Total, de Carrefour à Promodès, d'Eiffage à Sacir, en passant par la Banque populaire, le cabinet rivalise avec les stars du secteur, le cabinet Gide ou celui de Jean-Michel Darrois.

Le quartier n'a pas été choisi au hasard. La rue du Faubourg-Saint-Honoré n'est pas seulement centrale, c'est dans ce périmètre qu'étaient installées la plupart des banques françaises, mais aussi américaines, à une époque où le ministère des Finances était encore domicilié au Louvre. C'est là que se négocièrent les grandes nationalisations voulues par le pouvoir socialiste sorti des urnes en mai 1981. Les temps ont changé : les hauts fonctionnaires des Finances ont déménagé à Bercy, les banques migrent vers la banlieue parisienne. Le monde des affaires vit sa vie, de moins en moins hexagonale, de plus en plus mondialisée, de plus en plus complexe, surtout quand les projets passent par la Russie, les États-Unis, la Chine ou l'Afrique. Une vie dont seuls ont à connaître ces avocats qui ont l'honneur d'appartenir au fameux *magic circle* où tout le monde connaît tout le monde autour de la planète.

L'avocat d'affaires, égal des puissants ? « On discute parfois avec le Trésor et Bercy, avec l'Autorité des marchés financiers (AMF), les autorités de la concurrence et toutes les autorités administratives indépendantes, mais, dans le monde des affaires, le lien avec la sphère politique est exceptionnel », tempère Didier Martin.

Il arrive cependant que les deux univers, celui de la politique et celui du business, se croisent, et cela ne se passe pas forcément au mieux. Didier Martin a encore eu l'occasion de le constater avec la longue, médiatique et très *people* affaire Bettencourt, dont l'avocat est ressorti un brin échaudé, convaincu que « le pouvoir est souvent aveugle »...

Didier Martin a connu Liliane Bettencourt, la mère, au temps où il œuvrait encore au sein du cabinet Gide et Loyrette dans les années 1990. Il a supervisé plusieurs grandes opérations pour le compte de L'Oréal, le groupe de cosmétiques dont la famille Bettencourt est actionnaire aux côtés de la multinationale Nestlé. De cette époque, l'avocat a conservé de bonnes relations avec Françoise Bettencourt, la fille, et Jean-Pierre Meyers, son mari. Suffisamment bonnes pour qu'un jour, trois semaines environ après le décès de son père, André, Françoise Bettencourt téléphone à Mᵉ Martin pour évoquer une étrange nouvelle : l'imminente adoption par sa mère d'un certain François-Marie Banier, photographe de son état, avec lequel la veuve a noué un lien tellement extraordinaire que l'une de ses œuvres est accrochée au-dessus de son lit !

La conclusion de leur conversation s'impose : si l'on ne réagit pas « brutalement », le photographe ne s'arrêtera pas là, lui qui a déjà bénéficié de cadeaux divers, en nature ou sous forme d'assurance-vie. Nous sommes dix-huit mois avant que le scandale n'éclate publiquement. À ce stade, il ne s'agit encore que d'une affaire familiale sans connotation politique.

Didier Martin agit en « technicien ». Il rédige pour le compte de Françoise un projet de plainte ciblant précisément cet « *establishment* qui profite de la situation ». Il s'appuie, pour verrouiller son dossier, sur le pénaliste Olivier Metzner et sur une spécialiste du droit de la famille, Mᵉ Béatrice Weiss-Gout.

Mais le dossier ne se traite pas seulement au Palais de Justice. L'avocat se déplace par deux fois à l'Élysée dans l'espoir de « peser sur l'attitude des pouvoirs publics ». Apparemment sans succès. Le magistrat Patrick Ouart, en poste auprès du président de la République, écoute poliment les arguments du défenseur de Françoise Bettencourt, accompagné de Mᵉ Metzner, mais il n'en tiendra pas compte. Georges Kiejman a fait lui aussi le chemin pour le compte de la mère, visiblement avec plus de succès. Didier Martin croit savoir pourquoi...

« Le pouvoir est aveugle, explique-t-il. Par fidélité à Liliane Bettencourt, Nicolas Sarkozy refuse de se pencher sur les détails de l'histoire. Et quand le chef décide, tous les conseillers suivent... »

Officiellement, l'Élysée s'abrite derrière des raisons économiques de la plus haute importance : la préservation du pacte qui lie la famille Bettencourt à la multinationale Nestlé pour le contrôle de L'Oréal. Nestlé s'est engagé, du vivant de Liliane, à ne pas augmenter sa part dans le capital de la firme, c'est écrit noir sur blanc, le groupe s'est même fendu d'un communiqué, mais la rumeur entretenue par les pouvoirs publics est tenace : il faut tenir, cocarde au front !

Officieusement, la crainte de voir étaler en place publique les secrets de la plus grosse fortune de France est plus forte que tout. Pour que la justice ne tire pas le paillasson, on s'emploie à nier pendant des mois le fait que Mme Bettencourt, si riche et puissante soit-elle, est bien atteinte de la maladie d'Alzheimer et devrait être placée sous protection judiciaire. Autant que faire se peut, depuis le tribunal de Nanterre, le procureur de la République Philippe Courroye résiste, conformément aux instructions élyséennes.

Lorsque le feuilleton éclate à la une des journaux, à la veille de l'été 2011, certains pressent Me Martin de recruter des communicants, mais il s'en méfie. Pis : il les considère comme « des bandits prêts à toutes les contre-vérités en cas de nécessité ». Il résiste donc pour l'heure, mais ouvre en revanche les portes de son cabinet aux journalistes qui le souhaitent. Pièces en main, il tente de les convaincre que le scandale n'est pas là où ils le croient, que l'anomalie, c'est la façon dont Nicolas Sarkozy et ses conseillers soutiennent l'indéfendable : l'idée que Liliane Bettencourt disposerait de toutes ses facultés mentales, contrairement au dire de sa fille.

« Quelques journalistes voient bien qu'on leur fait prendre des vessies pour des lanternes, observe l'avocat avec un rien de dépit. D'autres ne veulent rien entendre. Ils ne sont pas toujours conscients d'être instrumentalisés. C'est atterrant ! Ils sont dans une proximité qui les aveugle. Ils se laissent empapaouter ! Ils sont tellement convaincus qu'ils ne veulent même pas voir la pièce qui n'abonde pas dans leur sens. Conditionnés par les communicants de tous bords, ils pensent que la fille veut prendre le pouvoir, et ils n'en démordent pas. »

D'un côté, il y a donc Liliane Bettencourt, ou plutôt son avocat du moment, Georges Kiejman, introduit auprès d'elle par un autre avocat, Pascal Wilhelm, défenseur du gestionnaire de fortune Patrice de Maistre, lequel sera plus tard accusé d'abus de faiblesse. De l'autre, Olivier Metzner, appelé à la rescousse par Didier Martin. À chacun ses relais médiatiques, à chacun ses journalistes alliés. Plusieurs font état d'accusations portées contre Me Martin, à qui l'on reproche d'avoir suborné les sept témoins disposés à attester la faiblesse d'esprit de la mère... Le dossier disciplinaire contient une lettre récupérée par

Me Kiejman et c'est devant le vice-bâtonnier Jean-Yves Le Borgne, par ailleurs avocat de l'ancien ministre du Budget Éric Woerth, démissionné après la révélation de ses liens avec Patrice de Maistre, que Me Martin comparaît. Verdict : une lettre d'admonestation au ton très paternel, signée du bâtonnier...

Le dossier est entre-temps transféré au palais de justice de Bordeaux, loin d'un parquet de Nanterre qui aura été, jusqu'au bout, en phase avec l'Élysée. Les déficiences de Liliane Bettencourt risquent dès lors de devenir officielles, n'en déplaise à Georges Kiejman qui a jeté toute son intelligence et son éloquence mordante dans la balance à l'heure d'affronter, sur le ring judiciaire, le « boxeur » Olivier Metzner, convaincu de l'état de faiblesse de la mère...

Comment sortir de la nasse judiciaro-médiatique ? « La procédure va durer des années, explique en substance Didier Martin à Françoise Bettencourt. Banier sera probablement condamné, mais il y a risque que vous ne retrouviez jamais votre mère. Si l'on conclut un accord avec votre mère, ils seront contraints de restituer les biens mal acquis. »

Françoise Bettencourt et son mari acceptent au nom de la paix des familles.

Pascal Wilhelm, avocat du gestionnaire de fortune contesté, Patrice de Maistre, conduit la manœuvre pour le compte de la mère : c'est lui qui a fait le premier pas en venant trouver Me Martin. Me Metzner obtient de Banier qu'il renonce à ses deux assurances-vie. Me Kiejman, n'ayant rien à négocier, est tenu à l'écart, de même que les médias. Objectif : faire en sorte que Liliane conserve le symbole du pouvoir, mais échappe définitivement aux rets d'un entourage accusé de décider à sa place du sort de ses milliards.

Succès total : la transaction signée, la fille peut revoir sa mère en toute tranquillité – du moins l'espace de quelques semaines, car un nouvel épisode dramatique pour la famille est déjà en train de s'écrire : Liliane Bettencourt se trouve désormais sous la protection de l'avocat Pascal Wilhelm, que Françoise accuse bientôt de n'en faire qu'à sa tête, de la couper derechef de sa génitrice, encadrée en permanence par un drôle d'infirmier qui finira lui aussi en garde à vue... Wilhelm, hier jugé « souple et compréhensif », est devenu le nouveau « méchant », celui qui investit l'argent de la veuve dans les sociétés mal en point de son ami Stéphane Courbit, roi de la téléréalité, et se prend pour le « boss de Paris » sous prétexte qu'il gère des sommes colossales, moyennant des honoraires de 200 000 euros par mois !

Au sein du cabinet Bredin-Prat, le dossier Bettencourt aura occupé une place de choix au cours de ces dernières années, mais il est loin d'accaparer à plein temps les cerveaux disponibles. Un pied à Bruxelles pour parler concentrations et concurrence, des fiscalistes à bord pour « optimiser » les opérations, quelqu'un pour prendre en compte les salariés et syndicalistes des entreprises concernées (et éviter ainsi de coûteux retards), des spécialistes du droit boursier capables de mener à bien une offre sur plusieurs pays, des « pros » du financement sachant gérer le marché de la dette, des habitués du contentieux : l'« équipe », comme l'appelle Didier Martin, a de quoi faire.

Sans oublier qu'il lui faut cultiver les liens avec les autres grandes « équipes » exerçant de par le monde, de l'Espagne aux Pays-Bas, de l'Allemagne à la Grande-Bretagne en passant par la Chine et Séoul, et bien sûr les États-Unis. Liens indispensables à l'heure d'encadrer un éventuel rapprochement entre deux sociétés comme Gaz de France et Suez, chacune entraînant derrière elle des dizaines de filiales à travers la planète...

« Si vous prenez le contrôle d'un groupe, il faut que ça marche bien, et cela, dans quarante pays en même temps, expose Didier Martin. Cela ne peut se faire qu'à condition de travailler de façon harmonieuse. En France, on ne savait pas faire ça. On avait des "artistes". L'installation des cabinets américains à Paris à l'époque de Richard Nixon a stimulé la profession. On a compris que le rôle d'un cabinet de ce genre ne pouvait s'arrêter à la définition d'une stratégie, mais qu'il devait aussi accompagner les opérations. On doit pouvoir rassurer l'entreprise dans tous les domaines. »

Serment prêté en 1977, Didier Martin a donc commencé au sein du cabinet Gide et Loyrette, la référence en la matière, où le leader de l'UMP, Jean-François Copé, a jeté l'ancre en prévision des jours de pain sec. Il s'est aguerri en se frottant à la contrefaçon de jeans et de parfums. Il a préparé des contrats à l'exportation, travaillé sur la réglementation boursière et les privatisations, avant de se retrouver au cœur des OPA (offres publiques d'achat). Il a négocié la construction de grands barrages ou d'autoroutes dans des dizaines de pays, y compris les pays de l'Est à l'époque communiste, et en Afrique. Il y a laissé beaucoup de nuits blanches, mais a tissé des liens au sein de nombreuses sociétés. Des liens privilégiés, puisque le cabinet intervient dans la plus grande confidentialité, généralement en amont, avant même le choix de la banque chargée de piloter l'opération.

Jusque dans les années 1990, Didier Martin rencontrait rarement les PDG. Il traitait avec le directeur financier ou le directeur juridique de la société. Aujourd'hui, il voit beaucoup plus souvent le « boss », sans pour autant participer à l'élaboration de la stratégie de la société. « On est là pour aider l'entreprise à se mettre en ordre de bataille », explique l'avocat. Pour préserver le secret autour d'un raid à venir, le cabinet peut ouvrir provisoirement une antenne dans un pays étranger. Les opérations s'étalent souvent sur un ou deux ans, et parfois elles échouent, comme celle qui vit le groupe Schneider lorgner sur l'un de ses concurrents français, Legrand, puis manquer sa cible entre janvier 2001 et fin 2002...

Emblématique du tissu industriel hexagonal, la société Legrand, dont le siège est à Limoges, est contrôlée depuis toujours par trois familles. De la taille d'une grosse PME, elle marche plutôt bien, à l'ancienne, avec à sa tête un ancien énarque « défroqué », des dirigeants qui se déplacent en métro lorsqu'ils sont dans la capitale, et un vrai modèle de développement. De quoi attirer les convoitises du groupe Schneider qui, pour grandir encore, soumet aux actionnaires familiaux une offre publique d'achat. Mais plusieurs difficultés surgissent. Les deux entreprises exerçant dans le même domaine, celui des fournitures électriques, il faudra aller défendre le dossier à Bruxelles, peut-être céder quelques filiales pour ne pas enfreindre les règles de la concurrence. Autre problème : la composition même du capital de Legrand, que défend Didier Martin. Combien Schneider doit-il payer les « actions à dividendes privilégiés » – qui valent moitié moins que les actions ordinaires, mais rapportent plus – sans léser personne ? Un actionnaire minoritaire conteste déjà devant la justice l'accord qui se profile... et la cour d'appel lui donne raison : l'autorité boursière est priée de revoir sa copie.

Pour parvenir à un accord et épargner à Schneider une addition plus lourde, les familles acceptent de vendre leurs fameuses actions à un prix inférieur à celui du marché. Et l'offre publique est enfin clôturée. Reste à convaincre Bruxelles. Les discussions durent quatre mois au cours desquels, se souvient Didier Martin, « des dissensions apparaissent entre les deux sociétés ». Les dirigeants de Schneider escomptent bien que les cessions d'actifs, si elles doivent avoir lieu, toucheront d'abord Legrand. Ceux de Legrand, provisoirement contrôlé à 97 % par Schneider, n'entendent pas laisser leur chère maison être ainsi démantibulée, et le font savoir, à tel point que les acheteurs reculent et, dos au mur, proposent de céder leur proie à un tiers, le fonds Private Equity, perdant au passage la bagatelle d'un milliard d'euros...

Les gros industriels se méfient des diktats de Bruxelles et des « ayatollahs de la concurrence », comme ils les appellent, mais, en l'espèce, la décision est favorable. Une dizaine de membres du cabinet Bredin-Prat mènent une invraisemblable opération à tiroirs pour le compte de la PME de Limoges. Ils obtiennent devant la Cour de justice européenne l'annulation de la décision. Cela contraindra la Commission de Bruxelles à indemniser en partie le groupe Schneider, qui a perdu plus d'1,5 milliard d'euros. Sur l'autre front, Legrand sort de la Bourse et de ses pertes... avant d'y être réintroduit et de remporter un beau succès !

« Mes clients misaient sur l'adossement de leur PME à un groupe, mais ils ne voulaient pas assister à son massacre », explique Didier Martin, qui évoque le choc de deux cultures, de deux logiques : la province d'un côté, Paris de l'autre ; des gens le nez dans les machines d'un côté, des cols blancs de l'autre. « Les dirigeants de Legrand n'évoluaient pas dans le monde des apparences, poursuit-il. Ils voulaient certes être plus gros, mais pas à n'importe quelles conditions ! »

Pascal Wilhelm et les millions de la Dame

« Au-delà de certains zéros, les gens deviennent dingues », a déclaré un jour Liliane Bettencourt. La femme la plus riche de France disposait à cet instant de toutes ses facultés. Peut-être parlait-elle alors de Pascal Wilhelm, l'avocat qui serait choisi pour la protéger, après la mise hors course de Patrice de Maistre, son gestionnaire de fortune ? Un homme qui a transformé en plomb l'or qu'il avait entre les mains, ainsi que le portraiture un de ses confrères : « Il avait une chance unique, une autoroute devant lui. Une nouvelle ère commençait pour les Bettencourt, qui faisaient confiance à son professionnalisme... »

Me Wilhelm avait en effet en main le dossier de sa vie, et cela s'est terminé par un essorage : quarante-huit heures de garde à vue à la brigade financière, et des rumeurs de radiation au terme de vingt-quatre ans de métier. Le juge Jean-Michel Gentil, chargé du dossier au tribunal de Bordeaux, le soupçonne alors de rien de moins que d'avoir abusé de la faiblesse de Liliane Bettencourt, au printemps 2011, pour voler au secours du « pape » de la téléréalité, Stéphane Courbit, son client et ami, dont la société Lov Group Invest se trouvait en difficulté. Un investissement de 143,7 millions d'euros (bloqués pour sept ans). Il est vrai que les 700 millions d'euros récupérés après la liquidation de l'assurance-vie de François-Marie Banier, le photographe confident de la milliardaire, font désormais de l'avocat l'un des investisseurs les plus solvables de la place de Paris...

Trois grands-parents juifs polonais et un grand-père juif tunisien, une famille d'ébénistes et de petits commerçants : Pascal Wilhelm a grandi dans l'idée que les frontières étaient source d'injustices. Dès sa première année de lycée, il sait qu'il sera avocat. Il prête serment en 1988 et entre chez Louis Bousquet, fils de l'ancien secrétaire général de la police de Vichy, avocat notamment du groupe Bouygues, qui prépare la privatisation de TF1.

Les médias et la pub sont les deux jardins que cultive le jeune avocat. Son ascension commence lorsque Canal Plus le charge, en 1993, de superviser les conditions générales de vente de l'espace publicitaire à une époque où TF1 casse les prix pour tenter d'étouffer la concurrence. Le 24 décembre 1994, n'ayant peur de personne, l'avocat dépose plainte contre TF1 pour « abus de position dominante ». Six ans plus tard, à trente-quatre ans, il fonde son propre cabinet avec sa femme, Marie-Anne Renaux, et ne tarde pas à revendiquer la paternité d'une bonne dizaine de jurisprudences « majeures ».

C'est en 1997, au cours d'un dîner en ville chez un publicitaire, que Pascal Wilhelm fait la connaissance de

Patrice de Maistre, raconte-t-il. L'avocat supervise peu après la vente du cabinet d'audit de ce nouveau client et noue avec lui une « relation professionnelle ». Dix ans plus tard, devenu gestionnaire de la fortune de Liliane Bettencourt, Patrice de Maistre consulte Wilhelm à plusieurs reprises pour le compte de la famille. Il estime que Paul Lombard, l'avocat marseillais, ne fait pas l'affaire ; Wilhelm avance alors le nom de Georges Kiejman.

Quand le scandale éclate, c'est Wilhelm qui conseille à Liliane de régulariser sa situation fiscale. Il la revoit plusieurs fois au cours de l'été, en Espagne. « Ma fille veut me tuer, trouvez une solution », lui dit-elle alors que Françoise vient de déposer une demande de mise sous tutelle. « Attaquez-la en révocation des actions de L'Oréal, ça va tout bousculer », suggère-t-il. Il prépare l'assignation, puis se ravise : trop dangereux pour le groupe de cosmétiques. Il décide alors d'inciter Liliane à « trouver un accord avec sa fille », dont il se propose de rencontrer l'avocat, Didier Martin, qu'il connaît bien.

La médiation fonctionne. Il en découle un pacte entre la mère et la fille à la faveur duquel Wilhelm devient le nouveau « protecteur » de Liliane moyennant une rémunération de 200 000 euros par mois la première année (150 000 la deuxième, 100 000 la troisième, *dixit* le contrat), manne qui le fait entrer dans la cour des « grands » ayant chauffeur et limousine. L'avocat gère certes une fortune évaluée à 7 milliards d'euros, tableaux et bijoux compris, mais il assure que si l'on fait le décompte des milliers d'heures de travail accumulées par lui-même et ses six collaborateurs, ses émoluments ne dépassent pas les 350 euros de l'heure.

Les choses se gâtent rapidement. Françoise a le sentiment que l'on cherche à nouveau à la couper de sa mère. Celle-ci est désormais encadrée par un curieux infirmier, Alain Thurin, payé 18 000 euros par mois, choisi par Me Wilhelm, lequel est devenu entre-temps l'exécuteur testamentaire de Liliane dans l'intention affichée de bloquer la transmission du patrimoine familial jusqu'aux quarante ans des petits-enfants...

Au printemps 2011, au cours d'un déjeuner avec Didier Martin, Pascal Wilhelm, sûr de lui, évoque son investissement dans la société de Courbit et divers projets immobiliers, sans oublier ses visées sur les vignobles Château Lascombes. Il n'en faut pas davantage pour que Françoise demande au juge des affaires familiales la révision du mandat de protection : au mois d'octobre suivant, Wilhelm est écarté à son tour et la mère placée sous tutelle de la famille.

Le juge Gentil se fait un devoir de récupérer la décision de la juge des tutelles et d'examiner la manière dont Me Wilhelm a exécuté son mandat. Une première perquisition a lieu à son cabinet en octobre 2011, au terme de laquelle l'avocat pense avoir été lavé de tout soupçon, comme il nous le confiait alors : « Quand je me suis retrouvé mandataire, je me suis mis dans la peau du scribouillard. J'ai mis six personnes à temps plein dessus, on a rempli vingt mètres linéaires de dossiers, et je ne me suis pas spécialement enrichi à titre personnel. J'avais le chéquier et des pouvoirs illimités, sauf celui de m'attribuer quelque chose. Je faisais ce que je voulais en vertu d'un mandat irrévocable. Je ne vois pas là la moindre faute. Ai-je bien géré ? Le patrimoine a crû de 100 à 120 millions d'euros en dix mois. Le placement chez Courbit n'était pas forcément mauvais... »

La perquisition n'affecte pas la réputation du cabinet Wilhelm, dont le patron n'a d'ailleurs pas pour ambition principale de voir sa photo s'afficher dans les journaux. L'avocat adresse au juge un dossier par lequel il espère dissiper les derniers malentendus, et se dit serein. L'Ordre des avocats ouvre bien une enquête déontologique, mais, à l'heure de plaider, son défenseur, Jean-René Farthouat, qui fut aussi celui de Liliane Bettencourt, évoque le « rôle admirable » de Wilhelm avant de se fendre d'un communiqué blanchissant son client.

Talentueux, mais « bricoleur » sur les bords ? Aux accusations de la famille Bettencourt qui avait d'abord vu en lui un sauveur avant de déchanter, Pascal Wilhelm réplique par une surprenante déclaration d'amour : « J'ai éprouvé beaucoup d'affection pour madame Bettencourt, une femme tellement intelligente, une femme forte, malgré les troubles qui l'affectent. Cette femme a un pouvoir quasi magnétique... mais *ils* ne m'ont jamais accepté. Je ne suis pas du même monde, je sors de nulle part, et j'avais tous les pouvoirs... »

« Déni de réalité », comme l'assure un des conseillers de la fille ? La liste de ceux à qui l'argent de Liliane a tourné la tête n'est pas close (l'enquête judiciaire non plus) !

Chapitre 3

Secrets de stars

Georges Kiejman, fils d'une illettrée
et avocat des lettrés

En ces temps de scandale Bettencourt, Georges Kiejman voudrait nous entretenir de son meilleur ennemi du moment : Olivier Metzner. Dans son bureau avec vue sur le boulevard Saint-Germain, il tend la copie d'un article du *Nouvel Observateur*, devenu pièce d'un dossier en cours, dans lequel celui qui défend les intérêts de la fille, Françoise, se targue d'être devenu le roi du « plan média » : « Je planifie tout à l'avance. Quand je communique, les instructions sont respectées... »

Me Kiejman défend la mère, Liliane, et son récent esclandre, en plein tribunal, avec son adversaire a fait du bruit au barreau. C'est peu de dire qu'il est « scandalisé » par le protocole que ses confrères ont fait signer à Mme Bettencourt. Mais c'est cette histoire d'avocat « roi de la com' » qui lui reste en travers de la cravate : « C'est écrit noir sur blanc, Metzner affirme que les journalistes sont à sa botte ! » s'exclame-t-il, désormais relaxé au titre de la bonne foi des poursuites en diffamation intentées contre lui par son confrère. Mais lui, comment fait-il avec les journalistes ?

« Je n'ai jamais de stratégie médiatique définie, assure-t-il. Le dossier se joue à l'audience. Cela passe par la clarté de l'exposé et la connaissance du dossier. Je suis un paresseux qui travaille, peut-être pas autant que Metzner, mais j'ai sans doute des facilités. Metzner surjoue, il manque de style… Si la presse m'est favorable, je suis ravi, mais je lui demande juste d'être au plus près de la vérité. Je pense qu'il ne faut pas chercher à maîtriser les médias, ni même avoir le goût des médias. J'en veux aux journalistes de s'être transformés en enquêteurs : c'est dangereux. Quand ils adoptent un point de vue, quand ils choisissent leur cible comme ils l'ont fait avec Liliane Bettencourt, ils n'en démordent plus. »

Pas satisfait, Mᵉ Kiejman, du traitement de l'affaire par les journaux ; il a signifié un jour son courroux par SMS à la journaliste du *Monde*, Raphaëlle Bacqué : « Je tiens à saluer l'autoportrait de Françoise Bettencourt que vous avez eu l'élégance de signer. »

« Je déteste ce monde où la transparence est la règle absolue, embraie l'avocat. Si on admet qu'un employé peut enregistrer une conversation chez vous, on en revient à la Stasi ! Les médias soufflent dans la direction du vent et passent à pieds joints sur ce qui pourrait gêner leurs thèses. *Le Figaro* devient parfois le seul refuge de l'exactitude ! »

Un bon point simple à décrypter : *Le Figaro* est le seul quotidien à avoir reproduit le fameux protocole dactylographié dans le cabinet Bredin-Prat, accord qu'il qualifie de rien de moins que de « pacte de corruption ».

Pourtant, Kiejman l'avoue volontiers : il a été l'enfant chéri des médias, et n'a pas détesté ça. C'était quand il préparait la défense de Pierre Goldman, au milieu des années 1970. La presse était derrière lui, du moins une partie d'entre elle, celle qui ne cachait pas une certaine tendresse pour cet enfant flamboyant du gauchisme à la française, naviguant avant l'heure à la frontière du banditisme et de la politique, et plutôt intelligent, qui, même à l'oreille de son père, s'affirmait innocent du double meurtre dont on l'accusait.

Ce sont Tiennot Grumbach et Marianne Merleau-Ponty, tous deux avocats, qui conseillent alors à Goldman de s'appuyer sur Kiejman, lequel pose ses conditions : le prévenu a beau admirer l'éloquence d'Émile Pollak, le pénaliste à la mode de l'époque, son confrère ne veut pas de douze avocats sur les bancs de la défense – lors du premier procès devant les assises de la Seine, au terme duquel il a été condamné à la perpétuité, ils étaient dix à le défendre ! Kiejman préfère être seul contre tous : question de dramaturgie. Goldman prétexte, pour l'écarter, qu'il ne croit pas à son innocence, mais Pollak revient alors à la charge : « C'est très bien pour moi, mais je ne suis pas sûr que ce le soit pour vous. » Goldman plie, et Kiejman rentre dans la danse au côté de Pollak.

La mission, au cours de ce procès qui se tient devant la cour d'assises d'Amiens, se résume à « une lutte de tous les instants contre les faiblesses de l'accusation ». Principale cible : le témoin anonyme baptisé « X2 » par la police, que l'avocat doit absolument décrédibiliser s'il veut remonter le courant.

Alors qu'est convoqué à la barre des témoins le numéro deux de la Police judiciaire, Kiejman lui rappelle qu'il a trouvé deux armes appartenant à Goldman sous un pot de fleurs, dont il est avéré qu'elles n'ont pas servi au braquage mortel. « Est-ce bien X2 qui vous a conduit jusqu'à ces armes ? – Oui », répond le policier sans se rendre compte qu'il est en train de valider l'idée que ce fameux anonyme peut lui aussi se tromper.

Sous les yeux de l'actrice Simone Signoret, présente aux audiences et qui ne ratera que la plaidoirie pour cause de tournage, l'avocat s'en prend aux témoins qui disent avoir reconnu Goldman sur les lieux. Il souligne leurs contradictions, jette le discrédit sur les « tapissages », ces séances au cours desquelles ces témoins peu crédibles, à l'abri derrière une glace sans tain, sont priés de dire quel individu, au sein d'un groupe de plusieurs, ils sont censés reconnaître.

À l'heure de plaider, Kiejman a tant bataillé à l'audience, dans une atmosphère fiévreuse, qu'il est aphone. On lui tend un micro et, « avec un soupçon de voix », il se rapproche des jurés. Il se bat sur les faits plutôt que de politiser à outrance (le premier procès a été cassé pour vice de forme). Avec, à la clef, un joli bilan, puisque ce second procès débouche sur l'acquittement de celui qui faisait figure, la veille encore, de coupable « idéal » : il est condamné quand même à douze ans de prison pour les trois autres braquages, mais sera libéré à mi-peine. Succès salué publiquement par le pénaliste Jean-Louis Pelletier, qui écrit que la défense « ne sera plus jamais la même après ce procès ».

« Il ne faut poser de question que si on a la réponse », avait dit le célèbre pénaliste René Floriot. Georges Kiejman, lui, a su prendre le risque d'être déçu par la réponse des témoins.

Les médias lui ont déjà joué de vilains tours, comme en ce jour de 1966 où une chroniqueuse de *Paris-Presse*, subjuguée par sa plaidoirie dans une affaire criminelle, envoya à sa rédaction un article intitulé « Une étoile est née », article dont personne ne peut attester la réalité... puisqu'il n'a jamais été publié pour cause de grève ! Les médias, cependant, gâtent Georges Kiejman, et pas seulement lorsqu'il défend Goldman. En janvier 1971, Éliane Victor, collaboratrice de Pierre Lazareff (patron de *France-Soir*), l'appelle pour monter sur le plateau du « Procès », une émission de télévision fondée sur l'affrontement de deux ténors. Thème du jour : l'invasion de la vie quotidienne par la sexualité. Son adversaire : René Floriot en personne, dont le patronyme veut aussi bien dire « avocat » que Frigidaire signifie « réfrigérateur »... Règles du « jeu » : chacun fournit trois témoins, sous la direction d'Étienne Mougeotte et avec la participation de Jean Cau. Verdict : le jeune Kiejman terrasse l'icône du barreau en se faisant le chantre de la liberté contre la censure, héritant au passage d'une carte « privilège » offerte par une boîte échangiste de la rue Thérèse, dénommée *Lucifer*, et d'un grognement officiel de Michel Debré au cours du Conseil des ministres suivant.

« La plaidoirie est un dialogue, pas un monologue ; il faut lire dans les pensées des magistrats. » Georges Kiejman a appris à le faire tout petit, précisément à l'âge de dix ans, à l'occasion de son premier contact avec la justice. La scène se passe à la fin de 1942, à Saint-Amand-Montrond, commune du Cher dont Maurice Papon fut maire. Sa mère parle à peine le français et la loi aux termes de laquelle les juifs doivent se déclarer n'est pas parvenue à sa connaissance : elle ne sait pas lire. Un jour, elle est convoquée devant le tribunal, où elle se rend avec son fils. On l'accuse de ne pas s'être acquittée d'une amende que lui ont infligée les gendarmes. « Mais je ne suis pas juive ! » proteste-t-elle. Les trois juges se parlent à l'oreille et décident que la preuve de l'infraction n'est pas rapportée. Elle peut repartir, et son enfant avec. Deux ans plus tard, en juillet 1944, la Milice rafle tous les juifs listés et les jette dans des puits. Sa mère et lui échappent à leur sort.

« Ces trois juges ont sauvé la vie de ma mère et la mienne, épilogue Georges Kiejman. Selon leur jugement, nous n'étions pas juifs. J'ai compris que la justice avait un grand pouvoir. Si elle avait été condamnée à payer l'amende, ma mère se serait retrouvée figurer dans les fichiers. »

« Le petit Georges parle bien », dit-on, et c'est ainsi qu'il s'inscrit en fac de droit alors qu'il partage encore une chambre de bonne avec sa mère. Assumant dix petits boulots à côté, il devient le précepteur du fils d'un représentant en tissus qui sera plus tard son sponsor. Il porte le costume des bourgeois et en adopte les manières, mais se considère comme « un vrai représentant du lumpenprolétariat ». Quelques années avant de défendre des milliardaires, il accède au barreau (en décembre 1953) avec la vision romantique de ceux qui prétendent « défendre la veuve et l'orphelin ». Le voici classé premier dans un concours d'éloquence, *ex aequo* avec « un type dont le père et le grand-père étaient avocats », se souvient-il, pas peu fier. Le marchand de tissus l'introduit chez un certain René Moatti, juif de Sétif (Algérie) et « orateur combatif », lequel lui apprend qu'« il ne faut pas seulement sauver le client, mais aussi l'avocat », et l'aide à surmonter quelques handicaps, à commencer par le manque de relations...

Deuxième secrétaire de la Conférence du stage, Georges Kiejman voit partir le ministre de la Justice, François Mitterrand, après le discours du numéro un, François Sarda. Froissé, il se rattrape lorsque Pierre Mendès France, qu'il considère comme un « dieu », le prend en sympathie et fait de lui une sorte de secrétaire. « C'est la première personne fiable qui me donne confiance en moi, dit-il. C'est comme l'adoubement par le pape. » Il prend une nouvelle fois sa revanche en devenant l'avocat de la *NRF* et des *Cahiers du cinéma*, lui, le fils d'une illettrée et d'un père mort en déportation.

« Le pouvoir, c'est d'abord le pouvoir sur les juges », déclare cet avocat passé par le ministère de la Justice sous François Mitterrand, après Robert Badinter, l'un des confrères qu'il « aime » : « La Place Vendôme m'a permis de voir ce qui se passait de l'autre côté du miroir, mais le seul ministère où l'on a du pouvoir, c'est Bercy. On m'a reproché d'avoir dit que l'indépendance des magistrats, c'est dans la tête. Je maintiens qu'ils sont dépendants de leur culture personnelle et de leur biographie. »

GILLES-JEAN PORTEJOIE
AU CHEVET DE JOHNNY (HALLYDAY)

C'est un lundi, à l'heure du déjeuner, que Johnny Hallyday l'appelle sur son portable. Mᵉ Gilles-Jean Portejoie boit un verre de sancerre rouge avec son chauffeur dans un bistrot de Clermont-Ferrand, sa ville, où il est né en 1949.

« Vous connaissez mes soucis ? interroge le rocker national. – Oui, j'ai vu », répond l'avocat, qui a déjà une bonne partie de sa carrière derrière lui. Arrière-grand-père mineur, grand-père instituteur, père assureur, il s'est inscrit au barreau de Clermont en 1973 avant d'être aspiré, seize ans plus tard, par l'illustre Paul Lombard qui lui a proposé un bureau dans la capitale.

« On me dit que vous êtes l'homme de la situation. »

Ils conviennent de se voir dès le lendemain à la faveur d'un concert que l'artiste donne à Saint-Étienne, dernière étape de son tour de France.

L'avocat a évidemment lu les articles consacrés à l'« affaire ». Une jeune femme, Marie-Christine Vaud, a déposé plainte pour viol contre Johnny Hallyday. Les faits se seraient déroulés le 23 avril 2001 après un repas arrosé à bord d'un yacht de luxe en rade de Cannes, mais la victime n'a déposé plainte qu'un an plus tard. Le procureur de Nice, Éric de Montgolfier, s'est emparé du dossier avec une certaine délectation et, après un an d'enquête préliminaire, il vient d'annoncer, le 3 mars 2003, l'ouverture d'une information judiciaire contre X pour viol, menaces sous conditions et appels malveillants. Mme Chirac est sortie du bois pour accorder publiquement sa protection au mis en cause sur le mode : « On ne touche pas à Johnny. » Bref, le scandale a déjà pris une ampleur nationale : Hallyday oblige...

Le lendemain de ce premier appel, les gendarmes accueillent l'avocat à proximité du stade Geoffroy-Guichard, le

« chaudron » stéphanois, et le guident vers son nouveau client qui achève une petite sieste. « Fauve instinctif », selon un proche, le chanteur est aussi très direct : « Je suis accusé de viol et je suis innocent. Je ne l'ai pas fait. Je voudrais que vous vous occupiez de mes intérêts. »

Dix minutes plus tard, Johnny présente son avocat (élu bâtonnier à trente-six ans, tout de même) à ses musiciens qui jouent à la pétanque en attendant l'heure du pot. À la fin du rendez-vous, c'est déjà le grand amour.

« T'as une belle gueule, tu me plais, t'es mon avocat ! » s'exclame le chanteur.

Johnny est persuadé que l'histoire n'est pas bien méchante, mais peu d'affaires vont susciter une telle couverture médiatique. Presque autant que l'affaire Clearstream, à une différence près : viol ou pas viol, tout le monde comprend cette fois de quoi il retourne. Pas un bistrot dans le pays où l'on n'a pas son idée sur la question. La plupart défendent l'idole, dont on se demande bien pourquoi il aurait eu besoin de violer cette fille, vu toutes celles qui lui courent après… Le Tout-Paris s'en mêle, ce qui n'est pas sans ravir secrètement celui qui se présente volontiers comme un « avocat provincial », bien qu'il soit le défenseur de Mazarine Pingeot, fille de François Mitterrand, de Véronique Colucci, compagne de Coluche, et de bien des anonymes qui ne sont pour rien dans sa promotion au grade d'officier de la Légion d'honneur – une rosette rouge qui « contribue à l'élégance de la robe », dit-il.

L'avocat doit composer avec la forte personnalité du procureur Montgolfier, à l'époque en train de faire leur peau aux francs-maçons niçois qui ont infiltré le Palais. Le magistrat traite en direct avec la plaignante, défendue par son propre avocat. Sincèrement convaincu du sérieux du dossier, il entend assister personnellement à toutes les auditions du suspect.

Mᵉ Portejoie plonge donc dans le bain niçois. Il découvre assez rapidement que les documents sur lesquels repose la plainte sonnent faux. La main du petit milieu local ? Il le pressent.

« Johnny est un séducteur-né, raconte l'avocat, assis à l'une des tables du *Raphaël*, l'hôtel qu'il a choisi comme quartier général dans la capitale, à deux pas de l'Étoile. Son image est en jeu. Il accepte de me laisser carte blanche. »

L'audition de Laeticia, l'épouse du rocker, est un « moment difficile, une humiliation », se souvient Me Portejoie. Johnny lui-même est entendu à plusieurs reprises et, à chaque fois, la même « frénésie » s'empare des médias : va-t-il être mis en examen ?

Le jour de l'audition est décalé à la dernière minute pour échapper aux journalistes qui campent depuis la veille devant le Palais de Justice. Le personnel du Palais, les policiers, tout le monde est aux balcons pour voir passer la vedette, obligée de signer des autographes avant de parapher les procès-verbaux. Johnny s'en sort sans mise en examen, mais jusqu'à quand ?

Pour l'audition suivante, l'avocat et son client atterrissent à Mandelieu. Il fait chaud. Hallyday porte un costume blanc. Comment cela va-t-il tourner ? Bien ? Mal ? Ils boivent un petit verre de rosé à l'aéroport pour se détendre : l'occasion, pour le chanteur, de tester sa popularité auprès des serveurs. Ce qui préoccupe le plus l'accusé, ce sont les dégâts collatéraux, les blessures qu'il peut occasionner à sa famille. De nouveau, il passe au travers et repart comme il est venu : simple témoin assisté.

L'affaire dure, contrairement aux pronostics du présumé violeur, que son avocat prend soin de conditionner comme lui a appris à le faire son « père spirituel », Me Lombard : « Contrairement à ce qu'on pense, tu es un citoyen comme les autres, mon vieux. Tu n'es pas Hallyday, tu es Smet. Quand tu es convoqué, tu te rends aux convocations. C'est comme ça que tu surprendras tout le monde : en étant un simple citoyen, en te pliant aux règles. »

L'entourage ombrageux du chanteur proteste, mais Johnny ne se dérobe pas, y compris à l'heure de la reconstitution. Consignes d'un avocat qui ne croit pas « aux interventions, aux combines parisiennes, ni au fait que l'on puisse être au-dessus des lois », et qui prend le « risque de déplaire » à son client, selon ses propres mots, « en lui demandant d'affronter cette machine judiciaire à la loyale ».

Gilles-Jean Portejoie découvre l'« intraitable » monde du show-biz parisien. Hier simple notable clermontois connu pour défendre quelques figures de la Mitterrandie comme l'ancien ministre du Budget Michel Charasse, il est devenu l'avocat de Johnny. Il « gère » le quotidien *Nice-Matin* en première ligne, joue les équilibristes avec *Le Parisien* qui ne rate pas un épisode, colmate les brèches, tente d'éviter l'erreur diplomatique qui le renverrait aux affaires clermontoises, certes variées, mais nettement moins médiatiques. Il est seul aux manettes, le staff habituel de Johnny étant peu au fait du domaine pénal. Seul face au plus célèbre des chanteurs français, avec lequel il noue « un lien de tendresse », loin de ces clients hâbleurs, du genre Bernard Tapie, qui remontrent à leur avocat qu'il se fait un nom grâce à eux. Il sait se faire écouter, lui qui conseilla à un confrère traîné devant les assises pour avoir frayé avec des voyous de se présenter « avec des Berluti usées, de regarder ses pieds et de fuir les plateaux télé ».

Le juge d'instruction Philippe Dorcet traite le dossier en « vieux baroudeur, jamais dans l'excès », se refusant à prendre Hallyday en otage. Le procureur, lui, reste « un adversaire déterminé, peu chaleureux et convaincu ». Du moins jusqu'au jour où le médecin qui a rédigé le certificat médical pour le compte de la « superbe » Marie-Christine Vaud se retrouve poursuivi pour faux devant le tribunal correctionnel ; où l'on découvre que la victime qui a déposé plainte un an après les faits avait travaillé sur le fameux yacht, et qu'une véritable conjonction d'intérêts s'était formée au gré des rencontres pour « faire grimper aux arbres Johnny ».

Quatre ans après le concert donné à Saint-Étienne, l'affaire se dénoue au profit de l'accusé. Le 10 janvier 2006, le procureur requiert un non-lieu en sa faveur. Une victoire totale, puisque le non-lieu est confirmé devant la chambre de l'instruction d'Aix-en-Provence. La digue n'a pas sauté, la vedette n'a pas été mise en examen et ne sera pas renvoyée devant les assises pour viol. Mission accomplie pour l'avocat, qui a depuis longtemps retourné l'arme et déposé plainte contre la demoiselle, le pharmacien et le médecin suspectés d'avoir trempé dans le complot.

« Ce qui a sauvé Johnny, insiste l'avocat, c'est de s'être présenté comme un simple citoyen. C'est cette normalité. Le piège aurait pu se refermer sur lui à tout moment. C'est assez réconfortant, finalement, de constater la capacité de réaction de l'institution dans un cadre pourtant peu paisible. L'institution est plus forte que tout. Elle compense, c'est pourquoi l'erreur judiciaire ne rôde pas dans les prétoires. Même à Outreau, elle s'est ressaisie ! »

Johnny Hallyday, le protégé des Chirac, représenté par un avocat radical-socialiste tendance Fabius, défenseur de la mémoire de Mitterrand : la réussite du tandem n'était pas jouée d'avance. Mᵉ Portejoie a pourtant vécu quatre ans durant dans l'intimité de la star, avec de nombreux rendez-vous au domicile de Johnny, à Marnes-la-Coquette. Invité à la table du restaurant que le chanteur possédait près de l'Étoile, *Le Balzac*, il l'a reçu dans son propre établissement, *Le Chardonnay*, à Clermont-Ferrand. Introduit dans le cercle, frôlé par la grâce, l'avocat n'en est pas devenu pour autant membre du petit monde du show-biz. Il a juste hérité un peu de la lumière de la star avant de revenir à son pain quotidien : le fait divers. En faisant en sorte qu'aucune affaire ne devienne l'« affaire de sa vie », pour conserver cette distance « qui a fait défaut chez Thierry Herzog, à l'heure de défendre Nicolas Sarkozy dans l'affaire Clearstream, tellement le dossier lui coulait dans les veines »...

« Mon pouvoir, c'est de faire rêver », dit Me Portejoie qui a connu par ailleurs le monde politique comme conseiller municipal, puis premier adjoint au maire de Clermont, le socialiste Roger Quilliot, avant de battre la campagne pour Mitterrand en 1988. « C'est le pouvoir du fait divers, poursuit-il. Il s'agit d'affaires que les gens comprennent. C'est la justice de la quotidienneté. Le fait divers passionne quand il trouve une consécration judiciaire. Derrière chaque affaire il y a une petite fresque sociale, avec à la clef un procès tonique, à Laval ou à Tarascon. Je prends en permanence le pouls de la France profonde. "Dès qu'on parle justice, on tourne le bouton", disait Colette Piat [auteur du livre *Une robe noire accuse*] en 1976. Tout a changé, et l'affaire d'Outreau y est pour quelque chose : le fait divers entre désormais de plain-pied dans les foyers. »

Frappent à la porte de l'avocat une mère à qui l'on refuse l'adoption d'un deuxième enfant russe parce que le père est mort dans l'avion qui l'amenait sur place ; une femme à qui l'on a infligé 500 euros d'amende parce que son chien aboyait plus que les autres, et qui ne peut pas payer ; un curé qui a vendu pour 15 000 euros un tableau du xve siècle à un antiquaire qui l'a revendu au Louvre pour 8,7 millions d'euros ; des croyants qui veulent poursuivre une agence de voyages véreuse après l'effondrement de leur hôtel durant leur pèlerinage à La Mecque ; une femme « sabotée » lors d'une opération du sein... Généraliste plus que chirurgien, l'avocat clermontois se voit avant tout comme un « absorbeur de souffrances ».

« Dans l'immense majorité des cas, il n'y a pas de doutes, le client a reconnu les faits, mais il faut plaider une heure, une heure et demie, et cela rend comparativement toute affaire commerciale on ne peut plus simple, plaide le toujours élégant Gilles-Jean Portejoie. Les vrais avocats, c'est nous ! »

Le « vrai » avocat ? « Un besogneux, un artiste, un orfèvre perpétuellement dans le doute, qui défend les pauvres pour pouvoir défendre les riches. » Des exemples ? Jacques Vergès et Paul Lombard, « l'élégance personnifiée », répond sans hésiter le pensionnaire du *Raphaël*. Paul Lombard, précise-t-il, qui était le collaborateur d'Émile Pollak dans la célèbre affaire Dominici où l'on vit l'accusé dire : « J'ai tiré un coup, j'ai tiré deux coups, j'ai tiré trois coups à la suite », et l'avocat répliquer debout : « Ça, c'est le record du monde ! » Scène mémorable dont Me Portejoie se gargarise volontiers et s'inspire, convaincu que, lorsque l'avocat se lève, « il doit toujours se passer quelque chose ».

« Ce métier incarne la modernité, dit-il. La liberté des honoraires, la liberté de ton, la notoriété : ce métier apporte tout. »

Les journalistes ne sont jamais loin des « vrais » avocats, et le nom de Portejoie apparaît au détour de centaines d'articles dans la presse quotidienne régionale, mais aussi dans les colonnes du *Parisien*, dont il est un habitué, de *Libération* ou du *Monde*. Johnny Hallyday n'est pas tous les jours accusé de viol, mais quand il ne défend pas un rocker, l'avocat s'occupe du sort du généticien français Laurent Ségalat, accusé par la justice suisse d'avoir tué sa belle-mère, deuxième épouse de son père, qui tenait à Lausanne une librairie de livres anciens. À six mois du procès (dont son client, foin du suspense, sortira blanchi), Me Portejoie est déjà sur le ring :

« Un soir, alors qu'il neigeait, Laurent Ségalat repasse au moulin et découvre sa belle-mère dans une mare de sang. Pendant une heure, il essaie de la réanimer. Il lave un peu le sang, change de chemise, mais pas de pantalon. On lui dit qu'il l'aurait frappée à coups de marteau, dans un moment de folie, mais un expert certifie qu'elle n'a pas reçu le moindre coup de marteau. Contre lui, son comportement en découvrant le corps : il n'a pas appelé les secours et a fait le ménage par phobie du sang. Incapable d'un passage à l'acte, il était là au mauvais moment, à la mauvaise heure, mais il n'a pas le moindre mobile. Il s'entendait bien avec cette femme. La librairie lui était destinée. La victime est tombée en arrière, et son crâne a heurté le sol. Elle a perdu connaissance à un moment où lui-même n'était pas là. Brillant chercheur, il estime que la justice est une science exacte et que, puisqu'il est innocent, cela se saura. Mais, pour la police suisse, la messe est dite : ils tiennent le criminel... »

Comment faire avancer sa cause autrement qu'en appelant les journalistes à la rescousse ? Le doute est vendeur, l'avocat a eu le loisir de le vérifier, lui qui plaide une trentaine de fois par an devant les assises depuis plus de trente ans. *Le Parisien* s'empare de l'affaire, puis *Libération*, suivis par plusieurs chaînes de télévision. À l'heure de requérir, le procureur n'en réclamera pas moins une peine de seize ans de prison contre le scientifique, qui sera acquitté, le 1er juin 2012, après dix-huit mois d'emprisonnement, sous les vivats de ses supporters...

Les médias, Me Portejoie connaît, et c'est peut-être même l'une des raisons pour lesquelles Johnny et son avocat habituel, Me Waconsin, ont fait appel à lui à l'heure de répondre coup pour coup au redoutable Éric de Montgolfier, connu pour disposer d'une puissance de frappe médiatique hors pair. Pas un jour, à l'époque, pas un rebondissement sans qu'un journaliste vienne trouver l'avocat, lui permettant de répliquer à un procureur au mieux de sa forme, qui venait de faire lui-même l'objet d'une inspection dont il était sorti par le haut. Un bras de fer aussi impressionnant que les écoutes téléphoniques des marins en poste sur le yacht à l'heure où « la meute fascinée guettait l'instant où l'affaire allait basculer, et la star finir aux assises »...

ÉRIC DUPOND-MORETTI ET ANTONIO FERRARA,
STAR DU MILIEU DES CITÉS

La scène se déroule sur les marches du palais de justice de Paris. Éric Dupond-Moretti croise Lionel Moroni, l'avocat toulonnais auquel Antonio Ferrara a confié ses intérêts. « Je vais être l'avocat de Ferrara, annonce le Lillois à la courte barbe charbonneuse à son confrère sudiste. – Tu n'en as pas besoin », réplique Moroni sur le mode humoristique, lui qui vient d'obtenir l'acquittement du « roi de la belle » dans une affaire de braquage.

Pourquoi vouloir renforcer une défense déjà bien étoffée dans laquelle, outre Moroni, on trouve Amar Bouaou, Paul-Charles Deodato et même Jean-Louis Seatelli ? Parce que tout le monde rêve de défendre ce séduisant garçon qui se trouve être l'un des caïds les plus médiatiques de sa génération. Même Dupond-Moretti, pourtant déjà on ne peut plus gâté en termes de clientèle...

Un an plus tard, alors que s'ouvre le procès de l'un des premiers braquages imputés à Ferrara, le Franco-Italien de la banlieue sud, l'Italo-Nordiste Dupond-Moretti est assis auprès du Corso-Toulonnais Moroni sur le banc de la défense.

Avant de céder sa place à « Dupond », Lionel Moroni termine sa plaidoirie : « Les témoins, onze ans après, ça n'a pas de valeur ! tonne-t-il. Un témoignage, c'est tout ou rien ! Une construction s'est faite autour d'Antonio Ferrara. On l'avait condamné avant qu'il ne soit jugé. Vous êtes les juges de cette construction intellectuelle ! »

Le Nordiste monte à son tour en scène et module sur le mode agnelet, voix feutrée et modestie de circonstance :

« Je vais hésiter, bégayer peut-être. D'abord, je veux évoquer la situation pénale d'Antonio Ferrara. Cela mêle règles arithmétiques et règles du droit, mais il faut que l'on sache de quoi l'on parle. Il y a dans le casier judiciaire de cet homme sept peines. Il y a deux peines à purger pour deux évasions, soit 17 ans, puis 24 ans et 6 mois d'emprisonnement. On en est à 41 ans et 6 mois pour un homme de 38 ans qui n'a pas de sang sur les mains. C'est là une peine sacrément monstrueuse ! Un schéma vaut parfois mieux qu'une longue explication. Le maximum qu'il devra exécuter, c'est 20 ans. Vous me suivez ? Il lui reste à purger 37 ans si vous l'acquittez. Il a déjà exécuté 9 ans, dont 7 ans comme un chien, dans des conditions invraisemblables. Permettre à monsieur Ferrara d'embrasser sa mère, c'est une révolution ! Il a tenu, c'est un miracle ! C'est un honneur de plaider pour lui. Moi, j'aime ce garçon, cette volonté d'être debout me stupéfie.

« On est quatre à le défendre, parce qu'on l'aime bien. On n'est pas là pour les sous, parce que la tête à Toto divisée par quatre, ça fait rien ! On est là parce qu'il n'y a pas que des salauds en prison. Je ne vais pas m'excuser d'être ce que je suis. Les jurés, s'ils avaient des ennuis, n'iraient pas chercher un singe bègue.

« On a les héros qu'on peut ! Antonio Ferrara est un monstre sacré ? Dans toutes ces affaires de fourgons blindés, il a été acquitté. On a eu là une méthodologie policière invraisemblable ! (*Il se tourne vers le banc des parties civiles.*) C'est une affaire grave, mais le temps a fait son œuvre. Je m'incline, vous avez souffert, mais j'ai vu chez vous une mesure qu'il n'y a pas chez votre conseiller (l'avocat des victimes). Si on la note, cette enquête policière, c'est 2, 2,5, pas plus. Dans un système anglo-saxon, tous ces témoignages s'envolent. Le pompon, c'est ce policier antillais qui a vu un blond. Vous restez marmoréen, monsieur le Président ! Les seuls qui ont vu un blond, ce sont ceux qui l'ont arrêté avec des mèches *fashion*, comme dit Antonio Ferrara. (*Polo noir, veste olive, Antonio Ferrara arbore un large sourire.*)

« J'ai entendu un flic à l'ancienne dire sur un plateau télé à propos d'un de ses "clients" : "On lui a mis le compte, c'était pas lui, mais il a payé pour l'ensemble de son œuvre et les faits qui sont prescrits." Ce n'est pas très républicain, ça.

« Puis il y a son sourire. C'est vrai que c'est un type humain, sympa, qui a compris qu'il avait changé de vie avec ce bébé-parloir qui va naître. (*Ses lunettes à la main, il parle sans micro et reste à quelques mètres de celui qu'il défend comme pour mieux l'abriter.*) Moi même, j'ai un jour été reconnu dans une "parade"... L'imaginaire, c'est le dernier refuge de la liberté, pas de l'accusation. Il est un peu *short*, l'avocat général, comme dirait mon fils...

« L'acquittement d'Antonio Ferrara n'implique pas que je vous désigne les coupables. (*Il fait face aux jurés.*) Jugez-le comme vous aimeriez qu'on juge l'un des vôtres. C'est le sens de votre présence ici. Je ne vous demande pas de l'aimer. Il n'a pas fréquenté que des archevêques et des avocats généraux. Si demain on va faire un braquage, c'est pas à vous qu'on va demander un casque ! »

Éric Dupond-Moretti balaie les charges. L'ADN ? Un de ses clients, surnommé « la Gelée », a été acquitté au bénéfice du doute alors qu'on avait trouvé son ADN sur un mégot ramassé près de l'entrepôt attaqué. La téléphonie ? L'avocat se rapproche des jurés, il est à portée de main du président, presque accoudé à la table, quand il s'exclame : « Il faut être un gredin pour avoir limité les recherches sur le téléphone à la date du 28 ! » Et d'évoquer un autre acquittement, celui d'un braqueur que la téléphonie semblait pourtant confondre, avant de poursuivre : « Quelle preuve a-t-on qu'il était à Athis-Mons [lieu du braquage] ? Son frère dit qu'il était en Espagne, mais c'est son frère. On n'a pas vérifié les bornes, parce que c'était trop cher. Pour la Fiat de la princesse Diana, on a fait 21 000 vérifications ; on a dépensé des millions pour l'affaire Sarkozy-Villepin, et on ne dépense rien pour Ferrara ? C'est pas réglo !

« Il y a trois semaines, ma secrétaire me dit : "Vous avez mangé du poulet. – Pourquoi ? – Vous avez déclenché votre portable quand vous avez commandé ce poulet." On a souri. Parce que, dites-moi, on ne pouvait pas faire une expertise vocale ? (*Il est revenu près de son client, les lunettes ont atterri sur son crâne dégarni, la voix monte.*) Bon, voilà, j'ai fini. Vous voudriez que je hurle qu'il est innocent ? Ce ne serait pas crédible, car je revendique ma totale partialité. Le doute doit lui profiter. Il repart par la souricière pour des années de prison. Le président ne vous tord pas le bras quand vous prêtez serment. C'est fantastique ! Certains sont émus, et c'est normal : ce serment vous engage. C'est pas extraordinaire, d'acquitter Ferrara dans un dossier comme celui-là. C'est pour moi une évidence absolue.

« Monsieur l'Avocat général, si vous étiez dans le jury, vous voteriez non. Je ne sais pas ce que vous ferez. Vous n'êtes pas obligé d'écrire l'Histoire. Ce n'est pas un déshonneur d'écrire : "On ne sait pas." Il vaut mieux acquitter cent coupables que de condamner un innocent. C'est Voltaire qui l'a dit. (*Il regarde une victime dans les yeux.*) Vous, je ne suis pas certain que vous voteriez la culpabilité ; votre avocat, si, mais pas vous... Ce n'est pas une faveur qu'on vous demande. »

Ce jour-là, à part les représentants des agences de presse et Stéphane Durand-Souffland, chroniqueur judiciaire du *Figaro*, qui vient de cosigner *Bête noire*, une biographie de la star du barreau, les bancs de la presse sont clairsemés. L'accusé a droit à un dernier mot et ne s'en prive pas. On craint qu'il ne casse le travail de ses défenseurs, mais ce garçon est un bon client.

« Tous les ans, je suis au moins une fois aux assises, dit-il. C'est l'avant-dernière fois que je compte les marches, car je n'envisage plus de revenir devant cette cour d'assises, si ce n'est dans le public, pour écouter les plaidoiries (...). Ce que je vous demande, les yeux dans les yeux, afin que vous ne doutiez pas de mon innocence, c'est que vous vous mettiez à la place des victimes... »

Le résultat subodoré par Dupond-Moretti est au rendez-vous : acquittement.

Quelques jours plus tôt, à l'heure du petit déjeuner, à la table de ce Sofitel des Halles qui lui sert de camp de base à Paris, le Lillois (de Maubeuge) qui « s'est fait tout seul » annonçait la couleur : « Je déteste faire à l'avance de longues déclarations sur ce que je vais plaider. C'est injurieux vis-à-vis des jurés, et puis ça perd de sa force. »

Né en 1961 d'une femme de ménage italienne et d'un ouvrier, serment prêté en 1984, désormais incontournable, il a cependant remarqué que la présence d'un journaliste dans la salle d'audience « change le déroulement des choses ». « Il n'y a pas de réhabilitation de Dreyfus sans Zola », assène celui que certains présentent comme le « numéro un ». « Je suis un avocat médiatique, mais pas médiaphile, poursuit-il. Je ne tiens pas à galvauder ma parole. Pour la carrière, la médiatisation est utile, mais c'est d'abord le bouche-à-oreille : "Prends untel, il se bouge." Il faut des résultats. Tous se sont levés tôt, Pierre [Haïk] comme Thierry [Herzog]. Il faut bouffer des kilomètres, il n'y a pas d'autre stratégie possible. J'ai toujours eu beaucoup d'ambition, mais la publicité, tu ne la maîtrises pas. Dans ma carrière, il y a Outreau. C'est l'affaire qui m'a fait entrer dans tous les foyers. »

Auparavant, il avait plaidé pendant deux ans à mi-temps aux prud'hommes pour un spécialiste du droit du travail ; il avait écouté aux assises de Douai Jean-Louis Pelletier, Henri Leclerc, Thierry Lévy, « comme un ver de terre regarde une étoile » ; il avait compris que rien n'est plus éphémère qu'une plaidoirie ; et lutté contre ceux qui lui disaient que, partant de Lille, il ne ferait jamais le tour de France. Il l'aura fait plutôt deux fois qu'une, non sans rester attaché à sa pelouse verte au milieu des terrils.

« Pour Éric Dupond-Moretti, il n'y a qu'un avocat, c'est lui, dit son confrère et ami Michel Konitz. En même temps, il est vraiment généreux. C'est quelqu'un qui ne se vendra pas, mais, s'il n'est pas le meilleur, il meurt. On peut être bon sur une plaidoirie, lui le sera sur cinquante. Il peut être en même temps puissant, violent, juriste, poète, il a une boîte à outils extra. Il peut plaider dix fois aux assises en onze jours, sans finir sur les rotules. Sa surface médiatique le grise, mais il n'est dupe de rien. » Et puis il y a cette irremplaçable collaboratrice, Alice Cohen-Sabban, fille de l'avocat Joseph Cohen-Sabban, qui lui prépare ses dossiers comme personne.

« Il n'y a pas deux Dupond-Moretti, un pour la parade et un pour de vrai, assure-t-il. Je parle comme je plaide. Je n'ai pas un discours pour les médias et un pour le procès. » Fou des médias, peut-être, mais la tête sur les épaules, il jure qu'on ne le verra jamais, comme certains, faire demi-tour parce qu'il n'y a pas de caméras. Quand on lui parle de ces politiques qui aspirent à devenir avocats, il se réjouit à l'idée de plaider un jour une affaire de pédophilie en compagnie de Rachida Dati ou Dominique de Villepin, et affirme être trop arrimé à son métier pour vouloir devenir... député ! « Avocat, dit-il, ce n'est pas un métier qu'on fait du bout des doigts... Ce qui me fascine, c'est la chute des êtres, leur fragilité. Il y a une frontière ténue entre l'honnête homme et le délinquant. Tu entres par effraction dans la vie des gens, et tu y trouves la tienne. Le manichéisme, le bien, le mal, le bon, le pas bon : tout ça explose ! »

« Vous terrorisez tous les magistrats, lui a un jour lancé un juge. – Uniquement ceux qui le méritent », a-t-il répondu.

Chapitre 4

Secrets d'État

Quand Francis Szpiner balance, on prend note, d'autant plus qu'il est l'un des rares à le faire publiquement. Olivier Metzner, que certains présentent comme le nouveau pape du barreau ? « Avec son bac G[1], c'est une imposture. » Hervé Temime, le pénaliste des stars ? « C'est la mondanité, c'est du toc. » Thierry Herzog, avocat de Nicolas Sarkozy ? « Ce qui le tue dans le procès Clearstream, c'est de vouloir tout dire. » Jean Veil, avocat d'affaires par excellence ? « Il ne fait pas partie des nôtres, ceux qui plaident. » Jean-Pierre Versini-Campinchi ? « Il est un peu surévalué. » Pierre Haïk ? « Si on le compare à sa femme, c'est un bouffon. » Françoise Cotta ? « C'est une femme sans foi ni loi. » Frédérique Pons ? « Qui ? Dans quel dossier ? Allez plutôt voir Emmanuelle Kneusé ou Virginie Bianchi ! » Jean-Pierre Mignard, compagnon de route des socialistes ? « Il a un fond, c'est du solide, mais c'est [Roland] Dumas raté : il n'a pas fait la carrière d'avocat qu'il aurait méritée, la carrière politique qu'il

---

1. L'équivalent du bac STG actuel.

souhaitait. Mignard, c'est l'enfant raté d'Henri Leclerc. Dans la génération des quarante ans, qui a une vision du monde ? C'était justement la force de Leclerc. Chez Jean-Marc Varaut, il y avait une vision du monde. Gisèle Halimi s'est battue pour faire changer la loi. Thierry Lévy a une licence de philosophie, c'est autre chose que Metzner et Temime. Il a peut-être des soucis matériels, mais au moins il pense, ce qui n'est pas le cas de tous. » Et, si l'on suit son regard, on comprend que notre inter-locuteur se range lui-même parmi ceux qui pensent.

La relève ? « Le drame d'aujourd'hui, c'est qu'il y a trop d'avocats analphabètes. Ils se prétendent techniciens du droit, mais ça ne veut rien dire ! Il faut que l'avocat s'engage au sens noble du terme… »

Francis Szpiner ne va certes pas se faire de nouveaux amis, mais il a l'habitude (et on lui pardonnera). Au barreau, on aime ou on déteste cet homme qui, tout en ayant les deux pieds au barreau, a toujours louché du côté de l'Élysée et de Matignon. Roland Dumas est venu le soutenir lorsqu'il a tenté de bousculer Arnaud Montebourg (autre confrère) dans son fief électoral, en 2002, avec, à la clef, une exclusion du Parti socialiste… Vain soutien, car Szpiner a échoué, comme il échouera dans toutes ses futures tentatives pour capter les suffrages des électeurs, la dernière remontant aux législatives de 2012 : il devait être le suppléant de l'UMP Éric Raoult, maire du Raincy, qui a vu lui échapper sa circonscription de Seine-Saint-Denis.

Mais quelle mouche a donc piqué cet avocat pour qu'il s'estime autorisé à « noter » ainsi ses petits camarades de robe ? Conseil de Madame Claude, la célèbre mère maquerelle de la fin des années 1970, il était le seul admis à sa table chez *Lipp*, mais ce trait-là est anecdotique. Encore avocat stagiaire, il a assisté, admiratif de ses anciens, à l'acquittement à Amiens de Pierre Goldman, et compris comment une campagne d'opinion pouvait faire d'un individu le symbole d'une génération perdue, un peu comme s'il avait vécu en direct le célèbre « J'accuse » de Zola que l'on retrouve aujourd'hui affiché au mur de son bureau. Il a prêté serment à vingt et un ans, ce qui lui donne de l'ancienneté. Il a fait la Conférence du stage, parce que « les gens qui comptent ont, en général, fait la Conférence du stage ». Il en a été deuxième secrétaire, à l'instar de Georges Kiejman, Thierry Lévy, Daniel Soulez-Larivière, sachant que les deuxièmes s'amusent volontiers à dire qu'ils sont meilleurs que les premiers (Albert Naud, Jean-Marc Varaut, Jean-Denis Bredin, Jacques Isorni...). « Cela permet de se faire connaître dans les grandes affaires d'assises, dit-il. C'est une confrérie. Ça vous installe au Palais. » Mais encore ?

La clef est peut-être à rechercher du côté de l'affaire de Broglie, pur chef-d'œuvre des années gaullistes. Moteur...

Le prince Jean de Broglie, député giscardien de l'Eure depuis 1958, plusieurs fois secrétaire d'État, trésorier de la campagne de Valéry Giscard d'Estaing en 1974, est assassiné le 24 décembre 1976 au sortir de chez Pierre de Varga, son conseiller fiscal. Varga devient aussitôt le principal suspect et Francis Szpiner n'a pas vingt-sept ans quand il se voit confier sa défense. Pourquoi choisir ce jeune avocat plutôt qu'un ténor ? Comme souvent, cela tient à peu de chose : la maîtresse de Pierre de Varga fréquente un restaurant dont la patronne a vu son copain « miraculeusement » sorti d'affaire par le jeune Szpiner alors qu'il était « noir comme un corbeau ». Et puis, un deuxième secrétaire, cela ne se refuse pas !

Une personnalité politique de premier plan assassinée dans des conditions exceptionnelles, une chape de plomb aussitôt posée par le pouvoir en place, une vérité policière contestable : tous les ingrédients sont en place, jusqu'à l'inévitable grain de sable – le juge d'instruction découvre qu'un informateur a donné l'alerte et se lance dans une enquête parallèle dont il s'ouvre à l'avocat (et pilier du PS) Roland Dumas, avec l'espoir non dissimulé que l'information filtre dans Le Canard enchaîné. Seule façon

– on se croirait en pleine affaire Karachi ! – de contrer un pouvoir qui a la main sur le parquet aussi bien que sur la police…

Pour avancer encore d'un cran dans ce Watergate à la française, Francis Szpiner saisit la Cour de justice de la République, rien que ça ! « Monsieur [Michel] Poniatowski n'est pas au-dessus des lois ! » s'exclame-t-il, ciblant le puissant ministre de l'Intérieur de l'époque, avant de demander l'audition de l'ancien Premier ministre Raymond Barre. Coïncidence : la Cour de justice de la République n'a jusqu'ici fonctionné qu'une seule fois… et ce, sous la présidence du député de Broglie !

C'est à cette occasion que Francis (Szpiner) rencontre François (Mitterrand) au siège du PS. Il assiste en direct à la naissance d'une complicité entre le futur Président socialiste et Jacques Chirac, sur le dos de Giscard d'Estaing : lorsque le bureau de l'Assemblée nationale doit statuer sur la création d'une commission d'enquête, les gaullistes s'abstiennent et les socialistes obtiennent satisfaction. L'occasion, pour l'avocat, de découvrir qu'en politique « les frontières ne sont pas si étanches qu'elles en ont l'air ». Et de nouer une amitié qui ne se démentira pas avec son confrère Roland Dumas.

L'élection de François Mitterrand à l'Élysée, en mai 1981, change la donne. La justice, tenue pour « quantité négligeable » par des années de gaullisme allongées de giscardisme, se réveille doucement de sa torpeur avec le juge Guy Floch, un ancêtre de Renaud Van Ruymbeke, qui vient déposer devant le tribunal, applaudi par des juges d'instruction, en disant : « Je fais mon travail normalement. On considère que je fais un travail exceptionnel, et c'est ce qui est terrible. »

Le procès consacre la rupture avec l'ordre ancien. Financement occulte ? Le rapport étouffé (modèle breveté que l'on retrouvera avec l'affaire Clearstream) donne des arguments à Mᵉ Szpiner, qui plaide durant trois heures et demie d'horloge (il a déjà plaidé quarante et une fois

devant les assises, le petit carnet qu'il tient scrupuleuse-
ment à jour en fait foi). Avec, à la sortie, la journaliste
Françoise Berger qui le qualifie dans son article d'« enfant
prodige et terrible du barreau ». Alourdi d'un gros casier
judiciaire, Pierre de Varga n'échappe pas à la condamnation. Au bénéfice du doute, il prend dix ans, alors qu'il
en a déjà purgé cinq.

Le juge Guy Floch, se souvient Szpiner, devient dès
lors le modèle d'une génération. Le boulevard des affaires
est inauguré. L'avocat, lui, est adoubé par ses pairs. Cette
entrée fracassante dans la cour des grands le prédispose
à fourrer son nez dans les dossiers sensibles de la République avec l'aura du pionnier.

Quand, en 1986, les premières affaires s'abattent sur
les socialistes, à commencer par le dossier Urba, la pompe
à finance quasi officielle du parti, François Mitterrand
donne son aval à la désignation de Francis Szpiner
comme conseil. Il est aussi mobilisé pour l'affaire du Carrefour du développement, où se retrouve impliqué le
ministre de la Coopération, Christian Nucci, mis en cause
pour détournement de fonds, une semaine avant la nomi-
nation de Roland Dumas au Quai d'Orsay.

C'est ainsi que Me Szpiner se voit bientôt confier avec la
bénédiction de Jacques Foccart, le « Monsieur Afrique » du
gaullisme, et le renfort de Me François Gibault, un dossier
diplomatiquement exposé : la défense de l'« empereur »
Jean-Bedel Bokassa, ancien président de la République
centrafricaine, jugé dans son pays pour meurtres, trahison,
cannibalisme et détournement de fonds. L'ancien dictateur, condamné à mort par contumace, voit sa peine com-
muée en prison à vie en 1988 (amnistié en 1993, il mourra
d'une crise cardiaque en 1996). L'occasion, pour l'avocat,
de goûter à ce que peut être une sorte de fraternité avec
l'un des hommes les plus infréquentables de la planète ! Il
compense en 1990 en faisant condamner à la perpétuité
par contumace un ancien pilier de la dictature argentine,
pour le compte de religieuses françaises disparues.

Mais l'avocat est bientôt appelé sous d'autres cieux : après avoir participé à la campagne de Jacques Chirac en 1981, et avant de contribuer à celle, victorieuse, de 1995, il s'envole pour Tahiti, où il devient pour un an le directeur de cabinet du président de la Polynésie française, Alexandre Léontieff, un dissident du parti chiraquien. L'occasion de mesurer combien la vie d'élu est difficile, mais aussi de tester sa résistance à ne pas devenir prince à la place du prince.

Voilà pourquoi Francis Szpiner, franc-maçon affiché depuis l'âge de dix-neuf ans, jouit d'un statut particulier. Et s'autorise à toiser son époque.

« Quand j'arrive au Palais en 1975, nous étions dans la période post-gaulliste, avec un État fort. Le droit et la justice étaient les parents pauvres de la société française. La justice n'avait pas le pouvoir qu'elle exerce aujourd'hui. Les grands flics ont émergé, puis ça a été le temps des juges. Encouragés par l'alternance politique à défier la culture de soumission, ils ont su corriger le sentiment d'impuissance qu'ils inspiraient à la société. Mais il faut quelqu'un pour garder les gardiens ! Avec l'affaire d'Outreau, le juge a été désacralisé. Aujourd'hui, la grande figure, c'est l'avocat. Tellement de choses se passent dans les prétoires, parfois bien plus qu'au Parlement ! Est-ce rassurant, pour une société, que les avocats attirent ainsi la lumière ? S'ils restent ce contre-pouvoir, ils sont un bon antidote au populisme ! »

Et l'avocat, né à Paris en 1954, fils d'un orphelin et d'une demi-orpheline, résistants et juifs tous deux, de citer toutes les causes qui ont émergé dans le cadre des prétoires, du droit à l'avortement aux « radios libres », de l'euthanasie à l'homoparentalité, du financement des partis politiques aux grandes pollutions, en passant par les lois antiterroristes. « La volonté de contester la loi passe par la violation de la loi », affirme-t-il, soudain pas mécontent d'avoir échappé à la carrière politique à laquelle il aspirait tant : il aurait finalement eu moins de pouvoir que derrière son bureau d'avocat. De Jacques Chirac à Dominique Baudis qui faillit laisser sa peau dans l'affaire du tueur en série de Toulouse, de la secte du Temple solaire à la naissance de l'association « Ni putes ni soumises », en passant par Bernard Tapie pour lequel il obtint un non-lieu crucial qui lui permit de revenir au gouvernement, l'avocat s'est installé dans le paysage et peut dire merci à sa mère qui lui fit lire Arthur Koestler et lui inculqua l'antitotalitarisme en même temps que le sens de l'action individuelle. Sans oublier l'essentiel : ne respecter l'autorité que si elle est respectable. Pour ne jamais voir recommencer les étoiles jaunes et les rafles.

Olivier Morice, l'obstiné du « Karachigate »

Rue Saint-Dominique, à Paris, Olivier Morice a installé son cabinet dans l'ancien appartement d'Edmond Michelet, compagnon du Général, ancien garde des Sceaux aux débuts de la Ve République et pilier du gaullisme social. Est-ce pour cela que l'avocat des victimes de l'attentat de Karachi (Pakistan), entré dans la profession en 1985, ne semble avoir peur de rien ?

Olivier Morice a commencé à jouer au rugby à six ans et demi, trois ans avant de décider qu'il serait avocat. Il a évolué comme troisième ligne centre, « un poste stratégique puisqu'on fait le lien entre les avants et les arrières, que l'on doit faire preuve d'engagement, mais aussi d'une vision du jeu pour discerner les faiblesses de l'adversaire ». Avant donc d'admirer un quelconque plaideur, Olivier Morice a eu pour modèle un flamboyant rugbyman, Jean-Pierre Rives. Est-ce de là que vient son goût pour une défense acharnée, presque physique ?

Il a grandi à Sartrouville, dans la banlieue ouest, au sein d'une famille catholique pratiquante ; ses parents aidaient à l'alphabétisation des illettrés et il volait au secours des enfants martyrisés dans la cour de récréation. Est-ce dans ce creuset qu'il a mûri sa devise : « Crier la vérité pour que vive la justice » ? « Quand la vérité n'est pas entendue, soit on se résigne, soit on crie », dit-il, et l'on comprend qu'avec lui ses adversaires ont toujours intérêt à prendre des forces pour un long combat. Quels qu'ils soient : sa voix trouvera tout son souffle à l'heure de faire face à la raison d'État. Comme saint Yves, patron (médiéval) des juristes, un Breton comme lui, défenseur du pauvre contre le riche, dont il ne rate pas une occasion de célébrer la mémoire...

Est-ce pour cette raison qu'Olivier Morice a toujours préféré le petit village d'Armorique à l'Empire romain, lui qui parle sans cesse de « courage » et clame : « Je me méfie autant des honneurs que du cynisme. La robe d'avocat doit rester noire. Tout le reste n'est que vanité ! Déjà que ce métier est empreint d'orgueil... Le président de la République [Nicolas Sarkozy] m'accuse d'être un excité : voilà qui a plus de valeur qu'une Légion d'honneur ! »

Entre victimes et criminels, à la différence de nombre de pénalistes, Mᵉ Morice ne fait pas de clivage. Il a poussé des curés pédophiles à reconnaître leurs méfaits et défendu des enfants sénégalais abusés par un prêtre français, héros de l'humanitaire. Il a défendu un directeur adjoint de clinique qui refusait de procéder à des avortements et il brandit le flambeau de la lutte contre la Scientologie en France. S'il le faut, il appelle saint Augustin à la rescousse : « Le degré minimal de la charité, c'est de rendre la justice. » Comprendre : Morice n'est pas devenu avocat pour défendre les riches. « On peut choisir cette profession pour faire de l'argent et des fusions-acquisitions, ce n'est pas mon cas. Le cœur de ma vocation, c'est de porter des causes, même difficiles, afin de les faire prospérer. L'avocat qui compte, c'est celui qui défend des valeurs. » Quitte à se retrouver, seul, face aux gigantesques moyens d'un président de la République ? « Les avocats doivent prendre des risques. »

Où est l'incontestable vérité dans l'affaire Karachi, puisqu'il s'agit d'elle ? « Il y a en 2002 un attentat qui coûte la vie à onze ressortissants français. La DCN[1] mandate un ancien des "services" qui rédige trois rapports révélant l'existence d'un contrat donnant lieu à des rétro-commissions destinées à financer la campagne d'Edouard Balladur. Ces rapports n'apparaissent qu'en 2008, et le juge antiterroriste Marc Trévidic considère qu'il s'agit d'une piste cruellement logique. J'accuse Nicolas Sarkozy d'être au cœur de la corruption, et Edouard Balladur d'avoir profité de ces contrats pour financer sa campagne. » Au-delà des mots, il assure que l'offre de preuves est prête.

Chez Morice, la transparence est patente jusque dans les bureaux, de portes vitrées en portes ouvertes. Lorsqu'il a quitté son cabinet, en décembre 2009, pour déposer plainte pour « délit d'entrave », il savait qu'il mettait les pieds dans « une affaire d'État considérable dont les répercussions allaient être sismiques » : « Je n'ai ressenti aucune jouissance à l'heure d'engager ce bras de fer avec l'État, car j'étais conscient des responsabilités qui pesaient sur mes épaules », dit-il encore trois ans plus tard. La « jouissance », il la garde pour quand il boit un bon vin. « Le jour où j'éprouverai du plaisir à attaquer les puissants, je m'inquiéterai. »

Après la deuxième division, la division d'honneur... Où l'on doit manier un certain art de la provocation pour faire sortir du bois l'adversaire, avec, dans l'équipe, deux « joueurs » exceptionnels, les magistrats Renaud Van Ruymbeke et Marc Trévidic, animés du même idéal de justice.

En face, on menace, on s'affole, on annonce des plaintes en diffamation qui ne viennent pas, on perd du crédit, notamment du côté des procureurs, mobilisés pour

---

1. Direction des constructions navales.

« éteindre le feu ». Un jour, Olivier Morice souffle à l'oreille de Jean-Claude Marin, alors procureur de Paris, tout le mal qu'il pense de son attitude « hypocrite ». Ce qu'il lui reproche : avoir occulté un rapport du parquet général sur le volet financier de l'affaire Karachi, dans lequel apparaissait le nom de Nicolas Sarkozy, pour mieux écarter l'ouverture d'une information judiciaire. « Tu es fou ! Tu te grilles auprès des juges ! le met en garde un ami. – Je m'en fous complètement ! réplique-t-il. Rester en bons termes avec les magistrats n'est pas mon objectif. »

Les journalistes ne sont jamais très loin de son cabinet. C'est un reporter du *Figaro* qui fait parvenir à Morice le dossier du juge Borrel, mort à Djibouti. Et c'est un journaliste de *Libération* qui lui adresse les familles des victimes de Karachi, mécontentes de leur premier défenseur, parce qu'elles n'ont jamais eu accès au dossier. Il attire à lui les causes pour lesquelles il faut bousculer la raison d'État, comme Jean-Michel Darrois attire les dossiers financiers. « On sait que s'il y a quelque chose à faire, je le ferai, dit-il. La justice ne peut être menée par des machiavels. »

Pour infléchir le cours des choses, il organise une première rencontre entre le juge Trévidic et les familles, avec lesquelles il donne, dans la foulée, une conférence de presse. Il en tient une seconde, un an plus tard, en juin 2010, d'où il ressort que le procureur cherche à les « endormir » avec l'ouverture d'une enquête préliminaire. L'avocat réclame la désignation d'un juge, et c'est Renaud Van Ruymbeke qui entre alors en piste. Compte-t-on sur lui, au sommet de l'État, pour éconduire les parties civiles ? Le juge d'instruction ne suit pas les recommandations du « prince de la procédure », Jean-Claude Marin, ainsi contré de l'intérieur. Mais, pour l'heure, certains journalistes demandent à Morice de refaire ses déclarations sans citer le nom du président de la République, ce qui n'est pas son genre. Il réitère sa conviction : « Comme avocat, je ne peux décider de me taire parce qu'il s'agit du Président ! Il faisait partie du système – la Balladurie – avec Renaud Donnedieu de Vabres, Ziad Takieddine, François Léotard et quelques autres. »

L'ambassadeur de France à Washington, Jean-David Levitte, lui recommande-t-il, par consul interposé, de ne pas communiquer dans une affaire de ressortissants français en difficulté avec la justice américaine ? Dans les dix minutes qui suivent, l'avocat appelle l'Agence France-Presse.

Il se retrouve face à une infirmière soupçonnée d'avoir « aidé » à mourir un certain nombre de personnes âgées, mais soutenue par Bernard Kouchner en personne ? Il fait appel à la spécialiste des scandales sanitaires, Anne-Marie Casteret, journaliste à *L'Express*, et, d'une simple phrase, renverse la vapeur : « C'est davantage une tueuse en série qu'une Madone de l'euthanasie ! »

« Dans les dossiers sensibles, on ne peut se passer de la communication, assène-t-il. Sachant que les juges ne peuvent parler aux médias, c'est la seule façon de faire éclater la vérité. »

C'est que l'avocat qui entendait peser sur le scrutin présidentiel de 2012, et qui a réussi probablement mieux que s'il s'était placé sur un terrain purement politique, n'en est pas à son premier combat contre l'État. Défendant en 1998, devant les assises du Val-d'Oise, un jeune homme accusé de coups mortels contre sa concubine, il aiguise ses crampons en poursuivant l'État devant le tribunal administratif. Son client, Éric Schamberger, qui se disait innocent, s'est en effet pendu dans sa cellule, deux jours après sa condamnation à sept ans de prison, alors qu'il était privé depuis le début du procès de son traitement thérapeutique. Son avocat avait prévu de lui rendre visite le lendemain. « Il est mort innocent, explique Me Morice, puisque le délai du pourvoi n'était pas écoulé. En accord avec la famille, j'ai souhaité que son honneur et sa mémoire soient rétablis. » Aux obsèques, la mère a demandé à l'avocat de réciter un poème que le défunt avait lu durant le procès en souvenir de son amie, une véritable déclaration d'amour.

Olivier Morice ne lâche pas, comme dans l'affaire Karachi. Le garçon est mort, mais il le défend quand même. Devant le tribunal administratif de Pontoise, en octobre 2008, l'avocat rappelle que le jeune homme, vingt-cinq ans, issu d'un milieu défavorisé, a clamé son innocence, et il soutient que l'État a « failli » en ne lui fournissant pas ses médicaments alors que son premier séjour en prison avait révélé un « tempérament suicidaire ». La concubine est-elle décédée à la suite de coups mortels, ou d'une chute liée à une trop forte alcoolémie ? Morice plaide l'incertitude, mais insiste sur le « loupé » de l'administration : privé de son traitement, l'accusé n'a pu se défendre normalement.

Condamné, l'État fait appel. Devant la cour administrative de Versailles, plus de douze ans après les faits, le rapporteur demande à nouveau la condamnation de l'État. « Une forme de réhabilitation pour la famille, commente l'avocat, mais aussi une manière de faire reconnaître la dignité de cette personne. Cette décision a été une façon de prolonger sa vie. Même si on est à genoux, on se relève ! »

Évidemment, la décision le conforte dans l'idée qu'il doit défendre les démunis contre les puissants, et même contre le tout-puissant : l'État. Hors de tout réseau, il se cramponne à ses valeurs. Il refuse toute compromission et rejette le cynisme des politiques. Pas une année ne se passe sans qu'il obtienne au moins une fois la condamnation du « Léviathan », au point de cumuler dans son cabinet près d'une cinquantaine de dossiers ainsi « signalés » – un record. Il a même obtenu la condamnation de l'État au prétexte que la justice manquait de moyens, une sorte de quadrature du cercle : il a fourni aux magistrats la possibilité de condamner leur propre employeur parce qu'ils n'étaient plus en mesure d'exercer pleinement le service public qu'ils étaient censés assurer !

« Ce n'est pas à sa voiture et à son cigare que l'on reconnaît le bon avocat, mais à son intégrité morale », affirme l'intraitable Morice. Des politiques, à gauche, ont bien essayé de le récupérer, mais une entrée en politique le priverait de cette formidable marge de manœuvre qu'est le droit, même s'il a flirté autrefois avec la droite. S'il n'est pas d'accord avec l'Église, il veut pouvoir attaquer l'Église ; s'il s'attache à un clan ou à une quelconque obédience, il sera moins solide face à l'intimidation et à la rumeur qui accompagnent toutes les affaires mêlant financements politiques, commissions occultes, intermédiaires véreux et parfois crimes de sang. Comme le dossier Karachi, « concentré de toutes les dérives des politiques qui se servent des industries d'armement à des fins personnelles ». Il a fait « tomber » l'Église de scientologie pour « escroquerie en bande organisée » ; ce ne sont pas les mensonges et les ralentisseurs de procédure déployés sur son chemin qui l'empêcheront de marquer le point, main dans la main avec les magistrats – rares, à l'entendre – « qui ont fait le sacrifice de leur carrière pour le service public de la justice ».

JEAN REINHART, UN RENARD DANS LE MOTEUR DE RENAULT

« Jean Veil se voyait ministre de la Justice, conseiller du puissant, et le voilà conseil d'un vaincu ! » Jean Reinhart n'est pas tendre avec cet avocat qu'il voudrait bien détrôner sur son terrain : celui du business majuscule ! Lui envoyer dans les jambes ses liens avec Dominique Strauss-Kahn relève des mœurs habituelles dans un milieu où les cadeaux sont rares.

Pas encore cinquante ans, mais déjà à la tête d'une structure de 52 avocats, dont 16 associés, occupant plusieurs étages d'un luxueux immeuble avenue Kléber, il revendique une clientèle parmi laquelle brillent plusieurs sociétés du CAC 40 et autant du SBS 120[1]. À l'heure où il nous ouvre les portes d'une des salles de réunion du cabinet, spacieuse, confortable et lumineuse, comme il se doit, une affaire le préoccupe : le groupe automobile Renault est la proie d'une extravagante affaire d'espionnage dans laquelle il joue en partie son image...

Les choses commencent plutôt mal. Quand l'avocat est approché pour la première fois, une plainte pénale est déjà en cours de rédaction, sauf que le groupe n'a pas de pénaliste sous la main pour la rédiger. Les entretiens préalables de licenciement avec les trois suspects sont annoncés dans la foulée – un *timing* qui ne convient pas à Reinhart, contraint de mettre les pieds dans le plat : ne vaudrait-il pas mieux rendre la plainte et les licenciements étanches afin qu'il ne soit pas dit que de ces entretiens ont été tirés des éléments destinés à nourrir la plainte ?

Une nuit de discussion dans l'urgence, et la décision est prise : les entretiens d'abord, ce qui permettra de montrer que l'on « valorise l'individu », que l'on « donne aux hommes la possibilité de s'expliquer avant de lancer la machine de guerre ».

Conseil d'avocat qui, une fois prises les premières dispositions, demande à connaître les causes exactes de l'incendie qui lèche les pneus de la marque automobile franco-japonaise. On porte discrètement à sa connaissance les schémas des virements bancaires suspects et, au premier abord, la démonstration est plutôt précise, cohérente et convaincante. « Le directeur a fait intervenir une source sûre qui a déjà travaillé pour nous dans le passé », lui indiquent les spécialistes de la direction juridique. La cible de cette opération de piratage, lui explique-t-on, c'est le véhicule électrique, au cœur de l'avenir de

---

1. Indice boursier déterminé à partir du CAC 40 et de quatre-vingts valeurs du premier et du second marché.

Renault. Ce n'est pas la batterie elle-même que les espions visaient, mais le modèle économique visant à la produire. Élément à charge déterminant : les suspects se sont rendus en Suisse, entre le 22 et le 26 décembre 2010, pour y clôturer deux comptes. Soit quelques jours avant la convocation qui leur avait été adressée par le service du personnel...

Trop limpide pour être vrai ? Jean Reinhart n'a pas vraiment de raisons de douter de la solidité de son client. À ce stade, il décide de se rapprocher du parquet de Paris, où on lui suggère de fournir les éléments à charge et de déposer plainte. L'avocat ne sait pas exactement comment les fameux documents ont été obtenus, mais il commence à travailler de concert avec le parquet. Le dossier est sensible, les médias se tiennent aux aguets. Renault oblige : le Palais de Justice mobilise du monde sous le regard attentif des plus hautes autorités politiques. Une plainte est déposée contre X, sans désigner quiconque, manière de laisser entendre que les personnes suspectées n'ont peut-être pas agi seules, mais pour le compte ou sous l'impulsion d'une instance supérieure. « L'objectif est de montrer qu'on n'a pas d'animosité contre tel ou tel, décrypte l'avocat. On ne détient peut-être pas tous les éléments. » Côté médias, l'avocat et le groupe envisagent d'organiser une conférence de presse, avant d'opter en définitive pour le silence.

Emballage juridique, choix des armes, maîtrise du calendrier, relations avec les journalistes : la palette de l'avocat d'affaires est large quand le scandale fait la une. Il jouit aussi du précieux avantage de bien connaître les avocats de la défense, ceux des salariés visés : Pierre-Olivier Sur, Thierry de Montbrial, Christian Charrière-Bournazel. Durant les jours qui suivent, ils lui font passer des messages qui « bousculent » Reinhart : « Nos clients sont innocents », disent-ils, et cette unanimité trouble l'avocat. Il demande à rencontrer la « source » avant que le parquet ne la reçoive. Les contre-espions de la DCRI (direction centrale du Renseignement intérieur) sont déjà à l'œuvre : eux non plus ne prennent pas l'histoire à la légère. Alors que les suspects se rebiffent en place publique, Bernard Squarcini, patron du service, fait remonter l'information vers François Fillon, à Matignon, mais aussi vers Brice Hortefeux, Claude Guéant et Frédéric Péchenard, les hommes du cercle rapproché de Nicolas Sarkozy. Une réunion au sommet a lieu à l'Élysée entre les conseillers Renseignement et Justice et la direction de Renault, dont l'un des membres mentionne par erreur un compte à Chypre, pays cité deux jours plus tard dans un article de presse – preuve que la Présidence, de son côté, a décidé de communiquer…

L'avocat ne peut se résoudre à la passivité. Il part pour Bruxelles, où il a rendez-vous avec la « source », mais celle-ci ne vient pas, soi-disant parce que lui, Reinhart, a été suivi. « Je suis reparti avec l'impression de n'avoir jamais touché à pareille dynamite, raconte-t-il. J'étais secoué. » Il appelle le procureur, Jean-Claude Marin, qui lui suggère de s'en ouvrir à Bernard Squarcini, lequel rassure à sa manière l'avocat : « Si j'avais à vous suivre, vous ne le sauriez pas. » La « source » existe-t-elle vraiment ? De Suisse parvient une autre information inquiétante : les numéros de comptes ne correspondent pas.

Début février, Jean Reinhart rencontre Patrick Pélata et lui fait part des incertitudes relevées, de ses propres doutes. Encore sûr de lui, le numéro deux du groupe automobile défend son dossier. Il évoque des histoires anciennes qui tenaient la route. Sauf qu'un nouveau rendez-vous avec la « source » échoue, et l'avocat trouve cette histoire de plus en plus dingue. Tout ne reposerait donc que sur le témoignage de cet homme que si peu de gens ont vu ? Il en parle cette fois directement au PDG, Carlos Ghosn, avant une réunion au cours de laquelle il préconise, le cas échéant, une plainte pour escroquerie. L'ex-responsable de la sécurité chez Renault demande 300 000 euros en échange d'informations sur les comptes des trois cadres licenciés, mais ne fournit toujours pas le nom de son informateur.

« On s'est fait rouler », tranche Reinhart. Dans les jours qui suivent, le parquet, adossé à la plainte déposée discrètement par Renault, décide de placer ce cadre sous étroite surveillance. « Ce n'est pas un cancer, c'est une pancréatite : ça va être douloureux ! prévient l'avocat. L'histoire va s'accélérer quand ils vont l'arrêter : préparez-vous ! On s'est engagé vis-à-vis du parquet à ne rien dire, mais, dès qu'on le peut, il faut mettre le Premier ministre au courant. »

Dire que l'avocat pensait que tout était « bordé » ! « Défendre, analyse Me Reinhart, c'est comprendre. La qualité de nos relations avec l'institution judiciaire nous a permis de gagner du temps. Une société victime d'un drame ne sait pas toujours par quel bout prendre le problème. Il n'y a pas, dans les entreprises, cette culture du doute, ce souci de la vraisemblance. Il nous faut y aller avec tact : c'est tout l'avenir d'une société du CAC 40 qui est en jeu. »

Quand l'avocat a expliqué à ses interlocuteurs qu'il faudrait réintégrer les trois cadres licenciés à tort, ils ont pensé qu'il plaisantait. « Ouvrez les yeux ! » leur a-t-il simplement conseillé.

Père banquier, mère américaine, Jean Reinhart a eu un grand-père *resident partner* au sein du premier cabinet américain implanté à Paris vers 1910. Au milieu des années 1980, lui-même intègre une structure de vingt et un avocats, avant de « poser sa plaque, à mi-chemin entre traditionnels et novateurs », en décembre 1990. Première affaire : un contrat de travail. Le client : le futur patron d'une société de jeux vidéo promise à un bel avenir. Deux mois plus tard, le jeune avocat embauche deux collaborateurs. De la rue de la Pompe, il déménage bientôt avenue Victor-Hugo, avant de glisser vers l'avenue Hoche, puis d'installer le « porte-avions » dans ses murs. Un champion de la vente de vitamines en grandes surfaces fait de lui un « cinglé de la procédure pénale ». La défense de la branche métallurgie-sidérurgie du MEDEF le propulse sur le devant de la scène médiatique. Il continue sur sa lancée en défendant la BPCE (Banque populaire Caisse d'épargne) contre un « petit Kerviel », puis la Société Générale avec son « ami » Jean Veil. Loin du « pénal qui tache », Reinhart fait son trou dans le pénal des affaires, « où vous avez besoin d'une approche très technique, très aiguë, où vous devez bouffer le dossier pour trouver la faille ». Mais il aime ça, affirmant même qu'il prend un dossier comme d'autres ouvrent un roman de Michael Connelly.

Incarnation d'une nouvelle génération qui « ne plaide plus comme il y a vingt ans », Me Reinhart se dépeint comme « un épouvantable opportuniste ». L'affaire qui le lance pour de bon remonte à 1995 : elle met aux prises le géant France Telecom avec le spécialiste des télécartes, la société Oberthur, dont il défend le patron, Jean-Pierre Savart. France Telecom lui a commandé 100 millions de télécartes avant de se raviser. Le patron d'Oberthur demande à son avocat de « partir en guerre » devant le tribunal correctionnel, qui lui alloue une indemnité « prodigieuse ». Reinhart fait appel et découvre que « tout est possible », puisque la première chambre de la Cour ordonne à France Telecom de confirmer sa commande initiale...

« Une plaidoirie, c'est trois pieux que vous enfoncez, trois coups de marteau », schématise notre interlocuteur. Mais, lorsqu'il s'agit de défendre la Société Générale contre un *trader* fou, Dominique de Villepin contre un informaticien tordu, ou Renault contre un « Imad Lahoud » de l'automobile, taper ne suffit pas : il faut savoir contrer les chantages et, surtout, résister au client, si puissant soit-il.

Chapitre 5

Secrets de patrons

Un immeuble boulevard Haussmann, côté droit, en remontant vers l'Étoile. Les murs du bureau sont tapissés de boiseries en noyer provenant d'un presbytère de la région de Carcassonne, époque Louis XIV. Face à nous, un avocat qui « décline systématiquement » les demandes des journalistes, « par tempérament » et « parce qu'une part importante de ce qu'attendent de moi les clients, c'est la confidentialité ».

La nature du travail de François Lasry est assez particulière, à tel point qu'on a peu de chances de le croiser un jour dans la petite lucarne du « 20 heures », et qu'il tente d'échapper à Google : il campe au cœur des affaires. Certains le considèrent comme un banquier, d'autres le consultent au sujet de leur patrimoine, beaucoup murmurent à son oreille comme on parle à un confident ou à son confesseur : de leurs angoisses, de leurs enfants, de leurs maîtresses, de leurs maisons de campagne, de leur ego, de leur fortune – pas seulement bizness.

Entouré d'une petite dizaine de personnes, Mᵉ Lasry est le conseiller des grands patrons. Il a démarré chez

Francis Lefebvre, « honorable maison » spécialisée dans le domaine fiscal, mais « le métier pousse à l'individualisme », explique-t-il. Il s'affiche « généraliste des affaires, avec une composante fiscale et une méthode de conseil très rapprochée ». Les gros cabinets gèrent le quotidien avec les services juridiques des entreprises, lui s'occupe des gens, généralement des PDG. Les pénalistes lui demandent régulièrement d'intervenir, mais, il y a quelques semaines, c'est l'une des stars du divorce qui l'a appelé pour un divorce au sommet. Il se retrouve alors à piloter (*lead lawyer*) une lourde négociation entre avocats anglais et avocats français à qui il démontre qu'il ne sert à rien de réclamer l'incarcération de Monsieur, car celui-ci ne pourra plus payer.

« On passe notre temps à prouver aux clients qu'on est des génies, mais un dossier, c'est 95 % de transpiration et 5 % d'inspiration », disait son premier patron. « La vérité, c'est qu'il faut travailler », tranche-t-il après des années d'expérience. Il délivre ses conseils en anglais, en français et même en espagnol, langue qu'il pratique grâce à la Chilienne qui s'est occupée de lui quand ses parents ont quitté Casablanca pour Paris (c'était en 1956, il avait dix ans). Fils d'un homme d'affaires qui tenait à distance les avocats, annonciateurs de procès, il a failli être psychanalyste, et les prestations qu'il dispense ne sont pas très éloignées des consultations des disciples de Freud, en ce sens qu'elles sont individualisées. « On est un peu "nounou" quand on gère les vieilles histoires de famille, à l'occasion de la vente d'une société par exemple. La psychologie, c'est pas mal d'humilité, d'écoute et de capacité de compromis. C'est comme ça que l'on obtient les ventes les plus somptueuses... »

Quand il a commencé, le service du contentieux était « au bout du couloir, près des chiottes » ; maintenant, le service juridique est « à la droite du patron ». « Il était le marchand de soupe mal vu ; aujourd'hui, l'avocat a des stagiaires vingt fois meilleurs que ce que nous étions à l'époque. Le droit, c'est la mécanique de la société et de l'économie, aussi sophistiquée que judiciarisée. De la téléphonie à l'audiovisuel, tout repose sur le droit, alors qu'hier encore, en France, la loi, c'était le gendarme de Saint-Tropez ! »

Avocat d'EDF, François Lasry passait son temps rue de Monceau, au siège de la société, donnant son avis à la fois sur la stratégie globale de l'entreprise et sur la carrière du patron. Un problème pénal surgit après la chute d'un câble ? Il conseille un « pénaliste de choc », en l'occurrence Daniel Soulez-Larivière. Il lui arrive aussi de solliciter Caroline Toby, l'« anti-star », « une énorme bosseuse qui ne hausse jamais le ton ».

Avocat de Pierre Bonelli, le patron charismatique et surdoué d'un groupe informatique, celui que certains appellent « *il Consigliere* » se retrouve mêlé à une aventure humaine très politique : le sauvetage du fleuron français du disque dur, Bull, dont l'État reste actionnaire à hauteur de 16 %. Contacté à l'automne 2001 par Bercy pour prendre la tête de la société moribonde, Bonelli appelle aussitôt Lasry : « François, qu'est-ce que vous en pensez ? – Il n'y a que des coups à prendre. – C'est une mission républicaine : j'y vais ! » L'avocat est quitte pour négocier les conditions avec le ministère des Finances, à qui il conteste la faculté de reporter le sauvetage au lendemain de l'élection présidentielle de 2002. « Vous avez besoin de nous ? C'est maintenant », assène-t-il. Le plan de redressement, avec dégraissage, est prêt dès le mois de janvier 2002. Pour qu'il ne soit pas dit que le gouvernement socialiste met 12 000 emplois en péril, Bonelli réclame une enveloppe de 450 millions d'euros : le prix du plan social et de l'avenir d'une maison dont le nom est associé depuis toujours à l'État.

C'est contraire aux règles de la concurrence ? L'avocat opte pour le chantage assumé, et met « le couteau sous la gorge » du Premier ministre de l'époque, le socialiste Lionel Jospin. Les yeux dans les yeux, il propose deux solutions au ministre des Finances, Laurent Fabius : 1° une conférence de presse pour annoncer le redressement ; 2° une conférence de presse pour annoncer le dépôt de bilan d'« une boîte gérée en dépit du bon sens ».

La veille du jour J, toujours pas de réponse. Au bord de la déprime, Bonelli décroche son téléphone, appelle Matignon et demande si l'on a entendu parler du dossier. Vers 3 heures du matin, l'avocat et le patron obtiennent de Jospin (qui n'avait apparemment entendu parler de rien) le chèque escompté. Le rendez-vous avec le tribunal de commerce est annulé. Gagné sur le fil !

Les socialistes perdent l'élection présidentielle, mais le successeur de Laurent Fabius à Bercy, Francis Mer, est un camarade de promotion de Bonelli à Polytechnique. La suite, racontée par François Lasry : « Bonelli relance brillamment l'entreprise avant de mourir d'un cancer du poumon, non sans avoir fait digérer par Bruxelles la pilule des 450 millions, remboursés en échange d'une aide structurelle du même montant. Je suis fier d'avoir participé à un véritable sauvetage aux côtés d'un grand dirigeant. »

Les patrons viennent volontiers consulter l'avocat à son cabinet. « Ça leur permet de se concentrer, explique-t-il. Le téléphone ne sonne plus. C'est comme éteindre la télé. Ils me disent des choses qu'ils ne disent pas ailleurs. Ils savent que je les aime. Quand je m'occupe d'un dossier, m'a confié un jour un client, on dirait que ma propre vie en dépend. »

François Lasry n'écarte pas les liens d'amitié. Il se voit comme l'égal de ses clients, fussent-ils haut placés et très fortunés. « Un avocat est, par définition, hors hiérarchie, mais plutôt en haut. C'est ce qui nous donne les moyens de dire non si nécessaire. En contrepartie, une réputation se fout en l'air en trois minutes. Vos adversaires essaient souvent de vous acheter : "Maître, on aura besoin de vous..." On sait vite qui se comporte mal, dans le métier. On voit tout de suite si un dermato résout un problème de peau ; en droit des affaires, les résultats, eux, sont mesurables en argent. »

Contrairement à d'autres, Mᵉ Lasry ne décèle aucune trace de sentiment d'impunité chez les patrons français. Certes, il n'y a pas chez nous le « respect religieux de la loi » que l'on rencontre aux États-Unis, mais « quand on gère une grosse boutique, on compte sur la loi pour se protéger, pour ne pas être copié, pour naviguer face à une administration tatillonne, ou pour répondre à un juge qui veut se faire de la pub ». En revanche, il s'afflige de voir tant de riches « fuir nos pesanteurs » et s'expatrier vers la Suisse, la Belgique ou la Grande-Bretagne. Un exode qui ne lui fournit pas moins d'heures de travail, car les fortunés cherchent sans cesse à réaménager leur patrimoine pour désamorcer la hausse des droits de succession. « C'est comme s'ils disaient : je ne veux plus jouer avec vous », se lamente l'avocat qui compatit au sort de ces patrons qu'une partie de l'opinion considère – trop facilement à son goût – comme des « salauds ».

Il continuera en tout cas à traiter pour leur compte ces « *packages* de sortie » qui valent mieux que toutes les indemnités habituelles. S'ils s'inquiètent devant ces montagnes d'argent qu'ils charrient parfois, il se charge de les rassurer : « Tu les mérites ! Plus que les actionnaires... Ils ne te l'auraient pas donné, cet argent, si tu ne le valais pas ! »

GILLES AUGUST, ENNEMI DES DICTATEURS ET AMI DES GROUPES

L'histoire qui suit n'a rien à voir avec le milieu des banques et des assurances, pain quotidien de Gilles August. Il y tient le rôle d'avocat de la république d'Haïti, avec pour mission périlleuse de traquer les fonds détournés par Duvalier fils, *alias* Baby Doc, et son épouse, durant les années où ils ont géré l'île cabossée des Caraïbes comme leur potager personnel, soit entre 1957 et 1986.

Gilles August vient de rentrer en France après une formation américaine et travaille pour un patron d'origine haïtienne, Jacques Salès, qui décide de se mettre au service de son ancien pays. Une affaire politique et personnelle : la sœur de son patron a été tuée par un cocktail Molotov à l'occasion de son voyage de noces dans l'île, meurtre qui pourrait bien avoir un lien avec la rumeur selon laquelle la victime aurait eu une relation amoureuse avec le dictateur...

« Les Duvalier ont commis tous les crimes répertoriés, hormis l'infraction au stationnement, résume Gilles August. Ils ne vendaient pas seulement le sang de leurs compatriotes à un dollar le litre, sans prendre de précautions sanitaires ; ils pratiquaient l'enlèvement avec rançon, détournaient l'argent des télécoms, de la régie des tabacs, de la minoterie, de l'électricité, de la loterie... Ils ont créé des œuvres sociales fictives pour alimenter leurs comptes personnels, et même fondé un hôpital pour en pomper les ressources. Ils prélevaient directement des fonds sur le budget du ministère de la Défense ! L'idée est de leur pourrir l'existence, au nom de tous ces gens torturés, assassinés, humiliés, en restreignant au maximum leur liberté financière. »

Malgré les liens qui unissent le nouveau régime à l'ancien, des poursuites sont lancées, en liaison avec un cabinet d'avocats américain et un cabinet suisse. À l'époque, le Tribunal pénal international n'existe pas, ce qui ne facilite pas la tâche. Il faut commencer par rassembler les preuves des détournements de fonds en partant d'une idée simple : il y a toujours un comptable derrière tout mouvement d'argent. Depuis le ministère de la Défense haïtien, on suit ainsi la trace d'un chèque qui a atterri sur le compte d'un bijoutier new-yorkais. On découvre que le « Président à vie » s'était fait établir un chéquier avec le numéro de compte en blanc ! Entre 1982 et 1985, le gouvernement haïtien a investi 6 millions de dollars dans le système d'approvisionnement en eau potable, sauf que 80 % des habitants n'y ont pas accès. Tout cela dans un pays où le revenu moyen par tête est de 100 dollars par an, où le taux de mortalité infantile frôle les 10 %, et où l'éducation est une denrée rare.

« On ne peut se vouloir avocat sans avoir le sens de la justice, déclare Gilles August. Aux États-Unis, on est *officier of the Court* ; en France, on est "auxiliaire de justice". Le pire des criminels a le droit d'être représenté, tout comme la victime la plus obscure, même morte. »

La traque des fonds évaporés se poursuit pendant de longues années, de façon plus ou moins chaotique, en fonction du degré de mobilisation du ministre de la Justice en place à Port-au-Prince. Le gouvernement haïtien finit par lâcher prise et ne plus répondre aux demandes des avocats, qui persévèrent. Côté français, un juge d'instruction niçois, Jean-Paul Renard, lance une perquisition dans la nouvelle résidence des Duvalier, et un carnet de notes est sauvé au moment où il allait disparaître dans la cuvette des toilettes. Où l'on constate que 50 millions de dollars ont été transférés sur un compte au Canada, vidé depuis lors, puisque l'argent – on finira par le découvrir – a atterri, *via* Jersey, au Luxembourg, où il est géré par des avocats d'outre-Manche contre lesquels sera déclenchée au passage une action. Un compte à la Banque franco-portugaise est également mis au jour, mais il faut deux heures pour obtenir l'autorisation de saisie et mobiliser un huissier ; entre-temps, parti en trombe au volant de sa Ferrari jusqu'à Moulins, le frère de Mme Duvalier a vidé le compte...

Pour échapper à leurs poursuivants, les Duvalier bougent sans cesse. Ils ne peuvent néanmoins soustraire à la saisie leur appartement de l'avenue Foch, à Paris, ni leur pied-à-terre new-yorkais.

Gilles August et ses confrères, eux, se font un nom dans le domaine de la traque des biens des dictateurs. Ferdinand Marcos, dictateur déchu des Philippines, emporte-t-il dans sa fuite quelques chefs-d'œuvre du

Musée national ? Les voilà sollicités lorsque l'on retrouve leur trace dans le sud de la France, entre les mains d'un intermédiaire libanais. Au passage, les Suisses instillent une dose d'éthique dans leur législation bancaire, jusque-là trop propice aux « anonymes » : tel porteur de valises qui voulait retirer 200 millions de dollars repart les mains vides. Lorsque tombent à leur tour les Ceausescu, le couple infernal qui régna sur la Roumanie communiste, nos avocats sont encore approchés, tout comme ils le seront par le gouvernement libyen après la chute de Kadhafi...

« Les droits de l'homme m'agacent, avoue Gilles August. Dans ces dossiers, il faut des avocats qui connaissent bien les affaires financières. Dans notre cabinet *full service*, on a tous les spécialistes voulus. À la fin de sa journée, l'avocat doit avoir épluché une masse de documents et préparé une défense implacable. Les envolées lyriques, c'est bien, mais, en matière financière, c'est loin d'être suffisant. »

Né à Nice en 1957, Gilles August est arrivé au droit par la médecine. Son père a terminé sa carrière comme directeur juridique d'Air France ; lui se voyait créer une clinique. Il a opté finalement pour le droit des affaires, prêté serment en 1984, fait un stage à New York, travaillé à Washington, et « soigne » aujourd'hui non pas des hommes, mais des entreprises.

Sa chance ? Une rencontre, dès son retour à Paris, avec des juristes américains qui lui confient les intérêts en France de Microsoft, ce qui lui ouvre les portes de Philip Morris, mais aussi d'EDF, puis de Veolia, de la RATP et de la SNCF (qu'il a épaulée en 2012 dans le cadre de la reprise de la société en péril Sea France). Mais c'est à l'ESSEC, la grande école de commerce, qu'il a connu Olivier Debouzy, un « brillant énarque », qu'il convainc de devenir avocat alors qu'il est le conseiller diplomatique de la division des applications militaires du CEA (Commissariat à l'énergie atomique). Ils s'installent avenue de

Messine, quartier de la capitale où il faut être si l'on vise ce qu'on appelle, dans les écoles de commerce, le « premier tiers du marché », et tentent de démontrer aux entrepreneurs français qu'ils peuvent se passer des cabinets anglo-saxons.

Le cofondateur du cabinet meurt prématurément en 2010 : il a poussé la courtoisie jusqu'à disparaître un dimanche, mais l'enseigne est implantée. « On apporte à nos clients la possibilité de "penser hors de la boîte", explique Gilles August. S'ils viennent alors qu'ils sont tous bardés d'excellents juristes, c'est pour être assistés sur le long terme, avec une vraie diversité dans l'apport intellectuel. »

Chez August et Debouzy – 140 avocats dans les murs, dont une majorité de femmes –, tous les profils coexistent : énarques, polytechniciens, cadors de la politique recyclés dans le droit public et international, germanophones, hispanophones... C'est l'un de nos rares interlocuteurs, avec Me Jean-Pierre Mignard, à nous coller entre les mains une de ces luxueuses plaquettes qu'un pénaliste solitaire serait bien en peine d'éditer, avec les noms de ses principaux clients... Message subliminal : on peut vous aider en tous domaines, en particulier dans les hautes technologies, mais aussi bien en matière de droit social, spécialité négligée par les concurrents. Autrement dit, mieux vaut nous avoir à votre table qu'en face de vous...

Gilles August assure cependant ne pas rechercher la lumière : « On travaille pour le client, on doit être discret. Vous venez nous confier vos secrets, ils le restent. » Certains patrons sont devenus ses amis ; il est des entreprises où il évolue comme chez lui, badge en poche ; le tutoiement vient vite et la « confiance » est le maître mot, comme dans tous les cabinets d'avocats. « On est prestataires de services et confidents. Votre avocat ne vous sert à rien si vous ne lui racontez pas votre vie. C'est pour cela qu'on a inventé le secret professionnel, dont le client lui-même ne peut vous délier. »

La crise est là, les « pompiers judiciaires » de chez August et Debouzy sont bien placés pour le savoir : ils se trouvent en ce moment au chevet des compagnies d'assurances « bourrées d'obligations grecques ». La place de Paris est au bord de la panique, personne ne sait plus que faire, et les avocats sont mobilisés : quelles acquisitions tenter sans risquer l'implosion ? « On structure les opérations, on mesure les conséquences, on encadre, on regarde ce qui est possible, on vérifie que les ratios sont en place, et les clients garantis. »

L'affaire du Crédit Lyonnais, banque moribonde qui n'a dû sa survie qu'au fait qu'elle se trouvait dans le giron de l'État, a été oubliée depuis belle lurette par le grand public, mais non par les avocats qui en sont encore à gérer la *bad bank* mise en place pour gérer les actifs « pourris ». Nettoyeurs des cuves du capitalisme, ces avocats en sont aussi les horlogers – métier plus « difficile », admet Gilles August, depuis la crise financière américaine de 2008. « Le compte à rebours des actifs toxiques est lancé et je ne vois pas comment cela peut finir bien », prévient l'avocat qui, pour un peu, nous prédirait une guerre avec la Chine, dont il a rencontré quelques hauts dirigeants à l'occasion d'un déjeuner organisé par une banque...

Mais nous poursuivrons cette conversation une autre fois, car son « ami » Jacques Chirac, dont il a côtoyé l'une des filles à la fac, n'est pas en grande forme, et il doit se rendre à son chevet. Quand il lui parle de cette « affaire » judiciaire qui fait encore la une des journaux, fidèle à sa réputation, l'ancien président de la République réplique invariablement : « Ça m'en touche une sans faire bouger l'autre. » Manière de dire, traduit son avocat, qu'à ses yeux il n'a pas violé la loi. Sa maladie aurait pu être invoquée pour stopper le processus judiciaire, mais « il n'était pas question de donner l'impression de vouloir y couper », assure Gilles August avant de dire tout le mal qu'il pense du juge d'instruction, « système qui a connu son apogée à l'époque de l'Inquisition ». Question de principe, certainement, mais pas uniquement, car l'avocat, passé par Washington, le reconnaît : « Dans le système accusatoire à l'anglo-saxonne, les avocats ont beaucoup plus de pouvoir... »

PATRICE GASSENBACH,
UN MARTIEN AU MILIEU DU CAC 40

Au royaume des affaires, Patrice Gassenbach pourrait être côté en Bourse. Sa clientèle : agroalimentaire, grande distribution, services et énergie. Une règle d'or : le secret absolu, surtout pas de com'. Un principe : disponibilité totale pour les clients. Son profil politique, qu'il n'affiche pas particulièrement : radical, tendance anar de droite, libertaire, pacifiste, grand amateur de bons crus. Son QG : 400 mètres carrés dans un bel immeuble d'angle proche des Champs-Élysées, accueil prévenant, ascenseur badgé, bois précieux, tapisseries et bibliothèques remplies. Romans, essais, c'est son point faible. Patrice Gassenbach aime les livres et sa mère, institutrice, y est sans doute pour quelque chose – son père, un architecte d'origine russe, a très vite quitté le giron familial. Il aime Anatole France « pour sa langue et son humour », mais touche à tout : Stefan Zweig, René Girard, Céline, Albert Cossery, Chateaubriand, Copi, Arrabal, Jean-Claude Guillebaud, Marcel Gauchet, Jacques Attali, sans pour autant rejeter les « livres inutiles » de Madelin, Villepin, Minc, *La Tentation de Venise* de Juppé, *La Fronde des caddies* de Michel-Édouard Leclerc, tropisme pour les grandes surfaces oblige.

Économiquement, celui qui aurait misé dès le début aurait gagné gros : licencié en droit, Patrice Gassenbach commence comme stagiaire à Paris à 150 euros par mois, en 1971. Deux ans plus tard, il part avec son confrère Claude Michel, proche du Parti communiste, fonder le barreau de Bobigny. Dans leur dispensaire juridique, on donne une pièce de 10 francs pour la forme. Il pose sa plaque en 1978 après avoir louvoyé, côté engagement, entre radicaux de gauche et Parti valoisien, organisation dont il sera le trésorier pendant douze ans... sans rencontrer le moindre souci avec la justice.

La phase suivante le voit s'installer avenue de Wagram après avoir surfé sur le choc pétrolier et les redressements judiciaires. Au passage, il aura découvert la franc-maçonnerie et fait son entrée à la GLNF (Grande Loge nationale de France), « moins politisée » que les autres obédiences.

Cinq entrepreneurs croient en lui : Eugène Chambon, grand industriel de la machine-outil ; Max Théret, pilier de la Fnac ; Michel Besnier, laitier à Laval, 200 salariés, qui pèsera 13 milliards d'euros avec Lactalis ; Robert Bonn-Cleret, fabricant de meubles, et... Vincent Bolloré. Un carré d'as auquel s'ajoutent bientôt Daniel Bernard, PDG de Carrefour, et Gérard Mestrallet, déjà au cœur du groupe Suez. Sa spécialité : l'entreprise, qu'il borde, protège, conseille et aide à grandir en cherchant des cibles « opéables ».

Le PDG d'une grande entreprise du CAC 40 cherche à vendre des actifs pour se désendetter ? Pendant un an, sa direction financière sollicite banques d'affaires et gros cabinets d'avocats, sans trouver la moindre piste. Il s'en ouvre à Patrice Gassenbach. « Vous vous en chargez ? – Oui, à condition que vous me laissiez faire, seul. – D'accord. »

L'avocat trouve un acheteur, obtient le feu vert du PDG et met tout le monde d'accord en quinze jours, non sans améliorer le prix de vente de 31 %, raconte-t-il. Son commanditaire applaudit des deux mains, mais se sent contraint, Bourse oblige, de lancer un appel d'offres. « J'ai donné ma parole pour une vente rapide de gré à gré », s'interpose l'avocat, qui a la solution : un appel d'offres restreint, sans divulgation du prix qu'il a obtenu. La proposition la plus haute reçue par les banques est très inférieure à celle que l'avocat a négociée.

Gagnant-gagnant, Me Gassenbach n'est pas mécontent de son coup, d'autant qu'il est payé au pourcentage – « une somme rondelette et méritée », dit-il.

Mais il n'y a pas que les fusions ou les cessions. L'avocat embarque bientôt pour Alger avec pour mission de libérer un cadre emprisonné pour corruption, pour le compte d'un grand groupe qu'il épaule depuis vingt ans. C'est le maire de Nancy, André Rossinot, qui s'est déplacé en personne auprès du PDG pour lui suggérer de lui confier ce dossier. Sur place, il fait « beaucoup de bruit », rencontre l'aumônier de la prison, l'ambassadeur, distribue des cartes de visite, puis attend... la demande de rançon.

Huit jours plus tard, trois avocats appellent, l'un de Genève, l'autre de Paris, le dernier de Marseille. Il lui reste à identifier la bonne filière, à créer un lien de confiance avant de payer la rançon.

Une mise en jambes avant de revenir aux grandes surfaces et aux friches industrielles, songe-t-il.

« Je gagne de l'argent, cela flatte l'ego, mais je ne suis pas devenu avocat pour afficher le meilleur chiffre d'affaires par associé au sein d'une firme ! » clame Gassenbach. Pourtant, avec des pointes à plus de 15 millions d'euros les bonnes années, il n'est pas loin des records. En clair, il a payé ces dix dernières années 13,4 millions d'euros d'impôts sur ses revenus.

Pour un petit-fils de maréchal-ferrant grandi dans un village de l'Orne, qui n'a découvert les bourgeois que sur le tard, en arrivant à Alençon, et entassé ses premiers clients dans un Algeco à Aulnay-sous-Bois, c'est une véritable embellie.

L'avocat ne s'en tient pas exclusivement au privé. Il subodore le potentiel de l'économie mixte à la française et explore les couloirs des collectivités. Mais il fait le choix de rester seul. Il met des chefs d'entreprise en contact, « sécurise » les profits des uns et des autres, en même temps que les siens. Il flaire le filon du droit de la concurrence, dont il devient un spécialiste, notamment pour le compte de Veolia. Il a même des idées, comme ce jour où il a entraîné son client producteur laitier vers les produits minceur, avec des gains importants à la clef. Nul besoin de centaines de clients, une dizaine lui suffisent : Gassenbach fait dans le haut de gamme.

« Les avocats d'affaires jouent au Monopoly, alors qu'un avocat d'entreprise est à cheval entre le business et la prospective », explique-t-il. Il adresse ses notes confidentiellement aux PDG et se voit comme une sorte d'anti-Minc, aussi discret que le *consigliere* est bavard. Du nucléaire aux transports, il lui arrive aussi d'adresser ses notes à l'Élysée. Les firmes alignent jusqu'à 150 juristes, lui s'est fait un nom comme innovateur, raison pour laquelle un groupe de distribution comme Casino, alors fragile, le sollicite. N'est-il pas à l'origine de la Fédération du commerce et de la distribution, créée en 1986 avec Daniel Bernard, Gérard Mulliez et Paul-Louis Halley, patrons de la grande distribution ? N'a-t-il pas contribué à asseoir les filières bio menacées par la baisse du pouvoir d'achat ? « Les entreprises sont une richesse nationale », affirme assure Gassenbach, agacé par les « procès en sorcellerie » dont elles font parfois l'objet en France.

Il n'en conserve pas moins un brin de modestie, lui qui assure que « les vrais avocats sont les sans-grade que l'on rencontre dans les villes de 20 000 habitants, ces généralistes si éloignés des divas pénalistes et parisiennes, talentueux mais parfois imposteurs, qui entretiennent une complicité mercantile avec les médias ». À côté d'eux, il serait tenté de se définir comme un « Martien ».

Chapitre 6

Secrets assassins

Hervé Temime et l'innocent
qui voulait être coupable

« Je n'ai aucun réseau. Je ne déjeune pas. Je ne dîne pas. J'ai le meilleur carnet d'adresses qui soit, mais je ne fais partie de rien. Je ne pratique pas les mondanités, même si j'ai parmi mes amis des gens connus. Je déteste les contraintes et les appartenances. Je ne suis pas franc-mac, je ne fais pas partie des cercles. J'ai une identité juive très forte, mais je suis athée. J'ai grandi dans l'idée qu'il fallait être son propre maître, dans le culte de la profession libérale. J'ai de l'ambition, mais je ne suis jamais allé me prostituer. Il n'y a pas moins arriviste que moi ! »

Comme beaucoup de pénalistes de sa génération, Hervé Temime s'affiche en homme libre, dans son bureau parisien avec vue sur le dos du musée du Louvre. Le genre à ne pas supporter les contrariétés, à ne jamais avoir eu de patron, à détester petits déjeuners, déjeuners et dîners d'affaires. Trop à faire, dans l'exercice quotidien de son métier, pour perdre du temps à se montrer. Trop concentré sur le fond pour se perdre en tours de piste tapageurs.

« Je suis très protecteur avec mes clients, cela me bouffe bien assez ! » soupire-t-il. Si on l'a vu à la cérémonie des Césars, c'est qu'il défendait le cinéaste Roman Polanski, coincé dans son chalet suisse par suite d'une insistante demande d'extradition émanant des États-Unis, liée à une plainte pour viol.

C'est souvent comme ça, avec ceux qui ont la « vocation ». Ils rêvent du métier dès l'enfance et suppléent au manque de relations par le déploiement d'énergie et une solide motivation.

Fils d'un médecin juif pied-noir mort alors qu'il avait dix ans, formaté pour les études scientifiques, Hervé Temime opte pour le droit afin de « défendre celui qui est en position de faiblesse », le lynché.

L'avocat Émile Pollak est son « idole ». Il s'inscrit en 1979 au barreau de Versailles et appose sa plaque au bas de l'immeuble où il habite, avec pour objectif les commissions d'office – premier secrétaire de la Conférence du stage oblige. Le président de la cour d'assises le chouchoute. Lui-même ne rate pas une plaidoirie de Jean-Yves Liénard, *le* pénaliste versaillais ; il court entendre autant que faire se peut Henri Leclerc, Jean-Louis Pelletier, Thierry Lévy, Philippe Lemaire et, bien sûr, la « bête de scène » Robert Badinter, ces stars du barreau qui, d'après lui, « se livrent une lutte fratricide ».

À ce rythme, il ne faut pas longtemps au jeune avocat pour se convaincre d'une chose : Sciences-Po, ce n'était pas fait pour lui ; mais la profession d'avocat, c'est « la femme de ma vie ! » L'occasion de recycler dans le raisonnement ses aptitudes mathématiques, chaque dossier constituant à ses yeux « un problème à résoudre ». Problème dont l'avocat doit apporter la clef au juge s'il veut avoir la moindre chance de gagner. Plus saltimbanque, en somme, que rond-de-cuir…

Ce sont les confrères qui lui refilent des affaires, meilleur gage de reconnaissance de son talent de pénaliste à une époque où ceux de son espèce passent encore « pour des voyous, pour des nazes ou pour les deux ». À tel point qu'il lui arrive d'entamer ses plaidoiries par cette

phrase douce-amère : « Rassurez-vous, je ne suis pas pénaliste... »

En janvier 1983, Hervé Temime quitte Versailles pour
Paris, où il s'associe avec Thierry Herzog, encore au cabinet de Jean-Louis Pelletier, et de deux ans son aîné. Ils
sont tous les jours à la buvette du Palais, aussi courue
que *Le Flore*, le célèbre établissement de Saint-Germain-
des-Prés. Ils y ont leur table attitrée, celle des pénalistes ;
ils chahutent à l'occasion avec Mᵉ Jean-Louis Borloo,
cultivent leurs ambitions et se détendent après leurs
samedis confinés dans les parloirs des prisons. À la différence de certains de leurs confrères, ils ne sont pas
devenus avocats pour dire que la guerre c'est mal, encore
moins pour occuper la place du procureur, raison pour
laquelle Hervé Temime se sent plus proche d'un Henri
Leclerc que d'un William Bourdon, son presque voisin de
palier aujourd'hui. « Comme avocat, cela ne m'intéresse
pas de partir en croisade contre la corruption, dit-il. Je
déteste les bons sentiments érigés en dogmes ! »

À vingt-cinq ans, Temime a déjà plaidé plus de cinquante fois aux assises. Lorsque, avec une poignée de
confrères promis comme lui à un bel avenir, il fonde
l'Association des avocats pénalistes, dans son bureau, en
1990, c'est pour rompre avec la mauvaise réputation de
la spécialité. Adoubée par les anciens, l'association ambi-
tionne carrément de devenir une « vitrine » pour ce barreau
qui les traite si mal. Ses promoteurs vont réussir au-delà
même de leurs espérances et, comme le dit si bien
Temime, l'épithète « pénaliste ne sera plus jamais une
étoile jaune ». Pas seulement à cause du rapport de forces
qu'ils parviennent à instaurer, mais aussi, comme il le
reconnaît lui-même, parce que « les affaires politico-
financières ont contribué à changer notre image. Quand
la justice pénale a rattrapé les puissants, ils ont fait appel
aux avocats des voyous. Ce sont les juges qui ont d'abord
fait la une des journaux, mais, progressivement, les pénalistes ont pris une place démesurée... »

Les conseillers du ministre de la Justice accueillent favorablement la naissance de l'association. Hervé Temine et Olivier Metzner pallient les carences de l'Ordre et deviennent des interlocuteurs réguliers de la Place Vendôme, notamment à l'occasion de la préparation de la loi Sapin de janvier 1993 relative à la prévention de la corruption et à la transparence de la vie économique et des procédures publiques. Les magistrats regardent désormais eux aussi les « affreux » d'un autre œil, leur prêtant un pouvoir qu'ils n'ont probablement pas, à cause de leurs liens avec l'État. Mais c'est sur le plan économique que la culbute est la meilleure : les pénalistes, qui dorénavant s'affichent, captent un nouveau marché, loin des stups et des braquages qui formaient leur cœur de métier. Ils entrent en force dans le monde des attachés-case, à la faveur du premier dossier pénal à caractère financier, celui de la Cogedim. Les avocats des voyous deviennent ceux des cols blancs. Temime s'écarte du hit-parade de la prison pour profiter d'un autre bouche-à-oreille, plus « show-biz », où les parrains du Milieu ont cédé la place à ceux du CAC 40, du cinéma et de la chanson. Avec un petit faible pour les femmes comme Laura Smet, la fille de Johnny Hallyday, que lui envoie Me Borloo et pour laquelle il fait lourdement condamner le magazine people *Voici*.

Deux décennies plus tard, les parias de naguère squattent les plateaux télé, les studios de radio et les pages glacées de *Paris-Match*. Hervé Temime est invité au Grand Journal en compagnie d'Olivier Metzner, il a été élu au Conseil de l'ordre des avocats, mais, lorsqu'on lui demande quelle affaire l'a vraiment marqué, il n'hésite pas à remonter au temps où les pénalistes étaient encore d'obscurs personnages. Et lui, un débutant.

Nous sommes en 1979, l'année où il a prêté serment. Un cousin, avocat d'affaires, l'appelle pour suivre avec lui sa première commission d'office dans un dossier criminel. Le client : une femme accusée d'avoir tué son mari de trente-six coups de couteau. Ils la visitent ensemble en prison. Elle est dans un état de confusion mentale tel qu'ils ne restent pas plus de dix minutes avec elle.

Quinze jours plus tard, Temime reçoit une convocation pour une audience de remise en liberté. Son nom s'est retrouvé par erreur à côté de celui d'un autre « pensionnaire » de la maison d'arrêt, un certain Rachid qui, *a priori*, ne veut pas d'avocat. Aîné de treize enfants, le détenu s'accuse d'avoir tué son père. Incarcérée pour complicité, sa mère le charge et il se comporte comme un coupable. Mais, pour l'avocat – vingt et un ans à peine –, cet homme est innocent. Il n'en a pas la preuve, mais le juge d'instruction lui-même doute au terme d'une reconstitution sur les lieux. Il remontre à Rachid que son récit n'est pas cohérent, mais celui-ci campe sur ses positions. Le juge requiert une mise en liberté d'office ; le parquet s'interpose.

Et s'il était allé jusqu'à mêler ses vêtements à ceux de son père pour les tacher de sang ? Et s'il avait lui-même brisé ses lunettes ? Volontairement ou non, Rachid met l'avocat sur la piste. Troublé, Temime consulte celui qui passe déjà pour un sage, Mᵉ Henri Leclerc. « Accepterais-tu de le défendre ? lui demande-t-il. – Oui », tranche Leclerc. De dilemme, il n'y a point : censé servir la justice, armé de sa déontologie, l'avocat n'est pas là pour faire surgir la vérité, mais pour « obtenir dans les règles le meilleur résultat », *dixit* Temime, qui ne dérogera plus à cette ligne : défendre des êtres humains, pas forcément la vérité.

Le procès se déroule en 1982. L'avocat de la mère assure que sa cliente n'est en rien complice de l'assassinat. Rachid continue à s'accuser, et sa génitrice à l'enfoncer.

Hervé Temime a pris soin de demander une décharge à son bâtonnier, indispensable alors qu'il entend plaider non coupable pour un homme qui, lui, plaide coupable. Durant l'audience, il s'efforce de démontrer que Rachid est innocent, lui qui n'était même pas présent sur les lieux au moment des faits. Il charge la mère tout en expliquant qu'elle doit être acquittée pour cause de démence.

Lorsque tombe le verdict, Temime est en larmes, et il y a de quoi : mère et fils sont acquittés. Un épisode qu'avec le recul il commente en ces termes : « J'ai commencé mon métier en obtenant l'acquittement d'un homme dont je savais qu'il était innocent, mais qui ne voulait pas voir sa mère condamnée. Un accusé a le droit de mentir, mais je n'aurais pas supporté qu'il soit condamné. »

Depuis ce jour, Temime aime à croire que tout est possible. Et vit assez mal un procès qui se solde par un échec alors qu'il aurait pu être gagné. « Il y a des affaires dans lesquelles il n'y a pas de marge de manœuvre, mais certaines m'ont coûté cher sur un plan personnel, dit-il. J'ai essuyé des décisions injustes dont je me suis senti responsable. »

« Tout est possible », mais quand frappe à la porte du cabinet le PDG des laboratoires Servier, les choses se compliquent quelque peu. Les conditions dans lesquelles ce client apparaît dans le décor de l'avocat sont assez spéciales. L'histoire débute le jour où un confrère appelle Temime à propos de la fille d'un de ses clients, accusée d'avoir tué son mari à coups de hache. Il la fait sortir de prison de façon « miraculeuse », et noue avec le père, Jacques Servier, « une relation de confiance » d'où la sympathie n'est pas absente, malgré leur différence d'âge. Le vieil homme a consacré sa vie au boulot et n'est pas encore diabolisé. Autrement dit, pas encore pris au piège du Mediator, ce médicament que son laboratoire aurait mis sur le marché en dépit des dangers qu'il faisait courir aux patients. Mais la parole est à la défense, même si aucune date de procès n'est encore fixée à l'heure de nos entretiens :

« Je crains le pire, dans ce dossier, à cause de l'image de monstre qui est désormais celle de Jacques Servier. Imaginer que le laboratoire ait sciemment commercialisé ce médicament, c'est de la folie pure ! L'affaire est infiniment plus compliquée qu'on ne le dit, notamment pour ce qui est des responsabilités de l'administration. Le laboratoire a perdu la bataille de l'opinion, mais l'histoire que l'on raconte en boucle est trop belle ! On a envie d'y croire, à ce vieil aristocrate fasciste et sanguinaire, à la tête d'un labo qui trompe les autorités et vend des médicaments qui tuent, mais ça n'est pas la réalité. On a un ministre de la Santé qui, au mépris des règles les plus élémentaires, part en croisade en désignant un seul et unique responsable. On est dans le fantasme et l'injustice, loin de tout raisonnement, mais on finira par mettre au jour les défaillances du système de santé. »

Rude tâche que de redorer l'image d'un patron de laboratoire déjà pendu sur la place de Grève médiatique ! Le postulat est acquis : Servier est coupable. Son avocat, lui, a choisi de faire le dos rond et d'attendre que les passions retombent, guettant le moment propice à la contre-attaque. Communiquer à chaud ? Avancer dans les journaux la thèse des responsabilités partagées, seule à même de diluer celles du laboratoire ? Hervé Temime sent qu'il parlerait dans le vide. Un peu comme les avocats de Dominique Strauss-Kahn ont décrété, en pleine folie médiatique, d'en faire le moins possible sur le plan de la communication.

Souvent « du mauvais côté des choses », rarement accusateur public, moralisateur encore moins, Temime préfère en général miser sur le judiciaire plutôt que sur le médiatique. « Je n'ai pas en mémoire un seul cas de défense médiatique gagnante, commente-t-il. La nature humaine est encline à croire ceux qui accusent et dénoncent. La présomption d'innocence n'existe pas. C'est au procès que ces affaires se gagnent. » En fonction de quoi, il en dit le moins possible et conserve autant que possible son sang-froid. Une stratégie que ne pourraient pas suivre les jeunes avocats tout droit « sortis du Loft », façon David Koubbi, avocat de Tristane Banon (l'une des accusatrices de DSK) et de Jérôme Kerviel (le *trader* de la Société Générale), « qui ont leur portrait dans la presse avant d'avoir plaidé la moindre affaire pénale ».

« La seule reconnaissance qui vaille est celle qui découle d'une reconnaissance professionnelle, tranche Temime. Un avocat, c'est fait pour défendre. Les règles ne changeront jamais. Le jour du 100 mètres, celui qui gagne est celui qui passe la ligne le premier. Certains font les deux, le médiatique et le judiciaire, mais Éric Dupond-Moretti est un très bon avocat avant même d'être une vedette ! »

Sur le long terme, puisque ces affaires durent, comment gérer la relation avec un Jacques Servier qui s'estime innocent et ne comprend visiblement pas bien d'où viennent les coups ? « J'impose mes vues, mais ma porte reste toujours ouverte en cas de désaccord, explique Temime. Le pénaliste est le maître de la relation avec son client, quelle que soit la puissance de celui-ci. Quand on est à la tête d'un laboratoire, on n'est pas forcément armé pour discuter des options judiciaires et techniques, de même qu'il ne me viendrait pas à l'esprit d'imposer à un laboratoire une stratégie industrielle ! »

Les confidences de Jacques Servier, ajoutées à celles de Roman Polanski et à celles de ce Rachid qui s'accusa d'un meurtre commis par sa mère, font-elles de l'avocat un homme de pouvoir ? Les lourds secrets dont il est le dépositaire le transforment-ils en seigneur ? « Je suis détenteur de secrets difficiles à porter, que je ne pourrais violer pour rien au monde, pondère Temime. On est au service d'un individu à qui le doute doit profiter : c'est notre métier. Non, ce qui fait la puissance de l'avocat, c'est que celui qui se retrouve confronté au pénal est face à un monde qui l'effraie à un moment clé de sa vie. Les avocats d'affaires ne sont jamais que des outils, des pions, des fournisseurs, alors qu'un client, dans une affaire pénale, est en situation de faiblesse absolue, comme le malade au seuil du bloc opératoire. Il s'en remet au pénaliste comme le malade au cancérologue. On est conscients de la limite de nos pouvoirs, sinon il faudrait nous interner, mais on est le lien avec cette réalité effrayante qui, depuis la fin des années 1980, ne touche plus seulement les faibles. »

Plus ils vieillissent, plus les hommes cultivent des certitudes, mais, chez Temime, c'est plutôt le contraire. Il a perdu à vingt ans ses certitudes d'orphelin. Il est de ceux qui pensent que la victoire ne leur est jamais due, alors que la défaite l'est toujours. Pour lui, il y a d'un côté les avocats dont on se dit : « Ils ont raison », et de l'autre ceux dont on se dit : « Ce sont des bêtes. » Pour avoir une chance de rallier les autres à sa cause, il a intérêt à appartenir à la seconde catégorie.

PAUL LOMBARD ET LES PRINCES

Paul Lombard a sauvé la tête de plusieurs de ses clients au temps de la guillotine : douze fois sur treize ! Avocat depuis novembre 1952, il a connu mille « petites joies », et autant de « grandes déceptions », mais une seule fois cet héritier des grands ténors marseillais a accompagné un prince du sang devant les assises, ce qui n'était pas arrivé depuis Louis XVI.

Fils du dernier roi d'Italie, le prince Victor-Emmanuel de Savoie, résident suisse, séjourne à Cavallo, l'un des sites les plus huppés et les plus préservés de Corse du Sud, lorsque sa vie chavire dans la nuit du 17 au 18 août 1978. Plusieurs coups de feu ont retenti dans le petit port où mouillent des bateaux plus luxueux les uns que les autres. Un jeune touriste allemand est retrouvé mort, et l'aristocrate, amateur d'armes, est le principal suspect. Son incarcération à la prison d'Ajaccio provoque un émoi médiatique considérable.

C'est un des beaux-frères du prince qui sollicite l'aide de Paul Lombard, l'un des avocats dont on parle. Lequel réussit plutôt son entrée en matière : arguant du fait que le suspect dispose d'un domicile fixe et qu'il est mondialement connu, il obtient sa remise en liberté au bout de quatre petits mois.

« La défense est d'abord un combat contre soi-même », estime l'avocat. Il s'enferme pour se préparer et ne pense plus qu'à ça, « concentré comme un trappiste ».

À l'heure du procès, le prince se constitue naturellement prisonnier et arrive devant la cour d'assises, menottes aux poignets. Les surveillants de prison étant en grève, l'avocat en profite pour demander que son client comparaisse libre les jours suivants. Accepté. Deuxième bon point.

Edmonde Charles-Roux, épouse de Gaston Defferre, maire socialiste de Marseille, figure parmi les témoins de moralité. Troisième bon point.

Tous les indicateurs ne sont cependant pas au vert. La presse n'est pas vraiment favorable au prince. Elle penche du côté du malheureux touriste allemand, contre l'aristocrate dingue de flingues. Difficile, pour l'avocat, de dénicher une quelconque plume en sa faveur. Quant à la presse allemande, elle réclame la tête du prince…

Il faisait nuit. Des témoins assurent que les coups de feu sont partis du bateau à bord duquel se trouvait le prince. Victor-Emmanuel de Savoie reconnaît avoir tiré avec l'une des nombreuses armes qu'il collectionne, mais d'autres coups de feu ont claqué au même moment, ce qui brouille les pistes.

Aucun lien n'est établi entre le présumé coupable et sa victime, mais l'accusation croit pouvoir avancer un mobile : le jeune homme, vingt ans à peine, était en train de lui voler son Zodiac. Paul Lombard mobilise les experts comme rarement auparavant dans un procès d'assises. La trajectoire de la balle pose problème ? Il en profite pour semer le doute dans l'esprit des jurés.

Peut-être impressionné par le cérémonial de la justice, le prince, habituellement du genre imprévisible, ne dessert pas sa défense. « Figé comme le marbre, selon le souvenir de son avocat, il ne s'autorise aucune liberté. »

Le tour de Paul Lombard arrive. Il plaide pendant trois heures en marchant de long en large, comme à son habitude. « Vous jugez un procès historique, mais c'est un procès comme tous les autres, explique-t-il aux jurés. Vous n'êtes pas ici pour assurer une vengeance, mais pour rendre la justice. Débarrassez-vous de vos préjugés pour vous forger une intime conviction qui devra s'arc-bouter sur des preuves incontestables... Votre responsabilité est totale ! »

Le verdict constitue plus qu'une bonne surprise : le prince est acquitté non seulement du chef d'homicide volontaire, mais aussi de celui d'homicide involontaire. Succès éphémère, observe l'avocat qui n'ignore pas que « seuls les échecs demeurent »...

De Paul Lombard, le public connaît la crinière blanche, le goût pour les tableaux, l'art d'accommoder des déjeuners ou des dîners entre puissants. En bon « père de famille », il a essaimé ses « enfants » dans tous les barreaux, de Gérard Baudoux (Nice) à Sophie Bottai (Marseille), en passant par Gilles-Jean Portejoie (Clermont-Ferrand). Monument historique du barreau, cet homme du Sud, dont le VIe arrondissement parisien est la seconde « maison », n'a pas attendu l'ère d'internet pour découvrir les médias ; il se targue même d'avoir tiré le premier en ce domaine, même si, dans l'affaire du prince, les médias n'ont pas roulé pour lui.

« Il existe deux justices, explique Paul Lombard : la justice tout court, qui puise ses règles dans le Code, et la justice médiatique, qui a au moins autant d'importance. Je suis un des pionniers de la justice médiatique. J'ai décidé il y a longtemps de sortir de la salle d'audience pour toucher un plus large public. La justice n'est-elle pas rendue au nom du peuple ? Cela m'a été reproché par certains, mais je suis l'un de ceux auxquels la défense doit de s'être échappée des prétoires. C'était au temps de la peine de mort. Il régnait dans les salles d'audience une atmosphère de corrida. Le public voulait nous lyncher, et j'ai pensé que l'on pourrait aller vers l'abolition de la peine capitale en mettant les médias de notre côté. »

Paul Lombard résume ainsi sa recette magique : « Il faut conjuguer le verbe "convaincre" et toujours se dire que l'auditoire d'aujourd'hui peut être le juré de demain. Il est difficile de faire passer plus de deux ou trois messages à la fois. Après, l'oreille et le cœur du public s'émoussent. »

L'avocat assume totalement la médiatisation, au nom d'une justice « désenclavée qui ne doit pas appartenir à une profession ni à une caste ». « C'est avec des mots que j'ai détourné le destin un certain nombre de fois », assure-t-il.

« Détourner le destin » d'une femme ou d'un homme, incarner sa dernière chance, n'est-ce pas là que réside le véritable pouvoir de l'avocat ? Soudain modeste, Lombard s'affiche en « militant de la défense qui n'a de devoirs que vis-à-vis de son client ».

Des princes, en fait, il en a défendu d'autres, mais pas du sang. Il a œuvré pour eux, tissé des liens entre eux, au risque d'être parfois accusé de faire fructifier son carnet d'adresses. Il s'en défend. Ce n'est pas parce qu'il déjeune au domicile du procureur Philippe Courroye en compagnie du PDG du groupe Casino, Jean-Charles Naouri, et d'un responsable policier chargé d'enquêter sur les supermarchés, que Me Lombard est capable de dénouer des affaires à l'écart du prétoire. « Quoi de plus normal que de déjeuner avec un magistrat ? » s'étonne-t-il. Sauf que Patrice de Maistre, chargé d'affaires de Liliane Bettencourt, venait de lui demander de défendre les intérêts de sa patronne dans un dossier chapeauté par le même Philippe Courroye ! Et que l'affaire, révélée par *Le Canard enchaîné*, a valu à l'avocat de perdre une cliente de choix au profit de Georges Kiejman...

« Rien n'est plus fragile que la réputation, rien n'est plus dangereux que l'image », philosophe l'avocat à la table d'un restaurant du quartier de Sèvres-Babylone où il a ses habitudes, non sans jeter une discrète œillade en direction de la table voisine où son confrère Kiejman se régale d'un plateau d'oursins. Il est malgré tout conscient de l'étendue de ce pouvoir que la politique ne lui aurait donné que de façon alternative, en fonction des majorités en place. Et encore, remarque-t-il, « ce pouvoir aurait été lié à une institution, à un parti, à un gouvernement, tandis que l'avocat tire le sien de sa solitude ».

« Le pouvoir de l'avocat est celui qu'eut jadis Simon de Cyrène, l'homme qui aida le Christ à porter sa croix, tranche Paul Lombard. Il y a dans chaque avocat un Simon de Cyrène qui sommeille. Au moment de rendre des comptes, le puissant a besoin d'une présence à ses côtés. Il a besoin sinon d'un porte-parole, du moins d'un porte-voix. Plus il est socialement avancé, plus c'est un client docile. C'est la grande revanche de l'avocat sur le politique, de l'humilité sur la puissance. Il est celui qui partage le fardeau, qui aide l'homme face à ses juges. »

Et qui permet parfois aux héritiers de se répartir leurs richesses : Paul Lombard en sait quelque chose, lui qui a réglé, seul ou avec d'autres, les successions de Picasso, Bonnard, Balthus, Chagall, après avoir réussi, dans les années 1960, celle d'un « petit » peintre marseillais, avec la bénédiction d'un professeur de droit à la faculté d'Aix-en-Provence, et une petite victoire juridique au passage : avoir contribué à l'égalité entre enfants légitimes et enfants naturels.

Paul Lombard a défendu d'autres sortes d'artistes et de princes, à commencer par celui qui a régné tant d'années sur Marseille : Gaston Defferre. Un matin, le maire (socialiste) l'appelle vers 7 heures et lui fixe rendez-vous au *New York*, une brasserie du Vieux-Port, quatre heures plus tard. L'élu le reçoit en compagnie de Jean-Luc Lagardère, patron du groupe de presse (et d'armement) qui porte son nom. « Nous avons monté une radio pas conforme, explique Defferre à l'avocat. Nous vous chargeons d'une mission : vous allez voir le procureur de la République et vous lui dites : "Si vous mettez en examen Jean-Luc Lagardère et Gaston Defferre, je vous couperai les couilles." J'y suis allé : "Vous savez l'estime dans laquelle le maire vous tient, mais enfin…" On a échappé à la mise en examen ! »

La semaine suivante, Jean-Luc Lagardère appelle Paul Lombard : « Vous voulez devenir mon avocat ? »

Ainsi vont les affaires et la clientèle, de petits succès en excellentes affaires.

L'avocat assure pourtant que les réseaux ne remplacent pas le travail. « On croit connaître le juge, mais, une fois qu'il a revêtu sa toge, c'est un homme différent. Je me souviens d'un conseiller qui disait : "La Cour rend des arrêts, pas des services." On nous prête des influences mystérieuses ou souterraines, mais il faut se méfier de ces croyances-là. Chacun a ses petits réseaux personnels, mais, le jour de l'audience, ça ne pèse pas lourd. Je ne crois qu'au talent ! Le très bon avocat doit connaître 99 % du dossier, sans quoi il ne peut y avoir de bonne plaidoirie. "Je ne regarde jamais le dossier, cela m'évite d'avoir des idées préconçues", disait Émile Pollak, mais c'était une boutade ! »

Paul Lombard sait parfaitement tout ce que cet ancêtre marseillais, qu'il appelle affectueusement son « grand-père », devait à l'éloquence méditerranéenne dont lui-même a hérité – « une éloquence qui fait davantage appel au cœur qu'au cerveau », dit-il. Non sans observer que Me Pollak, lecteur de Jaurès, visait quelquefois « plus bas que le cœur, et se crucifiait à chaque plaidoirie ».

Emmanuel Ludot et Youssouf Fofana,
l'homme qui n'attendait rien de son avocat

Mais qu'est-ce qui fait courir Emmanuel Ludot, fils d'un instituteur, maire de son village, et d'une femme qui faisait le « caté » et dispensait des cours de cuisine aux futures épouses ? La reconnaissance ? « Je ne suis pas au bord de la scène de ménage quand je ne suis pas interviewé en premier ! » La carrière ? Il laisse ça à d'autres, « prêts à tous les procès pour qu'on parle d'eux ». La passion ? « Si vous n'êtes plus le calculateur froid et cynique, c'est fini. »

Pour assurer la défense de Youssouf Fofana, le cerveau autodéclaré du « gang des barbares », il fallait certainement être blindé de ce côté-là. Quand il le rencontre pour la première fois, le jeune Franco-Ivoirien a déjà écrit à de très nombreux avocats avant de les repousser avec mépris. Ludot, lui, pose ses conditions. Fofana le rappelle trois semaines plus tard. Il veut le revoir. « Faites votre choix d'abord, dit l'avocat. – J'ai écrit au juge que c'était vous », affirme Fofana, qui change néanmoins par deux fois d'avis à l'approche du procès, avant de rappeler Ludot après une nouvelle engueulade avec Isabelle Coutant-Peyre, la compagne du terroriste vénézuélien Carlos, qu'il a également désignée. Pourquoi lui ? « Fofana choisit l'avocat qui ne lui raconte pas de conneries », croit savoir Ludot, qui ne s'illusionne cependant pas sur ce que le garçon attend de lui : à peu près rien.

« Si c'est pour me récuser au bout d'une heure, c'est non. » L'avocat et celui qui doit comparaître pour avoir enlevé, torturé, puis assassiné le jeune employé d'une société de téléphonie, Ilan Halimi, parce qu'il était juif, passent une sorte de *deal* : à chacun son boulot. L'enjeu est assez mince, car l'avocat en est certain : la peine est écrite d'avance. Cela commence d'ailleurs très mal, quand l'accusé se donne pour date de naissance celle de l'assassinat pour lequel on le juge à huis clos.

Chaque matin, pendant le procès, Fofana exige **sa** revue de presse. « Est-ce qu'on parle de moi en **Afrique** ? » demande-t-il, comme si la publicité était tout **ce** qui lui restait à attendre.

Emmanuel Ludot s'adapte. « C'est comme au judo, dit-il, il y a toujours un point faible, il faut le trouver avant qu'il ne trouve le vôtre. En l'occurrence, c'est sa mère. » Quand Fofana sort du cadre, l'avocat le reprend par la manche : « Si vous ne voulez pas qu'on touche à votre mère, vous me laissez faire. »

« Demain, je fais le coup de la chaussure, vous en pensez quoi ? demande l'accusé à son avocat. – Je n'ai rien entendu », se borne à répondre Ludot. Le lendemain, Fofana lance sa chaussure en direction de Francis Szpiner, représentant de la famille de la victime.

« Fofana avait sa stratégie à lui, je m'adaptais », raconte l'avocat. « Vous savez, Bilger, il a l'air sympa », lui glisse un jour son client en regardant l'avocat général, Philippe de son prénom. « Bilger, c'est juif ? – Non, c'est alsacien. »

Comment défendre l'indéfendable ? « La seule stratégie, explique l'avocat, consistait à plaider le fait que ce n'était pas un crime antisémite, mais un crime crapuleux. » Encore faut-il réussir à convaincre son client des avantages de cette ligne. « Si vous êtes antisémite, je suis archevêque ! tente un jour Ludot. Vous l'avez fait pour le pognon. Maintenant, c'est vous qui voyez ! » Fofana ne répond pas. Il se lève intempestivement. « Assis ! » lui ordonne le président de la cour d'assises. « Tu te lèves, et je me barre, renchérit l'avocat. – Si vous partez, je vous fais assassiner, glisse discrètement l'accusé. D'ailleurs, je me suis renseigné : vous ne pouvez pas partir ! – Faites toutes les frasques que vous voudrez, mais laissez-moi faire mon boulot ! »

Le lendemain, Ludot a une délicate attention. Il apporte à son intenable client un paquet de gâteaux. « J'aime pas cette marque », peste Fofana avant de revenir vers son conseil, quelques minutes plus tard, pour corriger le tir : « Vos gâteaux, ils étaient vachement bons ! »

Fofana insiste pour se faire passer pour un militant de la cause palestinienne. Il se cramponne à cette posture et empêche son avocat de développer l'hypothèse du crime crapuleux. « Si je pose cette question, vous me récusez ? finit-il par demander à l'accusé auquel il ne parvient pas à faire entendre raison. – Non ! »

« Fofana n'a pas utilisé le mot "juif" pendant les négociations... », lance Ludot. Mais Fofana le récuse à la veille des réquisitions de l'avocat général.

L'avocat n'aura donc même pas l'occasion de plaider pour le petit caïd du « gang des barbares », lequel ne lui en écrira pas moins plusieurs courriers après sa condamnation à perpétuité. Lettres auxquelles Emmanuel Ludot ne répondra pas. Le « fouteur de merde », comme il se qualifie lui-même, a d'autres causes à défendre.

« Je ne suis pas un avocat engagé, je suis l'électron libre qui frappe quand il veut, où il veut, dit-il. L'idée, c'est d'appuyer là où ça fait mal. Personne ne peut me freiner. La limite, c'est quand on risque sa peau. Je ne fais pas ce métier pour me faire démolir la figure. »

Quand il s'est retrouvé en Jordanie, puis à Bagdad, pour rappeler quelques principes au nom d'un Saddam Hussein promis à la pendaison et décidé à mourir en martyr, il a estimé que c'était trop, qu'il n'était pas « prêt à mourir pour la France ». Il avait trouvé là sa limite, car, pour le reste, ce Rémois rejette tous les moules. On doit être franc-maçon pour faire carrière en province, affirme-t-il, mais il ne l'est pas. Ses confrères locaux l'ont laissé tranquille, car il ne « mangeait pas dans leur gamelle », et il leur a laissé leurs banques et leurs compagnies d'assurances. Ils ont « mal vieilli », emportés par le train de vie des années 1980, tandis que les maisons de champagne regardaient vers les cabinets parisiens spécialisés, voire les anglo-saxons. Lui a choisi la mobilité, et ce style bien à lui que lui a inculqué sa première patronne, une pénaliste : « Soit tu es un pit-bull, soit tu te fais bouffer. »

« Ma personnalité attire des dossiers particuliers, dit-il. J'ai un flair, un sixième sens. » Une dame au RSA, handicapée, vient le trouver parce qu'elle a agressé le technicien chargé de lui couper l'électricité pour cause d'impayés ? Il la transforme en victime d'une agression économique, et réclame l'annulation du contrat de fourniture. Manière à la fois de « se faire plaisir » et de « rendre à cette femme sa dignité ».

Des coups de ce genre, il en commet beaucoup, mais il gagne aussi sa vie, affiche désormais le plus gros chiffre d'affaires de Reims, et nargue volontiers ses confrères au volant d'une belle voiture, lui qui, étudiant, distribua *La Cause du peuple* et crut en Mao Tsé-toung (il est né en 1954).

Un jour, une Rémoise l'appelle : « Ma fille est à l'hôpital, elle est plâtrée. Elle ne marchera peut-être plus. Cela s'est passé dans un Quick. Elle a glissé sur une frite. » La victime, une femme de trente-deux ans, mariée à un chauffeur de poids lourds au chômage, souffre d'une triple fracture du genou. Emmanuel Ludot sent tout de suite l'affaire. Il écrit à la chaîne de restauration, laquelle ne lui répond pas. Une seule solution, songe l'avocat : la médiatisation. Par l'entremise d'un journaliste de RTL, l'histoire parvient aux oreilles de plusieurs millions d'auditeurs. Le chroniqueur Jean-Michel Apathie prend le relais. La polémique est lancée.

« Le sol était propre, chez nous on fait le ménage », riposte la maison Quick. Sauf que les pompiers ont gardé la chaussure avec la frite écrasée, désormais sous scellés. Le genre de pièce qui fera son effet, à l'heure de réclamer une indemnisation conséquente. L'avocat de Quick crie au scandale et, en décembre 2009, Ludot et sa cliente sont déboutés en première instance. L'avocat fait appel et obtient 15 000 euros, mais le « restaurateur rapide » se pourvoit en cassation. Il craint le précédent, et il a raison : sur sa lancée, Ludot obtient 13 000 euros pour un poignet fracturé à cause d'une tache d'huile dans un McDrive. Puis 25 000 euros après une glissade dans un Brico, toujours sur une flaque d'huile. Puis 23 000 euros d'un Centre Leclerc après un accident dû à un grain de raisin, et encore 23 000 euros d'un Carrefour après qu'une femme de soixante-dix ans s'est fracturé le col du fémur à cause d'une feuille de salade oubliée !

« Avant, quelqu'un qui se cassait la gueule dans un supermarché rentrait chez lui, se réjouit Emmanuel Ludot. Aujourd'hui, il se dit qu'il a le droit d'être indemnisé. Ce n'est pas l'effet d'un lobby de consommateurs : il s'agit d'un combat contre le déséquilibre, qui ne cesse de s'aggraver, entre celui qui vend et celui qui achète. »

Un tour de chauffe avant de s'attaquer à un fabricant de pesticides, après le coma dont a été victime une gamine en croquant une pomme, durant l'été 2009, puis de s'emparer du « drame absolu » vécu par un couple après la mort de sa chatte Jasmine, mal diagnostiquée par un vétérinaire, et de poursuivre pour harcèlement moral une société de crédit qui réclamait quelques milliers d'euros à sa cliente de soixante-dix ans avec une insistance propre à la plonger dans la dépression...

« On vient voir Ludot parce qu'il n'a peur de rien et qu'on est sûr qu'il ne sera pas acheté », résume notre interlocuteur, l'un des rares à louer la « loyauté » et le talent de Gilbert Collard, élu député « mariniste » en 2012. Comme l'avocat marseillais, il s'appuie sur les médias dans la « guerre psychologique » qu'il mène contre ses adversaires. « La médiatisation est mon bouclier », affirme-t-il, déniaisé depuis qu'il a vu à l'œuvre Henri-René Garaud qui fit acquitter sous ses yeux, en 1989, une boulangère accusée d'avoir tué un jeune Maghrébin qui venait de lui voler un croissant, alors même que le président de la République en personne, François Mitterrand, était intervenu pour dire qu'il souhaitait voir la commerçante condamnée.

Virginie Bianchi, les « fauves » et la prison

Le système, elle le connaît de l'intérieur : avant de devenir avocate, Virginie Bianchi a travaillé six ans pour l'administration pénitentiaire. Première femme admise parmi le personnel de direction en 1997, elle a dirigé la centrale de Clairvaux, dont un plan décore son bureau parisien, avant de passer un an à gérer les longues peines à la direction centrale de la pénitentiaire. L'occasion de découvrir combien l'administration était « lourde à bouger », mais aussi combien le politique pesait dans les décisions de libérations conditionnelles. Elle cherche alors la porte de sortie, ne la trouve pas, démissionne. Avocate ? Son conjoint, qui est du métier, veut l'en décourager, mais elle passe une maîtrise de droit et devient avocate en janvier 2006. Elle a trente-huit ans et « une tête de lard », et frappe vainement à toutes les portes. Elle travaille huit mois au cabinet de son conjoint, puis s'installe avec un associé. Par sympathie pour la débutante, les confrères lui envoient des dossiers, mais elle revient vite à ses « premières amours » : l'aménagement de peine, le seul moment, observe-t-elle, où l'on « individualise ». Son nom fait rapidement le tour des prisons, son ancien univers.

« Je connais le système, lequel me connaît aussi, dit-elle. J'ai avec les magistrats une langue commune. Avec les clients, notamment les grands voyous, je vais tout de suite à l'essentiel. Je ne me présente pas comme l'ennemie de la prison, dont je connais les difficultés, mais l'institution ne peut pas me raconter n'importe quoi. Je suis avec elle dans une relation partenariale. Je la critique, mais à juste raison. Je sais là où ça fait mal. Cela me confère certains avantages, assez pour être un contre-pouvoir efficace. »

Un jour, un juge d'instruction lui balance : « Vous êtes donc passée à l'ennemi ? – Pourquoi êtes-vous aussi con ? » lui réplique-t-elle. Depuis, ils sont devenus amis.

Motarde invétérée, Virginie Bianchi assure ne nourrir aucune rancœur vis-à-vis de son ancienne maison, même si elle lui reproche parfois son « étroitesse d'esprit ». Elle ne s'identifie pas davantage aux poseurs de bombes ni aux violeurs qu'elle récupère en fin de parcours, « après la bataille », quand ils cherchent à aménager leur peine, autrement dit à se rapprocher un peu de la sortie. « Je suis la goutte d'huile dans la mayo », dit-elle humblement.

« Elle a tenu tête aux fauves, mais elle n'est connue que des initiés », glisse à son sujet Me Francis Szpiner. « Pour gérer ces personnalités, admet-elle, il faut du caractère, sinon on se fait bouffer. »

Me Bianchi se rend plusieurs fois par semaine en prison, et ses anciens collègues l'y accueillent plutôt bien. Ils savent qu'elle est là pour faciliter les choses plus que pour les enrayer. Ils sont souvent en phase avec elle lorsqu'il s'agit d'accompagner un prisonnier en fin de peine. Ils n'ignorent pas qu'il vaut mieux leur apporter une petite lumière plutôt que de les acculer à sauter le mur, sachant qu'ils mourront sur place s'ils purgent toute leur peine.

Parfois ça coince, et Virginie Bianchi est alors capable de s'énerver, surtout quand elle achoppe sur une décision qu'elle juge arbitraire. Ceux qui la « promènent » ont tôt fait de constater qu'elle a du répondant.

« Je les emmerde un peu, certes, mais je contribue à une forme de paix civile, dit-elle. Je vide les prisons légalement. »

Si c'est souvent plus difficile avec les magistrats, c'est parce qu'ils ne connaissent pas grand-chose à ces prisonniers qu'ils ne croisent qu'une fois, vite fait, sans avoir vraiment le temps de se faire une idée de leurs capacités de réinsertion...

En 2008, c'est un détenu de Clairvaux, un certain Abdellah Manir, qui lui écrit. On lui refuse une libération conditionnelle pour raison médicale, alors qu'il est atteint d'un cancer du poumon en phase terminale. Son histoire tient en quelques mots : SDF sur la Côte d'Azur, il avait décidé de cambrioler une villa et massacré son occupant, un médecin. Quand elle le rencontre, il est allongé par terre dans sa cellule, à côté de son lit, et n'a plus la force de se lever. Elle regarde le visage émacié de cet homme qui lui prend la main pour lui dire qu'il voudrait mourir « dehors ». Sauf que le dossier n'est pas si simple. Il a eu beau soulever son tee-shirt devant les juges pour exhiber son impressionnante maigreur, les objections fusent : il est d'abord sans papiers, et surtout on l'estime insuffisamment repentant.

L'avocate se rapproche de la cour d'assises de Reims, où on lui apprend qu'il doit être jugé en appel le 19 novembre 2008. Un peu long, pour un homme qui gît à même le sol, dans sa crasse, tranche-t-elle. Ne pourrait-on pas avancer la date ? « Ce sera le 10 novembre, et c'est comme ça », réplique le président.

Trois jours après qu'elle lui a rendu visite, son client est hospitalisé à Troyes. Pas pour longtemps, car on veut le renvoyer dès le lendemain à Clairvaux. Me Bianchi contacte le médecin, qui affirme ne pas disposer de chambre sécurisée. « Mais il ne peut pas se lever ! s'énerve-t-elle. – C'est un détenu », répond le médecin.

Manir rejoint sa cellule, retourne à l'hôpital la semaine suivante, échoue à la prison de Liancourt, dont l'avocate connaît bien le directeur, un copain de promotion. Il « gère » jusqu'au jour du procès, pour lequel l'accusé n'a pas besoin d'être présent. Virginie Bianchi plaide « avec ses tripes », annonçant avoir trouvé une visiteuse de prison qui veut bien lui tenir la main, et un sous-préfet prêt à l'assigner à résidence. L'avocat général parle de « risque de trouble à l'ordre public », et le dossier est mis en délibéré à quinze jours.

Né le 1er juin 1959 à Agadir (Maroc), Abdellah Manir meurt le lendemain, 11 novembre 2008, à l'hôpital de la maison d'arrêt de Fresnes, une infirmière à ses côtés. Avec l'accord de la famille, la visiteuse parvient à récupérer le corps et lui offre une sépulture, tandis que l'avocate expédie dans les dents du système un article paru dans *Le Canard enchaîné*...

« Je me suis heurtée à la gestion administrative de la personne humaine, constate l'ex-"directeur" de prison. Le pénal financier, à côté, c'est vraiment *fun* ! »

Chapitre 7

Secrets de familles

Un bureau dans un immeuble résidentiel à deux pas de la Seine et de la tour Eiffel, avec piano dans la salle d'attente, dans ce qui fut l'appartement de sa mère : on est un peu à la maison, chez Me Michèle Cahen, grande prêtresse des divorces parisiens, et l'on s'étonnerait qu'elle ne l'ait pas fait exprès. Ceux qui décident de s'unir pour la vie devraient peut-être la consulter avant pour s'entendre dire : « Le mariage, c'est le contrat le plus important de la vie, et vous ne savez jamais comment en sortir. » De quoi rabaisser la suffisance de certains avocats d'affaires qui croient qu'ils ont tout compris parce qu'ils ont participé à la signature du « contrat du siècle ».

Lorsqu'ils ont décidé de se séparer, peu après l'élection du mari à la présidence de la République, c'est vers cette avocate que lui et elle se sont tournés. « Être l'avocat des deux, cela demande une grande confiance », leur a-t-elle expliqué. Les deux époux s'en sont vite rendu compte. Un jour, le mari a le malheur de s'emporter, comme il arrive souvent dans ces périodes d'extrême tension. « Ton avocat, c'est aussi le mien, je le fais valser quand je veux ! » lance-t-il à Cécilia, qui rapporte le propos à

Michèle Cahen, laquelle se rend aussitôt à l'Élysée pour avertir Monsieur : « Nicolas, vous me le faites une fois. La prochaine fois, je me retire et vous n'avez plus d'avocat. »

Nicolas Sarkozy a bien fait d'écouter, parce qu'avec elle le Président pouvait dormir tranquille. Non seulement elle affirme avoir nourri de l'« estime » pour les deux parties, « à parts égales », mais elle s'est tue. Jusqu'au prononcé du jugement, le lundi 18 octobre 2007, elle a su garder le secret. La veille même, sa propre secrétaire n'était pas au courant. Même à l'Élysée, où elle va rencontrer le mari tard le soir, discrètement, cela ne s'est pas su. Et si cela s'est murmuré en ville, personne n'était en mesure de confirmer.

« Tu ne t'occupes pas d'un dossier important ? l'interroge par SMS la journaliste Ruth Elkrief (BFM TV). – Je ne vois pas de quoi tu parles », répond-elle.

Véritable secret d'État, le divorce du Président est annoncé trois jours plus tard. Le soir, Michèle Cahen a « quatre-vingt-dix journalistes sur le dos ». Elle en dira le moins possible, conformément à la règle qu'elle s'est fixée : « On ne peut être sur les plateaux télé et dans la vie des gens. Je suis dépositaire des secrets de famille, je les garde. »

Le fait d'agir dans l'ombre n'empêche pas les clients d'affluer, au contraire. Le show-biz, l'intelligentsia parisienne, les patrons : on s'arrache la carte de visite de cette experte en séparations douces. Et, si possible, rapides : elle préfère les divorces en trois mois à ceux qui s'étirent sur trois ans, même si les avocats sont payés au temps passé. Plus « médiatrice » qu'avocate, elle résume sa méthode : « Écouter l'autre pour glaner les arguments qui vont permettre de trouver un accord. » Encore faut-il avoir suffisamment d'autorité pour faire accepter la solution, même à un président de la République ou à l'un des acteurs les plus demandés du moment. Comme elle le fit, avant Nicolas Sarkozy, avec Laurent Fabius ou Lionel Jospin.

« Ah, quelle chance, on va la saigner ! » dit un jour un avocat à un client venu pour divorcer d'avec une riche héritière. Ledit client se lève, quitte le bureau et s'en va voir Michèle Cahen, l'avocate qui prétend « guérir la famille » un peu comme le médecin guérit son patient. « Tout ce qu'on peut faire pour éviter la justice, c'est bien, explique-t-elle, mais si vous avez un procédurier en face de vous, c'est perdu. Si vous forcez la main de gens qui ne sont pas prêts au consentement mutuel, vous êtes sûr qu'ils retourneront en justice après. Pour parvenir à un accord, vous devez vider votre haine et mettre le contentieux sur la table. Vous devez d'abord trouver un consensus. »

Un soir, autour de 19 heures, une femme tremblante et en pleurs frappe à la porte du cabinet : « Est-ce que vous allez accepter mon dossier ? demande-t-elle. J'ai vu trois avocats qui m'ont dit : "Vous n'aurez rien, acceptez ce que vous propose votre mari." Mais il ne me propose rien ! » Mariée à l'un des « rois de la moquette », un homme d'un machisme rare, la candidate au divorce s'est convertie au judaïsme pour complaire à cet homme qu'elle a adoré, mais qui l'a trop malmenée, entre tromperies et humiliations... « Tu en as marre ? Tu te tires ! » : voilà en quoi a consisté leur unique discussion.

Le jour de l'audience de conciliation venu, tous se retrouvent au palais de justice de Paris, dans ce que les avocats spécialisés appellent le « couloir du divorce ». Le juge vient chercher la femme, comme c'est l'usage, lorsque l'avocat du mari l'interpelle : « Monsieur le Juge, comme je suis content de vous voir ! Votre fils est bien parti, hier soir ! » La femme blêmit. Dans le bureau du juge, elle est tendue, comme terrifiée par cette connivence affichée qui jouera forcément contre elle. Elle parvient à peine à s'exprimer.

Le délibéré est annoncé pour dans un mois, mais la femme appelle un matin au cabinet : « Maître, il faut que je vous voie tout de suite, parce que c'est dramatique !

– Que se passe-t-il ? – J'ai tout perdu. Je n'ai pas de domicile. J'ai une pension minimale… – Passez me voir dès que vous pourrez. »

La femme est dans le bureau de l'avocate une heure plus tard, plus blême que jamais. « On ne peut avoir tout perdu puisque le délibéré n'est pas tombé, tente de la rassurer Michèle Cahen. – Si, mon mari a sablé le champagne avec son avocat et ses sœurs, hier soir. L'avocat a rencontré le juge sur le quai de la gare, lequel lui a dit : "Me Cahen veut toujours tout ; rassurez-vous, elle n'aura pas tout. D'ailleurs, Me Cahen a plaidé les revenus occultes, et je déteste les avocats qui font ça !" »

Michèle Cahen (née au Maroc, où son père possédait les « Grands Magasins d'électricité ») annule ses rendez-vous de la matinée, saute dans un taxi et frappe à la porte du juge Jean-Claude Kross : « Désolée pour ma démarche, mais voici ce qui se passe… », commence-t-elle. « C'est vrai que j'ai rencontré l'avocat, confirme le juge, mais je n'ai jamais rien dit d'autre que des boutades… »

Au jour de la décision, on apprend que le juge Kross s'est désisté et a renvoyé le dossier sur un autre juge. Le mari change d'avocat une fois, puis une seconde fois. Il court après les grands noms du barreau, mais se retrouve avec des avocats d'affaires qui n'ont jamais traité le moindre divorce. Un premier jugement le condamne aux torts exclusifs sur fond d'infidélité et de climat « insupportable » : l'épouse aura la jouissance exclusive de l'appartement et une rente mensuelle. Il fait appel, refusant la moindre compensation.

Michèle Cahen finit par obtenir pour sa cliente, âgée de quarante-cinq ans, une coquette somme sous forme de prestations compensatoires. Le mari, assuré de sa toute-puissance, ne veut pas payer, se fâche avec leurs trois enfants, et finit par mourir d'un cancer. Comme quoi, parfois, un divorce peut tuer, surtout quand la procédure dure cinq ans : Michèle Cahen avait prévenu…

Mieux vaut avoir cette avocate avec soi que contre soi, mais tout le monde ne la voit pas venir. Comme ce mari qui, après cinquante ans de mariage, comparaît devant le juge pour une audience à laquelle son avocat, peu coutumier de ces affaires, ne l'a pas préparé. Il en ressort fou de rage et fait passer un très mauvais après-midi à ses collaborateurs. Comment l'avocate le sait-elle ? Le soir, dans un dîner en ville auquel elle a été conviée avec son mari, avocat de renom, un des convives a raconté que son patron était tombé sur « une chienne d'avocate »... « Je crains fort que ce ne soit moi », est-elle intervenue, pimentant de façon inattendue la soirée.

Dès le lendemain, le divorcé largue son avocat pour une avocate, qui envoie des conclusions dans la journée par porteur. Le jour où l'affaire se plaide, l'épouse exhibe une note d'hôtel – chambre et souper avec langoustes – qu'elle a subtilisée dans une des poches de son mari. « Vous ne pensez pas que c'est avec son avocate ? demande-t-elle à Mᵉ Cahen. – Mais non, vous vous faites des idées ! »

L'avocate du mari reprend contact quelques jours plus tard pour parvenir à un accord. Pas besoin du mari : elle a « tout pouvoir » pour négocier. Une fois l'affaire conclue, alors que la cliente disparaît de la circulation, l'avocate revient avec un message : le mari souhaite inviter Michèle Cahen à déjeuner. « Mais c'est mon adversaire ! proteste-t-elle. – Il a beaucoup apprécié votre travail. »

Quelques mois plus tard, Michèle Cahen rappelle l'avocate, avec qui elle est devenue amie, pour en avoir le cœur net : « Les langoustes, c'était donc toi ? – On va se voir... » Elle attendait un bébé du client !

Parfois, les histoires sont beaucoup plus affligeantes. Comme celle de l'ex-épouse de Jo Dassin, brusquement prise de regrets d'avoir accepté le divorce par consentement mutuel. Elle a été scénariste, habilleuse, coiffeuse pour le compte du chanteur, lequel a fini par partir avec la manager. « Il court à sa perte », dit-elle, inquiète, mais il n'y a pas grand-chose à faire. L'avocate adresse tout de même une lettre à Jo Dassin, lui expliquant que son ex-femme souhaiterait remettre en cause le divorce, mais le chanteur meurt un mois plus tard...

Michèle Cahen a commencé par faire du pénal comme stagiaire auprès de la grande Monique Smadja, mais a renoncé au bout de deux mois. Elle a d'abord « divorcé » des médecins d'avec leur clinique, et s'est retrouvée en première ligne quand le divorce des couples, du fait des prestations compensatoires, est aussi devenu une affaire financière. Avec des maris qui se lamentent, après l'audience de conciliation, qu'ils « donnent beaucoup trop », avant de pleurer davantage encore quand le juge prononce son jugement quelques années plus tard. Et d'autres qui se mettent à genoux devant leur épouse en suppliant : « Ne prends pas Cahen, je te donnerai le double de ce que tu veux... »

L'acteur Gérard Depardieu aurait aimé s'appuyer sur elle pour son propre divorce, mais, lorsqu'il a appelé, elle a été au regret de lui annoncer que... sa femme l'avait déjà recrutée !

Tueuse de maris ? Elle a autant d'hommes que de femmes parmi sa clientèle, se défend-elle. Et quelques règles : elle ne sollicitera pas du juge la garde alternée pour le père après avoir affirmé la veille que le gamin faisait pipi au lit chez son géniteur. Et met les pieds dans le plat quand elle l'estime nécessaire, comme ce jour où une femme abandonnée avec quatre enfants en bas âge vient lui dire qu'elle interdit à son mari de prendre les enfants plus de deux heures le samedi : « C'est contraire à votre intérêt. – Écoutez, on va se séparer ! – Je me rends compte que vous adorez votre mari. – Comment ça ? s'exclame la femme. C'est la personne que j'exècre le plus au monde ! – Vous êtes la personne idéale pour lui : il a ainsi ses week-ends tranquilles pour voir sa maîtresse... » La femme est partie, elle est revenue, et la remercie vivement aujourd'hui.

« L'adultère se banalisant, il reste les enfants et l'argent », résume l'avocate, qui a même vu une femme revenir quinze ans après être partie avec un amant, pour réclamer... de l'argent ! « Je suis d'accord avec ce juge qui disait qu'un divorce ne peut être un hold-up, mais si vous prenez une femme dans le ruisseau, vous ne pouvez pas la remettre dans le ruisseau. »

Pour anticiper, Michèle Cahen propose désormais des contrats prénuptiaux, au motif qu'il est « impensable de ne pas prévoir de porte de sortie au mariage ». « Ce protocole d'accord, c'est la preuve des choix qui sont faits, dit-elle. Si vous êtes avocate et que vous suivez votre mari diplomate à Singapour, il faut qu'il y ait une trace. Autrement, on ne sait pas qui dit vrai. »

La tendance : la hausse des divorces chez les jeunes, en particulier à l'initiative d'hommes déboussolés par « ces femmes qui privilégient les enfants et le boulot ».

Des larmes, il en coule beaucoup dans le bureau de Mᵉ Cahen, qui tient toujours à disposition un paquet de mouchoirs à côté de l'orchidée rose, du petit plateau en écaille et du bloc-notes posé sur un sous-main en cuir. La première rencontre est presque toujours celle de tous les déballages. Larmes factices, parfois, comme celles de cette femme qui exige un divorce aux torts exclusifs de son mari, dont l'avocat finit par envoyer copie d'une centaine de lettres de l'amant de... l'éplorée !

Au moment de la quitter, on lui dit parfois : « Au revoir, docteur », sans se douter qu'elle a elle-même voulu être psychanalyste. Apprenant qu'elle n'avait toujours pas divorcé après quarante-deux ans de mariage, l'un de ses clients, pris d'un doute, s'est un jour retourné sur le pas de la porte pour lui demander : « Mais alors, quelle expérience avez-vous ? »

« Si je n'étais pas avocate du divorce, s'amuse-t-elle, je monterais une école du mariage ! Le mariage, c'est une danse quotidienne. Si ça s'arrête, c'est que ça va casser ! »

Dominique Piwnika, nurse, psy, avocate...

« Les femmes cherchent souvent de grosses prestations, un dédommagement, alors que les gens intelligents aspirent à un divorce rapide, dont ils sortent le plus indemnes possible, observe Dominique Piwnika depuis son bureau de la rue de Lille. Pour moi, il n'y a ni "gagnant" ni "perdant" dans un divorce. On s'arrache souvent les enfants. Les hommes qui sont dans la vengeance sont difficiles à gérer, ils utilisent les enfants parce que ça fait mal. Les femmes sont parfois prêtes à tout, y compris à lancer des accusations de pédophilie. Quand ce n'est pas crédible, je les envoie ailleurs. C'est quand on me fait confiance que j'ai les meilleurs résultats... Tout cela n'est jamais qu'une affaire de narcissisme. Je dois les conduire vers un divorce qui leur permette de reconstruire leur vie. Mais c'est parfois d'une énorme violence. »

Confidente, receleuse ou poubelle de l'âme, Dominique Piwnika connaît les moindres détails de l'existence de ceux qu'elle divorce, bien plus que n'en saura jamais sur ses clients un champion du pénal financier. Le secret des filiations, les enfants légitimes qui n'en sont pas, tout est déballé devant elle. Certains finissent par la haïr, comme ce jour où elle a consacré une rupture entre une mère et son propre fils. Ou comme cette fois où elle s'est retrouvée face à une femme de soixante ans qui voulait arracher une pension alimentaire à sa fille de vingt-six ans, mariée à un homme plutôt fortuné, en plaidant... l'ingratitude ! Le soutien doit être réciproque, avance l'avocate de la mère cupide. La fille se cabre : sa mère ne s'est jamais beaucoup occupée de son éducation. « Un lien affectif se tricote au jour le jour, même avec une adolescente qui vous pourrit la vie quand il faut dire non », plaide Dominique Piwnika. Séance de psychothérapie en direct chez le juge, à huis clos, quand l'avocate déploie les témoignages de professeurs, de médecins, de proches qui confirment que la mère n'existait guère dans la vie de la gamine. Non sans démontrer que cette mère n'a resurgi que du jour où elle a appris le nom de l'époux de sa fille, en se disant qu'il devait bien y avoir du patrimoine à piocher.

« Ce n'est pas vrai, je t'ai toujours fait des cadeaux, et même la Rolex, tu ne t'en souviens pas ? s'époumone la mère. – Tu n'as jamais rien fait pour moi, tu n'as rien compris ! Mes premières règles, c'est à papa que j'en ai parlé. La Rolex, je m'en fous ! Laisse-moi vivre ! Je voudrais donner à ma fille ce que tu ne m'as jamais donné ! »

Tout le monde pleure, même le juge qui intervient : « Madame, vous n'entendez pas ce que vous dit votre fille ? » Avant de consacrer la rupture définitive entre les deux femmes.

« Je suis plongée en permanence dans des conflits parfois on ne peut plus durs, confie Dominique Piwnika. Les enjeux liés à la filiation sont très lourds. On sentait chez cette jeune femme un sentiment d'abandon très profond. On voyait bien qu'elle ne se remettrait jamais tout à fait de sa blessure. »

La folle demande de ce jeune homme de vingt-huit ans aurait pu la surprendre, mais elle en a tant vu... Celui-là réclame à sa mère l'argent des meubles qu'elle a reçus quelques années plus tôt en guise de pension alimentaire. La mère déboule dans le bureau de Me Piwnika, furieuse : « Non seulement il a tout raté, mais il me réclame 5 millions d'euros ! » Les fameuses antiquités, elle les a revendues pour payer école privée, cours particuliers, voyages en Asie, fêtes luxueuses pour ses enfants. L'assignation du fils échoue, mais la mère ne reverra jamais plus son fils...

« L'échec du couple, c'est ce qui peut arriver de pire, expose Dominique Piwnika. Les gens sont dévastés. Ils ont peur de tout : du lendemain, de la solitude, de la précarité. On tient la vie des gens entre ses mains. La souffrance est parfois atroce quand la séparation n'est pas consentie. C'est la terre qui s'ouvre sous les pieds. C'est tout un mode de vie qui s'écroule : l'existence sociale, les amis communs, les vacances... »

La loi du 26 mars 2004 a rendu la procédure de divorce très technique, avec une jurisprudence que l'avocate enseigne par exemple à l'occasion des États généraux de la famille, mais, avant de faire du droit, reconnaît Mᵉ Piwnika, « on doit jouer un rôle de psy » : « Les gens doivent d'abord régler leurs comptes. » La suite est plus juridique, car « il ne suffit pas de dire : "Je suis malheureuse." Il faut encore le prouver ! » Le lien n'en reste pas moins très personnel et, de psy, l'avocate se fait nurse, non sans conserver une certaine distance. C'est elle que l'on vient voir, pas une collaboratrice. C'est de sa bouche que vont sortir les mots qui changeront peut-être la vie...

« Et vous, maître ? » interroge parfois une cliente qui recherche un contact plus intime. L'avocate bifurque, ne dira pas qu'elle a elle-même divorcé par deux fois, mais donnera peut-être son numéro de portable pour que sa cliente l'appelle le dimanche et demande des rendez-vous qui ne servent à rien : « On ne parle que de soi en plaidant, confie-t-elle. On ne raconte que sa propre histoire, mais le client n'a pas à le savoir. » En attendant, on continuera à l'appeler pour tout et parfois pour rien, pour la paire de moufles qu'il n'a pas rapportée à la fin du week-end, pour une histoire de confiture, de chaise, de petite cuillère, forcément plus urgente que le reste – « Madame, vous avez choisi de faire ce métier, oui ou non ? » Sachant qu'un dossier peut durer entre trois mois et seize ans, mais que la durée « raisonnable » est d'un an et demi.

Ils sont cinq ou six dans la capitale, dont quelques hommes, à ne faire que ça : divorces, ruptures de pacs ou de concubinage, avec des problèmes d'enfants, de succession, par exemple quand les enfants du premier lit accusent la deuxième épouse de leur voler leur papa. Michèle Cahen, celle qui divorce les stars « sans se prendre pour la reine du monde », comme dit sa consœur, est incontournable ; Dominique Piwnika, elle, est devenue la spécialiste de la famille. Elle a commencé à en traiter chez Georges Kiejman en janvier 1982. « Éblouie » par le talent de cet avocat « qui va plus vite que tout le monde tout en menaçant de vous passer par la fenêtre », elle apprend de lui l'importance de la relation avec le client. Elle défend quelques trafiquants de stups et autant de flics véreux, fréquente la Santé et Fresnes le samedi matin, mais ne se sent ni la « poigne » de Françoise Cotta, ni l'« énergie » de Monique Smadja. Le droit de la famille lui tend les bras. Elle ne sera pas la « nana » que choisissent les dealers parce qu'elle présente bien. Fille d'un chirurgien du cœur originaire de Pologne et d'une vendeuse de boutons de Kiev, juifs tous deux, elle sera la robe noire des cœurs en détresse. Car elle le confirme : « Au premier rendez-vous, les gens sanglotent... » Loin des avocats qui « fabriquent des millions », à cent lieues de percevoir les honoraires faramineux qui prévalent dans les affaires internationales, Dominique Piwnika, elle, défend « des êtres humains ».

Comme cette femme de soixante-deux ans qui divorce après avoir « consacré » trente-cinq ans de sa vie à son mari, un châtelain du village voisin, près de Bourges. Rejetée, « bafouée », reléguée dans une maisonnette, elle a trouvé le courage de faire autre chose : elle vend des fleurs. « Cette nouvelle activité montre ce qu'elle a pu donner à cet homme », plaide l'avocate, qui poursuit : « Défendre les gens, ce n'est pas se mettre à leur place, ce serait un bien mauvais service à leur rendre, mais je les reçois pendant des heures pour ne pas passer à côté de l'essentiel. "Que va-t-il se passer ?" me demande-t-on souvent. Le droit est confortable, quand on est angoissé : on y trouve des réponses à tout, pas comme en philosophie. »

Dominique Piwnika est au cœur de toutes les secousses que subit la famille au fil des votes de nouvelles lois et ordonnances. Elle est aux premières loges de l'évolution permanente des mœurs. Elle estime que les hommes politiques n'accordent pas à ces sujets la place qu'ils méritent... sauf à la veille des élections. D'où viens-je ? Qui sont mon père et ma mère ? Qui va hériter ? Aux yeux de l'avocate, les hommes politiques négligent trop ces « vraies » questions, pourtant « essentielles pour qui veut des adultes bien construits ». Les prestations compensatoires ont fait l'objet, dit-elle, d'une « avalanche de réformes dans un désordre inouï », lobbying oblige ; mais, pendant ce temps, rien sur le mariage, l'insémination, la gestation pour autrui... Et Mᵉ Piwnika de se féliciter de l'impact de la révolution féministe sur les lois, avant d'en appeler à Claude Lévi-Strauss et à Françoise Héritier, la seconde ayant succédé au premier au Collège de France, sans qui elle ne pourrait faire du droit de la famille.

Derrière les principes, on en revient toujours à l'argent. Les prestations compensatoires s'amenuisent au fur et à mesure que s'allonge la durée de vie de la femme, constate Dominique Piwnika. Maintenir le même niveau de vie qu'avant devient de plus en plus illusoire, mais « tous les hommes n'ont pas l'élégance de partir avec la brosse à dents et de laisser l'appartement à leur femme ». « La plupart se battent comme des chiens pour ne rien donner à celle qui les a "emmerdés", en gueulant dans le bureau de l'avocate : "Mais ça fait cinq ans qu'on ne couchait plus ensemble !" Je commence par absorber, puis, une fois qu'ils ont tout déballé, je donne aux choses une forme juridique pour pouvoir présenter l'histoire devant le juge. »

Parfois, Dominique Piwnika est un peu dépitée par ces femmes dont le plus grand bonheur aura été d'apporter un pain au chocolat aux enfants à la sortie de l'école. À certaines dont elle sait qu'elles vont se retrouver seules, rejetées socialement, car, dans leur milieu, une femme seule fait peur, elle dit la vérité : « Mais, sans autonomie financière, vous êtes fichue ! Le mariage, ce n'est pas la garantie d'une protection matérielle ! Si vous croyez ça, vous rêvez d'un paradis perdu ! » Elle a vu tellement de jeunes pères partir alors que leur compagne était enceinte, paniqués à la perspective des responsabilités auxquelles ils n'avaient pas songé, qu'elle est vaccinée...

« Personne n'échappe à la famille », rappelle l'avocate, mais, parfois, les mortels sont entraînés dans des procès si terrifiants qu'ils ne peuvent que vous plonger dans la détresse. Comment, par exemple, les enfants de l'un des plus grands intellectuels du XXᵉ siècle, philosophe de l'altérité, ont-ils pu se déchirer aussi profondément autour de la mémoire de leur père ? Lorsque sa fille et son mari frappent à la porte du cabinet, ils semblent eux-mêmes abasourdis par ce qui leur arrive... Comment une famille unie de juifs orthodoxes, composée de gens plus intelligents que la moyenne, peut-elle parvenir à un tel degré de haine ? Le penseur disparu aurait probablement mis toute une vie à répondre à cette question. L'avocate, elle, est condamnée à méditer sur la banalité du mal.

Chapitre 8

Secrets diplomatiques

François Gibault, le roi et l'empereur

Il ne suffit pas d'être né et d'avoir grandi à deux pas de l'hôtel Matignon pour devenir un avocat que les ministres de la République recommandent, mais cela aide. Il ne suffit pas d'avoir rêvé de devenir diplomate pour se voir confier les dossiers judiciaires considérés comme les plus sensibles par le Quai d'Orsay, mais cela ne dessert assurément pas. Il faut cependant une petite dose de hasard pour que tout cela se conjugue et se concrétise, et, pour François Gibault, il prend la forme de la panne de voiture dont est victime le confrère contre lequel il vient de plaider en province, Pierre July, ancien ministre, copain d'Edgar Faure[1], qui lui propose d'intégrer son cabinet.

Nous sommes à la fin des années 1950 ; le jeune avocat, fils d'un courtier en assurances, vient de prêter serment, et le voilà déjà en conciliabules avec les puissants de ce pays. La Conférence du stage achève de le mettre

---

1. 1908-1988. Grande figure du Parti radical, membre du barreau à vingt et un ans, plusieurs fois ministre sous la IVe, puis sous la Ve République.

en vue et Mᵉ Jean-Louis Tixier-Vignancour, le « monarque » en robe du moment, le remarque à l'occasion d'une plaidoirie devant ce que l'on appelait alors la Cour criminelle de justice. L'ex-candidat d'extrême droite à la présidence de la République le met définitivement sur orbite en lui confiant la défense d'un des auteurs de l'attentat (raté) du Petit-Clamart contre le général de Gaulle.

La fameuse panne vaut au jeune Gibault de recevoir ce qui pourrait être le dossier de sa vie, à condition de bien se tirer du piège. Pierre July, qui se présente comme député, n'entend pas mettre sa carrière politique en péril en plongeant lui-même dans le scandale majeur qui éclate : l'enlèvement et la disparition en plein Paris de l'opposant marocain Mehdi Ben Barka, le 29 octobre 1965. Très introduit au palais royal chérifien, proche notamment du général Mohamed Oufkir, l'un des hommes forts du royaume, Pierre July se voit consulté en vue d'assurer la défense du patron de la police secrète marocaine, Ahmed Dlimi, soupçonné par la justice française d'avoir trempé dans l'opération. L'ancien ministre des Affaires marocaines et tunisiennes glisse alors le nom de son jeune collaborateur.

C'est deux mois avant l'ouverture du procès que François Gibault est invité à se rendre à Rabat pour y rencontrer le général Oufkir, ministre de l'Intérieur, et son adjoint. Vu le battage médiatique et politique qui entoure l'« affaire », l'avocat en réfère à Georges Pompidou, mais le Premier ministre lui fait dire que le dossier « est géré par le général de Gaulle personnellement ». Il fait pour la première fois son entrée au palais de Hassan II, sans se douter qu'il deviendra pour la vie un grand ami du Maroc.

Oufkir, qui a fait l'Indochine, et Dlimi, qui a peu ou prou son âge, font d'emblée un bon effet sur l'avocat, et c'est manifestement réciproque. Difficile de demander le report de ce procès, prévu pour durer au moins huit semaines, au cours duquel les deux hommes doivent être jugés par contumace, leur explique d'emblée Gibault.

Cette franchise lui ouvre dès le deuxième jour les portes du monarque, auprès duquel Oufkir l'emmène à bord d'un avion qu'il pilote lui-même. L'avocat ne change pas d'un iota sa façon de parler et livre au Commandeur des croyants sa manière de voir : son rayon d'action est limité, ses pouvoirs seraient évidemment plus étendus en cas de reddition.

« J'aime bien les gens comme vous, tranche Hassan II. Vous avez carte blanche. »

Au cours des semaines qui suivent, l'avocat fait de multiples allers et retours entre les deux pays, mais le procès s'ouvre à Paris en l'absence des deux dignitaires marocains. Le coup de théâtre se produit à deux jours de la dernière audience : Ahmed Dlimi débarque clandestinement à Paris à l'aéroport d'Orly, à bord d'un avion rempli de travailleurs marocains, accoutré en paysan. Il n'en a pas avisé son avocat, mais François Gibault lui fait préparer un repas au cours duquel il lui explique qu'il court un grand risque en se présentant à l'audience, compte tenu de l'ambiance qui y règne. Dlimi n'en ignore rien, certainement informé par l'observateur marocain qui assiste à toutes les audiences.

Oufkir appelle l'avocat pour lui annoncer l'arrivée de Dlimi, auquel le roi vient d'infliger un mois de forteresse... avant de le nommer colonel ! « Il faut que tu t'occupes de lui », ordonne-t-il, mais Gibault fait l'idiot, inquiet à l'idée que la conversation vienne aux oreilles de la police française forcément aux aguets (et à l'écoute). Il ne reste d'ailleurs d'autre issue à Dlimi que de se livrer, car elle ne va pas être longue à débarquer.

Dlimi propose à Gibault de le rejoindre dans la soirée, mais l'avocat ne trouve personne à l'adresse indiquée – ce qui n'est pas plus mal, car la police et les journalistes sont sur place quelques minutes plus tard. A-t-il été suivi ? Gibault a l'impression d'évoluer dans un *Maigret*, quand un émissaire vient discrètement le chercher pour le conduire jusqu'à un hôtel en réfection, le *Pierre Ier de*

Serbie, où il passe une partie de la nuit à préparer la défense de son client en tête à tête avec lui.

Le lendemain, l'avocat rencontre le bâtonnier pour lui annoncer la nouvelle dans un Palais de Justice envahi de journalistes et de curieux. Le président du tribunal, passablement mécontent, fait savoir qu'il ne jouera pas les prolongations pour les beaux yeux des Marocains. Il s'énerve franchement lorsque Gibault demande qu'on laisse Dlimi se présenter spontanément devant la Cour – autrement dit, que ne soit pas exécuté sur-le-champ le mandat d'arrêt. « Je vais chercher mon client : laissez-moi simplement prendre la parole à mon retour pour demander sa mise en liberté », insiste l'avocat qui saute dans un taxi, aussitôt pris en filature par une dizaine de voitures, presse et police mêlées. Gibault descend de taxi à hauteur du pont des Arts et disparaît : il a dissimulé sa propre voiture dans un parking de la rue de Rivoli.

C'est ainsi qu'il récupère le militaire marocain dans le fameux hôtel et le prie de baisser la tête alors que se profile un premier barrage, près de l'Assemblée nationale : les policiers n'arrêtent apparemment que les taxis, dont ils font ouvrir les coffres, mandat d'arrêt en main.

« Chaque feu rouge était une victoire, raconte l'avocat. On descend le boulevard Saint-Michel, on passe le pont. Une foule obstrue la porte d'entrée. J'avise la porte de sortie. Je gueule au gendarme de pousser le plot. Il s'exécute. On arrive devant les marches. Le procureur et les policiers sont fous de rage lorsqu'ils finissent par nous arrêter pour nous conduire vers les sous-sols, où le directeur de la PJ nous accueille chaleureusement : il embrasse Ahmed Dlimi, qu'il tutoie ! "Je suis obligé de t'arrêter, mais on a une bouteille de champagne", lui dit-il. Et les voilà qui trinquent avant de rejoindre la salle d'audience. »

Me Tixier-Vignancour a tenu parole. Pour gagner du temps, il a improvisé une demande de mise en liberté pour son client, l'honorable correspondant du SDECE Antoine Lopez, l'un des piliers de l'opération. Il en a à peine terminé lorsque le président se tourne vers Gibault : « Confirmez-vous la présence d'Ahmed Dlimi ? – Oui, comme je m'y étais engagé. » Et, ainsi qu'ils l'avaient escompté, la Cour suspend les débats et ordonne un supplément d'information, reportant le procès *sine die*.

L'avocat présente aussitôt sa demande de mise en liberté : « Le colonel vient de rendre un bel hommage à la justice française, alors qu'il était tranquillement chez lui et ne risquait rien. Cette reddition est le geste d'un grand seigneur, un acte de courage aussi. Il vient laver son honneur devant vous... »

Un brouhaha l'interrompt sur les bancs de la partie civile, mais l'avocat poursuit : « Cet homme ne vient pas pour s'échapper, la justice s'honorerait en ne l'incarcérant pas. »

L'avocat des frères de Mehdi Ben Barka se lève pour approuver le « beau geste » du colonel, se souvient Me Gibault, mais le ministère requiert le maintien en détention : Ahmed Dlimi, le parachuté de la dernière heure, va passer un peu moins de neuf mois sous les verrous.

Entre-temps, François Gibault fait dans la dentelle diplomatique : « À ce niveau, commente-t-il, étant l'avocat français d'une personnalité étrangère, vous devez mettre les choses au clair avec les autorités françaises. » Par des amis communs, Georges Pompidou fait savoir à l'avocat qu'il ne peut le recevoir, mais il l'aiguille sur la Place Vendôme, où Gibault obtient un rendez-vous avec le directeur des grâces, Pierre Arpaillange. « Je travaille pour les bonnes relations entre la France et le Maroc », explique-t-il au haut magistrat, avant d'insister sur la « minceur » des charges qui pèsent sur son client, lequel n'était pas à Paris le jour de l'enlèvement de Ben Barka et n'est venu qu'après, pour célébrer avec le ministre de l'Intérieur français, autour d'un dîner, la fin d'un cycle de formation de policiers marocains. « Je vais plaider l'acquittement, répète-t-il à son interlocuteur qui a volontairement laissé ouvertes les portes de son bureau. L'amitié entre nos deux pays est importante, je fais là mon devoir de Français. Croyez-vous vraiment qu'il serait venu en France si l'enlèvement avait été programmé ? Croyez-vous qu'il aurait laissé sa femme faire des courses dans Paris si une telle action se préparait ? On dit que c'est une affaire franco-marocaine, mais il a été enlevé boulevard Saint-Germain dans une voiture de la police française : ne serait-ce pas plutôt une affaire franco-française ? Il y avait plus à perdre qu'à gagner pour le Maroc, ne pensez-vous pas ? J'ai un dossier solide : vous devriez remettre Dlimi en liberté. »

Le 5 juin 1967, au terme d'un nouveau procès et d'une plaidoirie de trois heures, Ahmed Dlimi est acquitté. Le lendemain, déjeuner avec l'ambassadeur du Maroc, puis retour à Casablanca dans un aéroport noir de monde où le colonel est accueilli en héros par le souverain en personne, qui le fera bientôt général.

François Gibault n'a alors que trente-deux ans. Il a fait encadrer le permis de visite qui lui donnait accès à son royal client. Près d'un demi-siècle plus tard, on le consulte comme une sorte d'autorité supérieure dans ses locaux envahis par les œuvres d'art, car il n'est pas seulement l'avocat de la veuve de Céline, qu'il a connue en 1962, il est aussi le président de la Fondation Dubuffet, qu'il a lui-même créée en 1973. Il préside également l'association des anciens secrétaires de la Conférence, qui en produit douze par an, institution qui date de l'Ancien Régime et engendre, à l'entendre, « une élite d'avocats cultivés et éloquents ».

Sur le front de la diplomatie parallèle, le dossier Dlimi lui a ouvert toutes les portes : « C'est le gouvernement français qui me demande un jour de défendre [l'ex-empereur] Bokassa[1], raconte l'avocat (et néanmoins colonel de

---

1. 1921-1996. Jean-Bedel Bokassa a été président de la République centrafricaine de 1966 à 1972, avant de s'autoproclamer empereur.

réserve). Il attaquait [le président] Giscard d'Estaing et ne cessait de parler des diamants qu'il lui avait offerts. On m'a appelé à la rescousse après que le représentant de la DGSE (services secrets français) en Centrafrique eut suggéré mon nom. "Si vous voulez être condamné, continuez comme vous le faites !" lui dis-je en prenant connaissance de la déclaration antifrançaise qu'il a l'intention de lire à la veille de l'ouverture de son procès. On finit par se mettre d'accord et, pour commencer, par réécrire son discours où il remercie désormais la France... »

Quand le régime libyen est poursuivi par la justice française après la chute d'un DC10 de la compagnie UTA au-dessus du désert saharien, le 19 septembre 1989, attentat censé avoir été orchestré depuis Tripoli, c'est le même Gibault qui assure la défense du colonel (Mouammar Kadhafi). À chaque fois qu'il se rend sur place, il commence toujours par une petite visite à l'ambassade de France...

WILLIAM BOURDON, LA FRANCE, L'AFRIQUE ET LES LARMES D'EVA

C'est loin des « biens mal acquis » des chefs d'État africains et des « esclaves » de la compagnie Total en Birmanie, ses thèmes de « combat », que William Bourdon parle le mieux de son métier. En évoquant un double échec : la défense de Loïk Le Floch-Prigent dans l'affaire Elf, et l'histoire d'Eva Martinet, poursuivie pour avoir étranglé sa petite fille dans les bois de Colombes.

« Je déteste la défense de complaisance sur le mode : "C'est un règlement de compte, je suis victime d'un complot" », explique Me Bourdon. La preuve par Loïk Le Floch-Prigent, PDG en chute libre du groupe Elf, lorsqu'il vient frapper à sa porte, six mois avant le procès.

« Le Floch est venu me voir à un moment où il entendait sortir de la victimisation dans laquelle il stagnait, raconte l'avocat. J'ai échoué, car la logique de réseaux et les intimidations ont refermé le chemin que j'avais frayé. J'aurais voulu qu'il assume ses responsabilités de façon digne, droit dans ses bottes, mais la part d'ombre a repris le dessus et empêché toute possibilité de partager l'existence de la caisse noire d'Elf avec le tribunal. Mon rôle n'est pas de faire plaisir au client, c'est de participer à une restauration de sa dignité. On ne peut l'entretenir dans l'idée du complot. Cette posture qui le poussait à stigmatiser les juges ne pouvait lui permettre de se reconstruire. Mais il a tenu à conserver deux avocats correspondant à ces deux facettes, et mon confrère Maurice Lantourne n'a pas tiré dans le même sens que moi. Il y avait un pacte pour que les choses ne soient pas dites et que personne ne décrive vraiment ce qu'avait été le système Elf. Quant à Le Floch, il est reparti vers ses démons, faute d'avoir réussi à s'extirper de cette fange. »

Que n'aurait-on pas dit si l'avocat avait réussi à arracher de son client des aveux circonstanciés ? Ceux qui prétendent que William Bourdon joue contre son pays, la France, auraient trouvé bien du grain à moudre en voyant les secrets de la compagnie pétrolière et de la Françafrique étalés à la une des journaux. Mais l'avocat l'affirme : dans cette affaire, il n'était nullement « en service commandé ». « J'étais juste là pour défendre Le Floch, dit-il. La profession d'avocat a intériorisé cette inversion des valeurs où le cynisme est devenu la marque de l'efficacité. » Et de revendiquer ce sens de l'écoute, cette psychologie qui font de lui le contraire d'un « soldat désenchanté et désincarné », et qui lui permettent bientôt d'entrer dans l'intimité d'une Eva Martinet, jeune Africaine (adoptée par un couple de Français) poursuivie pour avoir étranglé son bébé avec la laine qu'elle tricotait, avant de dissimuler le cadavre sous un tas de feuilles.

« Cette femme était dans une quête de vérité sur le sens de son acte. Je l'ai accompagnée de toutes mes forces. C'était un passage à l'acte vertigineux, un suicide déguisé avec, en plus, l'épouvante à l'idée d'être une aussi mauvaise mère que l'avait été la sienne. J'allais la voir une fois par mois en prison, et un lien s'est tissé entre nous, loin de toute familiarité. Elle était dans une recherche douloureuse et pleurait sans cesse. Elle cherchait le pourquoi. Elle cherchait ses mots, trébuchait ; je lui fournissais des éléments de langage. Je préparais l'audience avec elle pour la préserver d'une catastrophe, de déclarations maladroites ou agressives. Je l'ai accompagnée vers le plus vraisemblable, qui n'est pas forcément le plus vrai. »

Le jour des réquisitions, l'avocat général salue le « courage » de cette femme et sa « reconstruction ». De vingt ans requis, la peine tombe à dix. « Un moment de grâce, un moment magique, parce que j'ai eu le sentiment d'avoir obtenu une décision juste, pour elle et pour la société. » Eva Martinet, elle, n'entend pas ; elle ruisselle de larmes. Peut-être même, suggère l'avocat, qu'une partie d'elle-même considère que dix ans, c'est trop peu.

William Bourdon se déclare « avocat de conviction » et « professionnel » tout à la fois : « J'ai embrassé cette profession dans l'idée qu'être avocat, c'était peser sur la cité. Cela s'est précisé par un engagement sur le terrain des droits de l'homme, du droit de la presse, des bavures policières. Mais le milieu est assez conservateur, très individualiste, et mes confrères ont peu le sens du collectif et de l'intérêt général. Plus l'avocat serait mercenaire, meilleur il serait. Nous sommes le reflet d'une société envahie par la toute-puissance de l'argent, par le cynisme, où les repères moraux sont brouillés, avec des avocats capables de dire blanc le matin et noir le soir. Comme les journalistes, nous avons une responsabilité citoyenne morale. On ne peut être indifférent à ce qu'on dit dès lors que cela s'inscrit dans la sphère publique. »

Belle déclaration d'intention, que Me Bourdon affirme mettre en musique dans l'exercice quotidien de son métier. Notoirement avec le dossier des « biens mal acquis » visant l'enrichissement personnel de plusieurs chefs d'État africains, dont il revendique l'entière paternité. Un « paquebot judiciaire au long cours ». Un combat qui l'expose, il le sait, lui qui se retrouve avec quelques-uns de ses meilleurs confrères en face de lui, de Patrick Maisonneuve à Olivier Pardo en passant par Jean-Pierre Versini-Campinchi et Emmanuel Marsigny. « Je dois être exemplaire pour ne pas donner prise aux attaques », dit-il, mais il n'empêche : les torpilles volent bas sur le Net. William Bourdon n'a-t-il pas accepté de prendre la défense d'Hannibal Kadhafi (un fils de l'ex-dictateur libyen) ? Rien de tel, pour le démonétiser dans le dossier des « biens mal acquis », que de le faire passer pour un « agent de Kadhafi ». Merci, Google, qui relaie une rumeur plus empoisonnée encore, comme quoi le chantre des causes morales, transformé en « agent de la CIA », roulerait pour les intérêts américains dans une Afrique de l'Ouest longtemps considérée comme le précarré de Paris...

Lourd costume, pour un avocat qui rappelle qu'il est secrétaire général de la Fédération internationale des droits de l'homme et créateur de l'association Sherpa destinée à « ramener le droit vers les victimes » : « Le droit est un instrument de la cité et du monde, ce qui demande aux avocats une grande vigilance et leur donne de vraies responsabilités », poursuit Me Bourdon, qui revendique de tenir le cap à la tête d'une équipe de huit avocats, à peu près inchangée depuis vingt ans. On l'attaque ? « On n'épargne pas ceux qui essaient d'être libres, réplique-t-il. Je n'ai d'autre recette que d'être moi-même. Je recherche une cohérence entre ma pratique et mes convictions. Je me sens irrigué par la pensée de Camus. Certains me présentent comme l'honneur de la profession, mais s'ils savaient comme je prends des coups... »

À son menu : visites d'un émissaire au nom de la dynastie « régnante » gabonnaise, cyber-attaque des ordinateurs du cabinet, photomontages le représentant en train d'embrasser le colonel Kadhafi, « papiers de commande » contre lui parus dans la presse, modification sauvage de sa fiche Wikipédia... Pourtant, il assure souhaiter que « la France rétablisse une relation de confiance avec l'Afrique après ces procédures judiciaires »...

Avocat en 1979, il a fait ses premières armes auprès de feu Philippe Lemaire, il a admiré Henri Leclerc et Robert Badinter, mais il a vite cherché à s'échapper du « pénal pur » pour s'orienter vers le droit des affaires et s'associer alors avec Jean-Pierre Mignard et Francis Teitgen. Ses parents le voyaient énarque ou diplomate, mais c'est comme avocat qu'il passe les frontières avec une première « mission » au Togo (déjà l'Afrique), en 1984, conclue par une expulsion. La « chasse aux bourreaux » devient l'une de ses spécialités, qu'ils soient serbes, rwandais ou chiliens, mais il n'est pas dupe : « Notre utilité est marginale, dit-il. Le fait d'être mandataire de la souffrance ne vaut pas une compétence. » Il n'en est pas moins fier d'avoir fait plier le groupe pétrolier Total, « grand acteur du marché », devant les Birmans, ou conclu avec Areva, champion du nucléaire français, un accord en faveur d'anciens mineurs. Ou encore d'avoir obtenu l'annulation d'une procédure après des interrogatoires « déloyaux » de présumés terroristes français réalisés par la DST et la DGSE dans l'enclave américaine de Guantanamo.

Les avocats sont-ils pour autant les nouveaux « hommes de pouvoir » que certains prétendent ? « Non », répond William Bourdon, qui ne voit derrière la médiatisation croissante de sa profession que « peopolisation », « logique de réseaux et de carnets d'adresses », déploiement d'influence pour une mauvaise cause : l'impunité des hommes de pouvoir. Et de plaider pour ce qu'il appelle un « service public de la défense », afin d'en finir avec cette inégalité devant le juge dont Marine Le Pen fait ses choux gras !

« En revanche, reprend Me Bourdon, on exerce un pouvoir intime sur les gens. Gare à n'être qu'un simple bonimenteur, un marchand d'illusions... »

On peut aussi, comme c'est son cas, sauter en marche dans le train de la politique et s'emparer du dossier « libertés publiques » et « droits de l'homme », pour le compte du candidat à la présidence de la République François Hollande, à l'invitation du député socialiste André Vallini, alors en lice pour devenir garde des Sceaux...

OLIVIER PARDO DANS LA TÊTE DES JUGES

Avocat d'affaires, le métier relève parfois de la haute voltige. Lorsqu'il défend le président de la Guinée équatoriale visé par l'enquête sur les « biens mal acquis », Olivier Pardo joue contre tous les petits et grands porteurs de la bonne conscience et de la rigueur morale. Il attaque devant le tribunal les ONG à l'origine de ces poursuites, dont il met en cause la légitimité : « C'est comme si un Africain déposait plainte en France contre Merkel, Berlusconi et Sarkozy », dit-il. Et il détricote les mobiles cachés de ceux qui assurent se battre au nom de la transparence, afin de mettre au jour leurs supposés liens occultes avec ceux qui convoitent le contrôle de la manne pétrolière ou minière...

« Les "fonds vautour" abreuvent d'informations la presse sur les pays cibles », lâche l'avocat, énigmatique, non sans un regard féroce en direction de son confrère et adversaire William Bourdon, bras armé de la plainte ravageuse.

« À l'époque de la Françafrique, un seul avocat, Jacques Bourgi, trustait tous les dossiers et rendait la justice des années de Gaulle, observe Olivier Pardo. Ça ne marche plus. Avant, il suffisait d'une valise ; il faut maintenant de vrais avocats. On verra que l'infraction ne tient pas une seule seconde. Mon confrère Bourdon se rêve trop en Badinter ! »

En attendant le jour de la contre-attaque, il faut faire le dos rond, encaisser les coups, éviter de communiquer à chaud : aucun journaliste ne prêterait une oreille favorable à la défense d'un dirigeant africain soupçonné de s'être enrichi illicitement...

Lorsqu'il défend la société russe Interneft contre Total, Pardo s'attaque de front à la principale multinationale française, à laquelle il réclame la bagatelle de 23 millions de dollars. L'histoire se noue en 1992. Alors que François Mitterrand séjourne à Moscou, la compagnie pétrolière Elf signe un contrat d'exploitation de gisements pétroliers pour trente ans avec Interneft : les frais seront à la charge du groupe français, les recettes partagées moitié-moitié. Pour cause de scandale, un nouveau PDG, Philippe Jaffré, prend la tête d'Elf et, selon l'avocat, résilie tout ce qu'avait fait son prédécesseur... sauf que le contrat signé n'avait rien de frauduleux ! Devant le tribunal de commerce, Pardo fait citer rien de moins que l'ancien Premier ministre russe Viktor Tchernomyrdine ; ses adversaires, défendus par Jean Veil, crient au scandale. Les Russes ne participent même pas à la commission d'arbitrage, ils recrutent des détectives, inspirent des articles de presse où l'on avance des sommes astronomiques ; leurs adversaires ripostent en les faisant passer pour des escrocs, sauf que le client d'Olivier Pardo, c'est l'ambassade de Russie !

Tout cela finira à coup sûr par une transaction au sommet, mais, en attendant, tous les coups sont envisageables et envisagés, jusqu'à la fouille de poubelles... « Parfois on dort mal, admet Pardo. On croit que l'argent nous motive, mais ce n'est pas vrai : il y a dans ce métier quelque chose qui relève de l'addiction. »

Il a été magistrat à Soissons entre 1987 et 1992. Lorsqu'il brise la chaîne qui le liait à l'État pour se faire avocat, Olivier Pardo ne part pas les mains vides. La principale arme qu'il emporte est d'ordre intellectuel : mieux que n'importe lequel de ses futurs confrères il arrivera à se mettre dans la tête du juge. Dans un grand nombre de cas – 95 %, affirme-t-il –, il parvient même à anticiper la décision qui sera rendue. Pour le reste, il a une vision bien tranchée : « La noblesse du métier d'avocat, c'est de défendre les intérêts particuliers. Si l'on veut jouer les parangons de vertu, mieux vaut alors être juge. »

« Avocat, lui souffle le premier président de la cour d'appel d'Amiens, très vieille France, est un métier où l'on prend de l'argent à des gens qui sont dans la merde. » Un peu ce que lui avaient déjà dit ses parents, aux yeux de qui avocat ou mac dans un bordel, c'était à peu près la même chose.

« Un magistrat doit rester sur la réserve ; l'avocat, lui, a le droit de se mettre en avant et d'être partisan », assène Pardo.

Avant de sauter le pas, cependant, il passe par un sas à haute valeur ajoutée : la Chancellerie. Spécialiste de la justice au sein du parti centriste de l'époque, le CDS, il se retrouve propulsé conseiller spécial auprès de Pierre Méhaignerie, garde des Sceaux du gouvernement Balladur. Non seulement il s'occupe des relations avec le procureur de Paris, mais il est directement impliqué dans la rédaction de la loi de 1994 sur les faillites.

Lorsque la gauche reprend les commandes, l'année suivante, Pardo dispose d'un ticket d'entrée gratuit au carré VIP pour devenir spécialiste du droit des affaires et des procédures collectives. Bernard Tapie, malin et demi, s'adjoint ses services en même temps que ceux de Me Maurice Lantourne : un banquier « minuscule » lui a glissé à l'oreille que Pardo avait gagné pour lui contre une « énorme » banque, et que ce type n'avait « pas peur » ; il n'en a pas fallu davantage au futur et éphémère ministre de la Ville pour jeter son dévolu sur lui. Pendant sept ans, celui qui est alors un spécialiste de la reprise d'entreprises en capilotade ponctue toutes ses questions par cette phrase : « Mais qu'est-ce que tu en penses en tant que juge...? »

Ce qui lui a plu, au *bad boy* Tapie ? « Je ne suis pas du style courbettes avec les juges, vu que je l'étais avant, explique Pardo... Au début, on m'a regardé comme un défroqué ; aujourd'hui, on m'appelle pour me demander comment j'ai fait... Dans les années 1995, il y avait encore une frontière entre les affaires et le pénal. D'entrée de jeu, j'ai créé une structure qui regroupe les deux. »

La veille du jour où il va plaider pour lui en appel, Tapie coache son avocat : « Ce qui compte, c'est les cinq premières phrases ; après, ils ne t'écoutent plus. Et n'oublie pas que tu plaides pour trois magistrats, pas pour la télé ! » L'homme d'affaires avait si peur de cette échéance... qu'il n'aura même pas assisté à l'audience !

Lorsqu'il apprendra, plus tard, que Bernard Tapie a gagné son arbitrage au terme d'une incroyable bataille judiciaire, Olivier Pardo appellera son ami François Bayrou pour partager sa joie avec lui. Le soir même, invité par une chaîne de télévision, le chantre du centre politique se ressaisira pour procéder à un massacre en règle de cet accord conclu sous l'égide de Nicolas Sarkozy. Depuis lors, l'avocat et l'élu sont fâchés.

Bien sûr que la culture politique acquise lors de son passage par la Place Vendôme a également blindé Pardo. S'il n'a pas peur des juges, celui-ci ne craint pas davantage les politiques. Il a eu la chance d'assister, aux premières loges, à la naissance d'une affaire politico-financière avec un garde des Sceaux entré dans les annales en se mettant quasiment en examen tout seul ! « Il n'y a rien, vous êtes blanc », lui a dit le procureur Yves Bot. Pierre Méhaignerie a donc ouvert une enquête sur son propre parti, le CDS, sans imaginer un instant que la presse s'acharnerait sur le sujet et qu'un juge d'instruction s'accrocherait à ces petits riens qui vous pourrissent la vie jour après jour. Conseiller du ministre, Pardo découvre à cette occasion l'énorme impact de la presse sur la sphère judiciaire. Les portraits qu'il inspire tentent de présenter Méhaignerie en politique qui n'avait d'autre ambition que de pérenniser son parti, pas de s'en mettre plein les poches...

Dix ans plus tard, désormais entouré d'une quinzaine de collaborateurs dont pas un n'ose revenir du tribunal en mettant un mauvais résultat sur le compte de la « connerie » du juge, Pardo recourt au même procédé, en plus sophistiqué, pour sauver Fabien Ouaki, PDG des magasins Tati. La ruine guette le groupe de vêtements *low cost*, lorsqu'un journaliste de l'émission « Capital » frappe à la porte du cabinet de l'avocat. Il voudrait filmer une affaire du début à la fin. Ouaki accepte de jouer les cobayes, et c'est avec une caméra dans le dos qu'il se présente devant le tribunal de commerce. Une véritable assurance-vie, il s'en aperçoit, lorsque son plan de cession est accepté et que s'éloignent à la fois le spectre de poursuites à titre personnel et celui du raid d'un affreux prédateur sur son entreprise.

Ce sera beaucoup plus compliqué avec l'affaire Clearstream. Parce qu'il a ses enfants dans la même école privée que lui, le cours Hattemer, à Paris, Imad Lahoud, le Franco-Libanais par qui le scandale arrive, lui confie ses intérêts. Des dizaines d'avocats se sont proposés pour le défendre, mais Pardo, lui, trouve un argument supplémentaire : « J'ai été juge, te juger ne m'intéresse pas. Je ne suis pas de ceux qui crucifient leur client pour avoir la haute main sur lui. Ce qui compte, c'est te défendre. »

Un « combat politique de haut niveau » l'attend, dont il sait par avance qu'il est risqué : l'avocat défend le « lampiste », et les lampistes trinquent toujours, c'est bien connu. Il se bat pour lui éviter la prison au cours de l'instruction, avec succès – et sûrement pas grâce aux interventions de ceux qui étaient censés le « protéger » : ils n'ont pas été écoutés. Lahoud en est quitte pour ravaler ses espoirs secrets, lui qui se voyait déjà dans la peau d'un Jean Moulin...

Le procès commence mal. L'audience est « déséquilibrée ». Le président du tribunal semble « fasciné » par Dominique de Villepin, par sa culture, sa stature d'ancien Premier ministre, alors qu'il prend Lahoud pour un « âne ». Pardo dispose de peu d'espace et il ne lui reste plus qu'à éviter le pire : le mandat de dépôt à l'audience. La thèse qu'il rabâche, de conférences de presse dans son bureau en audiences, tient en quelques mots : Lahoud est une marionnette que l'on est allé chercher en prison (où il se trouvait pour une faillite suspecte) afin de le propulser à la tête d'un laboratoire au sein du plus gros groupe français d'armement... Bref, Lahoud est le cave de service, l'intrus... Un discours qui a du mal à franchir la barre des médias, pas franchement en empathie avec le personnage de l'escroc libanais aux théories fumeuses, mais néanmoins assez bien huilées pour avoir séduit un temps le super-espion français Philippe Rondot, grand spécialiste du monde arabe et général. Pardo fait néanmoins de son mieux, compte tenu de cette limite qu'il rappelle lui-même : « La parole de l'avocat disparaît toujours derrière celle de son client. »

Pardo comprend vite que le tour est joué. Ce président fait bien trop corps avec l'accusé Villepin, auquel il ressemble physiquement, pour vouloir lui causer du tort. L'un des deux assesseurs paraît si mal supporter l'attitude du président de la République, Nicolas Sarkozy, qu'il penchera dans le même sens. L'intervention dans les débats de Jean-Claude Marin, qui descend de son bureau de procureur pour plomber les accusés, n'est rien d'autre, subodore l'avocat, qu'un « cadeau en or massif fait à Villepin ». La messe est dite, et Thierry Herzog, l'avocat du président de la République, n'y pourra rien : le jugement reconnaîtra les mensonges de Villepin, mais n'en tirera aucune conséquence, tandis que les autres, Lahoud compris, échapperont de justesse à la prison...

Lors du procès en appel, Pardo essaie de rhabiller son client en tranquille prof de maths, mais, de son propre aveu, c'est une « horreur ». Lahoud a beau dire que la vérité n'est pas toujours cohérente, le fait qu'il reconnaisse n'avoir ajouté aux listings luxembourgeois qu'un seul nom, celui de Nicolas Sarkozy, ne passe pas. « Rien de ce que j'ai tenté n'avait de prise », se désespère Pardo, qui aurait rêvé d'un Lahoud oubliant Villepin pour se bâtir l'image d'un héros solitaire...

Cette liberté, cette indépendance d'esprit qu'il revendique, Olivier Pardo les attribue volontiers à la culture juive en général et au Talmud en particulier. Né à Marseille en 1958 d'une mère juive native de Salonique (Grèce) et d'un père industriel, juif lui aussi, originaire de Smyrne (Turquie), il a hérité de cet esprit qui veut que l'« on passe son temps à discuter la loi ».

« Bien des avocats se prosternent devant la loi comme ils se courbent devant le pouvoir politique, observe Pardo. Ils considèrent qu'ils n'ont pas le pouvoir, alors qu'ils l'ont, le pouvoir ! Les avocats sont des passeurs entre leurs clients et un monde obscur, l'institution judiciaire, qui risque de leur faire perdre leur argent, leur honneur, leur liberté, parfois leur famille. Pendant le voyage, vous êtes seul maître à bord ; tout ce qu'ils vont faire peut avoir une conséquence. Le client doit-il démissionner de son poste ? Y a-t-il risque de détention s'il ne démissionne pas ? À cet instant, vous pesez plus que sa femme... Au premier rendez-vous, il vous dit qu'il est pressé, tranquille et *clean*. Trois semaines plus tard, il dit vouloir arranger ses affaires avant d'aller en prison. Je prends leur angoisse sur moi, car le doute peut les inciter à faire des bêtises. Si le client vous perçoit comme un bon avocat, vous pouvez lui parler franchement, comme le professeur de médecine parle à son patient. On peut être compassionnel et dur en même temps. »

Antoine Chatain *versus* le Kremlin

Les frères Gaon, fortune faite dans le domaine agricole au lendemain de la création de l'État d'Israël, possèdent une jolie chaîne d'hôtels, sous l'enseigne Noga, implantée notamment à Cannes et Genève. Ils traînent en même temps après eux un contrat conclu avec la Russie, portant sur un échange de pétrole contre des biens alimentaires, notamment du blé, et mentionnant qu'en cas de litige on se tournerait vers l'institut d'arbitrage de Stockholm.

Les bouleversements politiques qui surviennent à Moscou changent brusquement la donne au début des années 1990, et les Gaon réclament bientôt à la Russie plusieurs dizaines de millions de dollars d'impayés. Une première décision en Suède leur donne raison, leur octroyant 27 millions de dollars ; la Russie dépose un recours, perd à nouveau, entame un nouveau recours, jusqu'au jour où les frères font appel à leur avocat en France, Antoine Chatain, spécialiste du droit commercial, pour faire exécuter la sentence en France même.

Nous sommes en 1997 et le montant des sommes réclamées par les Gaon frise le milliard de dollars, soit l'équivalent du prix des vêtements, céréales, fertilisants envoyés dans un pays alors au bord de la faillite, sans aucune goutte de pétrole en retour. L'avocat parisien, associé du bâtonnier Mario Stasi, assigne la Fédération de Russie. Il cible à la fois les comptes de l'ambassade russe à Paris et la Banque centrale de ce pays, mais, devant les réticences de ses interlocuteurs, il décide d'innover : il propose à ses clients de faire saisir le navire-école de la marine nationale que les Russes envisagent d'envoyer à Brest dans le cadre des festivités de l'an 2000.

Les Russes, bien sûr, font appel, non sans avoir confié leurs intérêts, à la surprise générale, à un cabinet d'avocats américain. Le personnel de l'ambassade pleure misère, bientôt relayé par les matelots du navire au bord de la saisie. « On ne veut pas mourir de faim à cause de riches hommes d'affaires genevois », clament-ils d'une même voix. La Chancellerie vole à leur secours au nom des « intérêts supérieurs de l'État », et le navire, qui ne serait pas véritablement la propriété de la Fédération de Russie, reprend la mer au grand soulagement de Vladimir Poutine, le nouvel homme fort qui s'apprête à succéder à Boris Eltsine à la tête du pays.

« C'est au fil de l'eau que l'on définit une stratégie », ironise l'avocat parisien, qui ne sous-estime pas la difficulté d'un bras de fer avec le Kremlin. Quel nouveau moyen de pression trouver pour que Moscou, où l'argent coule bientôt à flots, s'acquitte de sa dette ? Antoine Chatain guette quelques mois encore le chèque qui ne vient pas, tandis que la Russie pousse vers la cassation. C'est à ce moment que l'un des frères Gaon fomente le projet un peu fou d'une opération coup de poing à l'occasion du Salon aéronautique du Bourget.

Deux huissiers sont mobilisés ce jour-là. Le premier, qui se présente ès qualités à l'entrée du Salon, non sans avoir écrit la veille au procureur, se voit barrer le passage ; le second entre en payant son billet, file jusqu'au stand russe et... saisit deux avions de chasse, un Mig et un Sukhoï !

Bien joué ! Sauf que l'huissier, conduit vers un bureau, ne peut empêcher les pilotes de faire le plein et de décoller.

Riposte immédiate de l'avocat, qui fait saisir les bandes des conversations de la tour de contrôle et les expédie pour décryptage à Genève. Où l'on découvre que l'ordre de décollage est venu de l'Élysée, où l'on ne voulait pas d'un nouvel incident diplomatique avec Moscou, qu'un technicien a bien tenté de s'y opposer, mais que le contrôleur aérien n'a pas molli...

Les pressions à la fois politiques et médiatiques se font de plus en plus lourdes. La Cour de cassation entre en piste et sape le dossier en expliquant que l'avocat aurait dû opter pour une « requête non contradictoire » en lieu et place de son « assignation contradictoire »... ce qui conforte Antoine Chatain dans l'idée qu'« on ne s'attaque pas comme ça à un État ».

« C'est un dur métier, il faut toujours y croire, y aller », poursuit ce spécialiste de la gestion de crise, né à Paris en 1964 et avocat depuis 1989. Les clients écoutent-ils ? « Plus ils sont puissants, moins ils aiment qu'on leur dise ce qu'ils ne veulent pas entendre, observe-t-il. Il faut avoir une certaine légitimité pour les contraindre au dialogue. Évidemment, en cas de garde à vue, on devient pour le client une sorte de bon Dieu. À ce moment-là, tous les messages passent, ce qui donne à certains avocats un sentiment de toute-puissance. C'est la même chose quand la presse s'en mêle, car les entreprises n'aiment pas trop que l'on parle d'elles... »

Dans l'affaire des frères Gaon, l'avocat avoue avoir « subi » la presse, l'affaire connaissant une couverture internationale. « Je pense que nous aurions pu modifier la donne en traitant les médias en amont, dit-il, mais la mode n'était pas encore aux attachées de presse. » Pas sûr, cependant, qu'une campagne médiatique, même réussie, aurait fait reculer des magistrats sensibles au fameux « intérêt supérieur de l'État ». D'ailleurs, le pouvoir prend en général ses dispositions, surtout s'il se trouve à la veille d'un « G20 »...

Chapitre 9

Secrets du maquis

Jean-Louis Seatelli
et le silence prudent du berger

C'est l'histoire d'un berger, métier assez répandu en Haute-Corse. Lorsque Jean-Louis Seatelli fait sa connaissance en prison, l'homme est poursuivi pour assassinat. D'un naturel peu bavard, le berger observe longuement l'avocat. Peut-il s'en faire un allié, ou non ? Est-il contre lui ? Pour lui ? Il questionne l'avocat, en langue corse, sur le fonctionnement de la justice, un monde qu'il connaît peu. Seatelli esquisse en quelques mots le périple qui l'attend et, très vite, avec le premier interrogatoire devant le juge d'instruction, un Parisien, on entre dans le vif du sujet.

Alors que le magistrat s'exprime dans un langage des plus châtiés, le berger le dévisage attentivement avant de prendre enfin la parole : « Oh ! vous êtes intelligent, monsieur le Juge... Vous avez fait des études... Mais la preuve que c'est moi, vous l'avez ? – Je ne vous pose pas cette question », répond curieusement le juge. Le berger se tourne alors vers Seatelli et dit : « Allez, maître, on rentre en prison. »

Le face-à-face entre le suspect et le juge dure plus de trois ans. Le berger ne marche guère d'un pas chaloupé : « Il envoie le pied, le stabilise, envoie l'autre, ne lâche pas tant qu'il n'est pas sûr », comme dans ses montagnes. La scène se reproduit plusieurs fois, à peu près à l'identique, et il appert que le magistrat est un peu moins patient que le berger, qui finit par bénéficier d'un non-lieu.

L'avocat s'en vient à la prison annoncer la nouvelle à son client : « Vous allez sortir, lui dit-il en lui expliquant le sens de ce non-lieu. – Je vais sortir ? questionne le berger, incrédule. – Oui. – Et vous, maître, vous avez compris ? – Non, je n'ai rien compris », répond l'avocat, s'attirant cette réplique sans appel : « Vous, vous êtes plus intelligent que le juge ! »

Nous sommes au milieu des années 1980. Jean-Louis Seatelli, qui va sur ses trente-six ans, vient de prendre une leçon auprès de cet homme de vingt ans plus âgé que lui. « Les gens qui n'ont pas fait d'études, qui n'ont pour eux que leur instinct, se défendent mieux que ceux qui cherchent à démontrer l'indémontrable. Le droit pénal, c'est animal : de façon instinctive, mon client a exercé ce que l'on n'appelait pas encore le droit au silence... »

Omerta ? « Le berger avait compris qu'il était en terrain miné, et qu'il devait être sur ses gardes. Ce n'est pas l'*omerta* qui l'a poussé au silence, c'est qu'il a réalisé qu'il ne maîtrisait pas ce monde-là. Le bandit professionnel, lui, c'est son métier : il a compris le système. Il connaît sa marge de manœuvre, comme ce voyou qui dit un jour à un policier : "Des gens, j'en ai tué, si tu savais ! Mais tu n'as pas de chance : celui-là, c'est pas moi !" »

À l'heure de l'interrogatoire, lui a confié un jour un juge d'instruction, le mieux est encore de ne rien dire pour ne pas risquer d'alimenter malgré soi la charge de la preuve.

Pour régler ses honoraires, le berger est arrivé avec une boîte en carton remplie de billets de banque. L'avocat n'a jamais voulu en savoir davantage.

Jean-Louis Seatelli bourre assez peu le crâne de son client avant sa comparution : « Si je lui suggère de dire ceci ou cela, cela peut le paralyser. Ce n'est pas le client qui s'exprimera. Ma démarche consiste plutôt à essayer de voir comment il fonctionne. Je lui explique avec ses mots dans quelle situation il se trouve, le cadre juridique, ce que le juge attend. Je vulgarise la mécanique judiciaire. S'il sait où il va, tu as presque gagné. »

Le naturel, souvent, paie. Comme ce jour où Seatelli défend devant les assises un Portugais accusé d'avoir tué trois frères, portugais eux aussi, mais raté leur père, alors qu'ils menaçaient de faire main basse sur sa propre maison. Petite circonstance atténuante : avant de leur tirer dessus, il était allé trouver les gendarmes, qui l'avaient éconduit. Le procès de l'assassin présumé bascule à la faveur d'un bref échange : « Est-ce que vous regrettez d'avoir raté le quatrième ? interroge le président de la cour d'assises. – Oui, monsieur », répond le prévenu. Il ne reste plus à l'avocat qu'à prendre les jurés par la main, à les inciter à se mettre à la place de cet homme, cerné dans sa voiture, et voilà qu'ils opinent à chaque nouveau tir qu'il évoque, c'est tout juste si on ne les entend pas dire : « Il a bien fait. » Verdict : sept ans. Alors que la perpétuité le guettait.

« C'est plus facile de défendre un coupable, constate Seatelli, serment prêté en 1976. L'innocent parle à tort et à travers, et le président ne le croit pas. Celui qui sait ce qu'il a fait adapte toujours son discours, poussé par l'instinct de survie. »

Son cabinet est situé sur le boulevard qui traverse Bastia à partir du palais de justice, mais, comme tous les enfants de l'île ou presque, lui-même a appris à se repérer dans le maquis d'après les étoiles. « C'est la force des voyous corses, dit-il. Ils savent observer et sentent le danger. » Il est très souvent sur le continent, où il côtoie Jean-Yves Liénard, ce « clown merveilleux qui déride une salle en une seconde », et qu'il appelle affectueusement « Renardeau ». Il est l'ami de Thierry Herzog, de Pascal Garbarini, d'Éric Dupond-Moretti, qu'il surnomme gentiment « Dupond-Spaghetti ». « Les Corses sont ouverts aux autres, c'est pour ça qu'ils ont été les meilleurs colonisateurs », plaide celui qui est devenu avocat du jour où il a perdu son père. Avec les clients, il « crée la confiance au pied du mur ». Les dossiers, ce fils et petit-fils de notaires les lit et relit tant qu'il ne voit pas la « mécanique intellectuelle du magistrat ». Des jurés corses, il dit qu'on se trompe si on les croit laxistes. Certains ont colporté cet avis après l'acquittement à Bastia de deux fils du nationaliste Charles Pieri, poursuivis après la mort d'un jeune dans un bal ? La même sentence a été rendue à Lyon en appel, rappelle-t-il. Des magistrats, Seatelli dit que ce sont des « cousins éloignés », parce que « la défense est un combat à armes légales. Mais si la courtoisie, ce sont des courbettes, alors je suis discourtois », lâche-t-il. Sa force ? Celle du « verbe », dont le pouvoir est d'autant plus grand que l'on est, en Corse, dans une société où les écrits sont rares. Ceux qui l'ont coopté – Henri Leclerc, Jean-Louis Pelletier ou François La Phuong, « une des grandes voix du barreau » – ne le démentiraient pas. Choix assumé : il n'a cependant jamais accordé sa voix aux nationalistes insulaires, ne voulant pas porter leur message et préférant sans doute, comme le disait maître René Floriot, « vivre de rapines, de viols et d'assassinats ».

« Pour défendre l'humain, on doit le connaître », constate Seatelli, et cette connaissance, il dit la devoir à son éducation. « En Corse, il n'y a qu'un lycée, dans lequel on trouve le fils de l'ouvrier aussi bien que le fils du médecin. Enfant, on gravite dans une seule et même société, sans barrières sociales. On t'apprend à respecter l'autre et ses souffrances. On t'invite dans toutes les maisons. L'agora est ouverte. On arrive plus tôt à maturité. Quelle meilleure manière de façonner l'avocat ? En prison, j'ai retrouvé une réalité que je connaissais déjà. Et puis, le fait d'être minoritaire me permet de comprendre les réflexes des minoritaires. Je m'adapte au ministre aussi bien qu'à la pire des crapules. »

Lorsque Antonio Ferrara, le caïd franco-italien devenu roi de l'évasion, l'entend plaider pour son ami et complice bastiais José Menconi, il va le trouver et lui demande de lui « donner un coup de main ». En discutant avec lui, Seatelli ne fait pas que comprendre un peu de ce monde des cités où son client s'oriente comme lui et d'autres dans les montagnes corses. Il se persuade surtout que ce Ferrara a été « fabriqué par les services de police ». Et lorsqu'il plaide pour lui, en appel, pour l'évasion de la prison de Fresnes qu'il est accusé d'avoir favorisée, il demande aux jurés d'« entrer en résistance » contre ce système « qui en a fait un ennemi public pour mieux le tuer » : « Il est l'étranger dans son pays, il est l'étranger dans sa ville ; faites en sorte qu'il ne devienne pas l'étranger de lui-même ! » Des arguments qui portent, et qui lui sont venus à l'esprit quand il a rendu visite à son client, à Fleury-Mérogis, où les surveillants en cagoule le traitaient « comme une bête ». Au point qu'il a dû réclamer à grands cris que l'on ferme la porte pour le laisser s'entretenir avec lui : « Vous m'arrêterez quand je sortirai ; s'il s'évade, j'assumerai ! »

ANTOINE SOLLACARO[1], LES PAILLOTES, LE « BERGER » ET L'ÉTAT

Dis-moi qui tu défends, je te dirai qui tu es : à ce petit jeu, Antoine Sollacaro est l'un des plus faciles à reconnaître. Nombre de ses clients sont morts par le feu, à

---

1. Alors que nous écrivions ces lignes, Antoine Sollacaro était encore de ce monde. Le 16 octobre 2012, il a été exécuté dans la station-service où il avait l'habitude d'acheter son journal, route des Sanguinaires, à proximité d'Ajaccio. Nous avons décidé de ne pas modifier une ligne au chapitre qui lui était consacré dans ce livre, en ultime hommage à sa formidable vitalité.

l'exemple de Robert Feliciaggi, tête de pont de l'affairisme à la mode corse, de Jacques Mariani, pionnier de la bande dite de la Brise de mer, ou d'Antoine Nivagionni, champion de la sécurité privée, façon nationaliste. La plupart sont des héros insulaires à leur manière : José Menconi au rayon « bandits corses », Yvan Colonna au rayon « natios pur sucre ». À leur image, M\ Sollacaro est un avocat sans concession, politique jusqu'au bout des ongles, mais incapable de s'imaginer un instant dans la peau de l'homme politique. Pour des raisons qu'il résume d'une formule : « Je suis trop sincère pour aller serrer des mains que je ne connais pas ! Chaque fois que j'ai accepté de me présenter à des élections, j'ai été lamentable, admet-il. Cela va à l'encontre de ma philosophie d'homme libre. »

Cette liberté de ton et de parole lui permet de s'« insurger » (le mot n'est pas trop fort) publiquement quand bon lui semble. Le discours qu'il prononce en tant que bâtonnier, en 1999, suscite un certain respect dans la société corse. Sa cible, ce jour-là : un représentant de l'État, évidemment. En l'occurrence, le préfet Bernard Bonnet. Envoyé par Paris (et le Premier ministre Lionel Jospin) pour rétablir l'état de droit après l'assassinat de Claude Érignac, son prédécesseur, il s'est brûlé les ailes en faisant flamber une de ces paillotes pirates qui poussent sur les plages de l'île.

Antoine Sollacaro avait un ami à la préfecture. Il savait que Bernard Bonnet préparait un coup, mais non qu'il se ferait prendre aussi lamentablement. Le scandale ayant éclaté, il tire à boulets rouges sur ce qu'il appelle sans ambages les « dragonnades[1] » du préfet. Et, dans ce mémorable discours de rentrée judiciaire, il dit « ce que les autres ne disent pas » : « Je suis l'avocat de l'île contre les dérives d'un État qui cherche à culpabiliser l'île

_____

1. Persécutions dirigées sous Louis XIV contre les protestants pour les contraindre à se convertir.

entière par une répression tous azimuts, où tout ce qui est corse est présumé terroriste ! » Pour lui, les faits sont limpides : le 20 avril 1999, la préfecture et la gendarmerie, « engagées dans une politique de restauration de l'état de droit aux forts relents d'état de siège, se sont fait surprendre maladroitement en flagrant délit d'opération barbouzarde » – ce que le procureur Jacques Dallest, dans son réquisitoire définitif, appellera la « stratégie de la tension à connotation terroriste ».

Antoine Sollacaro a fait sien depuis longtemps ce propos de son confrère Jacques Vergès : « Tout procès recèle un affrontement politique ; la justice est toujours armée pour défendre l'ordre établi. »

Ses parents étaient commerçants dans la région de Propriano. Dans la famille, il y avait des curés, mais ni avocat ni magistrat. Formé à la rhétorique chez les frères maristes de La Seyne-sur-Mer, il a toujours été « jaloux de son indépendance » et « réfractaire à l'autorité ». « Avocat, c'est un métier d'homme libre, à condition de ne pas s'inféoder au système », dit-il, davantage taillé pour les combats solitaires du pénal que pour devenir avocat d'affaires. Ses premiers clients achèvent de le marquer pour le restant de sa carrière. Serment prêté à Nice en 1977, il est désigné un an plus tard par les créateurs du Front de libération nationale de la Corse (FLNC), pour la plupart des amis rencontrés sur les bancs de la fac. Il est leur avocat lors du fameux « procès des vingt et un » devant la Cour de sûreté de l'État, en juin 1979. Originaires en majorité de Haute-Corse, implantés à Nice, Marseille et Paris, ils sont poursuivis pour une impressionnante série d'attentats. Étudiants en droit ou en lettres, agriculteurs, CRS pour l'un d'entre eux, ils partagent avec leur avocat le même élan romantique et une véritable proximité idéologique : Antoine Sollacaro a créé la CSC (Cunsulta di i Studienti Corsi) avec Léo Battesti et Pierre Poggioli.

« La Cour de sûreté de l'État étant une juridiction politique, il fallait une gestion politique, rapporte l'avocat. On plaidait peu les faits. On était dans une *défense de rupture*, pour se référer à Jacques Vergès sur le sujet. "L'Histoire m'acquittera !" disent les gars à ces juges qu'ils ne reconnaissent pas. »

Le résultat est double : l'avocat se fait une énorme publicité, mais les « vingt et un » cumulent à la sortie deux cent trente années de prison.

En vertu de l'adage qui veut qu'un Corse ne s'exile pas, mais s'absente, le jeune Sollacaro rentre à Ajaccio en 1981. Chez lui, comme il dit, en pleine réappropriation de son identité corse. Avec, sur sa robe, cette étiquette de défenseur des « natios », assez mal vue dans les milieux judiciaires. La gauche et François Mitterrand arrivant au pouvoir, il négocie cependant l'amnistie pour les prisonniers politiques corses, main dans la main avec l'avocat parisien Patrick Maisonneuve.

Faut-il supprimer cette Cour de sûreté de l'État héritée de la guerre d'Algérie ? « J'étais contre, se souvient Sollacaro. Une condamnation par cette cour n'était pas infamante. J'étais certain qu'ils allaient créer un instrument pire que ça. L'Histoire m'a donné raison. Jusqu'en 1986, les affaires ont été jugées normalement, puis Charles Pasqua, notre compatriote, a instauré la compétence nationale de la juridiction antiterroriste[1]... »

La Corse, ce n'est pas que des procès politiques. La vie de tous les jours apporte son lot de crimes et de délits, sans compter le développement d'un « crime organisé » spécifiquement insulaire, et Me Sollacaro plaide jusqu'à une douzaine d'affaires de sang par an. Avec Jean-Louis Seatelli, son « frère siamois », bâtonnier à Bastia quand lui-même l'est à Ajaccio, ils assurent la défense de ceux

---

1. L'idée est de centraliser toutes les enquêtes judiciaires au palais de justice de la capitale.

qui vont fonder la « Brise de mer », clients qui contribue-ront largement à leur notoriété.

C'est ainsi que se présente un jour le cas Yvan Colonna. Antoine Sollacaro est l'avocat du beau-frère du berger, Joseph Caviglioli, qui meurt dans un accident de moto. L'avocat, qui connaît la famille, peut assurer à plein la défense d'Yvan, en cavale depuis l'arrestation des membres du commando soupçonné d'avoir organisé l'exécution du préfet Claude Érignac, le 6 février 1998. Il s'empare du dossier, convaincu de l'innocence de son client : « S'il s'était engagé dans cette affaire, il en aurait forcément parlé à son beau-frère. »

La traque mobilise tous les services de l'État, d'abord sous la gauche, puis sous la houlette de Nicolas Sarkozy. L'avocat découvre la joie des « écoutes téléphoniques ». Il se sait surveillé, filoché jusqu'en Tunisie, au point d'évi-ter toute rencontre avec son client. Lequel lui fait cette confidence après son arrestation : « Un jour, je t'ai vu dans les rues de Propriano et j'ai hésité à venir te voir. »

Au jour où nous le rencontrons, place Dauphine, à Paris, cette affaire hors norme occupe Antoine Sollacaro depuis onze ans. « Un tiers de ma vie professionnelle », dit-il, ajoutant non sans fierté : « Je ne suis pas payé par l'administration, comme certains ! » Il n'en est pas moins valorisé, d'abord pendant la cavale, « cette chasse à courre organisée depuis le sommet de l'État ». Cette situation-là ne lui déplaît pas. Seul face à la « coalition des juges », seul face à ce que le ministre de l'Intérieur Jean-Pierre Chevènement a appelé une « cause sacrée », l'avocat se sent à son aise. « Je préfère le sport de combat aux pan-toufles », résume-t-il.

Antoine Sollacaro plaide une première fois en 2003, alors qu'Yvan Colonna n'a pas encore été arrêté. Il entend dire que Claude Érignac « est mort pour rien » là où il aurait préféré une explication politique qui aurait donné un sens à un geste qui n'en a pas. Le deuxième procès lui fournit l'occasion de poser la question qu'il retourne depuis des mois : « Existe-t-il en France un magistrat assez indépendant pour acquitter Colonna ? » Vainement.

« Ce procès était un traquenard, analyse-t-il à froid. J'avais l'impression d'être dans la peau de celui qui est poursuivi par des assassins, qui tape à une porte… et personne ne lui ouvre ! Je suis entré en conflit avec le président, qui a alors envisagé de partir, ce qui aurait été préférable. La France vit dans un état de droit. C'est le pays de Voltaire et de Montesquieu. Il faut au moins sauvegarder les apparences. On ne peut refuser à quelqu'un le droit de se défendre ! »

À la veille du troisième procès, qui s'ouvre le 2 mai 2011, Me Sollacaro s'apprête à affronter à nouveau son ennemi le plus fidèle : « L'état de droit, explique-t-il, c'est la défense du citoyen contre l'arbitraire de l'État. On n'a pas contre nous la famille Érignac, mais la corporation des préfets. Nous, on défend un homme seul, un berger. C'est le combat de David contre Goliath. On essaie d'enrayer la machine. On s'attaque à la mécanique de l'État. Comme les gosses, on rêve d'être le héros qui va terrasser le dragon. On a la conviction que l'accusé est innocent. On nous associe au crime. Le défendre, c'est déjà un blasphème. Mais c'est notre métier ! »

Et l'avocat de citer en exemple son confrère Henri Leclerc, « qui s'est fait mettre en lambeaux et cracher dessus » lors de la reconstitution d'un crime. Plusieurs personnalités insulaires sont (ou ont été) avocats : Gilles Simeoni, Jean Zuccarelli, Nicolas Alfonsi, Jean-Guy Talamoni, entre autres, mais Sollacaro ne les rejoindra pas. Parce qu'il considère d'abord qu'on ne peut gérer un cabinet et une carrière politique en même temps. Mais il n'y a pas que cela : « La seule cause de l'avocat, dit-il, c'est de ne pas être du côté du pouvoir. »

PASCAL GARBARINI ET SES DEUX ÎLES

Est-ce pour échapper à l'emprise du village, lui qui a vu le jour près de Corte et a grandi à Ajaccio, que Pascal Garbarini se lance à Paris, où il prête serment en janvier 1991 ? Cela l'aide à conserver une certaine distance quand il défend simultanément François Santoni et Charles Pieri, deux pontes du nationalisme insulaire qui, hors de leur lutte commune contre l'État, se mènent une guerre fratricide sans merci. Au point de fournir à l'avocat l'argument qu'il attendait pour tourner la page du FLNC Canal historique et du combat collectif en ces temps où il lui arrivait de défendre la ligne politique au détriment du client. Une bonne vitrine, certes, mais un repoussoir pour les bandits qui ne prisent guère une défense trop « engagée ». Une véritable école, cependant, où l'avocat s'est vite trouvé confronté à des dossiers d'une trentaine de tomes et a dû apprendre le maniement du chiffon rouge, ni trop ni trop peu, pour conserver sa crédibilité au-delà de l'engagement militant.

Pascal Garbarini a été l'une des robes noires qui a le plus fréquenté les cours d'assises spécialisées et ses médiatiques magistrats : Gilbert Thiel, Jean-Louis Bruguière ou Michel Debacq. Il se recentre à partir de l'an 2000 sur une autre île, celle de la Cité, où l'on porte davantage la robe que la cagoule.

Trop petite, la Corse ? « Tout le monde se connaît, et c'est un obstacle à la liberté, dit-il. On ne peut se cacher. On voit tous les jours celui avec qui on s'est fâché. On vous range, on vous classe. Vous vous éloignez de quelqu'un, et c'est aussitôt une trahison ! Vous devez toujours savoir qui est en guerre avec qui. Comme Jean-Michel Darrois doit lire tous les jours les pages saumon du *Figaro* [économiques], on doit lire les pages de faits divers du *Parisien* et de *Corse-Matin*. Vous devez rester à la périphérie et toujours garder la robe. Vous devez être doublement vigilant. Vous ne devez pas trop en savoir, d'ailleurs cela ne vous regarde pas : vous ne faites pas partie de l'équipe que vous défendez. Je rends hommage à ceux qui réussissent en Corse ! Paris est une protection : les clients ne se vexent pas si je ne vais pas en boîte avec eux. Quant à la vérité, si j'avais voulu la connaître, j'aurais été juge ou policier. La proximité affaiblit la parole de l'avocat, elle tue la défense. »

Quelquefois, pourtant, il a su malgré lui. Comme ce jour où il a compris comment, en efficace « sous-marin » des RG, un certain François Casanova, aujourd'hui décédé, avait contribué à faire exploser le FLNC. Fidèle aux traditions de sa maison d'origine, le roué policier avait misé sur l'affectif. Il avait présenté à François Santoni une photo, prise par ses services, sur laquelle on voyait sa compagne, une avocate corse, assise dans une Porsche pilotée par son « camarade » Charles Pieri. Il n'en avait pas fallu davantage pour faire basculer l'histoire du mouvement nationaliste…

Autrefois, à la fac de Nice, Pascal Garbarini fréquentait les « exilés » convaincus que la justice française n'était pas celle de « leur » pays. Il lui aura fallu plusieurs années pour se « décontaminer » et voir venir à lui de nouveaux dossiers. Son premier client de poids n'est autre que l'un des fils de Marcel Francisci, d'une famille corse ayant toujours balancé entre gaullisme et cercles de jeux. Condamné à vingt ans de prison en première instance, l'héritier est relaxé en appel. L'avocat se voit propulsé dans le cercle des voyous du *Petit Bar*, du nom de l'établissement fréquenté par la bande qui monte à Ajaccio. Il n'épouse plus les querelles locales, comme à ses débuts ; il fait l'avocat avec toute la distance requise.

L'Armée des ombres et *Le Deuxième Souffle* : voilà les deux affiches de films qui décorent les murs de son bureau lorsqu'il devient l'avocat de « Doumé » Battini, bandit corse à l'ancienne, poursuivi pour avoir volé au secours, explosif en main, de son ami incarcéré, Antonio Ferrara. Un ami du village l'avait introduit en 1995 auprès du chef « natio » François Santoni ; c'est encore par les liens familiaux que lui arrive celui qui a perdu un œil dans l'attaque de la maison d'arrêt de Fresnes en 2003. Garbarini noue de bons contacts avec le juge d'instruction Jean-Paul Albert, et cette sérénité convient à Dominique Battini. Le magistrat joue cartes sur table, annonçant qu'il ne pourra rien par rapport aux quatre ans d'isolement total que l'administration pénitentiaire réserve à cet homme qui a osé attaquer une prison comme les Indiens attaquaient une garnison de western. Il délivre en revanche assez vite des permis de visite pour les frères, les sœurs, la fiancée, ce qui a pour effet de détendre l'atmosphère, mais il serait vain d'attendre que Battini donne, en retour, les noms de ses complices.

Le procès se passe nettement moins bien. Neuf garçons dans le box, vingt-cinq gendarmes campés derrière eux : le décorum n'est pas franchement favorable. La présidente, Janine Drai, affiche une totale intransigeance, comme si la moindre parcelle concédée aux voyous risquait de lui faire perdre le contrôle de l'audience. Pascal Garbarini tente bien de lui en souffler mot à la faveur d'une suspension, mais elle craint trop pour son autorité. La tension monte minute après minute et, comme les fortes têtes qu'elle entend juger ne reculent pas, l'explosion guette.

Le clash est irréversible : avec les avocats d'Antonio Ferrara et de Hamid Hakkar, Me Garbarini quitte l'audience en même temps que ses clients. La présidente le commet alors d'office. « Je ne suis pas aux ordres de la cour d'assises ! » proteste l'avocat. Et c'est à distance qu'il apprend la peine infligée à son client : quinze ans.

Le procès en appel se déroule dans une ambiance plus paisible. Si Battini s'est mobilisé pour libérer Ferrara, s'il y a laissé un œil, ce n'est pas pour de l'argent, qu'on se le dise, mais par amitié : telle est l'idée principale que son avocat distille au fil des audiences. Non sans un certain succès, à en juger par cet échange entre une surveillante, partie civile, et son client :

Elle : « Je comprends la souffrance de M. Battini, et je tiens à vous dire que vous êtes la seule personne ici que je considère et que je comprends. »

Battini : « La différence entre vous et moi, c'est que j'ai fait un choix, pas vous. Vous n'avez rien demandé à personne, alors que si je suis ici, c'est de ma faute… »

Un peu plus tard, alors que l'avocat d'un autre prévenu éructe au nom de tout le box, Battini intervient à nouveau : « Vous avez un client, défendez-le, et laissez les autres défendre leur client ! »

Peu d'accusés protègent à ce point leur avocat qui, dans ces conditions, n'a plus qu'à se concentrer sur le cœur du métier : être cet auxiliaire de justice qui va tenter d'obtenir la peine la plus acceptable.

Garbarini insiste sur le « prix de l'amitié » et, visiblement, les jurés entendent cette musique-là, puisque la peine de Battini est « miraculeusement » ramenée à onze ans. Une forme de « sacralisation judiciaire » de son audace et de son « courage physique », selon les termes de son avocat, qui revient sur la défense du plus jeune des bandits corses à l'ancienne : « On peut être un voyou et ne pas être une crapule, être un voyou et connaître le sens de l'amitié. Battini est très pudique, mais je lui ai fait comprendre qu'il ne pouvait rester complètement dans l'obscurité. Je l'ai convaincu de s'exprimer sur la nature des faits. Les faits sont clairs. L'ADN établissant sa présence sur place, il s'est engagé auprès du juge d'instruction à s'expliquer devant la cour d'assises, mais en première instance la présidente a tout bloqué. »

À l'évidence, Garbarini est assez bluffé par cette évasion qui fait date dans les annales de l'administration pénitentiaire. Mais, à près de cinquante ans, dont vingt de pénal, il a appris à conserver la distance nécessaire. Et pris sa place dans le paysage judiciaire d'une île où l'avocat acquiert, avec l'âge, une notoriété proportionnelle à celle de ses clients. Où il devient une personnalité, au sens presque féodal du terme, avec tout le pouvoir que l'on prête dans les sociétés traditionnelles à ceux qui maîtrisent la parole. Au risque de se piquer au jeu du *star system*, mais Garbarini assure garder la tête froide, même si on lui donne du « *Oh, mae !* » (« Oh, maître ! ») au village : « *Oh, mae !* on vous a vu à la télé ! »

« Le vrai avocat est humble, déclare-t-il. Comme le boxeur, tu peux être le plus grand aujourd'hui et perdre demain. Tu peux bien plaider et te prendre une grosse claque. Tu redescends alors sur terre. "Maître, vous avez la parole", dit le président, et, à cet instant du procès, tout a déjà été dit. Le client est cuit, ou presque. Mais, pendant le temps que tu veux, personne ne va plus te couper la parole. »

Boxeur, Garbarini l'a été pour de vrai quand il étudiait, un pied sur le ring, un autre à l'Union corse où il côtoyait l'avocat Charles Robaglia, grand spécialiste de la voyoucratie (qui l'incitera à battre pendant trois ans le plancher de la 23ᵉ chambre correctionnelle, celle des petits délinquants, l'« école de la vie »), le fils Tiberi (futur maire de Paris) et François Pupponi (futur maire de Sarcelles et ami de DSK). Le réseau corse lui a apporté ce que son père ne pouvait lui donner, vu qu'il ne l'a pas connu : un poste de pion à Tolbiac, une fibre nationaliste qui lui attirera ses premiers clients, bientôt relayés par « Doumé » et la bande du *Petit Bar*, dont plusieurs représentants lui demandent de déjouer les pièges tendus par la police, de gagner quelques années de prison pour faire face à la vague de règlements de comptes qui décime le milieu ajaccien. En tentant de se cantonner au conseil judiciaire, de ne jamais devenir le porte-parole du clan, de ne pas être prisonnier d'une bande qui finira, quoi qu'il arrive, par être réduite à néant, car rien n'est moins éternel qu'un parrain corse.

Plus facile de conserver ses distances avec les voyous qu'avec les nationalistes ? Désigné pour assister Yvan Colonna, accusé d'avoir assassiné le préfet Érignac, Pascal Garbarini ne parvient pas à imposer ses vues aux confrères qui le défendent avec lui. À l'approche du troisième et dernier procès, il tente de s'en tenir aux faits criminels, mais la politique emporte tout sur son passage, comme au temps où lui-même défendait François Santoni :

« Peut-on condamner un homme sur la base de mises en cause suivies de rétractations sujettes à caution, sachant qu'il n'y a pas, dans le dossier, d'éléments matériels suffisants pour condamner Colonna à la perpétuité ? C'est ce que je comptais plaider, mais j'ai été mis en minorité. On a choisi de faire de Colonna un Dreyfus corse, et mes questions n'étaient plus audibles. »

Nombrilisme insulaire ? En Corse, la défense est collective, ou n'est pas. D'ailleurs, sur un mur de son bureau, on peut voir un dessin représentant Garbarini et son ami (et témoin de mariage) Sollacaro, et, plus loin, une photo de lui avec son compère Jean-Louis Seatelli. Trois produits de cette « école corse » qui est sans doute l'une des plus sélectives, tant il est difficile de rester au-dessus de la mêlée – des clans et de l'affect. Une rude école où il arrive malgré tout que l'on sourie, comme ce jour où comparaît devant le tribunal correctionnel un vieux braqueur, prénommé Alexandre, à cause d'un arsenal découvert dans le grenier de son beau-père – explosifs, pistolets automatiques, cagoules, une Sten, plus une boîte de Tampax : « Vous voyez, monsieur, vous niez les faits, et le tribunal peut vous croire, lui dit le président. Cette Sten, c'est plutôt de la génération de votre beau-père, mais la boîte de Tampax, c'est plutôt de votre génération ! – Alors, condamnez-moi pour la boîte de Tampax ! » rétorque le prévenu, qui sera relaxé.

GÉRARD BAUDOUX ET LE BERGER MOTOCYCLISTE
DE CASTELLAR

La sculpture érigée au bord de la Promenade des Anglais pour le 150ᵉ anniversaire du rattachement du comté de Nice à la France, inaugurée en son temps par le président Nicolas Sarkozy, c'est en partie à Gérard Baudoux que les Niçois la doivent. Pas à l'avocat, mais à l'élu municipal qui s'est vu confier par le maire, Christian Estrosi, la délégation à l'Art contemporain. Tout comme Mᵉ José Allegrini est adjoint au maire de Marseille en charge de la sécurité, Mᵉ Baudoux a un pied dans la vie municipale et l'autre au palais de justice. Comment ce fils d'un garçon d'écurie, devenu vendeur de vernis, et d'une de ses employées, né en 1954, en est-il venu à s'asseoir à la table de ceux qui comptent dans la cinquième ville de France ? Déjà chef de classe au lycée, il avait ce petit côté mégalo, reconnaît-il, sans quoi il n'aurait certainement pas choisi d'être avocat.

« On se lève dans des salles vides ou remplies, et on prend la parole pour un autre », se lance Gérard Baudoux, assis à la terrasse de *La Petite Maison*, point de ralliement des élites locales, dont la fille de la patronne a épousé Thierry Herzog, avocat notamment de Nicolas Sarkozy, un habitué du lieu. « Au bout d'un moment, on n'est plus soi. Le comédien joue à être l'autre ; nous, on *est* l'autre. Pour faire ce métier, il faut être un grand malade ! On peut envisager une analyse chirurgicale du dossier, mais ça n'est pas toujours possible... »

L'émotion plutôt que les maths. La faconde méditerranéenne plutôt que le ton neutre. Facilement redresseur de torts. Avec, pour modèle, un Émile Pollak clamant devant les assises : « L'assassin va entrer dans le prétoire ! » Ou se mettant à quatre pattes, une bougie à la main, pour mimer la recherche de la vérité. Et une admiration certaine pour Me Antoine Tognoli, à qui Gérard Baudoux attribue la plaidoirie la plus courte (et la plus efficace) de tous les temps : la scène se passe au tribunal de Grasse, au terme d'une audience qui a épuisé tous les participants ; Tognoli se lève et se contente de quelques mots, gestes à l'appui : « Lui méchant, lui gentil, et vous bon juge », dit-il en se tournant successivement vers le procureur, puis vers son client et enfin vers le tribunal. Puis il se rassoit. Et obtient un excellent résultat.

Lorsqu'on lui demande quelle affaire pourrait passer pour la plus emblématique de son parcours, Gérard Baudoux en cite deux : un échec et un double succès.

L'échec, c'est quand il s'est fait souffler, à quelques jours du procès, en 1994, l'un de ses plus « beaux » clients, le jardinier Omar Raddad, doublé par le célèbre et très universel Jacques Vergès, redoutable metteur en scène de sa propre vie. Accusé d'avoir tué sa patronne, une riche héritière, le jardinier d'origine marocaine est condamné à dix-huit ans de prison, laissant à l'avocat « débarqué » un goût particulièrement amer. Mais que pouvait-il face aux liens de son confrère et rival avec la famille royale marocaine, sponsor du jardinier qui finira par être partiellement gracié en 1998 ?

Le double succès, ce sont les deux acquittements arrachés devant la cour d'assises pour Alain Verrando, un ouvrier maçon de quarante-deux ans accusé d'avoir tué de plusieurs balles dans le dos un berger de son village des Alpes-Maritimes. Les faits sont ainsi consignés dans un arrêt de la chambre d'accusation de la cour d'appel d'Aix-en-Provence :

« Le samedi 17 août 1991, les gendarmes de Menton étaient avisés à 8 h 15 par les sapeurs-pompiers qu'un accident mortel de motocyclette venait d'avoir lieu sur la piste Saint-Bernard (GR51), lieu dit Saint-Joseph, sis à Castellar (06).

« À leur arrivée sur place, ils constataient immédiatement que la victime présentait de nombreux impacts de projectiles dans le dos. La personne abattue était identifiée comme étant Pierre Leschiera, âgé de trente-trois ans, berger dans la commune.

« À proximité du cadavre étaient découverts deux plombs de cartouche de chasse, l'un intact et l'autre écrasé, outre un carton et deux étuis de 16 millimètres (...). La thèse de l'assassinat n'apparaissait faire aucun doute et l'enquête effectuée par les gendarmes devait établir qu'une embuscade avait été tendue à la victime (...).

« Il pouvait tout d'abord être établi que Pierre Leschiera avait été assassiné alors qu'il se rendait auprès de son troupeau se trouvant, comme chaque été, dans le quartier Saint-Bernard, près de la frontière italienne. Le bruit caractéristique de sa motocyclette avait été perçu par plusieurs témoins au lever du jour (...).

« Diverses hypothèses étaient immédiatement envisagées par les enquêteurs, qui concernaient uniquement des habitants du village. En effet, le crime de rôdeur paraissait devoir être exclu si étaient pris en compte l'heure inusuelle et l'endroit particulièrement isolé où l'assassinat avait été perpétré.

« L'itinéraire de fuite du tueur, à travers un maquis inhospitalier, était à cet égard révélateur de ce qu'il n'avait pu être commis que par un familier des lieux.

« En outre, l'emploi du temps de la victime était particulièrement bien réglé, puisqu'il gardait ses bêtes durant la journée et rentrait en général vers 21 heures au domicile de sa compagne, avant de repartir vers minuit pour dormir près de son troupeau (...). Or, depuis une semaine, le couple Leschiera hébergeant une amie, la victime dormait à Castellar et ne repartait qu'au lever du jour afin de passer la soirée en famille. L'assassin avait vraisemblablement repéré au préalable que la moto du berger était toujours garée devant son domicile... »

Les mains de plusieurs villageois sont tamponnées par les enquêteurs, à la recherche de résidus de poudre ; des armes et des munitions sont saisies en abondance dans ce pays où l'on ne badine pas avec la chasse. Les gendarmes se concentrent vite sur un restaurateur-éleveur dont les relations étaient exécrables avec la victime, sur un vieux chasseur en conflit permanent avec le berger, et sur la famille Verrando, « dont l'inimitié envers Pierre Leschiera est de notoriété publique ».

Tous sociétaires ou dirigeants de la société de chasse du village, les Verrando « semblent assez mal supporter la contradiction, d'où qu'elle vienne » : « Il y en a un qui va finir avec de la chevrotine dans le dos », a lâché quinze jours plus tôt un villageois, témoin des algarades répétées. À l'origine de la querelle, croit-on savoir, le droit accordé au berger d'emprunter avec son troupeau une piste passant devant les maisons des Verrando.

Quatre mois après les faits, Alain Verrando est placé sous mandat de dépôt. Pour expliquer les résidus de poudre présents sur ses mains, ses vêtements, ses chaussures, il se souvient brusquement d'avoir utilisé, la veille des faits, un pistolet destiné à planter des clous dans le béton – élément nouveau qui déclenche une bataille d'experts. Que déduire du fait que des traces subsistaient sur la peau du suspect alors qu'il s'était lavé les mains en sortant de son chantier, et qu'il mangeait de surcroît des écrevisses à l'arrivée des gendarmes ? Il est « plus probable » que les résidus de tir proviennent de l'usage d'une arme à feu que du pistolet à clous, conclut le juge, mais le « probable » est rarement suffisant à l'heure de convaincre les jurés. Même si le suspect a nié autrefois devant les gendarmes avoir frappé un chasseur pour s'emparer de son gibier... alors que plusieurs témoins avaient assisté à la scène !

Le procès venu, le président de la cour d'assises ne peut que constater l'absence des experts en balistique. Une catastrophe pour l'accusation. Le président désigne alors un nouvel expert... malheureusement injoignable.

L'affaire est renvoyée, mais, l'audience reprise, les scientifiques se contredisent. Gérard Baudoux n'a plus qu'à s'employer à semer le doute. Le ressentiment, la rancune vis-à-vis du défunt n'étaient pas l'apanage d'Alain Verrando dans le village. D'autres étaient animés des mêmes envies de meurtre que lui. D'ailleurs, pourquoi l'assassin serait-il obligatoirement un habitant de Castellar ? La rumeur ne disait-elle pas Leschiera impliqué dans des affaires de clandestins ? Et puis, Verrando n'était-il pas en train de boire un café avec sa mère à l'heure du crime ?

L'avocat général réclame en vain vingt ans de réclusion. Les jurés ne suivent pas et acquittent le maçon. Le parquet fait appel. Lorsque l'affaire revient devant les assises, onze ans se sont écoulés depuis les faits. Onze années de procédure et de détention qui débouchent sur un nouvel acquittement... et une demande de dédommagement d'un million d'euros !

Serment prêté en 1977, Gérard Baudoux a vingt-deux ans lorsqu'il se retrouve conseiller municipal de Nice sur la liste du maire de l'époque, Jacques Médecin. Il en a vingt-six lorsqu'il rencontre l'avocat qui va le mettre sur orbite, Paul Lombard, son « maître ». L'affaire qui les rapproche se plaide à Nice. L'avocat parisien défend un « baron », l'un de ces tricheurs patentés qui plument le *Ruhl*, le célèbre casino de la Promenade des Anglais ; Roland Dumas et Jean-Louis Pelletier, deux autres références, émargent aussi au dossier. Gérard Baudoux plaide pour un second couteau, mais parvient à faire entendre sa voix, à en juger par la proposition que lui fait Mᵉ Lombard à la sortie : « J'ai deux choses à vous dire. La première n'est pas originale : travaillez, travaillez, travaillez. La deuxième, c'est que j'ai deux cabinets, un à Paris et un à Marseille. Est-ce que cela vous tente de nous rejoindre ? »

Gérard Baudoux parie sur Nice, où il rêve de rivaliser avec les figures du barreau local, de Pierre Pasquini à Jacques Peyrat (futur maire). La confiance d'un Lombard à son apogée lui donne des ailes et lui vaut des clients, parmi lesquels quelques stars des médias ou du show-biz, de Guy Lux à Régine. De quoi gagner la fameuse étiquette « Vu à la télé », d'autant qu'il court pour son « patron » les palais de justice de la France entière, où il croise souvent le jeune Thierry Herzog, encore au service de Jean-Louis Pelletier. Ils plaident d'abord, les « patrons » enchaînent, transmettant généreusement leur savoir-faire.

Gérard Baudoux défend les voyous en vue, qu'il côtoie dans les boîtes de nuit de Nice où se pressent avocats, flics, hommes d'affaires, stars locales ou de passage, dans un de ces brassages que la capitale de la Côte d'Azur affectionne à l'époque. Du temps de leur splendeur, ces clients armés et fichés au grand banditisme possèdent à peu près toutes les clefs de la ville, et pas seulement en périodes électorales. Certes, ils sont tôt ou tard éliminés par un concurrent, ce qui ne les empêche pas de se montrer grands seigneurs, à l'instar d'un Sébastien Bonventre, pied-noir, pilier du milieu niçois, qui règle les additions de loin, à *L'Esquinade*, pour ne pas gêner ses invités. Le monde est si petit...

Vingt ans plus tard, comme ses amis pénalistes parisiens, Baudoux a élargi sa clientèle aux politiques. Il est souvent l'avocat du maire de Nice, parfois aussi du président du Conseil général, l'UMP Éric Ciotti, qui a commencé comme attaché parlementaire du premier – ce sont les deux hommes qui comptent dans le département, que l'avocat tutoie comme il tutoie la fleuriste ou l'expert-comptable. « On respire cette ville », confie-t-il.

Lorsque Christian Estrosi est devenu ministre de l'Outre-mer, puis de l'Industrie, Baudoux est naturellement devenu avocat de ministre. Il a agrandi son cabinet – devenu, avec six avocats, l'un des plus étoffés de la ville – et compris qu'une clientèle ne chassait pas l'autre, bien au contraire. Ce n'est pas parce qu'un avocat défend des élus que la prison ne reste pas son principal réservoir de clients – un lieu où la sélection, affirme-t-il, est plus rude qu'ailleurs, car « les détenus analysent les résultats ».

Conseiller du maire, délégué à l'Art moderne et à l'Art contemporain, avocat : cette triple casquette lui permet de dresser des sculptures sur la Promenade... Endosse-t-il une partie du pouvoir de ces hommes de l'ombre et de ces hommes publics, à l'heure de les défendre ? « Nous n'avons jamais qu'un pouvoir de conseil, avec la satisfaction de voir parfois notre conseil écouté, tranche Baudoux. Conseiller un maire, c'est parfois aussi désamorcer des contentieux inutiles, sortir d'une situation conflictuelle pour trouver une solution amiable. Le pouvoir qui m'est confié par le maire de Nice est cependant plus clair et direct que celui que j'ai pu exercer sur des jurés au moment de plaider. »

Face à lui, dans les affaires qui impliquent la mairie, Gérard Baudoux retrouve souvent un homme pourvu lui aussi des deux étiquettes, celle de conseiller général socialiste et celle d'avocat : Me Marc Concas. « Un homme intelligent avec lequel j'ai pu aplanir plus d'une crise et éviter une judiciarisation inutile », observe Baudoux.

Les avocats en politique, ou l'art de gérer les crises, de la Promenade des Anglais au Palais-Bourbon ?

LIONEL MORONI ET LES BANDITS, SI PUISSANTS, SI FRAGILES...

Ses bureaux sont à Toulon, mais Lionel Moroni est un jour aux Baumettes, le lendemain à la Santé, le surlendemain à l'Évêché, siège de la PJ marseillaise. Il défend régulièrement de grosses pointures du banditisme, avec un tropisme pour les Corses et les Marseillais. Le genre de personnages dont le placement en garde à vue ne mobilise pas que la police, mais aussi bien Canal Plus, TF1, *Le JDD*, *Le Parisien* ou *VSD*. Mais l'avocat glisse vite : « Moins on parle de moi, mieux je me porte ! »

Ses clients sont du genre à séjourner assez longtemps en prison, et c'est au parloir plus qu'à son cabinet ou au restaurant qu'il fait connaissance avec eux. Ils arrivent souvent « bouillants », chargés du stress de l'incarcération, même si ce sont des professionnels qui, en général, s'assument en tant que tels. Quand il repart, Lionel Moroni sait ce qu'il lui reste à faire : travailler et démonter la « construction policière ».

Antonio Ferrara, le caïd de la cité Balzac, devenu ennemi public numéro un après une spectaculaire évasion, étonne par sa résistance tous les directeurs de prison qui l'ont eu sous leur toit. Avec Moroni, il est toujours resté « élégant et courtois » : « "Tu as chaud ?" Il ouvre la fenêtre. Il te propose de l'eau. Il t'apporte des bonbons, des caramels. Il a toujours le sourire, ne prononce jamais un gros mot. Il est fidèle et respectueux. Il a confiance dans ton travail là où d'autres sont manipulateurs, agressifs, prêts à toutes les pressions. »

Michel Campanella est du même tonneau. Arrêté par la PJ en même temps que son frère et Bernard Barresi, après des années de douce cavale, celui que certains policiers présentent comme le « parrain » de Marseille se retrouve dans le bureau du juge. Loin de s'énerver, le voyou n'est pas loin de séduire le magistrat quand il lance cette mémorable tirade : « On dit qu'on est les parrains de Marseille, mais on est les parrains de rien du tout. C'est une rumeur. On ne tenait rien. On nous a prêté un pouvoir qu'on n'avait pas. On s'occupait de rien, mais je peux vous dire que, maintenant, ça va calibrer de tous les côtés. »

Un pronostic vérifié peu avant que n'explosent à Marseille, en particulier dans les quartiers nord, les règlements de comptes au fusil mitrailleur.

Devenu avocat en 1994, Lionel Moroni démarre « comme un boulet » par l'entremise de son père, représentant de commerce dans une société de signalisation dont le PDG, Francis Guyot, se retrouve incarcéré en marge des affaires qui prolifèrent dans le sillage de l'ex-maire de Nice, Jacques Médecin. Il l'avait reçu chez lui, dans une somptueuse villa du cap d'Antibes ; l'avocat retrouve le PDG dans l'immensité de la prison de Bois-d'Arcy, perdue ce jour-là dans les brumes. Il s'attend à découvrir un homme fracassé ; il rencontre un type élégant, digne, au parler très *british*, qui accepte avec le sourire son présent : un livre de poésie de Saint-John Perse. Et se réjouit d'avoir retrouvé des « copains », directeurs d'entreprise eux aussi, dans la cour de promenade.

Le deuxième coup d'accélérateur se présente sous la forme d'un proxénète trafiquant de drogue pour lequel Mᵉ Moroni est commis d'office à Toulon. La relaxe obtenue, « Dédé le Sourd » (c'est son surnom) le fait désigner par toute la taule.

Contestataire depuis l'enfance, quand il jouait à l'avocat, affublé d'un peignoir, Lionel Moroni est du genre à mettre en cause l'autorité, en particulier celle des magistrats. Tant et si bien que l'un de ses aînés, Marc Rivolet, lui lance : « C'est bien, ce que vous faites, mais il faut toujours respecter la règle ! » Cela ne fait qu'un an qu'il est avocat, mais il a déjà mis le palais en grève après une altercation avec une juge des affaires familiales dans le cadre d'un divorce. « Baissez le ton ! a intimé la magistrate. – On n'est pas à l'école ! » a répliqué l'avocat. La juge a appelé à la rescousse les forces de l'ordre, l'avocat avait gardé sa robe, le bâtonnier a rappliqué et le président du tribunal a fini par présenter ses excuses.

Un jour, alors que Mᵉ Moroni défend deux gangsters venus des Balkans, l'accusation brandit une écoute dans laquelle un avocat aurait confié qu'il plaiderait l'innocence même si son client était coupable. Au cours du procès, l'avocat général brode pendant une demi-heure sur cette écoute. Lorsque vient son tour, Moroni s'emporte : « Jeter le discrédit sur un avocat, sur une profession, c'est minable, c'est irrespectueux, c'est nul ! Je vais vous dire pourquoi vous avez fait ça : vous êtes un lâche ! – Greffier, notez : j'engage des poursuites ! intervient l'avocat général. – Vous ne notez rien, coupe le président qui penche apparemment en faveur de l'avocat. C'est moi qui préside... »

« On n'est pas des pots de fleurs », commente Lionel Moroni quelques années plus tard. Il en fait à nouveau la preuve alors qu'il défend Antonio Ferrara devant la cour d'assises de Paris. Une bagarre éclate dans le box. Avec ses confrères Pascal Garbarini et Emmanuel Marsigny, il demande le report du procès, faute d'une sérénité suffisante. La présidente met la demande en délibéré et entend poursuivre les débats, lorsque Ferrara se lève pour récuser ses avocats et demander à quitter la salle. Moroni se lève à son tour, ramasse ses dossiers et prend la parole : « Je viens d'être récusé par mon client. Je n'ai plus de client. J'ai l'obligation de quitter les débats, avec tout le respect que j'ai pour votre juridiction. – Je vous commets d'office ! l'interrompt la présidente. – Je ne suis plus en mesure d'assurer la défense de mon client », insiste l'avocat, qui tourne les talons en même temps que ses confrères, entendant dans son dos la présidente annoncer des poursuites disciplinaires...

Moroni se retourne alors et revient à la charge : « Je pense que vous ne m'avez pas bien compris. Vous me menacez, je vais répondre à vos menaces et vous expliquer pourquoi je n'échangerai jamais ma liberté contre la vôtre. J'ai choisi de porter la robe et je ne serai jamais un alibi judiciaire dans le cadre d'un procès truqué. Ce procès se déroule dans des conditions inadmissibles. On fait comparaître cet homme comme un chien. On l'extrait à 4 heures du matin avec une cagoule opaque pour le désorienter, il arrive enchaîné... »

À la sortie, l'avocat a rejoué sa tirade pour la télévision. Il n'aura jamais de nouvelles des poursuites annoncées. « Ce n'est pas la rupture pour la rupture, explique-t-il, mais j'ai juré de défendre des principes, et je n'accepte pas d'être sermonné par des magistrats. Quand tu as raison, il faut aller jusqu'au bout. »

Francis Mariani, l'un des piliers de la bande bastiaise de la « Brise de mer », aujourd'hui décédé, avait trouvé la formule : « Moroni mouille la chemise. Il te défend avec sincérité. » Lui, il admire la « rigueur » d'un Olivier Metzner, le « courage » d'un Jean-Louis Pelletier, la « simplicité » d'un Thierry Herzog, mais il fait son travail « sans complexe », même si certains Parisiens le considéreront toujours comme un « provincial ». « J'ai toujours fait mon métier avec discrétion, poursuit-il. J'ai horreur des confidences, et je ne suis détenteur d'aucun secret. »

On n'est pas obligé de le croire, mais ce garçon – mère (coiffeuse) corse, père italo-corse – a toujours su que posséder certaines informations pouvait mettre l'avocat en danger. Il connaît aussi la fragilité du milieu qu'il défend, dont les représentants, puissants le samedi, peuvent se retrouver à terre le dimanche. Nus, sans yacht, ni cigare, ni Falcone 900, ni carafe de Château Pétrus : comme s'il ne lui restait à lui que sa robe...

Chapitre 10

Secrets de la presse,
de l'édition et du cinéma

Jean-Yves Dupeux, pressé par la presse
et les diffamés

À vingt ans, Jean-Yves Dupeux rêvait de l'ENA et des cercles du pouvoir ; quatre décennies plus tard, devenu avocat, il est plus proche de ces cercles que bien des énarques. Monté de Bordeaux à la capitale et ses lumières en 1973, il écoute avec admiration Robert Badinter, Jean-Denis Bredin ou Pierre-André Teitgen, cet ancien garde des Sceaux dont il suit les cours à Sciences-Po, l'archétype de ce qu'il voudrait être ; et voilà que, à la fin du cursus universitaire, Me Bredin questionne son élève sur ses intentions. L'élève Dupeux raconte son échec à l'ENA et avoue être fils, petit-fils et neveu d'avocat. Me Bredin l'invite à passer le voir à son cabinet, l'embauche, et voilà qu'on le présente à ses idoles, dont Me Badinter, qui lui demande : « Avez-vous fait du droit de la presse ? – Ce n'est pas enseigné à l'université, répond le jeune Dupeux. – Exact, mais notre associé en charge de ce secteur a un caractère épouvantable et se fâche avec tous nos clients. Ce serait bien que vous vous en occupiez. »

Nous sommes en janvier 1976. Mieux que dans ses rêves, le novice repart avec trois dossiers sous le bras. Il ne le sait pas encore, mais il va devenir l'un des avocats phares du quatrième pouvoir, les médias. « Monsieur Droit de la presse ».

Au 130, rue du Faubourg-Saint-Honoré, l'adresse du cabinet, passent l'actrice Catherine Deneuve, le leader syndical Edmond Maire, le baron Empain, les patrons du CAC 40 aussi bien que la famille du gitan qui vient de tuer un pompiste. Avec de tels confrères pour modèles, Jean-Yves Dupeux ne peut faire moins que de devenir un « avocat d'influence ». Il enfile le costume du conseiller discret tout en se préparant à partager avec les puissants un peu de la lumière qui les rend si voyants. Et devient un spécialiste du droit de la presse à une époque où la liberté d'expression est encore un combat : le cabinet défend, entre autres journaux, *L'Express*, *Paris-Match* et *L'Expansion*. Avec Publicis, il se frotte au droit de la publicité, et découvre celui de la propriété artistique avec quelques acteurs, producteurs de disques et autres chanteurs.

« C'est une des professions où la notoriété se construit le plus lentement, et par le travail, assure Me Dupeux. Un jour, les médias parlent de vous, mais, deux mois après, personne ne s'en souvient. Rien n'est pire que de se "gonfler" aux médias. C'est l'effet coqueluche, l'effet Rachida Dati. Il faut sans cesse justifier la confiance de ceux qui vous choisissent. »

Il faut aussi les bonnes connexions. Le cabinet Badinter continue à envoyer des affaires à Dupeux lorsqu'il s'installe à son compte, mais les soubresauts du paysage médiatique dispersent la clientèle : *L'Express* passe aux mains de la Générale occidentale, tandis que le groupe Prouvost tombe dans l'escarcelle d'Hachette-Filipacchi.

L'avocat se fait vraiment un nom en gagnant un procès pour le *New York Times*, poursuivi en 1982, événement rare, pour avoir rapporté des propos de Graham Greene. Le *Daily Mail* lui envoie des affaires, mais c'est dans un dîner en ville, chez une réalisatrice, qu'il entend parler, par la bouche de Lydia Sitbon, très insérée dans le milieu médiatique, d'un projet de nouveau journal fondé par Jean-François Kahn. Une rencontre s'ensuit, au terme de laquelle l'avocat, accompagné de son confrère Didier Skornicki, négocie des honoraires forfaitaires pour le conseil et la défense de ce nouveau venu dans la presse hebdomadaire française : *L'Événement du jeudi*. Au prorata des enquêtes du journal, les procédures se multiplient et, si elles n'enrichissent pas outre mesure l'avocat, elles contribuent à asseoir sa notoriété. Les éditions juridiques Dalloz lui demandent de tenir la rubrique « droit de la presse », l'université de Lille le recrute pour l'enseigner, l'Union internationale des avocats le sollicite, et le voilà propulsé sur la scène internationale des avocats de presse.

L'Événement du jeudi contre Jean-Christophe Mitterrand, dont l'hebdo dévoile les activités de conseiller de son père pour les Affaires africaines : le démêlé fait grand bruit. Le journalisme offensif et agressif façon JFK bouscule un droit de la presse figé depuis 1881, et génère une jurisprudence nouvelle qui fait de Jean-Yves Dupeux le producteur de son propre droit, excusez du peu !

La 17e chambre du tribunal correctionnel de Paris est son salon de musique. C'est là qu'il déroule sa partition devant cinq magistrats qu'il finit par bien connaître. Une enceinte dans laquelle on écoute le connaisseur, celui qui enfonce des coins dans le droit, qu'il plaide pour José Bové, Jean-François Kahn ou Brice Hortefeux, avec une pointe d'humour pour ce dernier, mis en cause pour sa fameuse sortie sur les Arabes et les Auvergnats : « En mai 68, le ministre de l'Intérieur était le personnage le plus haï de France, et me voilà défendant, au nom de la liberté de s'exprimer, le ministre de la Police et des CRS ! »

« Je ne milite pas pour autre chose que pour un droit de la presse équilibré, laissant une large part à la liberté d'expression, explique l'avocat. Je n'adhère ni à l'UMP, ni à la lutte contre les OGM, je garde mes distances. Cela me confère une autorité morale et permet une relation de confiance avec celui que je défends. »

Le cabinet Dupeux fusionne bientôt avec un cabinet plutôt spécialisé dans les grandes affaires bancaires, ce qui ne manque pas de le rapprocher des grands patrons, lesquels font appel à lui lorsque leur image est écornée dans les médias. Les pénalistes aussi se tournent vers lui. Les magistrats recrutés dans les grands groupes, de Saint-Gobain à la Société Générale, de Vivendi à Lagardère en passant par Veolia, suggèrent qu'on le désigne en cas de souci avec un journal. Prospérité garantie, à l'heure où attaquer les journaux devient un art à la mode, d'autant que Mᵉ Dupeux défend aussi les organes de presse. Et bientôt les éditeurs, chez qui se prolonge et s'épanouit l'investigation journalistique.

Quelques obstacles, au passage, sous forme de conflits d'intérêts. Un procureur lui demande s'il peut attaquer en son nom le livre que vient de publier la journaliste de l'AFP chargée de la justice, Dorothée Moisan ; mais il la connaît très bien. Son confrère Jean Veil lui envoie un dossier à plaider contre Fayard, toujours pour le compte d'un magistrat ; mais il a plusieurs fois défendu des auteurs de la maison. Un haut responsable de la Société Générale veut attaquer un livre rédigé par un journaliste de *Marianne* ; or il travaille régulièrement pour le journal. « Question de délicatesse »...

Sa « mission » principale, c'est la protection de la liberté d'expression et de création, mais Mᵉ Dupeux ne défend pas seulement éditeurs, journalistes ou responsables de chaînes de télévision ; il est aussi l'avocat de ceux qui se plaignent des articles ou des émissions qui leur sont consacrés. Et il cogère ainsi leur image avec un certain nombre de grands patrons, d'hommes politiques ou d'artistes.

L'avocat est sollicité lors de la tempête judiciaire qui s'abat sur *La Face cachée du « Monde »*, livre publié chez Fayard sous la plume de Pierre Péan et Philippe Cohen. De

Capital au *Nouvel Observateur*, de *Marianne* à *Télérama*, il connaît la moitié des rédactions parisiennes, mais cultive une certaine discrétion qui convient plutôt à ses autres clients, ceux qui, en sens inverse, attaquent les journaux et les chaînes de télé. Il fait partie de la poignée de juristes qui, pour y toucher tous les jours, maîtrisent à peu près ce droit de la presse qu'il dit à la fois « précis, rigoureux et complexe ». Il dîne chez Jean-François Kahn, mais ne joue pas au golf avec les banquiers, et conserve une distance raisonnable avec les grands patrons comme avec les politiques, pour pouvoir leur dire ce qu'il pense vraiment.

Installé au 282, boulevard Saint-Germain – l'immeuble qui abrita le QG de Ségolène Royal pendant la campagne présidentielle de 2007 –, le cabinet Lussan-Brouillaud, du nom de ses fondateurs, est situé à deux pas de l'Assemblée nationale, face au ministère de la Défense, non loin de celui des Transports, et à quelques minutes de Matignon ou du Sénat. Près de ces gens de pouvoir dont Jean-Yves Dupeux a aujourd'hui l'oreille et qui ne sont pas franchement dépaysés quand ils viennent à lui à la faveur d'une suspension de séance. Près des éditeurs, aussi, qui ont longtemps gravité autour de Saint-Germain-des-Prés, ou de la Maison de l'Amérique latine, où *Le Canard enchaîné* a l'habitude de festoyer, une fois l'an.

« Il y a un côté valorisant à être le conseiller de quelqu'un qui est bien plus puissant que vous, admet Me Dupeux. Qu'un ministre, un patron de journal, un chef de parti ou un intellectuel engagé vous consulte, cela met dans une euphorie intense et plonge en même temps dans une angoisse folle, d'autant plus que votre avis sera suivi. Un avocat construit son accès au pouvoir en bataillant contre le pouvoir. On ne vient pas me chercher parce que je suis un militant de tel ou tel bord, mais parce que j'ai donné les preuves de mon indépendance vis-à-vis du pouvoir. L'influence se construit en contre, en bataillant, mais sans aller jusqu'à la rupture, en gardant un certain recul. Le roquet, l'adepte de la rupture sans le talent de [Jacques] Vergès, reste aux portes de ce pouvoir. Il ne peut pas y avoir de complaisance avec les juges, ni avec le parquet, ce qui n'exclut ni une certaine courtoisie, ni une défense juridiquement fondée. Faire du droit, et du bon droit, suscite l'estime de ceux qui vous écoutent. Le juge prend une décision que l'on peut attaquer sous ses yeux. »

L'avocat pèse sur la loi. Invité à s'exprimer dans le cadre de la commission créée après l'affaire d'Outreau, Jean-Yves Dupeux propose une réforme législative qui permette aux avocats d'adresser des observations au juge après les réquisitions du parquet. Peu après, défendant une personnalité de gauche mise en cause pour favoritisme, l'avocat inaugure lui-même cette loi de 2007 en fournissant une trentaine de pages d'observations au juge d'instruction. Lequel n'en tient pas compte et renvoie le mis en examen devant le tribunal en glissant juste cette phrase : « Vu les observations de Me Dupeux en défense. » L'avocat remet en cause l'ordonnance de renvoi, nulle, selon lui, et non conforme à la loi. Et obtient gain de cause – preuve que l'on s'affirme en bataillant et que l'on n'est jamais aussi bien servi que par son droit, même si, en l'occurrence, le client est finalement renvoyé devant le tribunal et condamné.

Proche du pouvoir, Dupeux n'est pas dupe pour autant de ce que ce pouvoir peut faire avec la procédure « pour sortir quelqu'un d'affaire au mépris de la justice normale ». Il l'a vu de près en défendant le colonel Beau dans l'affaire des Irlandais de Vincennes, sous Mitterrand, en 1984, quand tous les ressorts furent utilisés pour exfiltrer et recaser Christian Prouteau, responsable d'une fantasque « cellule élyséenne ». Avec ce final programmé : Beau condamné, Prouteau relaxé.

S'il n'avait pas été avocat, Dupeux aurait pu être journaliste. Pas sûr que les chefs de file du pouvoir médiatique, économique, artistique, intellectuel et politique lui

auraient fait autant de confidences. Le secret professionnel auquel est tenu l'avocat est le paravent de tous les
échanges. Du secret d'alcôve au *secret corporate*, il en
recueille de toutes les couleurs. Une source de pouvoir ?
« L'avocat ne dispose de pouvoir que s'il est écouté, et il
ne l'est que pour autant qu'il prouve que l'on a raison de
lui faire confiance. Il exerce un pouvoir de régulation. »

Un patron l'appelle pour lui signaler un article « très
désagréable » sur son compte, qu'il ne veut surtout pas
lire, mais que ses conseillers lui suggèrent d'attaquer en
justice. L'avocat lit et tranche en fonction du contenu, de
la jurisprudence de la 17ᵉ chambre correctionnelle, quitte
à contredire les conseillers du patron. S'il l'incite à laisser
passer l'article sans riposter, il perd évidemment de
l'argent à court terme, mais pourrait bien en gagner sur
le long terme.

Ce sont les hauts magistrats, conseillers à l'Intérieur ou
à l'Élysée, qui lui ont envoyé Brice Hortefeux et Claude
Guéant. Avec un enjeu majeur pour le premier, à qui
toute condamnation rendrait difficile son maintien Place
Beauvau (il s'en sortira), et que l'avocat a le sentiment
de défendre contre la magistrature, les médias et une frac-
tion des politiques, un peu comme lorsqu'il a défendu le
juge Patrice Burgaud que le pouvoir voulait vite voir
transformé en bouc émissaire après le fiasco d'Outreau.

Un jour, Dupeux croit à une blague lorsque la standardiste lui dit : « C'est pour vous, c'est la présidence
de la République. » Ce n'est pas une blague : le conseiller
de l'Élysée voudrait poursuivre en diffamation le site
Mediapart dirigé par Edwy Plenel.

L'avocat se déplace pour ces clients « institutionnels ».
Il voit Hortefeux et Guéant dans leur bureau respectif,
l'Élysée à l'époque pour le second, tout comme il avait
rencontré un temps le socialiste Pierre Joxe dans son
bureau de ministre de la Défense (il n'avait que la rue à
traverser). Il s'inquiète en même temps de l'état de la loi
du 4 janvier 2010 sur le secret des sources des journa-

listes, où il pointe une brèche dans laquelle « on peut tout faire entrer ». Et il estime « essentiel » de défendre la place et l'influence de la presse et de l'investigation.

« La liberté d'expression a des limites difficiles à déterminer, plaide Dupeux. Quand elles sont dépassées, il faut agir, sauf à considérer que ce n'est pas opportun. Le droit de la presse est une fracture permanente, avec d'une part la liberté d'opinion, le droit d'obtenir et de communiquer des informations, et, de l'autre, le droit de la personne au respect de sa vie privée et à son honneur. Ces deux principes se heurtent en permanence. Mon rôle est de réduire la fracture, tout en sachant que je ne pourrai aller bien loin. »

Petit coup de scalpel, tout de même, quand il obtient que *L'Événement du jeudi* ne soit pas condamné après l'interview fracassante d'une ancienne patronne du système Chirac dans la capitale : aux termes de la jurisprudence créée, l'interviewé s'exprimera désormais sous sa seule responsabilité, sans que le journaliste ait plus à tout vérifier.

Le diffamé a parfois plus à perdre à attaquer qu'à faire le dos rond... et tous les diffamateurs ne sont pas égaux devant les poursuites, selon qu'ils ont ou non de puissants amis... Calculs savants qui n'empêchent pas les sentiments : l'avocat peut en témoigner, lui qui mesure combien certains clients peuvent être atteints par un article qui les malmène. « Pour un avocat de presse, confie-t-il, c'est une grande leçon de voir à quel point les gens peuvent souffrir d'avoir été diffamés. »

FRANÇOIS SAINT-PIERRE ET LE SECRET DES SOURCES

Lyon, ville bourgeoise tournée sur elle-même ? Vision obsolète : François Saint-Pierre, né en 1960, en est la démonstration en robe. À côté, le barreau parisien peut même avoir un petit côté provincial, poussiéreux, conservateur, à la limite réactionnaire.

« L'avocat participe au procès équitable, affirme-t-il. La défense pénale est civique. J'ai de l'admiration pour Jacques Vergès, le grand ancien, qui prônait la rupture, mais cela remonte à une autre époque. La rupture est une posture, voire une imposture. Dire des juges que ce sont des ennemis, ça marche quand on défend le FLN, pas Jérôme Kerviel. »

Fils d'un médecin « exigeant », François Saint-Pierre est devenu avocat en 1984, enflammé par les grands combats judiciaires de l'époque. Henri Leclerc lui a servi de guide, il a longuement observé l'« inimitable » Thierry Lévy, et appris le sens du combat en écoutant Robert Badinter. Un compagnonnage indispensable dans un métier où l'on doit vivre avec l'échec, où l'« on se fait agresser, critiquer », où l'on est exposé aux regards du public par journalistes audienciers et équipes de télé interposés.

François Saint-Pierre n'a pas connu l'époque de la peine de mort, « quand le barreau avait un certain goût pour le morbide ». Il fait ses « armes » avec les commissions d'office, « seul face au juge, avec le client derrière ». Il se retrouve dans la grande arène lorsque, en 1992, Mᵉ Henri Juramy lui demande d'intervenir à ses côtés dans l'affaire Roman. Puis c'est Henri Leclerc qui l'invite à participer avec lui à une affaire d'amants terribles (un classique du fait divers), avant que Mᵉ Daniel Soulez-Larivière ne le sollicite pour étoffer sa défense dans l'affaire qui frappe Michel Noir, maire de Lyon, champion d'une droite neuve et décomplexée, et son gendre Pierre Botton : le grand dossier politico-financier lyonnais des années 1990. L'occasion, pour Saint-Pierre, de se frotter pour la première fois à l'« intelligence diabolique » du juge d'instruction Philippe Courroye. Un magistrat dont il aura largement le temps de faire le tour en dix ans et trois procès, à une époque où « les juges étaient les héros, les références morales », face à ces « salauds » d'avocats, arrivistes de surcroît. Drôle de héros, en fait, que ce personnage dont Saint-Pierre se fait un ennemi avant l'heure, avant que Nicolas Sarkozy ne le propulse à la tête du deuxième parquet de France, celui de Nanterre, et chez qui il croit percevoir « un certain mépris des pauvres », un étonnant « culte de soi », et « un vieux fonds maurrassien » teinté d'antiparlementarisme.

L'affaire est belle, mais difficile. Toute l'institution judiciaire se mobilise derrière Philippe Courroye quand les avocats le ciblent, lui et le parquetier Paul Weisbuch, pour « forfaiture » : ils auraient dissimulé des pièces pour que l'affaire reste instruite à Lyon. Le procureur de la République, Jean-Amédée Lathoud, sent poindre en lui une « haine totale » envers le procédurier Saint-Pierre, lequel dénonce une « instruction partiale réalisée sur commande pour casser un adversaire politique », en l'occurrence Michel Noir, dont l'ambition dérange les caciques de la droite chiraquienne au pouvoir. L'avocat se prend en retour une condamnation pour outrage, assortie d'une belle amende, dont il sort plutôt renforcé. « Il faut avoir été accusé pour bien comprendre la justice », dit-il.

Leçon n° 1 : s'il est en vie après avoir attaqué le système, s'il est encore debout alors qu'on voulait l'abattre, c'est qu'une certaine liberté existe. « La défense de corsaire est une défense de chamelier : il faut savoir traverser le désert. »

Leçon n° 2 : le pouvoir judiciaire est enclin à abuser de son pouvoir, parfois de « façon criminelle ». Et l'avocat d'affirmer que certains juges particulièrement médiatiques ont représenté, durant ces folles années, « un danger pour les libertés publiques », tant et si bien qu'ils ont fini par « détruire le métier de juge d'instruction ».

« L'École nationale de la magistrature n'a pas l'âme démocratique, observe Saint-Pierre. Le contre-pouvoir, ce sont les avocats. Le métier s'exerce dans l'arène. Pour Michel Noir, ç'a été une lutte à mort. Politiquement, la bataille a été perdue, mais il a marqué sa ville au cours d'un mandat flamboyant. »

François Saint-Pierre travaille en orateur solitaire. S'attaquer à la ligne dominante ne lui fait pas peur. Il écrit, publie, enseigne à son tour la défense pénale, participe aux débats, manière d'asseoir son influence et de prendre du champ par rapport à la « compétition » des affaires. Il dit n'appartenir à aucun syndicat, aucune loge, aucun parti politique, et assure, comme Cicéron, que l'on peut défendre quelqu'un sans penser comme lui. Le droit de la famille l'aurait déprimé, le droit social demande une trop grande spécialisation, le « très élitiste » droit de la presse le rattrape en même temps que Philippe Courroye.

Comment François Saint-Pierre se retrouve-t-il l'avocat du *Monde* dans l'affaire dite des « fadettes » ? Le défenseur attitré du quotidien a été l'avocat du juge d'instruction devenu procureur : c'est le premier ticket d'entrée du Lyonnais. Un échange avec celle qu'il appelle affectueusement « la Duchesse », Pascale Robert-Diard, chroniqueuse judiciaire du journal, puis un appel de Franck Johannès, qui suit l'institution judiciaire, le placent en bonne position pour prendre la relève. Bonus : Saint-Pierre a été poursuivi pour outrage par Courroye, le procureur par qui l'enquête sur les sources des investigateurs du *Monde* a été rendue possible.

Son côté combattant emporte la conviction de la petite assemblée journalistique devant laquelle il passe l'épreuve orale. Ce compétiteur est à l'image du positionnement du *Monde*. En plus, communiquer ne l'effraie nullement : il sait défendre une cause sans se mettre en avant. Il est rapidement adoubé par les étages supérieurs du quotidien.

Le fait de retrouver l'ex-procureur lyonnais sur sa route n'est pas un handicap, mais une « motivation » pour l'avocat qui voit dans le dossier des « fadettes[1] » l'occasion d'atteindre celui qu'il considère comme l'incarnation de

---

1. L'exploration des relevés téléphoniques de journalistes du *Monde* pour identifier leur source à la Chancellerie.

la tyrannie judiciaire. Au moins, il n'y a entre eux aucun risque de connivence !

« C'est un combat politique au bon sens du terme », se défend-il. Sa mission : faire en sorte qu'il y ait procès pour que la justice définisse clairement ce qu'il en est du secret des sources des journalistes. Philippe Courroye revendique-t-il une immunité totale ? C'est le second volet du mandat de Saint-Pierre : ébranler le statut des procureurs, faire en sorte que l'on puisse les poursuivre pour abus de pouvoir, s'il y a lieu. Il connaît son adversaire depuis 1987, a une certaine idée de sa psychologie, et estime qu'il se comporte « comme un duc d'Ancien Régime », lui qui se targue d'une relation étroite avec le « Prince », en ce temps-là Nicolas Sarkozy :

« Quand il était juge d'instruction, cela se voyait d'autant moins que la presse lui tressait des lauriers, mais la Cour de cassation a jugé que l'on était bien face à un abus de pouvoir. Il a espionné des journalistes du *Monde* avec cynisme, mais ce n'est pas là son premier abus. Je n'ai jamais vu un magistrat faire autant souffrir les gens. Eva Joly en a persécuté plus d'un, mais elle a su écouter de pauvres gens. Lui fait toujours un usage excessif de la loi. Par opportunisme, il sert tous les pouvoirs qui peuvent le servir. Je ne serais pas surpris que l'on découvre qu'il n'a fait en l'espèce qu'exécuter les ordres. »

À l'entendre, la chute annoncée de Philippe Courroye aura valeur de catharsis pour de nombreux avocats. Tout particulièrement pour lui, Mᵉ Saint-Pierre, qui se souvient d'avoir vu celui qui n'était encore que juge d'instruction se réjouir le jour où la justice lyonnaise rendit un non-lieu en faveur de Paul Touvier[1]. Et qui sait combien cet homme qui rehausse ses interventions de citations littéraires ou de références musicales « a le souci du masque ». « Les citations sont utiles, mais elles se retournent », observe-t-il, rappelant cette phrase de Borges citée

_____

1. Chef de la milice à Lyon pendant l'Occupation (voir p. 507).

par le magistrat : « On a toujours un double, et c'est toujours le double qui est le plus vrai. »

À l'entendre, le dossier des « fadettes » serait accablant, recelant la preuve que le procureur aurait confié à l'IGS (Inspection générale des services) mission de percer le secret des sources de deux journalistes, et non que celle-ci aurait agi de son propre chef, comme le prétendait le magistrat. « On saura qui ment », des policiers ou du procureur, assure l'avocat qui se félicite de pouvoir s'appuyer sur un juge d'instruction, l'ancienne avocate Sylvia Zimmermann, « qui s'affranchit des conventions ».

L'autre grande affaire de François Saint-Pierre est la défense d'un ancien confrère niçois poursuivi pour l'assassinat de la fille d'une richissime patronne de casino, sur fond de grand banditisme : Maurice Agnelet, né en 1932. Des personnalités fabuleuses, un lieu de rêve (la Promenade des Anglais), une énigme jamais résolue (la disparition d'Agnès Le Roux), une procédure invraisemblable : l'affaire a tout pour séduire. Mais, lorsqu'il fait la connaissance de l'avocat en 1988, Maurice Agnelet vient de purger deux ans de prison pour abus de confiance, il a été radié du barreau et vit dans un foyer de sans-abri. L'Ordre des avocats demande à Saint-Pierre de le défendre face à la mère de la disparue, Renée Le Roux, qui ne se contente pas de cette condamnation pour avoir détourné l'argent de sa fille. Elle a publié un livre où elle accuse Agnelet d'être son assassin. Il a besoin d'un avocat pour attaquer la casinotière en diffamation.

Deux ans plus tard, le déchu hérite et part en voyage au Panama. Il y reste et se fait oublier jusqu'à ce jour de novembre 2000 où son ex-femme, une richissime Monégasque, est entendue par une juge niçoise. Saint-Pierre l'appelle. Convaincue qu'il ne reviendra pas, elle est assez surprise de voir Agnelet se présenter dans son bureau un mois plus tard. Le procureur Éric de Montgolfier est présent. « Qui est-ce : un auditeur de justice ? demande l'ex-avocat. – Je suis le procureur, répond le magistrat. Mais, à Genève, en cette nuit d'octobre 1977, votre ex-femme dit que vous n'étiez pas avec elle. Votre chambre donnait-elle sur la rue ou sur le lac ? – Vous croyez que, quand je fais l'amour, je regarde par la fenêtre ? » lâche-t-il, un brin caustique.

L'instruction dure six ans. Lors du procès, le brillantissime Georges Kiejman représente les parties civiles. L'avocat général, Pierre Cortès, requiert vingt ans de prison. « Où, quand, comment ce crime a-t-il eu lieu ? plaide Saint-Pierre. Si on peut répondre à ces questions, on peut dire par qui. Où ? On ne l'a jamais établi. Quand ? C'est impossible à dire. Comment ? Encore moins. Pourquoi ? Agnelet pouvait avoir l'argent sans tuer la fille. »

Verdict : acquittement. Agnelet pleure, ce qui est plutôt bon signe, car le coupable, disait un président de cour d'assises, pousse généralement des hourras lorsqu'il n'est pas condamné. Sauf que l'histoire n'est pas finie : le procureur fait appel. Une nouvelle cour se réunit un an plus tard. Agnelet ne fait pas d'efforts : il éconduit les jurés avant d'annoncer qu'il a changé d'avis au sujet de l'argent d'Agnès : Renée Le Roux lui a « fait tant de mal » qu'il ne lui rendra jamais cet argent. Le doute ne lui profite pas : il est condamné à vingt ans de prison.

L'avocat est quitte pour poursuivre la France pour « procès inéquitable » et pour réclamer une révision à la faveur d'un élément nouveau. « La fille a peut-être été exécutée, mais pas par Agnelet, persiste-t-il. On lui fait un premier procès, et on le rate. On lui en fait alors un deuxième, comme au Moyen Âge. C'est là une justice archaïque ! Un acquittement, ce serait forcément un dysfonctionnement ? La justice ne peut pas se tromper ? »

Et d'annoncer qu'il continue le « combat », convaincu que son client ne peut avoir fait disparaître le corps et la voiture, que cela ne lui ressemble pas.

Des bagarres qui s'inscrivent dans la durée : onze ans pour Michel Noir, un peu plus pour Agnelet, avec le souci permanent de ne pas voir le client « mourir d'épuisement ».

RICHARD MALKA, DSK, *CHARLIE HEBDO*
ET LA CRÈCHE

C'est Anne Sinclair qui s'en est ouverte à Élisabeth Badinter, laquelle a suggéré de faire entrer Richard Malka dans la défense de Dominique Strauss-Kahn. Les deux femmes pensent que le jeune avocat complétera utilement le tandem Henri Leclerc-Frédérique Beaulieu, adossés à Mᵉ Jean Veil. Un avocat estampillé « droits de l'homme », qui fait autorité, une femme pénaliste expérimentée, un incontournable et influent avocat d'affaires : il manquait un bon connaisseur des médias, à qui rien de la communication moderne n'échappe. Voilà en effet plus de vingt ans que Richard Malka défend des journalistes, qu'il vit parmi eux, et qu'il en connaît la plupart. Il baigne dans le droit de la presse, aime et déteste tout à la fois ses acteurs. Il a appris à résister à la pression des médias, dont il a pu mesurer plusieurs fois la violence. Le fait qu'il soit, à ses heures creuses, auteur de BD lui autorise en outre ce brin de fantaisie qui aide à débloquer une situation. Il peut se permettre des choses que beaucoup n'osent pas.

Né en 1968, devenu avocat en 1992, Richard Malka n'en est pas à sa première bataille. Il sait qu'il ne faut pas répondre à toutes les sollicitations de la télé, au risque de se « clownifier », de se « collardiser » (référence à l'avocat marseillais Gilbert Collard, devenu une bête de télé avant de se faire élire député apparenté FN). « Il faut y aller quand c'est nécessaire à la cause, dit-il, sinon on perd sa crédibilité. »

La dimension médiatique des dossiers, il la maîtrise à peu près, lui que l'on pourrait situer à mi-chemin de la com' et du métier d'avocat, mais qui préfère écrire plutôt que de parler. Comment défendre la journaliste Caroline Fourest contre Marine Le Pen, ou le vendeur de *sex toys* contre les puritains catholiques, sans intégrer la dimension médiatique ? C'est sans doute pour cette raison que l'épouse de l'ancien patron du FMI et l'une de ses meilleures amies ont demandé à leur protégé d'épauler la défense de DSK. Parce que Malka sent depuis longtemps que le métier se réinvente aux lisières du journalisme, et que l'ex-futur président de la République en a bien besoin, lui qui est aussi malmené par les médias qu'il en a été adulé.

La confiance s'établit rapidement entre le politique et cet avocat décalé et décontracté au bureau tapissé d'affiches de BD. Le défi est d'autant plus lourd que DSK incarne ce que détestent beaucoup de juges : l'argent facile, une gauche trop à l'aise, et que les médias ont démontré à quel point ils savaient s'acharner sur un homme à terre.

Leclerc, Beaulieu et Malka passent aussitôt à l'offensive et réclament de grosses sommes aux journaux qu'ils accusent de diffamer leur client, tout en promettant de tout reverser... au Secours populaire. Parce que « taper sur un journal qui écrit n'importe quoi, se défend Malka, c'est encore contribuer à la liberté de la presse ».

La pression journalistique est quotidienne. Elle redouble après l'audition du suspect par quatre policiers qu'il n'a évidemment pas eus « au charme ». Il n'a pas été incarcéré, contrairement à ce qu'annonçait la rumeur, mais ça va saigner devant les juges ! Quand ? Dans une semaine ? dix jours ? un mois ?

Un soir, BFM se manifeste sur le portable de l'avocat : « DSK est entendu demain par les juges, on est sur la route de Lille... – Bonne route ! réplique Malka. Moi, je suis dans mon lit ! »

Deux jours plus tard, c'est Henri Leclerc qui est prié de confirmer une information « béton », sauf qu'il n'a reçu aucune convocation pour son client. La défense ne se fait plus dans la salle du tribunal, comme en 1881, date de la première grande loi sur la presse ; elle se joue devant l'opinion, au jour le jour, dans ce cas plus qu'en tout autre, avec cet homme qui ne cesse de dégringoler de Sofitel en Carlton, de femme de ménage en *escort girls*.

Malka « plaide » devant Yves Calvi sur RTL, sur Europe 1 face à Christophe Barbier, chez Nicolas Poincaré, en *off* devant un paquet de journalistes de la presse écrite ; il vilipende cette justice qui substitue au Code pénal un code moral, qui confond le droit et la vertu...

Quand la fameuse convocation finit par arriver, même le procureur de Lille n'est pas au courant. Seuls les avocats et les juges sont dans la confidence, tous d'accord pour éviter toute forme de justice spectacle. DSK pénètre en voiture dans le parking vers 14 heures, accède au onzième étage par un ascenseur bloqué, et ce n'est que vers 18 h 30 que l'information filtre vers les journalistes.

Frédérique Beaulieu s'attache aux faits, Henri Leclerc s'indigne avec force, Richard Malka cherche la faille, DSK ne s'énerve pas, mais la juge en chef reste hermétique, comme à l'abri derrière le mur de ses convictions. Malheureusement pour eux, de bonne foi.

Au fond d'eux-mêmes, les avocats croient à une décision de relaxe rendue à l'audience, mais voici que tombe la mise en examen, plus rude qu'une défaite électorale, pour « complicité de proxénétisme ». Le mal est fait, et ce n'est pas terminé, puisque la vie sexuelle de leur client devrait être publiquement détaillée au fil des audiences. L'une des trois juges, la plus importante, serait-elle atteinte du syndrome Eva Joly ? Brûlerait-elle de faire tomber la tête d'un puissant, doublé d'un obsédé sexuel ? Peut-être. En tout cas, les journalistes mordent à l'appât et même Richard Malka a du mal à faire contrepoids. Réfractaire à la « grivoiserie », la juge campe irrévocablement dans le camp du Bien, et les procès-verbaux ne tardent pas à poindre à la une du *Monde*, avec cette affichette ravageuse à l'appui : « Proxénétisme : les PV qui accusent DSK. »

Comment contrer cette campagne ? Dire qu'il ne savait pas que c'étaient des prostituées ? L'opinion ricanera. Dénoncer une « croisade » ? L'affaire new-yorkaise a jeté un certain froid. Lancer un débat sur le puritanisme, sur la pénalisation des clients de prostituées ? C'est la seule issue, mais y a-t-il un espace pour cela ? Est-il encore seulement possible de ressusciter DSK ? Retrouvera-t-il jamais, comme il le souhaite, un semblant de vie honorable, à l'écart de la vie politique ? Questions d'avocats, à cent lieues de ce que l'on apprend à la fac de droit...

Le père de Richard Malka était tailleur pour dames et savait à peine écrire le français, mais son premier stage à lui s'est passé idéalement, puisqu'il est resté sept ans auprès de son premier patron, qui n'est autre que Georges Kiejman, « le meilleur ». Assurance, divorce, droit du travail, droit de la presse : il touche à tout, « bosse comme un malade », et décroche un client pas comme les autres : *Charlie Hebdo*. Cavanna, Cabu, Wolinski, Val l'intègrent à la « famille » et le suivent lorsqu'il crée son propre cabinet en janvier 1999. La déconnade, le décalage, cet humour méchant : c'est sa culture. L'affaire des caricatures de Mahomet, en 2006, est pour lui l'équivalent d'une « vitrine mondiale », avec en prime une montée des marches, à Cannes, pour la présentation du documentaire de Daniel Leconte, *C'est dur d'être aimé par des cons*. La veille de la sortie du journal, la mosquée de Paris et l'Union des organisations islamiques de France ont réclamé son interdiction. Trois heures plus tard, l'avocat a fait annuler l'assignation : petite victoire fêtée au champagne avec le préfet de police, Pierre Mütz, qui a fait visiter ses locaux à l'équipe. Georges Kiejman appelle alors Malka : « Je voudrais bien être ton collaborateur sur cette affaire ! – Avec bonheur ! »

Près de quatre cents journalistes veulent assister à l'audience en février 2007. Le plaignant est défendu par Christophe Bigot et Francis Szpiner, du solide, mais, puisque « Georges » est là, tout ira bien. Leur stratégie :

politiser et faire voler en éclats cette coalition bien-pensante qui crie à l'islamophobie. Créer un rapport de forces sans jamais pécher par méconnaissance de l'islam, du Coran, de l'histoire du blasphème et de celle de la caricature.

Pour *Charlie* défilent François Hollande, François Bayrou, Élisabeth Badinter, sans oublier le renfort par courrier, en pleine audience, du candidat à la présidence de la République, Nicolas Sarkozy, qui écrit : « Un excès de caricature vaut mieux qu'un excès de censure. » La messagère de l'UMP ne peut pénétrer dans la salle d'audience, mais une avocate apporte la lettre à Malka, qui transmet à Kiejman, lequel se lève et interrompt les débats. Szpiner se lève à son tour et conteste le statut de ce témoignage, surgi sans l'autorisation du Conseil des ministres. Kiejman reprend la parole : « Aucun problème : je n'ai pas lu cette lettre, le tribunal ne l'a pas entendue, et la presse n'en parlera pas. » Malka en est encore bouche bée...

La pression est « inhumaine », le retentissement planétaire ; même en rêve, Malka ne l'imaginait pas, surtout qu'au même moment il vend 250 000 exemplaires de la BD qu'il a signée avec le journaliste Philippe Cohen, *La Face karchée de Sarkozy*...

« L'espace de quelques jours, tu es le général en chef, mais le jour d'après, tu n'es plus rien », laisse tomber l'avocat. Mais ces combats pour des principes lui conviennent mieux que d'aller visiter derrière les barreaux des gens pour lesquels il sait qu'il concevra bien trop d'empathie. Plutôt défendre *NRJ*, *Entrevue*, *Charlie*, *Métro*, le Cherche-Midi, Daniel Leconte, Olivier Nora, Philippe Cohen ou Raphaëlle Bacqué que le héros d'un tragique fait divers. Plutôt monter en première ligne pour sauver le *Carlos* d'Olivier Assayas que pour disculper un terroriste : il a suivi pas à pas l'écriture du film et gagne le référé intenté par l'épouse, avocate, du « combattant » vénézuélien. Commentaire de Malka : « Il faut donner au juge l'envie de te donner raison, puis lui en fournir les moyens. Si le tribunal avait retenu l'atteinte à la présomption d'innocence pour Carlos, alors on ne pouvait plus rien dire de Hitler, Pol Pot ou Saddam Hussein, puisqu'ils n'ont jamais été jugés ! »

La 17e chambre correctionnelle est son îlot parisien. « C'est une chambre très littéraire, où l'on juge des mots, explique Malka, une chambre qui exerce une lourde responsabilité puisqu'elle est au cœur de la vie intellectuelle et politique du pays. » Il en connaît la jurisprudence, il sait à peu près quel degré d'humour il peut s'y permettre et, même si les magistrats « tournent », il se sent un peu chez lui devant cette instance où on laisse encore les avocats plaider. « Les mots, dit-il, c'est le pouvoir. L'important, ce n'est pas le mot lui-même, c'est son effet. On a beau bafouiller, bégayer, les mots déclenchent toujours une émotion. Mais le "bon mot" peut vite devenir le pire ennemi de l'avocat et desservir le client ou la cause. »

C'est devant cette chambre qu'il prend la défense de la défense et plaide pour son « père spirituel », Georges Kiejman, poursuivi par son confrère Olivier Metzner pour une interview salée dans *Le Journal du dimanche*. Il plaide une heure et demie, et gagne « sur la passion », revendiquant pour l'avocat le droit au « politiquement incorrect » et cette liberté de parole qu'il est, selon lui, l'un des derniers à cultiver.

Avec Kiejman, Malka a appris à intégrer à la défense les dimensions historique, politique et philosophique, en même temps qu'une certaine audace. Dans ces procès retentissants, cela pèse autant que le droit. L'affaire de la crèche Baby-Loup en est une autre illustration.

Petit résumé : une réfugiée politique chilienne, Natalia Baleato, ouvre une crèche à Chanteloup-les-Vignes, au début des années 1990, avec l'appui d'Élisabeth Badinter. Les filles des cités voisines viennent préparer auprès d'elle leur diplôme de puéricultrice, et tout se passe dans la plus grande harmonie jusqu'au jour où l'une des salariées revient voilée d'un très long congé de maternité, et demande à être licenciée. « Non seulement on n'en a pas les moyens, mais on a besoin de toi », lui répond-on. Elle insiste. On lui cède. Elle mobilise alors toute la cité et s'en va trouver la Halde, qui embraie sur la « discrimination » au nom de la liberté religieuse. Une puéricultrice voilée dans une crèche laïque ? Les jours de Baby-Loup semblent comptés, avec des pouvoirs publics qui regardent ailleurs, mais la Chilienne entend vendre très cher sa peau. « Notre rempart, lui suggère Richard Malka, ce seront les médias. » Et de proposer de porter le fer contre la Halde et ses « grands bourgeois qui n'ont jamais passé le périphérique et ne voient pas les dégâts qu'ils causent en rallumant des guerres de religion ». *Le Point*, *Elle* et *Le Parisien* s'en mêlent. Louis Schweitzer est remplacé à point nommé à la tête de la Halde par Jeannette Bougrab... qui témoigne devant les prud'hommes de Mantes-la-Jolie pour Baby-Loup, contre sa propre institution, à l'abri d'un bataillon de CRS et d'un fourgon de gars des RG sur les dents. L'élu socialiste Manuel Valls apporte lui aussi son soutien à la créatrice de la crèche, devant une salle comble comme on n'en avait jamais vu à Mantes.

Plusieurs organes de presse penchent certes du côté de la plaignante, mais Richard Malka a su rameuter quelques journaux. « Les répressions démocratiques avancent toujours masquées derrière la lutte contre la discrimination », avance-t-il avant d'invoquer l'article premier de la Constitution et la République laïque devant des conseillers prud'homaux et un président cégétiste passablement terrorisés par un tel déferlement de haine : la présidente de « Ni putes, ni soumises » se fait traiter de « traître » et de « pute à juifs », tandis qu'est lancé sur internet un site consacré à « Malka le sioniste ». Le débat, houleux à l'intérieur du tribunal, explose à chaque sortie sur le parvis, et l'avocat sent bien que se joue là « quelque chose qui concerne tout le pays ».

Deux mois plus tard, la victoire est totale, puisqu'elle sera confirmée par la cour d'appel de Versailles (la Cour européenne, à ce jour, ne s'est pas encore prononcée). Elle est d'autant plus savoureuse qu'on avait dit cette bataille perdue d'avance, que la crèche existe toujours, et que la cliente a tenu le coup jusqu'au bout. Preuve, une nouvelle fois, que l'avocat a bien joué en consacrant la moitié de son temps à occuper un espace médiatique délaissé par ses adversaires !

THIERRY LÉVY, TREMPÉ DANS L'ENCRIER

« Le bal de l'affaire Bettencourt m'a énormément intéressé. L'histoire en elle-même est banale : un type qui pique du fric à une vieille, c'est toujours le même mécanisme, celui de la séduction, mais, d'un coup, ce mécanisme banal prend une ampleur considérable parce qu'il a piqué un milliard. Ça devient une œuvre d'art ! »

S'il s'interdit de juger, Thierry Lévy, avocat depuis 1969, ne se prive pas de lire. Les livres, dans ce magnifique bureau de la rue de Varenne, avec vue sur le musée Rodin, sont empilés à même le sol, mais lui-même ne parle pas facilement à livre ouvert : « L'avocat doit s'effacer devant la cause qu'il défend, assure-t-il ; quand il est dans le récit, il n'est plus dans son métier. Quand on vous confie une affaire, un lien très fort se crée, assorti d'une obligation de secret absolu. Il y a certes moins de secret qu'on ne le dit, mais quelque chose de très intime entre l'avocat et celui qu'il défend. »

Le romanesque prend vite le dessus lorsqu'on écoute le plus littéraire des avocats, qui n'attend pas longtemps avant d'évoquer Cicéron, « le grand avocat romain qui construisait ses plaidoiries comme on fait visiter une maison, en commençant par le bas avant d'accéder aux étages ».

« S'approprier l'histoire qu'on a reçue en dépôt, en tirer un profit personnel, c'est du vol, poursuit-il. La relation est toujours conflictuelle avec le client, d'autant plus que ce conflit n'est pas ouvert, mais larvé. Le client a besoin de l'avocat pour expérimenter sur lui ses arguments, mais l'avocat propose un récit sensiblement différent. Une rivalité s'instaure. Accusé, on occupe une position apparemment faible, mais, dans le même temps, être accusé, cela vous expose aux dangers et vous met sur la sellette, d'une certaine façon vous hisse sur un piédestal. L'accusé se retrouve face à des gens – juges, policiers – qui s'intéressent à lui de manière pressante, et c'est valorisant. Les policiers exploitent ça très bien : ils n'ont guère besoin de tabasser, il suffit de montrer à la personne qu'on s'intéresse à elle pour qu'elle parle. Et une fois qu'elle commence à parler, il est difficile de l'arrêter. C'est comme pour les avocats : c'est la fin qui est difficile. Pour conclure, il faut lâcher quelque chose : c'est une espèce de mort. »

Sur les rayons de la bibliothèque, Minc côtoie Kundera, Rimbaud et le *Bottin gourmand*. Mais c'est de voiture que Thierry Lévy se préoccupe ces jours-ci, plus précisément des héritiers de M. Renault, l'inventeur de la boîte de vitesses, quand M. Citroën créa la traction avant. De voiture et d'histoire, car l'affaire dont il est question prend sa source dans une ordonnance de janvier 1945 « intouchable moralement, politiquement et juridiquement ». Qui soutiendra que de Gaulle a pu prendre une décision contraire à l'intérêt public ? C'est la thèse que l'avocat défend au nom des héritiers de Louis Renault, qui, par la faute de cette ordonnance, « ont vécu leur enfance comme des parias moraux ».

« Le Gouvernement provisoire n'est pas représentatif, affirme Thierry Lévy, car il n'y a pas alors de Parlement. Il n'a aucune légitimité, contrairement au gouvernement

Pétain. Les ordonnances sont par ailleurs des textes hybrides qui ne deviennent lois que lorsqu'elles sont ratifiées par le Parlement. L'ordonnance qui nationalise les usines Renault, sans indemnité, est contraire à toutes les garanties offertes par la Constitution. Après la mort de Louis Renault, qui n'a pas été jugé, elle prive ses héritiers de leur bien. On peut condamner quelqu'un et confisquer ses biens, mais les usines ont été nationalisées sans que soit versée la moindre indemnité, ce qui est un cas unique, y compris dans les affaires de collaboration. Cette ordonnance porte atteinte au droit de propriété comme à la présomption d'innocence. »

L'affaire n'est pas prescrite, assure l'avocat, puisque, avant 2010 et les premières « QPC[1] », il était impossible de contrôler la constitutionnalité de ces actes, donc aux héritiers de se manifester. Mais Thierry Lévy n'avance pas en terrain conquis, loin de là. Face à lui, l'Agence judiciaire du Trésor, le préfet de Paris, la fédération CGT de la métallurgie, plus une fédération d'anciens déportés, qui tous affirment que le tribunal de grande instance est incompétent pour juger une pareille affaire...

Déjà, en 1961, les héritiers Renault ont été déboutés par le Conseil d'État. C'est à cause d'un musée qu'ils ont fait la connaissance de Thierry Lévy : le musée en forme de crypte construit à Oradour-sur-Glane, sur les lieux du massacre perpétré par les nazis. Au milieu des documents retraçant les crimes de la division Das Reich trônait une photo de Louis Renault avec une légende évoquant les livraisons de chars aux Allemands par la firme automobile. Les héritiers ont demandé le retrait de cette image, mais ont perdu en première instance. Me Lévy leur a permis d'obtenir satisfaction en appel, et le fait de voir ce premier verrou sauter leur a donné l'envie de relancer leur action en justice au sujet de la « confiscation » de leurs biens. Louis Renault ne possédait-il pas 90 % des actions de sa

---

1. Question prioritaire de constitutionnalité.

firme ? Sans compter un très gros patrimoine immobilier...

Que dira le Conseil constitutionnel ? Thierry Lévy se prend à cette guerre judiciaire peu conventionnelle dont il sait qu'elle est loin d'être gagnée d'avance. Mais sa vie est aussi ailleurs. Il se mêle ainsi de l'affaire du groupe de Tarnac, dossier qu'il suit avec Mᵉ Jérémie Assous : « De 1945 à 1960, il y a eu beaucoup de procès à gros enjeux politiques : l'épuration, l'OAS, le FLN. Puis il y a eu Action directe, le gauchisme. Tarnac s'inscrit dans cette continuité. Clearstream, à côté, est une affaire de voyous politiques. Il y avait à l'époque des avocats combatifs qu'on ne voit plus. Le Palais en regorgeait, de Tixier-Vignancour à Vergès, de Kalflèche à Varaut ou Isorni. Il y avait une insolence, une résistance, un refus de s'incliner devant les pouvoirs. Cela reviendra. Un courant se perpétue, qui dépasse les clivages gauche/droite, celui d'une résistance à l'autorité... »

Des frères Claude et Nicolas Halphen, poursuivis pour leur participation aux attentats d'Action directe, aux intellos anti-TGV du groupe de Tarnac, en passant par la rebelle famille Renault, Thierry Lévy a de la suite dans les idées. « Les juifs ont un lien avec les gens sans terre, les déracinés, avec le peuple des temples, souligne-t-il. Quand j'ai connu Pierre Goldman et lu ses *Souvenirs obscurs d'un juif polonais né en France*[1], j'ai compris ce lien avec la judaïté... »

Avec ses confrères, il peut aussi se montrer livresque : « Il y a chez les avocats une vanité telle qu'elle en revêt presque un sens mercantile. La vanité accompagne le condamné à mort qui veut passer avant l'autre, comme l'a raconté Victor Hugo. Le grand problème, c'est de ne pas se mettre à la place de celui qu'on défend. Le danger est de prendre plus de place que l'affaire elle-même. »

---

1. Éditions du Seuil, collection « Combats », 1975.

Étudiant à Sciences-Po, Thierry Lévy a passé un été dans la maison parentale avec Jacques Attali à préparer le concours de l'ENA. « Il prétendait diriger l'État. Ma seule vocation était de lire et faire l'amour, puis il a fallu que je gagne ma vie. Les gens de justice ne m'attiraient pas. J'éprouvais pour eux une grande antipathie. Ce qui touchait à la justice me faisait peur. C'est là que les gens se faisaient le plus mal... »

Des journaux, il est alors question. Son père – « nationaliste, une chose très répandue à l'époque » – avait vingt-cinq ans en 1900. Il a travaillé avec Georges Clemenceau et créé en 1919 un journal, *Aux écoutes*. Quand le statut des juifs lui a interdit de gérer un organe de presse, il a cédé sa place. À sa mort en 1960, la mère, qui a été avocate, a pris la tête du journal. Thierry Lévy le dirige à son tour pendant deux ans et en fait un journal de gauche – « une entreprise suicidaire ». Tombe une condamnation pour diffamation envers Jacques Foccart, le « Monsieur Afrique » du gaullisme : 80 000 francs de dommages et intérêts pour l'avoir qualifié de « Père Joseph du régime ». Puis une nouvelle condamnation pour « atteinte à l'autorité de la justice » pour avoir commenté ce jugement. À l'heure de plaider, Thierry Lévy est devenu avocat : il avait trouvé ses premiers défenseurs « nuls ». « L'un d'eux plaidait comme s'il s'agissait d'une petite histoire, alors qu'il s'agissait du sort du journal ! C'était humiliant. »

Jean-Marc Varaut, « courtois et bien élevé », propose à Thierry Lévy un petit bureau avenue Hoche, où il s'est installé avec Roland Dumas. Il devient l'avocat de la télévision, « d'un tas de journaux », d'humoristes et de caricaturistes, au nom de la « liberté de pensée » : « Il y a une espèce de conformisme qui me fait horreur. L'être humain est fragile, mais il peut penser librement, et le fait si peu. » Les tribunaux où l'on juge les affaires de presse et d'édition, il connaît. Un jour, l'ex-juge d'instruction antiterroriste Jean-Louis Bruguière fait déraper sa plume, dans ses mémoires, en présentant comme coupable un acquitté, l'un des frères Halphen. Thierry Lévy poursuit devant la justice un Bruguière « dans ses petits souliers ». Mais le parquet de Lyon veille, qui demande la relaxe de ce magistrat forcément de bonne foi. Avec, dans les couloirs, ce commentaire de Bernard Debré venu soutenir l'ancien juge passé en politique : « Je trouve scandaleux qu'un ancien terroriste attaque un ancien juge. »

À l'idée de faire tomber les masques – « position assez confortable moralement, plus que celle de celui qui condamne » –, l'avocat « jubile » : « Un témoin bute sur un mot, et tout est bouleversé. »

Le livre qui lui a plu le plus, avant de devenir avocat, ce sont les *Souvenirs de la cour d'assises* d'André Gide. Où il écrit qu'on ne peut pas juger. Dernier titre cité : l'histoire, contée par Tolstoï, de ce juré qui découvre qu'il doit juger une femme qu'il a violée quand elle était servante chez lui.

L'avenir de l'avocat ? « Son rôle augmente au fur et à mesure que l'État ne cesse de s'affaiblir. L'État doute de lui-même, les institutions sont mises en cause, l'avocat prend d'autant plus d'importance que l'État recule devant la personne. »

JACQUES-GEORGES BITOUN ET LES SECRETS DE L'ÉCRAN

Pull vert clair, pantalon de velours bordeaux, veste marron à petits carreaux : Me Jacques-Georges Bitoun n'est pas avare de couleurs. Il n'a pas non plus sa langue dans sa poche, lui qui s'est déjà entendu répliquer à un producteur de cinéma : « C'est une idée à la con que vous avez là ! » Thomas Langmann et bien d'autres grands noms du cinéma et de la télévision le consultent pour verrouiller des contrats de plus en plus sophistiqués. Me Georges Kiejman, un « pro » de la propriété intellectuelle, détesterait se retrouver face à lui dans un dossier. Le producteur Luc Besson aussi, d'ailleurs. Quant aux conseillers juridiques de TF1, ils ne l'ont probablement pas vu venir, avec son allure bien peu technocratique : s'ils avaient flairé son obstination, s'ils avaient su qu'il ne laissait jamais un client « à poil » dialoguer avec un adversaire « en armure », ils s'y seraient sans doute pris autrement...

Son précédent film (*Inside Man*) ayant généré entre 300 et 400 millions de dollars de recettes, les producteurs se sont bousculés au portillon pour financer le suivant : le réalisateur noir américain Spike Lee a pour ainsi dire carte blanche. TF1 a acheté quasi les yeux fermés les droits pour le monde entier, hors les États-Unis et l'Italie, en octobre 2007. Sujet : un pan occulté de l'histoire de la Seconde Guerre mondiale, révélé par un livre de James McBride, relatant en parallèle l'anéantissement d'une division de Buffalo Soldiers et le massacre par les troupes allemandes de la population d'un village de Toscane, femmes et enfants compris. Titre : *Miracle à Santa Anna.*

À l'approche de la livraison du long métrage, au printemps 2008, TF1 s'étonne bruyamment de sa longueur : près de trois heures. Le contrat n'évoque-t-il pas un film de moins de deux heures ? La chaîne a déjà prévendu le « produit » au festival de Cannes. Elle exige une version courte pour une sortie sur les écrans dès le mois d'octobre. Spike Lee est ulcéré, d'autant plus qu'il a assuré la promotion du film avec la chaîne de télé, dont les responsables se sont bien gardés de lui faire quelque remarque négative que ce soit, mais il s'exécute et ramène le film à deux heures trente-cinq.

Le mois de mai 2008 est marqué par un événement imprévisible qui va influer considérablement sur la carrière du film. Pris dans la tourmente d'un scandale mondain mêlant sexe et drogue, le président-directeur général de TF1 International, Patrick Binet, démissionne à quelques jours du festival de Cannes. Profite-t-on de l'occasion pour enterrer un projet auquel on ne croit plus ? Pour tout interlocuteur, les producteurs italiens n'ont plus en face d'eux que le directeur des services juridiques. Ils demandent des nouvelles de Cannes : on leur dit que la stratégie a changé et que c'est à Toronto que le film sera vendu. « Suicidaire », estime l'un des producteurs italiens, tandis que TF1 avance d'un mois la date de livraison pour une sortie le 1er octobre 2008.

La chaîne privée française revient à la charge en évoquant la longueur du film, difficile à exploiter, selon elle, en salle comme à la télévision, « en raison des créneaux horaires et de la publicité ».

Les producteurs finissent par s'en remettre à leur avocat italien, qui fait entrer en piste Jacques-Georges Bitoun, auquel Spike Lee fait une « confiance totale, comme dans le film *Danse avec les loups*, en tremblant parfois un peu... », s'amuse à raconter l'avocat.

Du monde de l'art, on bascule alors dans celui du droit et de la finance. La livraison n'étant à ses yeux pas conforme, TF1 a demandé à la banque Fortis, devenue entre-temps BNP-Paribas, de ne pas payer, laissant le montant à la charge du garant... qui saisit le tribunal arbitral concerné à Los Angeles. Verdict : la chaîne a été livrée et la banque doit payer les 11 millions de dollars réclamés.

La chaîne se tourne vers le tribunal de commerce de Paris, lequel se déclare incompétent à la demande de Me Bitoun, qui obtient un renvoi devant le tribunal correctionnel. Le jugement rendu le 21 juin 2011 est sévère : non seulement les producteurs récupèrent les droits sur leur film, mais TF1 doit verser, en sus des 11 millions de dollars, un million d'euros à titre de dommages et intérêts à la société italienne, 1,5 million à Spike Lee, et 200 000 euros à James McBride.

Être avocat des créateurs, à en croire Me Bitoun, est une source inépuisable de surprises, bonnes ou mauvaises, entre ceux qui « donnent leurs tripes », les « hystériques » et les « paranos ». Mais ce qui compte, devant la justice, rappelle-t-il, ce sont les preuves. Et, dans l'affaire Spike Lee contre TF1, elles ont été difficiles à rassembler, même si les producteurs italiens connaissaient bien leur métier, en tout cas suffisamment pour « résister » à huit jours d'arbitrage aux États-Unis ! L'arrogance de la partie adverse a également joué en faveur de ces vieux messieurs, plus intéressés par l'art que par sa valeur financière. La chaîne était-elle allée un peu vite en commandant un film consacré à la participation des Noirs à la dernière guerre (qui a fait quelques entrées au Japon, mais n'est finalement jamais sorti en France) ? Hypothèse recevable, selon les experts qui savent combien ces projets peuvent parfois ressembler à des parties de poker, mauvaise foi comprise.

« Dès lors que vous montez un film, vous trichez, car vous êtes d'emblée en cessation de paiement, observe Jacques-Georges Bitoun. Vous vous "mouillez" de 10 millions que vous n'avez pas ! S'il y a là une morale à long terme, elle n'existe que pour ceux qui réussissent. Les autres se plantent et, avec eux, un tas de gens. »

Défendant un jour la veuve de l'auteur d'un livre à succès adapté au cinéma, *Le Scaphandre et le Papillon*, il réclame à la maison Pathé, géant du secteur, le versement de 1 % des droits à chacun des enfants au lieu des 0,1 % prévus. Vertement éconduit, il étudie de plus près les contrats de l'éditeur et découvre qu'ils sont défaillants. Il écrit à tous les protagonistes pour leur proposer de se mettre autour d'une table et d'en discuter. Georges Kiejman, avocat du producteur, réplique en envoyant un huissier. Mise en demeure de signer, la veuve laisse éclater sa colère. Elle qui présentait jusque-là un profil plutôt conciliant, demande à son avocat de tirer à boulets rouges. Mᵉ Bitoun ne se fait pas prier et le résultat ne tarde pas : Pathé négocie et propose le paiement de droits dix fois supérieurs à ceux réclamés au départ. L'éditeur a beau s'entêter, la cour d'appel finit par le condamner à rembourser à la famille les droits perçus...

Avocat depuis 1960, Me Bitoun est ainsi : on n'entend jamais parler de lui, mais il empêche souvent les ténors de danser en rond. Ce qui les énerve d'autant plus qu'il n'est pas des leurs. Qu'il ait face à lui Paramount ou Warner, peu lui chaut : c'est un authentique indépendant. Prêt à tout pour mettre à l'épreuve les contrats qu'on lui soumet, comme le prouve cette visite osée à un cabinet d'avocats de Los Angeles auquel un de ses clients doit la coquette somme de 150 000 dollars. Jacques-Georges Bitoun scanne le document, change le nom, les sommes, et s'en va soumettre ce contrat au spécialiste du contentieux en poste dans le cabinet en question. « C'est mal foutu », tranche son interlocuteur, qui accepte de coucher ses impressions sur papier moyennant 5 000 dollars. Muni de ce document, Me Bitoun n'a plus qu'à aller frapper à l'étage au-dessus pour négocier. « *It's not fair !* s'exclame l'avocat américain. – Parce que vous êtes élégants, vous ? » demande le Français. L'affaire en reste là, à la grande satisfaction du client qui ne déboursera pas les 150 000 dollars.

Dans le domaine de la création, les plus forts croient toujours qu'ils vont remporter la partie, mais « il y a toujours une petite faille dans l'histoire », note Bitoun, qui a choisi son camp de prédilection : le cinéma. Plutôt permettre à un réalisateur et à vingt techniciens d'achever un film que de festoyer sur la dépouille du producteur en faillite. De là à se retrouver derrière la caméra, il n'y a qu'un pas que l'avocat franchit avec humour en invoquant l'histoire du septième art : « Quand les grands producteurs américains sont morts, les avocats se sont retrouvés à la tête des *majors*, et ils ont inventé quelque chose : le *remake*. Heureusement pour le cinéma, d'autres producteurs ont pris le relais ! »

Quand Me Bitoun a prêté serment, c'était déjà un « fou de ciné ». Tous les jours fourré à la Cinémathèque avec un public de cinéphiles, il assistait tous les ans au festival de Cannes pour s'envoyer jusqu'à huit films par jour ! C'est ainsi qu'il est devenu familier de ce milieu, lui dont la mère tenait un stand de tir dans les fêtes foraines. Il a installé son premier bureau chez elle, le bâtonnier a fermé les yeux sur cette anomalie, et il est devenu l'un des grands connaisseurs de la très complexe loi de 1957 sur la propriété intellectuelle. Admirateur de Mᵉ Léo Matarasso qui avait assuré la défense, entre autres, de Zhou Enlai, Premier ministre de la République populaire de Chine, il a depuis longtemps quitté le giron maternel pour s'établir dans le XVIᵉ arrondissement de Paris, avant de glisser vers l'avenue Montaigne, à deux pas des Champs-Élysées.

Il arrive souvent qu'un auteur blessé et grugé reparte de son cabinet en disant : « Au revoir, docteur ! », après avoir pleuré un bon coup. Ses adversaires le craignent, mais il ne promet pas l'acquittement si le dossier n'est pas bon. « Gagner une affaire, c'est la cerise sur le gâteau, dit-il. Vous avez offert une psychanalyse au client en travaillant son dossier, vous l'avez délivré et vous lui obtenez des dommages et intérêts. »

Quant à lui, il ira voir pour la deux cent unième fois *Les Enfants du paradis*. À la sortie, il se souviendra encore de cette année où il a avalé d'un coup le programme des classes de quatrième, troisième, seconde et première après avoir été ajusteur et avoir réparé des avions dans l'armée, conseillé pour cette remise à niveau par un militant des Jeunesses socialistes rencontré dans une des boîtes de Saint-Germain-des-Prés...

Jacques-Georges Bitoun ne se voit pas seulement comme quelqu'un qui « tire vite » : il assure que, à l'instant d'appuyer sur la détente, il n'a pas le soleil dans l'œil. Pas plus que sa mère lorsqu'elle ouvrit l'arcade sourcilière du soldat allemand qui venait de lui mettre la main aux fesses sur son stand en 1940. Si son travail était un genre cinématographique, ce serait le polar, « où il y a quelqu'un qui a vraiment l'air coupable, mais qui ne l'est pas ». Il incarnerait ce détective privé qui essaie de prouver l'innocence de son client, « c'est-à-dire la culpabilité d'un autre » !

Chapitre 11

Secrets de la République

CLAUDE, LEIBOVICI & SARKOZY ASSOCIÉS

Comment faire vivre un cabinet d'avocats avec Nicolas Sarkozy parmi les associés ? Comment faire tourner la boutique sans se prendre les pieds dans les conflits d'intérêts, quand l'un des fondateurs est devenu un homme politique de premier plan ? L'exercice est délicat, mais Mᵉ Arnaud Claude considère qu'il n'a pas commis en l'occurrence d'impair majeur. Il a régulièrement pris des flèches, le plus souvent dans le dos, mais assure avoir évité les principaux écueils, en partie grâce aux options prises par son associé et ami de toujours – ils se sont connus à l'heure de prêter serment, en 1977, mais Nicolas Sarkozy n'a rejoint qu'en 1987 le cabinet créé par Arnaud Claude et Michel Leibovici (décédé depuis lors), convaincus par le « dynamisme » du jeune avocat.

« La volonté d'indépendance a été la clef de tous les choix effectués par Nicolas, affirme Arnaud Claude, de deux ans l'aîné de son associé. Il a fait en sorte d'échapper à toute subordination, de rester financièrement indépendant, de ne pas avoir à renvoyer l'ascenseur, de n'être lié à aucune entreprise. »

Comment tenir cette ligne de conduite sans risquer la faillite ? Quand Nicolas Sarkozy devient ministre du Budget en 1993, le cabinet cesse de prendre des dossiers fiscaux, précise Arnaud Claude. Mauvais choix économique, certainement, à voir le nombre de confrères qui, à l'époque, proposent au cabinet de coopérer au traitement de leurs dossiers. Lorsqu'il quitte Bercy en 1995, pour cause de changement de majorité, le même Sarkozy refuse de nombreuses propositions, toujours au nom de son indépendance : « Il aurait pu devenir le numéro deux d'une boîte du CAC 40, mais il choisit de redevenir avocat pour n'avoir de comptes à rendre à personne, hormis ses associés », poursuit Me Claude. Rejoindre un de ces gros cabinets d'affaires pour pantoufler et faire roucouler son carnet d'adresses ? Ce ne sont pas là de vrais avocats ! décrète celui qui rêve déjà de devenir président de la République.

« Nicolas Sarkozy a eu le goût de la politique avant d'avoir le goût pour ce métier, même si sa mère était avocate, raconte Arnaud Claude sans voiler son affection. À la fac, déjà, les activités politiques prenaient chez lui le pas sur le reste, mais qu'il revienne au cabinet quand il est mis à la porte du gouvernement me choque d'autant moins qu'il ne dispose pas d'une fortune personnelle susceptible de le mettre à l'abri. »

Contrairement à beaucoup d'autres, ce n'est donc pas le métier d'avocat qui a conduit Sarkozy à la politique, mais ce métier-là a toujours été pour lui un « refuge ». Avec, pour bagage, ces qualités qui ne doivent pas faire défaut à l'avocat et que Me Claude distingue chez son associé : faculté d'expression, force de persuasion, sens du contact, sans oublier cette capacité de « se concentrer sur un sujet pendant un certain temps et de montrer à la fois que l'on maîtrise le sujet et qu'on ne vit que pour lui ».

« Nicolas, on le briefe cinq minutes, et c'est comme s'il s'était plongé dans le dossier depuis deux ans, dit Arnaud Claude avec un brin d'admiration. Il n'est jamais sec sur un problème, même technique. Dans les négociations, il a du poids. Il n'a plaidé que très jeune, mais cette méthodologie l'a beaucoup servi en politique, où il faut vite ingurgiter ce que vous apportent vos conseillers. Avocat comme politique, on est dans le combat, avec un arbitre qui est parfois un adversaire. On se prend des chocs émotionnels en permanence. Quel est l'avocat qui ne s'est pas réveillé en pleine nuit en train de plaider ? La politique, c'est la même chose, on y pense tout en se rasant, mais ce n'est pas pareil d'être acclamé place de la Concorde par des dizaines de milliers de personnes et d'être félicité par un confrère à la sortie de l'audience... »

Installé boulevard Malesherbes, non loin de l'église Saint-Augustin, le cabinet compte une petite quinzaine de collaborateurs. Nicolas Sarkozy reste l'un d'eux lorsqu'il devient ministre de l'Intérieur en 2002. Cela peut paraître antinomique aux yeux de certains, mais il y tient. Quand il devient président de la République, en 2007, il aurait encore eu le droit de demeurer membre de cette société d'avocats, assure Me Claude, mais tous deux ont préféré faire autrement. Ni l'Ordre des avocats, ni la loi ne les y contraignaient : « Il suffisait qu'il cesse toute activité d'avocat pour être en règle » ; mais Arnaud Claude décide de louer les actions (34 %) de Nicolas Sarkozy, qui percevra tout à fait officiellement un loyer annuel dont le montant a été fixé avec l'administration fiscale, tout en transformant le cabinet Claude & Sarkozy en Claude & Associés, plus léger à porter. Sarkozy n'en reste pas moins inscrit au barreau, comme c'est apparemment l'usage depuis qu'une décision du Conseil de l'Ordre autorisa Raymond Poincaré, puis François Mitterrand, à exercer les plus hautes fonctions sans avoir à raccrocher leur robe.

Les journalistes ne s'arrêtent pas à ces annonces officielles et, pendant un quinquennat entier, vont « passer le cabinet à la moulinette », selon l'expression de celui qui est alors en première ligne, Arnaud Claude. Il n'en conserve pas un souvenir impérissable. « Il y a peut-être des journalistes sérieux, constate-t-il, mais la plupart ne savent pas lire un bilan. Ils recherchent l'événement le plus croustillant pour le mettre en exergue, mais sont loin d'être toujours compétents. » De quoi l'inciter à la plus grande prudence avant d'accepter un nouveau dossier, les incompatibilités étant à leur comble depuis l'entrée de l'associé à l'Élysée. De quoi le conforter, par ailleurs, dans son choix de se tenir le plus écarté possible de ces médias dont il n'a guère besoin dans ses spécialités. Mais Arnaud n'en veut pas à Nicolas pour les « emmerdements » en cascade qu'a suscités son succès électoral.

Quel est ce cabinet auquel le président de la République reste si attaché qu'on lui réserve un bureau (provisoirement transformé en salle de conférence), où l'on n'a jamais cessé, en fait, de considérer qu'il y était comme chez lui ? « Je suis un technicien, dit Arnaud Claude, fils d'un libraire de Saigon. On plaide de six à huit affaires par jour. On est dans le judiciaire à 80 %, ce qui fait de nous un cabinet très traditionnel. Et, je le répète, ce n'est pas Nicolas qui nous fait vivre, même s'il a contribué à notre notoriété. »

Le cabinet est partie civile dans la plupart des crashes aériens, une spécialité de la « maison », ce qui l'a plusieurs fois conduit à attaquer le constructeur d'avions Airbus ou la compagnie Air France. À entendre Arnaud Claude, on traite ici avec la même ardeur le très médiatisé crash du vol Rio-Paris et celui, nettement moins suivi par la presse, d'un avion de la compagnie Yemenia, aux Comores, dont plus de 70 % des passagers étaient français et qui a laissé dans le désarroi plus de 500 ayants droit. Le cabinet travaille aussi sur le crash de Charm el-Cheikh, en Égypte. Au début, personne ne parle argent, mais, très vite, l'indemnisation devient le principal sujet de préoccupation.

Mais le « cœur de métier » du cabinet Claude-Leibovici-Sarkozy, c'est l'immobilier. Achats, ventes, aménagement des villes, expropriations, équipements publics, opérations immobilières : les montages juridiques sont complexes et les communes, comme les compagnies d'assurances, ont besoin d'une assistance fiable. En toute transparence ? Le soupçon est forcément de la partie quand on compte parmi les associés l'un des personnages les plus influents de la droite française, mais Arnaud Claude assure que les temps d'opacité sont révolus et que l'époque est à la transparence. Et puis – argument massue – le cabinet se portait déjà à merveille avant la montée en puissance de Nicolas Sarkozy sur la scène politique.

Quant à ceux qui prétendent que le cabinet doit une partie de son assise à la commune de Levallois-Perret, royaume du couple Balkany, cœur de ce que l'on appela le Sarkoland (les Hauts-de-Seine), Arnaud Claude les remet à leur place en quelques phrases : « La commune de Levallois-Perret est cliente du cabinet depuis 1981, à une époque où la mairie était tenue par les communistes ! Je l'ai héritée de mon patron de l'époque, chez qui Patrick Balkany ne décidait de rien. » Il ajoute que Michel Leibovici et lui-même avaient bâti un cabinet digne de ce nom avant que ne les rejoigne Sarkozy, et avant même que celui-ci ne devienne avocat.

« Le métier, c'est d'apporter des clients, analyse Arnaud Claude. Comme les médecins, on est avocat vingt-quatre heures sur vingt-quatre. C'est une question de survie. Cela fait partie intégrante du métier. » Or les clients sont volatils : le cabinet était l'avocat de l'OPHLM de Puteaux, autre fief de la droite dans les Hauts-de-Seine, mais, lorsqu'elle a succédé à son père à la tête de la municipalité, la fille Ceccaldi-Raynaud a coupé les ponts du jour au lendemain. Volatils ou intéressés, comme tous ceux – jusqu'à une cinquantaine par semaine – qui envoyèrent leur dossier en recommandé, espérant trouver une solution à leurs difficultés grâce à la proximité du cabinet avec l'Élysée entre 2007 et 2012. Rendant obligatoire un important travail de filtre, car le cabinet a beau avoir un Sarkozy dans son moteur, il n'en est pas pour autant faiseur de miracles...

« Moins on parle de nous, mieux on se porte », confie Arnaud Claude à une époque où son ami est encore président de la République. Certains directeurs juridiques ont eu, en revanche, du mal à convaincre leurs patrons de garder ce cabinet pour aller les défendre devant les prud'hommes : ils craignaient que la seule mention du nom de Sarkozy ne fasse pencher la balance de l'autre côté. Mais, selon Claude, les magistrats se sont habitués à voir ce patronyme à forte valeur ajoutée (ou diminuée !) sur les documents du cabinet. Revendiquant une certaine « normalité » avant l'heure, il assure avoir les mêmes soucis que les autres, ni plus ni moins, pour boucler sa trésorerie tous les mois. Avec un chiffre d'affaires (vérifiable au tribunal de commerce) qui a « normalement » crû chaque année de 5 %, pas davantage.

Du fait de cette association hors norme, Mᵉ Claude se prête-t-il un pouvoir particulier, un pouvoir « par contagion » ? « Si l'avocat a du pouvoir, dit-il, c'est celui de s'opposer à l'État. On peut se dresser contre l'État et jouer sur le mode du contre-pouvoir, comme font les médias. Il n'y a pas de démocratie sans avocats. En Chine, les avocats n'ont pas de marge de manœuvre ; ici, on a celles que nous offre la loi. On a le pouvoir de dire non au pouvoir. »

On ne le voit cependant pas beaucoup dans les cocktails, et c'est tout juste s'il ne se déclare pas éleveur de chevaux en Normandie quand il n'a pas envie qu'on le questionne. Quant à Nicolas Sarkozy, qu'il voit en général en tête-à-tête et avec lequel il ne parle pas politique, la messe est dite : après le sommet, plus rien ne lui donnera probablement autant de pouvoir.

Le cabinet Claude & Associés redeviendra-t-il Claude-Leibovici-Sarkozy ? La relève est là avec le fils Claude, le fils Leibovici, et peut-être bientôt Jean Sarkozy si celui-ci, qui avait commencé son droit, n'est pas trop vite dévoré à son tour par la politique. Quoi qu'il en soit, la plaque, soigneusement conservée, ne demande plus qu'à être réapposée.

Arnaud Montebourg,
l'avocat qui avait envie
de devenir président de la République

27 avril 2011 : Arnaud Montebourg reçoit dans un lieu neutre, un salon de l'Assemblée nationale. Pas encore candidat aux primaires socialistes, loin d'être ministre, mais depuis longtemps parlementaire, il en veut au Conseil constitutionnel, « une juridiction à la solde du pouvoir » : « Pourquoi irais-je plaider devant elle ? Je me moque de leur règlement intérieur et je récuse la totalité de ses membres. Ils sont nommés par les politiques. Ils sont en complet conflit d'intérêts pour juger cette affaire à 5 milliards. Je les tue ! Je tire le premier, il n'y a que ça qui marche ! »

Le Conseil constitutionnel, c'est l'actualité du jour pour le président du Conseil général de Saône-et-Loire. Qu'il est loin, le jour où il attaquait, robe sur les épaules, les obscurs dessous financiers de la mairie de Paris à l'époque de Jacques Chirac ! Pourtant, le lien entre ses deux carrières saute aux yeux : le pouvoir du verbe.

« Le pouvoir du verbe peut changer le monde, proclame Arnaud Montebourg. La rhétorique est la même, qu'il s'agisse de convaincre les jurés d'une cour d'assises ou les électeurs. Avec des mots, l'avocat peut changer la vie d'un individu, le politique peut influer sur celle de millions de personnes. Les avocats passent facilement à la politique parce que l'adversité ne leur fait pas peur. Ils vivent dans le conflit. Le conflit, ce n'est pas pour eux un drame, c'est leur vie quotidienne. »

Militant socialiste « depuis toujours », Arnaud Montebourg était un avocat engagé dont les causes avaient souvent partie liée avec la politique. Un jour, il a ressenti l'envie de troquer sa clientèle contre la société tout entière. De passer du statut de « défenseur des faibles » à celui d'« avocat des plus nécessiteux ». D'approcher le « vrai » pouvoir. De « faire », comme il le raconte :

« J'avais trente-quatre ans. Je m'ennuyais. J'avais fait le tour. Je ne pouvais espérer mieux. J'étais l'avocat du *Canard enchaîné*, j'avais fait déménager un Premier ministre[1], j'avais défendu Christine Villemin et Christian Didier, l'assassin de Bousquet... Quand on est avocat, on est enfermé dans ses dossiers. On est entre les mains de son client dans le cadre d'un litige. On est en situation d'infériorité par rapport au juge, au parquet. On est un mercenaire. Je me suis libéré de ce lien pour aller chercher la confiance des électeurs. Le politique, lui, est saisi par la société. Je n'avais pas besoin du pouvoir, mais de pouvoir faire. »

Arnaud Montebourg n'en loue pas moins ceux de ses ex-confrères qui « défendent la vérité, parfois avec courage ». Il cite Olivier Morice et William Bourdon, mais aussi celui qui a levé l'affaire du sang contaminé, et celui qui est à l'origine de l'arrêt Perruche[2] : « Ils contribuent évidemment à transformer la société », dit-il. Mais ce métier finissait par le « frustrer » : « Je suis un bâtisseur, poursuit-il. Le politique est celui qui fait des projets et convainc les gens de le suivre. La VIᵉ République que je prône, c'est la république des gens. Les énarques ont tué l'idée d'avenir et nous ont mis dans les mains du capitalisme financier. »

Parlementaire un jour, Montebourg n'entend pas le rester toujours. Au bout de quinze ans de mandat, il a compris que les députés ne faisaient la loi qu'en apparence, que le véritable pouvoir était entre les mains du gouvernement. « Je ne compte pas me représenter, annonce-t-il en ce printemps 2011, un an avant l'élection présidentielle. On est des potiches décoratives. Je veux

---

1. Alain Juppé.
2. Arrêt qui évoque la responsabilité médicale et le « préjudice d'être né handicapé ».

être dans le concret. C'est pourquoi je suis candidat à la présidence de la République, pour pouvoir faire ce que je n'ai pas pu imposer au Parlement. »

D'autres font le chemin inverse, pas pour les mêmes raisons. Élus, ils fantasment sur le métier d'avocat pour l'argent qu'ils espèrent engranger, par esprit affairiste et « pour faire du trafic d'influence légal », suggère Montebourg. Lui assure n'avoir pas fait ce métier pour l'argent : « J'aurais voulu être avocat fonctionnaire », dit-il. Cela lui aurait probablement évité les fins de mois difficiles pour cause de défense trop souvent gratuite. Il affirme aussi avoir « adoré » son métier. Mais, avant de se présenter à la députation, il a distribué ses dossiers, payé ses dettes et fermé la « boutique » pour éviter tout conflit d'intérêts.

Pas plus qu'il ne considère qu'un bon député fera nécessairement un bon avocat, Montebourg n'est convaincu qu'un bon avocat fera forcément un bon élu. « Il ne suffit pas d'être travailleur, obstiné, constant et habile, analyse-t-il. Il faut en plus de la patience, de la générosité, de la disponibilité, de l'écoute, de l'engagement, et le goût du risque. L'avocat prend des risques pour autrui ; le politique prend lui-même les coups. »

Avis aux amateurs !

XAVIER DE ROUX ENTRE PALAIS-BOURBON ET PALAIS DE JUSTICE

Xavier de Roux n'a jamais vraiment été un habitué de la buvette du Palais, ni tapé dans le dos de la bande de pénalistes rivaux-complices qui trustaient l'endroit au début des années 1980. Son cercle est celui des avocats d'affaires à vocation transfrontière. Il a connu Jean Veil « bébé » chez Gide et Loyrette, où il a commencé en 1962, avant d'en devenir un des principaux associés, et noué des liens dans les cinquante cabinets qui comptent à Paris, Lyon, Lille, Nantes (où prospère Frédéric Marchand, fils de l'ancien ministre de l'Intérieur Philippe Marchand) ou Bruxelles. Il les a retrouvés au Siècle, le club des élites, dont Jean Loyrette a été un pilier. Mais c'est surtout quand ils se rencontrent à l'étranger pour négocier un contrat pendant des semaines ou pour un colloque qu'ils se rapprochent.

Xavier de Roux a une autre casquette. Il est député, et l'on ne fait pas impunément partie du groupe parlementaire des amitiés franco-serbes à une époque où la France a rompu les ponts avec la Serbie. Faute de canaux, c'est par ces élus que passent les messages. Et c'est tout naturellement que Xavier de Roux se retrouve à plusieurs reprises en mission dans les Balkans, notamment quand la France cherche à récupérer deux de ses pilotes faits prisonniers après la chute de leur avion. L'occasion pour lui de rencontrer tous ceux qui comptent à Belgrade, à commencer par Slobodan Milosevic.

La guerre terminée, au tournant des années 2000, alors que se profilent devant le Tribunal pénal international les premiers procès de généraux serbes, la « République serbe de Bosnie » sollicite le député-avocat pour défendre un certain Tadic. Le décor est à la hauteur des enjeux. Devant une cour composée de dix-neuf magistrats, c'est toute l'histoire des Balkans qu'il faut revisiter. La guerre tonne encore dans toutes les têtes. Les passions prennent la couleur des milliards de dollars que la Bosnie indépendante réclame en guise de réparation pour « dommages de guerre ». Ses dirigeants veulent voir la Serbie déclarée coupable, notamment pour le massacre de Srebrenica. Leur thèse est qu'au-delà de la « République serbe de Bosnie », ce sont bien les Serbes, ceux de Belgrade, qui étaient à la manœuvre. Et qu'ils sont seuls responsables du déclenchement de la guerre civile.

Xavier de Roux est du côté des « méchants ». Il passe sa vie entre Paris, Belgrade et La Haye. Il prépare la défense main dans la main avec le ministre des Affaires étrangères de Serbie, écrivain de son métier, et le professeur de droit que Belgrade a nommé ambassadeur à La Haye, un francophone qui a étudié le droit à Paris. L'avocat s'appuie aussi sur une collaboratrice franco-serbe à même de déchiffrer les documents diplomatiques versés dans une procédure dont les Serbes ont demandé qu'elle soit écrite en français et en serbo-croate.

Xavier de Roux affirme avoir travaillé en toute indépendance, sans rendre compte au Quai d'Orsay ni à l'Élysée. Il se souvient même d'avoir reçu quelques coups de fil « furibards » du cabinet du ministre des Affaires étrangères de l'époque, Alain Juppé. La suspicion n'en est pas moins permanente : ses interlocuteurs l'imaginent directement relié aux services secrets, et même les Serbes lui demandent de passer des messages à Paris dans un contexte où la diplomatie secrète américaine, d'Afghanistan en Bosnie, mise ostensiblement sur l'islam. De Roux n'a-t-il pas été plusieurs années l'avocat de la Guinée après le décès du dirigeant Sékou Touré ?

En attendant, c'est l'Histoire que l'on refait devant la Cour pénale internationale. Qui est responsable de cette guerre ? Qui est responsable du massacre ? Qui l'a organisé ? A-t-il été planifié ? Pourquoi cet effondrement de la Yougoslavie ? Pourquoi avoir laissé imploser ce grand État que Georges Clemenceau avait voulu, et auquel s'opposa ensuite l'Allemagne, à l'origine de la dérive nazie de la Croatie ?

« On retrouve là les vieilles fissures européennes, observe l'avocat-diplomate. François Mitterrand poursuit une politique pro-serbe en essayant de ne pas se brouiller avec une Allemagne déchaînée, tandis que les États-Unis jouent le démantèlement. Et l'on a cette idée folle, la création de la Bosnie, où l'on fourre des Croates, des Serbes et des musulmans ensemble, ce qui revient à recréer une petite Yougoslavie en réduction. »

Au printemps 2007, Xavier de Roux plaide durant seize heures, soit la plus longue plaidoirie de sa carrière. Objectif : démontrer qu'il n'y avait aucun plan, du côté de l'état-major serbe, visant à perpétrer un massacre à Srebrenica. Que la prise de cette ville a été une opération décidée par le seul Mladic, à l'époque responsable des forces militaires de la République serbe de Bosnie, à laquelle l'armée serbe en tant que telle ne participe pas. « Personne n'a donné l'ordre de liquider les prisonniers », insiste l'avocat, qui dénonce au passage le rôle « peu glorieux » des Hollandais, dont le bataillon n'a pas tiré un seul coup de feu, avant de prendre part au tri entre ceux qui portaient des armes et les autres, sauvant femmes et enfants. Les Hollandais, se défendent en prétendant qu'ils ne pouvaient rien faire sans frappes aériennes, et que l'état-major de l'OTAN n'avait jamais envisagé ces frappes ? « Il y aurait eu des frappes s'ils avaient manifesté une résistance au sol ! » insiste Xavier de Roux au cours d'un réquisitoire aussi enflammé que s'il s'était trouvé devant une cour d'assises.

« Tout le monde s'estimait victime d'un génocide ; mon rôle était de montrer que les éléments constitutifs du génocide n'étaient pas réunis », explique l'avocat. En ce sens, il réussit plutôt bien, puisque la Serbie échappe à une condamnation pour crimes contre l'humanité qui l'aurait à la fois couverte d'infamie et assimilée aux nazis condamnés à Nuremberg. Elle s'en tire avec une condamnation pour crimes de guerre – mais « des crimes de guerre, pondère l'avocat, il y en avait de tous les côtés ! »

« Ce n'est pas un jugement du tribunal de commerce que l'on va oublier une semaine après, observe l'avocat. On est là dans la mémoire. » Prononcé par des juges russes, algériens, espagnols, chacun habité par sa propre expérience et ses propres penchants, le jugement provoque évidemment la fureur de la Bosnie, défendue par un cabinet anglais spécialisé dans ce genre de procès « pour l'histoire ».

Issu d'une famille de robe – père avocat, grand-père avocat (défenseur de Charles Maurras et de l'Action française) –, Xavier de Roux entre dans la profession à une époque où les stars du barreau (et les hommes d'influence) s'appellent Jacques Vergès, Edgar Faure, Roland Dumas, François Mitterrand. Est-ce pour suivre leurs traces qu'il met un pied en politique dès 1981 en devenant maire de son village, Chamiers, puis conseiller général à Saintes (Charente-Maritime) ? « Cela me changeait du droit », dit-il, sauf qu'il persiste, entre à l'Assemblée nationale en 1993 sous l'étiquette UDF-Parti radical, est battu en 1997. Réélu en 2002 sur fond de « vague bleue », il passe « en cuisine » en devenant vice-président de la Commission des lois, lui qui jusque-là, comme avocat, se contentait de « passer les plats ». L'occasion, pour ce spécialiste du droit de la concurrence, de « voir les lobbies à l'œuvre », notamment les banques, les compagnies d'assurances et les mandataires financiers, particulièrement pressants à l'heure de préparer la loi de sauvegarde des entreprises en 2005.

Envoyé à Bruxelles par le cabinet Gide et Loyrette dès 1970, il a une petite longueur d'avance sur ses collègues de l'Assemblée : il a très tôt vu venir la libre circulation des personnes et des biens, il a vu l'économie de marché prendre son envol et faire reculer la puissance des États. Il a surtout vécu en direct l'invasion du droit et la montée en influence des cabinets d'avocats. Et il a produit des dizaines d'amendements pour le compte de l'opposition, payé par les banques, à l'heure de contrer la vague de nationalisations lancée par les socialistes au début des années 1980. Il a aussi vu la peur changer de camp quand les juges ont pris du pouvoir, alors que vont éclater les premiers scandales politico-financiers. Comme député, il défend le secret professionnel des avocats tandis que certains juges « revanchards » considèrent leurs cabinets comme « les derniers sanctuaires du crime ».

Pour autant, Xavier de Roux ne pose pas un regard favorable sur ceux des politiques qui veulent porter la robe : « Avocat est un métier, comme la plomberie, dit-il. Cela s'apprend. Je ne confierais pas une affaire à Dominique de Villepin ! Il ne faut pas seulement connaître la procédure, il faut aussi des réflexes. »

C'est certainement l'avis de l'ancien colonel de gendarmerie Yves Chalier lorsque, de retour du Brésil où l'avaient envoyé les réseaux Pasqua, vrai-faux passeport en poche en échange de révélations pénibles pour le camp Mitterrand, il appelle Xavier de Roux. Parce qu'on lui a parlé de ses « réflexes », mais surtout de ses supposées relations : « Je veux me défendre, mais je ne veux pas aller en prison », déclare l'ancien chef de cabinet du ministre de la Coopération, Christian Nucci, à l'avocat qui le rencontre discrètement dans un café de la Muette, à Paris. Recherché par toutes les polices, la sinistre « cellule élyséenne » sur le dos, vaguement planqué dans un hôtel minable, il est prêt à se rendre au juge pour échapper à ses poursuivants. On lui reproche de s'être rempli les poches à l'occasion de l'organisation du sommet franco-africain de Bujumbura, mais ce n'est rien à côté de ce que les autres ont pris, assure-t-il en louchant vers l'Élysée et son principal occupant...

Quelques appels anonymes menaçants (« Qu'il ferme sa gueule, ou on va tous vous liquider ! ») incitent l'avocat à prendre contact avec le juge d'instruction, Jean-Pierre Michau, qui propose une « livraison » discrète, un samedi après-midi. On est loin de la guerre des Balkans, mais néanmoins en pleine diplomatie parallèle, quand les policiers suggèrent à l'avocat de déposer son client à l'hôtel Intercontinental. L'apéro passé, les six fonctionnaires enfilent leur brassard « Police » et c'est toutes sirènes hurlantes que le convoi file jusqu'au Palais de Justice.

Yves Chalier respire : « C'est bien que cela finisse comme ça, confie-t-il à son avocat. J'ai croisé hier un type de la cellule élyséenne au Drugstore, et il m'a dit que la plaisanterie ne durerait pas longtemps. » L'affaire, semble-t-il, commençait à irriter sérieusement l'Élysée, en particulier les déclarations faites par l'exfiltré à quelques journalistes investigateurs. Elle n'ira pas très loin, car, en ce milieu des années 1980, les juges d'instruction sont encore on ne peut plus révérencieux. Yves Chalier dit savoir comment les valises d'argent auraient pris le chemin de la Suisse. Il dit même savoir qu'un passeur aurait été surpris par les douaniers, avant d'expliquer benoîtement que c'était « pour le compte du président de la République ». Toujours est-il qu'on ne le bousculera pas, et l'ancien militaire saura respecter les consignes de silence avec, à la clef, un vrai-faux procès, au début des années 1990, et une peine plutôt bénigne, avec la bénédiction des réseaux maçonniques.

TONY DREYFUS, DIT « LE PARRAIN »

Entre son bureau à l'Assemblée nationale et cet immeuble de l'avenue Victor-Hugo où il a fédéré dans les étages les avocats les plus influents du pays, Tony Dreyfus est géographiquement au carrefour de tous les pouvoirs. Inscrit au barreau en 1965, il a pour lui l'ancienneté, et a passé toute sa carrière en allers-retours entre les deux hémisphères, le judiciaire et le politique.

D'un côté, il a commencé auprès d'un Robert Badinter encore avocat des auteurs et du cinéma ; de l'autre, il a opté pour le PSU et Michel Rocard, sa famille à tous les sens du terme, puisqu'il est devenu l'avocat de la fédération métallurgique de la CFDT, dont le secrétaire, Jacques Chérèque (père de François), est devenu le parrain de son fils (la marraine était Michèle Rocard) – à noter que le PSU, en 1974, se réunissait dans le bureau de « Tony » par souci de discrétion. Il est en à son troisième mandat de député quand nous le rencontrons.

Troisième corde à son violon : il sympathise avec Antoine Riboud, patron de gauche qui l'oriente vers le monde des affaires après avoir partagé avec lui l'aventure des montres Lip. Cette fibre autorise les socialistes, peu après l'accession de François Mitterrand à l'Élysée en 1981, à le nommer administrateur du CCF, une banque « plombée par Jean-Maxime Lévêque », après qu'on l'eut sollicité pour rédiger, de conserve avec les banquiers Jean Peyrelevade et Michel Pébereau, les textes encadrant les grandes nationalisations.

L'été, Tony Dreyfus fréquentait le golfe du Morbihan ; Michel Rocard avait une maison à Vannes. Il a glissé plus tard vers le bassin d'Arcachon, où le patron de Wendel, Ernest-Antoine Seillière, qu'il a connu à Sciences-Po, avait alors ses habitudes, de même que Jean-Pierre Chevènement et Pierre Cot. Dis-moi où tu passes tes vacances, je te dirai qui tu es...

Trente ans plus tard, on vient de loin pour consulter « Tony », le coach discret d'une partie de l'élite économique française, héritier d'un temps où les « grandes familles » avaient toujours un avocat d'affaires dans leur manche. « Je suis avocat à vocation économique », dit-il, mais l'avis que l'on vient solliciter est aussi celui de Tony Dreyfus l'ancien ministre, ex-vice-président de l'Assemblée nationale. « Je suis un peu un "parrain", mais je ne travaille pas à l'enveloppe, souligne-t-il. J'ai le profil de l'emploi, je ne fais pas très bling-bling, mais je suis bien informé et cela se sait. »

Quand Michel Rocard souhaite divorcer, c'est évidemment « Tony » qu'il va trouver. Quand Edmond Maire, patron de la CFDT, cherche un juriste, c'est à la porte du même qu'il frappe. « Dreyfus, c'est le pompier de service », disaient Jean-Michel Darrois et Jean Veil à l'époque où ils s'installèrent dans « son » immeuble. La « fluidité » de ses relations avec les magistrats doit-elle quelque chose à son passage au gouvernement ? L'hypothèse est recevable. « Ministre, confie-t-il, je ne percevais pas un centime de mon cabinet, mais je pouvais fleurir une boutonnière et veiller sur le grand tableau [celui de l'avancement des magistrats]. »

Tous les 14 juillet, Tony Dreyfus les passe chez l'éditorialiste et historien Jacques Julliard : un lien qui remonte à l'affaire Lip, qu'il ne se lasse pas de raconter... Cet été-là, en plein mois d'août 1973, le bourgeois parisien s'installe à Besançon pour traiter une affaire d'ouvriers conscients de la notoriété de leur marque et tentés par l'autogestion. Georges Pompidou est à l'Élysée, Pierre Messmer à Matignon, Jean Charbonnel à l'Industrie. L'industrie horlogère bat de l'aiguille, mais les ouvriers, soutenus par un père dominicain au charisme certain, quoiqu'un tantinet porté sur la bouteille, croient en leurs chances de reprendre l'usine. Les AG (assemblées générales) succèdent aux rendez-vous avec la préfecture, avec François Ceyrac, l'homme du patronat qui se déplace au 69, avenue Victor-Hugo, et avec le médiateur désigné par le gouvernement, que Tony Dreyfus rencontre discrètement (et religieusement) à l'église d'Auteuil. C'est le feuilleton de l'été : l'affaire est en faillite, l'avocat est là pour dire le droit du travail et « démystifier tout ce qui est incompréhensible ». Il ne porte pas la robe, mais l'a-t-il jamais portée ? Il reçoit en revanche longuement le journaliste Bernard Guetta, qui traite l'affaire pour *Le Nouvel Observateur*.

Le mandat de Me Dreyfus est simple : faciliter le plan de reprise. Des subventions seront nécessaires, mais il faut aussi un capitaine, et la CFDT en a un dans sa manche : Antoine Riboud. Sauf que ce n'est pas si simple et que les ouvriers, faute d'entrevoir une solution, « braquent » les montres de leur fabrication et s'en vont les vendre sur les plages... De quoi enclencher une ferveur qui mobilisera plus de 50 000 personnes dans les rues de Besançon, le 1er septembre, avec l'avocat dans le rôle de « majordome », prélude à la « marche nationale » du 29 septembre qui rassemblera près de 100 000 personnes.

Il faudra l'aide du député local Jacques Duhamel pour déboucher sur les fameux « accords de Dole », signés... dans une église, raconte non sans amusement le compagnon de route du PSU. Pour la première fois depuis le Front populaire, on envisage d'associer les salariés à la reprise d'une entreprise. À la clef, une victoire plus collective encore : la loi de 1975 sur les licenciements, une évolution du droit du travail acclamée par les syndicalistes. Merci, les « Lips » ! merci, la CFDT ! merci, l'avocat qui n'a jamais mangé d'aussi bonnes truites que celles qu'il dégustait dans les auberges du coin avant de rejoindre sa chambre au *Condordia*, un petit hôtel au nom prémonitoire...

Richard Brumm et les « raccourcis » lyonnais

Né en 1950, patron d'un des plus prospères cabinets d'avocats lyonnais, Richard Brumm a soutenu Nicolas Sarkozy en 2007 avant de devenir, l'année suivante, l'adjoint aux finances du socialiste Gérard Collomb à la mairie de Lyon. Grand, costaud, aimant la bonne chère et ne détestant pas les mondanités, il évoque librement son métier de conseil en affaires, les réseaux qui font sa force et sa réussite.

Plus gros client du tribunal de commerce de Lyon, Richard Brumm n'a plus depuis longtemps besoin de passe-droit pour y être reçu : on le connaît. Dans la capitale rhodanienne qui est aussi la ville de l'argent discret, il affiche sans complexe sa réussite, qu'il attribue à un entregent énorme : il dispose de tous les numéros de téléphone qui comptent, ne rate pas un dîner, pas un cocktail, pas une conférence, pas une cérémonie de vœux. « Nous, avocats d'affaires, sommes des gens de pouvoir qui fréquentons les gens de pouvoir, dit-il. Nous ouvrons les portes afin que chacun gagne du temps. » Un pied dans l'immobilier, il est inscrit dans tous les clubs et syndicats. Passionné de sport, notamment de foot, il invite les « prescripteurs » aux matches et les met à cette occasion en contact avec les *people*.

« J'offre des raccourcis », explique cet avocat dont les dîners sont courus à la fois par les magistrats du tribunal de grande instance comme du tribunal de commerce, les PDG, le président du Conseil général, le maire de la ville, les banquiers aussi bien que le préfet : « Ils s'aiguillent les uns les autres. » Et quand quelqu'un, dans ces sphères, demande un avocat, immanquablement la réponse est : « Prends Brumm ! »

« C'est un travail qui me prend quatorze heures par jour, constate Me Brumm. C'est même devenu un mode de vie. Je ne démarche pas, mais c'est *borderline*. J'ai commencé à Vaisse, où je suis né pauvre, avec un pénaliste, au temps du papier carbone et de la ronéo... Dès 1981, je réalisais le meilleur chiffre d'affaires, essentiellement grâce au droit commercial. On était cinq associés, on est aujourd'hui une trentaine. Le chiffre d'affaires ne descend jamais en dessous de 3,5 millions d'euros par an, avec de bonnes années à 30 millions. L'argent n'est pas forcément ce qui m'excite le plus, mais c'est la réalité de ce métier, surtout dans cette ville où richesse et histoire sont encore inextricablement liées. J'ai eu une jeunesse modeste comme pion, et je voulais briller, mais rien n'est acquis, même si je suis président de plusieurs clubs, comme le Prisme ou le Cercle de l'Union, dont sont membres tous les "bons" Lyonnais et dont on ne sort que mort. Se faire voir, c'est ma méthode ; je préfère ça à ceux qui agissent sous la table, et c'est pourquoi je me tiens à l'écart de la franc-maçonnerie. »

Chapitre 12

Passions secrètes

FRANÇOISE COTTA DANS L'INTIMITÉ
DES « IRRÉCUPÉRABLES »

Jean-Loup est un jeune garçon plutôt brillant appartenant à la bourgeoisie orléanaise. Il est amoureux fou de la fille la plus emblématique de son internat, du moins le croit-il. Cette passion obsessionnelle à sens unique vire au drame : le jour des examens, le jeune homme fait irruption dans la classe, vêtu de noir, et abat celle qu'il aime d'un coup de carabine, comme on tue un chien. « J'ai entendu sa voix, dira-t-il. J'aurais pu tout arrêter, mais j'ai pensé qu'elle serait heureuse et aurait des enfants, alors j'ai tiré. » Victime de nombreux troubles dès son plus jeune âge, il perd son père, mort d'un cancer, durant l'instruction. Ce qui ne l'empêche pas, en première instance, d'écoper d'une condamnation à perpétuité. C'est à ce moment que sa mère, qui voue à son fils une passion assez dévorante, fait appel à une avocate parisienne réputée, Françoise Cotta. Mandat : transformer en peine de trente ans cette insupportable perpétuité.

L'avocate a l'habitude de faire des cours d'assises un lieu de résistance. Tandis que Jean-Loup, qui étudie en prison le grec et le latin, s'enferme dans l'absence d'explications sur son geste meurtrier, elle demande au tribunal de ne pas « s'enfermer dans l'obscurantisme », de « proscrire la peur et l'exclusion », de « faire confiance à ces sciences que sont la psychologie et l'analyse ».

Mission accomplie : la peine est ramenée en appel à trente ans, dont vingt-deux de sûreté. La mère débouche le champagne pour l'avocate.

Malik a quarante-six ans lorsqu'il comparaît de nouveau pour viol devant la cour d'assises de Créteil. Mineur, il a déjà été condamné à deux reprises pour le même motif. À sa première sortie de prison, sa famille, nombreuse et solidaire, s'était enfermée avec lui dans le déni absolu. Pas un mot à personne sur ce passé criminel. Pas la moindre prise en charge thérapeutique ne lui a été proposée durant son séjour carcéral. Résultat : l'homme a plongé dans le crack et commis un deuxième viol.

Vingt ans plus tard, Malik est à nouveau libéré. Il rencontre une femme, avec laquelle il a deux enfants. Jusqu'au jour où il replonge et viole deux femmes dans des conditions très violentes. Condamné à trente ans de prison, c'est au moment de l'appel qu'il s'en remet, lui aussi, à Françoise Cotta. « Je lui fais comprendre que son salut est dans la compréhension et l'acceptation de ce qu'il a fait, raconte celle-ci. On sort difficilement du déni, mais on en sort. »

Devant la cour d'assises, Malik affiche un discours « très authentique ». Mᵉ Cotta demande une nouvelle expertise. « Est-ce que vous voulez d'une société repliée sur la peur ? » plaide-t-elle. On peut aussi brûler les sorcières, comme au Moyen Âge ! Son client est condamné à vingt-huit ans de prison, assortis d'une peine de sûreté de sept ans, résultat qu'elle qualifie de « gigantesque appel d'air ».

« La justice est le thermomètre de la société », estime Françoise Cotta. L'avocat est celui qui peut infléchir la température, à la hausse ou à la baisse. Petit pouvoir, peut-être, mais pouvoir de faire avancer l'institution judiciaire dans le sens désiré. « Quand William [Bourdon] monte une association pour traquer les chefs d'État africains qui ont pillé leurs pays, quand nous sortons l'affaire des fichiers ethniques en France, on le fait pour tenter d'endiguer une dérive. Notre métier nous permet de former des poches de résistance. Dans n'importe quelle affaire, on peut faire passer notre propre vision du monde. »

Défendant l'un des membres du « gang des barbares » accusé d'avoir enlevé, torturé, puis brûlé vif le jeune juif Ilan Halimi, Françoise Cotta voit bien comment Francis Szpiner, avocat de la famille de la victime, veut faire le procès de l'antisémitisme dans la France de 2010. Avec les seize autres avocats du « gang », elle sent bien qu'un procès trop politique nuirait à son client. Ils parviennent à éviter le piège du procès ouvert au public et verrouillent le huis-clos.

Assurant dans la foulée la défense d'un homme accusé de frapper son amante avec qui il passe trois jours par semaine, Mᵉ Cotta trouve la faille. Aux policiers qui l'ont interrogé après la plainte de la victime, l'homme a déclaré qu'elle était sa concubine, mais que le mari était au courant de leur relation. Lors du procès, le président du tribunal attaque : « C'est donc bien votre concubine ? – Non, répond l'homme. – Je vois que vous êtes passé par le 1, rue du Louvre ! » se moque le magistrat, citant l'adresse du cabinet de l'avocate. « Vous avez le pouvoir de dire que notre pays va ouvrir les vannes de la liberté et de décider que l'on peut être marié et concubin en même temps, réplique Françoise Cotta. Si vous pensez qu'une culotte ou une brosse à dents oubliée chez un homme fait d'une femme mariée une concubine, condamnez-le, mais ça va se savoir ! » Le président est « rouge comme une tomate », mais l'homme est relaxé : si ce n'est pas sa concubine, il ne risque qu'une simple contravention. « Vous comprenez, se résout-il à expliquer à la victime, nous n'avons pas tous les éléments permettant de dire que vous étiez sa concubine... »

Preuves, s'il en fallait deux de plus, que « l'audience est bien un lieu de pouvoir » et que l'on peut y peser sur les évolutions de la société.

« Vous avez devant vous des êtres irrécupérables ! » conclut un jour devant elle une jeune avocate générale à l'heure de requérir contre une équipe de trafiquants de stupéfiants. « Mon client a vingt ans, plaide Me Cotta, et à vingt ans on n'est pas irrécupérable. On ne lui dit rien de ce que représente ce trafic ! On le condamne à la sortie à passer sa vie à vendre de la coke et du *shit*... »

Pour Françoise Cotta, nul n'est « irrécupérable ». Défend-elle un jeune copte accusé d'avoir laissé pour mort un homosexuel au fond d'un fossé ? Elle l'oblige à « regarder en face ce que ça veut dire, de cogner un mec parce qu'il est homo ». « Si l'avocat prend à bras-le-corps ce genre de gamin, il va sortir à l'audience des choses qu'il n'a jamais dites. » Un type qui a agressé une fille à coups de couteau sous une porte cochère fait le coup de la mémoire défaillante ? « "Je ne me souviens de rien", ça ne veut rien dire », lui assène-t-elle.

Avec les clients d'origine maghrébine, elle assure que c'est plus facile pour elle que pour un avocat mâle. « La femme incarne pour eux l'autorité, dit-elle. J'hérite du respect dû à la mère. Et puis, les voyous intelligents savent où est leur intérêt, qu'ils soient corses ou arabes ! » Les hommes lui parlent volontiers, et cela se révèle souvent utile à l'heure de les défendre. Même les auteurs de crimes sexuels s'ouvrent à elle, évoquant le « plaisir de la traque », le « plaisir de la peur de l'autre, supérieur à celui de la possession ». Elle n'est pas psy, mais elle a accompagné l'un de ses clients jusqu'à la castration chimique, pour laquelle il s'était porté volontaire. « Venez me voir si vous sentez que ça ne va pas », lui a-t-elle glissé. Ce qu'il a fini par faire : « Je sais que je vais passer à l'acte », lui dit-il. Elle le conduit alors à l'hôpital Sainte-Anne, à Paris, où l'on refuse de le garder. « Ne le prenez pas, mais si demain il y a une catastrophe, vous

vous retrouverez avec une plainte », menace-t-elle. On le garde quelques jours. Quand il ressort, il appelle son avocate pour la remercier.

« Je n'ai jamais eu une vocation de bonne sœur », précise Françoise Cotta, fille de Jacques Cotta, maire de Nice à la Libération, sœur de la journaliste Michèle et de l'économiste Alain Cotta, avocate depuis 1980. Défendre ceux que l'on aurait envie de brûler sur le bûcher : tel est son lot quotidien. En toute indépendance, comme elle le proclame : « Je me fous des groupes de pression ! Je ne suis pas l'avocate des stars ni des syndicats. Je ne vais pas en discothèque avec les voyous, je ne tape pas dans la coke et je ne leur tape pas non plus sur le ventre. Je n'ai aucune ambition pour ce qui est des dorures... Personne ne peut m'acheter. Je n'ai pas d'attirance pour la vie sociale parisienne. Que pense le public quand il voit dans *Paris-Match* ces avocats sous les lambris, portant tous au poignet la Rolex de Sarko ? »

Les dix premières années, elle le reconnaît, les confrères l'ont marginalisée, jusqu'au jour où ils lui ont dit qu'elle faisait partie des leurs. La différence entre elle et eux, à part cette soif irrépressible de reconnaissance ? « Je n'ai pas besoin de me comparer le zizi avec les confrères, et c'est extrêmement pratique ! » Il arrive que le fait d'être une femme la serve, notamment devant la cour d'assises où elle estime disposer d'une « palette plus large ». « Pour plaider dans une affaire de viol, de pédophilie ou de crime passionnel, c'est parfois un avantage », constate-t-elle.

Partie civile, la justice côté victimes, ce n'est pas franchement son truc. Il lui arrive cependant d'accepter, comme le jour où une famille l'appelle à l'aide après la mort d'un des frères, tué bêtement dans une cage d'escalier. Ils veulent « faire plonger les coupables au max », et ont même l'intention d'« écrire à Sarko » (Nicolas Sarkozy est alors président de la République). « Si je m'occupe de vous, leur dit-elle, n'attendez pas que j'appelle à la haine, mais je ferai mon boulot de partie civile. »

Le discours sécuritaire, la démagogie, les sentiments primaires ne figurent pas dans le registre de Françoise Cotta. Le procès passé, la famille n'en considère pas moins que la mémoire de leur mort a été « honorée ». Signe qu'un discours civilisé peut faire plus de bien qu'un appel à la vengeance.

« L'avocat peut peser sur le cours des choses, il peut rappeler le tribunal à la légalité républicaine et freiner une dérive rampante vers le populisme », dit Me Cotta, qui oublie rarement de se lever quand le président, à l'ouverture d'une audience, fait procéder à l'appel des prévenus et des « victimes ». À propos de celles-ci, « si vous êtes certain de leur qualité de victimes, l'affaire est déjà jugée, explique-t-elle. Le mot de *plaignants* me paraît mieux adapté ».

Elle s'est davantage imposée que le milieu judiciaire ne l'a lui-même adoptée, mais elle a tout donné à ce métier. « Sans lui, je ne suis rien », résume-t-elle.

Jean-Yves Le Borgne, les crimes passionnels (et le pouvoir)

La passion, selon Jean-Yves Le Borgne, est une succession de scènes crues, terrifiantes, parfois drôles, toujours profondément humaines. Celui qui nous reçoit dans son bureau de vice-bâtonnier, au palais de justice de Paris, avec vue sur l'exquise place Dauphine, ne s'est pas retrouvé du jour au lendemain en train d'assurer la défense de l'ancien ministre du Budget Éric Woerth, également ancien trésorier de la campagne de Nicolas Sarkozy en 2007, pris dans les mailles de l'affaire Bettencourt. Avant cela, il s'est fait la main sur quelque chose de bien moins prévisible : les sentiments humains à l'heure du crime.

Affaire numéro un : celle des amants maudits. Le client : un médecin plutôt du genre catho, et dont M⁰ Le Borgne aurait très bien pu être le copain de toujours : même éducation, même environnement culturel, même morale, rien à voir avec ces « voyous » chez qui l'on chercherait en vain le moindre point commun avec un bâtonnier. Et, d'un seul coup, surgit ce que l'avocat appelle le « ricanement du diable » : le besoin de tuer, comme un usurpateur qui forcerait la porte. « Cet homme aurait dû finir avec la Légion d'honneur à son revers, et le voilà coupable de meurtre ! » Ce coup de folie qui le pousse à tuer le mari de sa maîtresse, qui se trouvait être une de ses patientes et qu'il a décidé d'empoisonner.

C'est une de ses amies, avocate, qui envoie le médecin chez Jean-Yves Le Borgne au milieu des années 1990. En première instance, devant les assises d'Orléans, l'homme (dont on taira le nom, car il a désormais refait sa vie) prend vingt ans de prison. Pas si mauvais résultat, pour un médecin assassin, décrète l'avocat. La femme, soupçonnée de l'avoir manipulé, écope d'une peine plus lourde : elle avait même songé aux soins nécrologiques destinés à éviter que le cadavre ne s'abîme, ce qui avait eu pour conséquence de brouiller à jamais le travail du médecin légiste. Ce n'est que trois ans après les faits que le colonel commandant la base militaire sur laquelle était affectée la victime, major de l'armée de l'air, s'était ouvert de ses soupçons auprès du procureur. Bizarre, la mort de ce type qui « pétait le feu »... Le corps est exhumé, l'expert ne parvient guère à étayer la thèse de l'empoisonnement, mais le « bon docteur » raconte l'histoire aux policiers dès sa première heure de garde à vue. Une forme d'« expiation », selon le mot de l'avocat.

La femme fait appel de la sentence, pas le médecin, mais le procureur général fait lui aussi appel. L'affaire revient devant le tribunal de Tours et, à nouveau, l'avocat « se glisse comme un parasite dans la peau de l'autre », et parle pour lui. La peine est confirmée pour lui, mais alourdie pour elle. Commentaire de Mᵉ Le Borgne : « Il y a une telle extranéité entre le crime et cet homme que leur rapprochement laisse à penser que le crime menace tout le monde. Cela fait froid dans le dos, mais, à l'heure de le défendre, j'étais très motivé et même révolté par le caractère saugrenu et intolérable du crime dans l'histoire de ce type, visiblement sous l'emprise de cette femme diabolique. Elle a inventé une histoire de divorce qui n'existait pas, lui a répété qu'elle prenait des coups, et a fini par instiller dans son esprit l'idée que les voies naturelles de la défense d'une personne maltraitée se dérobaient. Cet homme était le jouet des dieux, dont le diable s'est moqué jusqu'à faire de lui un criminel. Il a tué parce que sa main a été conduite ! On n'a pas tous les matins l'occasion de voir à l'œuvre cette puissance mystérieuse qui se joue des hommes. On était sans se forcer dans la tragédie, il me restait à réintégrer le geste dans l'humanité pour que les jurés ne réagissent pas par le rejet et l'indignation. Quand le sort de Phèdre va être prononcé, mieux vaut avoir la plume de Racine ! »

Affaire numéro deux : le Portugais et la femme volage. Le client : un personnage du genre rustique, la quarantaine, râblé, l'esprit simple, normal sur le plan psychiatrique, culturellement élémentaire. Le cadre : un coin populaire de la région parisienne. « Sa femme avait trop bien compris les pulsions sexuelles des mâles du quartier, raconte Mᵉ Le Borgne. Elle couchait avec un certain nombre d'entre eux. » Son mari décide de la tuer. Il a un pistolet enfoui à la cave, bien graissé, enveloppé dans un chiffon. Il va le déterrer. Il l'attend dans un étroit couloir. Il se tient les jambes écartées pour anticiper l'effet de recul de l'arme et lui colle, à son arrivée, une balle dans la tête. Impossible de la rater !

Devant le tribunal, l'avocat insiste sur les tromperies répétées. « Certaines frustrations sont telles qu'elles ne peuvent être verbalisées, affirme-t-il. Cet homme ne pouvait passer du fait aux mots. » Il sait que les jurés ne jugeront pas ce qui s'est passé, mais « ce que l'on aura dit de ce qui s'est passé ». Il plaide en fixant le juge, angoissé à l'idée d'ennuyer ceux qui l'écoutent. Il parle une langue qu'ils comprennent tous, jurés compris, en évitant de choquer. Il tente de faire admettre ce crime, de le faire comprendre. Il dresse le portrait d'un criminel « semi-normal ». Le Portugais est condamné à cinq ans de prison avec sursis. « La blessure narcissique de cet homme a été admise comme circonstance largement atténuante, le meurtre passionnel admis comme un débordement possible dans la relation du couple. Aujourd'hui [l'affaire date d'il y a trente ans], on dirait : "Mais elle a le droit de faire ce qu'elle veut de son cul !" La blessure narcissique ne passerait pas, et le type prendrait dans les dix ans... »

Affaire numéro trois : la femme battue. La cliente : la trentaine, pas particulièrement belle, une femme à la limite de la débilité, fille d'un ancien ministre du général de Gaulle riche de sa seule Légion d'honneur. Son mari est un garçon un peu simple, issu d'un milieu modeste, apparemment flatté d'avoir épousé une fille de famille. Il la maltraite, l'humilie régulièrement, comme s'il voulait lui faire payer le fait de l'avoir épousée. Un jour, ou plutôt une nuit, elle s'empare d'un fusil et le tue dans son sommeil. « Pourquoi avoir tiré un deuxième coup de feu ? demande le président pendant le procès. – Parce que j'avais peur qu'il ne se réveille et qu'il ne me frappe encore, monsieur le Président », répond-elle. C'était vrai. La deuxième balle était inutile, mais elle avait vraiment peur. L'anecdote marque sans doute le tournant des débats. La jeune femme est condamnée à cinq ans de prison, dont un an ferme. Elle ne retourne pas en prison, mais se suicide peu après, conformément à ce que l'avocat avait écrit au père : « Quand elle l'a tué, elle s'est tuée elle-même. »

Affaire numéro quatre : le voyou à la chaussure ferrée. Le client : un voyou. Le cadre : un bar à voyous. Une bagarre éclate. Plusieurs types, dont le client, sortent dans la rue. Le client a le dessus sur celui qui tombe à terre. Il lui donne des coups de pied à la tête, et le tue. « De temps en temps, raconte M^e Le Borgne, la réalité fait irruption dans le monde un peu feutré de la justice. Le fait criminel fait irruption au grand jour dans son caractère le plus choquant. » Ce fut le cas dans cette affaire. Lors du procès, le président demande au prévenu : « Il faut insister, tout de même, pour tuer quelqu'un de cette façon ? – Pas tant que ça, réplique le voyou. J'avais des santiags ferrées... » Là-dessus, le type se déchausse, attrape sa botte et commence à taper avec le talon sur le bois du box des accusés. À cet instant précis, assure l'avocat, « ce n'est plus le bois que l'on entend, c'est le crâne du mec. J'étais paralysé. D'un coup, le geste n'était plus abstrait. On le voit faire. C'est le flash-back ! » « Mettez des charentaises ! » finit par lancer le président, surpris par cet homme qui s'est mis à parler sa langue dans un lieu où l'on en parle une tout autre. Mais, finalement, cette sincérité ne lui porte pas préjudice ; au contraire, elle passe pour une marque de confiance vis-à-vis des juges, ouvrant la voie à une réaction presque paternaliste de leur part. Le voyou explique en effet que ceux qu'il avait en face de lui étaient tout aussi dangereux, si ce n'est plus, que lui-même. Et que, s'il n'en avait pas tué un, il se faisait flinguer à coup sûr. Pour un peu, en somme, cela se serait bien terminé pour lui ! Sauf que, durant les trois jours de cavale qui ont suivi ce premier crime, il a trouvé le moyen de tuer un autre homme... qui était sur le point de se faire assassiner par une autre bande. « Ben oui, j'étais armé », lâche-t-il, et ce second meurtre lui vaut un « prix de gros » pour l'ensemble de son œuvre.

« La mission de l'avocat est d'expliquer que le crime que l'on juge n'est pas si intolérable, explique M^e Le Borgne. Par-delà la culpabilité ou l'innocence, c'est la dignité de la personne qui est en jeu. C'est une mission qui revient à dire au nom de l'accusé(e) : "Je suis encore un être humain." Cela peut confiner à l'absurde, ou passer pour de l'arrogance ; cela revient surtout à relayer le désespoir d'un individu que l'on n'écoute plus. Plus les faits sont graves, plus il est nécessaire de lui restituer cette dignité, même si cela ne change rien au verdict. Il faut d'autant plus lui offrir ce moment où l'on reconnaît son humanité, où il va encore pouvoir exister, qu'il prendra vingt ans ou plus. On colle une lourde peine pour dire que l'on n'aurait jamais soi-même franchi cette limite. Parfois aussi, on approche de la folie et de l'irresponsabilité. L'irresponsable devrait être mieux traité, mais, dans les faits, on le traite plus mal, parce qu'on le craint et qu'on ne veut frustrer ni l'opinion, ni les victimes. Admettre la folie, c'est abolir la norme sociale. Il y a ceux qui franchissent la norme et ceux qui ne la voient pas, et c'est cela qui fait peur. »

Mᵉ Le Borgne a également approché la passion de l'argent en défendant une ribambelle de braqueurs de banques qui, à la différence de celui qui a tué le mari de sa maîtresse, nient systématiquement les faits qui leur sont reprochés : l'avocat ne peut les défendre en racontant qu'ils sont « faits de la même étoffe que la plupart des hommes ».

De la passion au pouvoir, il n'y a qu'un pas. Jean-Yves Le Borgne propose une transition : la séduction. « Le seul pouvoir de l'avocat est un pouvoir de séduction, mais la séduction est-elle un pouvoir ? Les avocats qui ont un lien avec le vrai pouvoir font peur, je ne serai jamais de ceux-là. Je ne vis pas dans un rapport de rupture, mais je dis ce que je pense. Du roi, je préfère être l'ami qu'il regarde avec un brin d'agacement, plutôt que le valet. On est si habitué à la flagornerie qu'on est plus reconnaissant à l'égard du flatteur qu'envers celui qui vous dit sa vérité. C'est parce qu'ils n'ont pas de pouvoir que les avocats sont fascinés par le pouvoir. Je suis un éternel solliciteur. Je suis un mendiant de liberté, disait Émile Pollak. La séduction, c'est l'inverse de l'obséquiosité, cette façon de flatter l'ego. Parfois, son orgueil est tel que l'avocat préfère offrir une posture valorisante plutôt que d'obtenir quelque chose pour son client. La démarche de rupture est une démarche désespérée, c'est le dernier plaisir offert au client fusillé par avance. Hormis cas extrême, depuis la disparition de la Cour de sûreté de l'État, insulter les juges n'est pas justifié. »

D'Éric Woerth, ancien ministre, Mᵉ Le Borgne n'est, à l'entendre, que le « conseiller » : « Un conseiller de l'ombre qui ne décide au fond de rien », car le client prendra toujours la décision. « Il m'écoutera sans doute avec intérêt, je parlerai éventuellement à sa place, je serai son porte-parole à l'audience et devant les micros, mais je n'exercerai le pouvoir que par emprunt. Le pouvoir de l'avocat, c'est celui de la musique sur l'homme, sachant que tous les musiciens ne sont pas Mozart ou Beethoven. En offrant un raisonnement, on fait entendre une autre musique. Dans l'affaire Woerth, il y a des interprétations différentes. Pour que cette musique-là soit entendue, il faut soi-même avoir l'air à peu près honnête. »

En l'occurrence, le travail de l'avocat de l'ancien ministre a consisté à faire en sorte que la crédibilité de Claire Thibout, qui fut la comptable de Liliane Bettencourt, s'effrite au point que plus personne ne croie à son histoire d'enveloppes remises discrètement aux visiteurs de sa patronne. Tâche qu'il reprend sans relâche, sautant sur l'occasion pour certifier que le haut magistrat chargé du dossier, le procureur général près la Cour de cassation Jean-Louis Nadal, « a nommé un juge par dépit, après avoir constaté qu'il n'y avait pas d'affaire Woerth ».

Incorrigible Le Borgne à qui tout le monde, dans sa famille, prédisait un avenir au barreau alors qu'il n'avait pas même douze ans. « Tu seras avocat », lui répétait son banquier de père. Il opte pour la philo en Sorbonne et découvre un « je ne sais quoi de secondarité », une distance, « un mépris pour la conjoncture » qui au début lui convient bien. Jusqu'au jour où il éprouve le curieux sentiment d'être « entré dans les ordres » : « La porte du monastère allait se refermer derrière moi ! "Donnez-moi un rien d'histoire qui m'appartienne..." Je découvre alors l'amour du contingent. Je perds mon père. Je suis en première ligne, je change de cap. La défense est d'abord une position philosophique, une manière d'être par rapport à l'autre. »

Élève de Maurice Clavel à dix-sept ans, Jean-Yves Le Borgne prête serment à vingt-trois ans et bute contre l'« esprit de famille » d'une profession qui le regarde un peu comme un « usurpateur ». Une solution : la Conférence, dont il devient secrétaire à sa troisième tentative, en 1976. Son patron, Charles Robaglia, l'appelle peu après pour le féliciter : le « blanc-bec » a été désigné d'office pour défendre l'assassin du prince de Broglie, lequel le garde, à sa grande surprise, le mettant sur le chemin d'un Roland Dumas au faîte de sa gloire, « aimable et charmant », s'enfermant avec le juge d'instruction pour des conclaves secrets dont le jeune Le Borgne ne connaîtra jamais la nature, lui qui, dans cette affaire d'État, ne défend finalement que l'exécuteur des basses œuvres.

Première d'une longue série d'affaires pénales qui le conduiront cent, peut-être cent cinquante fois devant les assises, c'est pour lui l'occasion d'apprécier « la distance, l'humanité, la hauteur » de ces magistrats qui ont connu la guerre et qui, de ce fait, sont gênés à l'heure de « mettre en taule un voleur de sacs à main »...

Est-il plus facile de défendre le médecin assassin par amour, le braqueur de banques, l'ancien ministre ? « L'impossibilité d'un échange est terrible, tranche Mᵉ Le Borgne. Il est plus facile de défendre celui avec qui l'on a un échange intellectuel, avec qui l'on peut construire une défense. L'effet sur le juge n'est pas le même si le client dit : "J'ai piqué le pognon, et je t'emmerde", ou s'il dit : "Oui, je suis désolé, j'ai pété les plombs." L'idée fixe du voyou est de ne pas se faire prendre, mais, quand il l'est, l'aventure judiciaire lui semble normale. L'auteur du crime passionnel est un homme ordinaire, comme les jurés : hors de ce pic tragique, il est de leur monde. Le voyou, lui, s'enfonce s'il montre une trop grande distance par rapport à des faits graves. Dans le cas du crime passionnel, le juré peut ressentir la souffrance de l'accusé qui explique avoir été trompé par sa femme. L'un des risques, c'est que la défense peut aggraver le fait reproché. S'il s'agit d'un militant islamiste, le client peut dire : "Oui, j'ai posé une bombe !" La défense devient une tribune pour l'acte criminel, une forme de réitération du crime. Dans le cas du crime passionnel, c'est le contraire : celui qui est le plus affecté par la disparition de la victime est souvent l'auteur même du meurtre. Il est tout seul et revendique rarement son acte. »

Les années 1990 orientent Le Borgne vers ces affaires politico-financières qui envahissent les journaux. Il a quarante-cinq ans et ces nouveaux « clients » de la justice que sont les patrons apprécient son classicisme, son formalisme, sa façon de « cultiver avec le sourire l'imparfait du subjonctif ».

La nouvelle gloire des avocats, leur intense médiatisation, dont finit par jouir à son tour M^e Le Borgne, loin des criminels anonymes et des procès sans journalistes, lui montent-elles à la tête ? La puissance des clients rejaillit-elle sur celui qui les défend ? « On confond les avocats dont on parle et ceux qui feraient le monde, pondère-t-il. L'avocat est le personnage de l'après-coup. S'il devient le conseiller du crime, s'il se mêle de politique, il n'est plus avocat. Quand le PDG d'une société consulte un avocat d'affaires, c'est pour mener à bien une absorption, pas pour choisir la cible. L'avocat peut certes en appeler à l'opinion, et c'est pour cela qu'il fait peur, mais s'il apparaît, c'est sans se situer pour autant dans la sphère du pouvoir. Il parle haut et fort, mais il n'a jamais un pouvoir de décision, ni dans le prétoire ni à l'extérieur. »

Didier Seban, conseiller des barons et... chasseur de tueurs en série

Son cabinet est installé boulevard Saint-Germain, presque en face de l'Assemblée nationale, et c'est déjà un aveu : après avoir été président de l'UNEF, la puissante organisation étudiante classée à gauche, entre 1979 et 1981, et milité au Parti communiste, Didier Seban avait un avenir en politique. Grandi à Sidi Bel Abbès à une époque où les juifs devaient tourner le dos au drapeau tricolore quand les autres entonnaient *Maréchal, nous voilà !*, fils du président du consistoire israélite local, arrivé en France à huit ans, il devient pénaliste chez l'avocat de tous les bandits de la terre : Jean-Louis Pelletier. Il a vingt-quatre ans lorsqu'il entend l'avocat de Mesrine lui donner ce petit conseil : « Si un client vous dit de ne pas venir le voir à la prison, n'y allez pas, vous risqueriez de vous retrouver au milieu d'une prise d'otages. »

Ce premier métier ne lui va pas. Didier Seban sent monter en lui une phobie de la prison, où il a l'impression de passer plus de temps que ses clients eux-mêmes. Est-il pour ces bandits autre chose qu'une bouffée d'oxygène, quand il leur rend visite ? Est-il d'une quelconque utilité face à des magistrats qui condamnent les trafiquants de drogue « au poids » ? La « chose publique » l'appelle quand plusieurs de ses copains prennent des responsabilités dans des mairies ou d'autres collectivités locales. Loin des dealers, il devient l'avocat de Pantin, une ville de 50 000 habitants où il habite, alors administrée par un ancien machiniste de la RATP, communiste bien sûr – « ceinture rouge » oblige. Il étend rapidement sa sphère d'influence à la commune voisine d'Aubervilliers, sur un créneau porteur : recevoir et conseiller les gens, nombreux, qui ont un problème avec leur bailleur. Les aider à rédiger leurs courriers de manière à conserver leur logement, ce qui diminuera le nombre de familles qui vont frapper à la porte de la mairie pour accéder au parc HLM. La lente déshérence des services publics ouvre des perspectives au cabinet dès lors que les élus locaux doivent pallier la relative désinvolture des opérateurs privés pour leurs quartiers excentrés, par exemple en matière d'accès au haut débit, d'assainissement, d'énergie, de sport...

Trente ans plus tard, Me Seban compte dans sa clientèle la ville de Saint-Denis, celle de Montreuil, mais aussi le Conseil général du « 93 », dirigé par le socialiste Claude Bartolone, futur président de l'Assemblée nationale. Il a cultivé ses liens avec les communistes, mais ne s'est pas laissé entraîner par le déclin de la Place du Colonel-Fabien. Il est devenu le « bras juridique » du public face à la quinzaine de grands groupes privés qui trustent les marchés publics, du BTP aux déchets. Une décision du Conseil d'État va de surcroît mettre son cabinet, fort d'une quarantaine d'avocats, sur orbite nationale : désormais, les collectivités locales devront mettre les avocats en concurrence ; elles devront procéder à des appels d'offres, et ne plus se contenter de liens personnels tissés entre les élus et tels ou tels cabinets.

Les prix baissent évidemment, mais le cabinet Seban mise sur sa taille et élargit ses compétences au droit du travail, aux sociétés d'économie mixte, au droit fiscal, au droit de la concurrence et au droit électoral. La tour Eiffel, le ministère de la Culture, le musée Picasso viennent allonger une liste de quelque trois cents clients publics, parmi lesquels une vingtaine de Conseils généraux, plus seulement de gauche...

Ce jour-là, Didier Seban sort du tribunal de Bobigny, où il assiste un maire qui risque une mise en examen à cause d'un immeuble insalubre, lorsqu'il reçoit un appel pressant de la mairie de Pantin. Un immeuble squatté a pris feu, le maire est rentré d'urgence du congrès des HLM, il va devoir prendre la parole publiquement... La ville est propriétaire du bâtiment : était-on au courant des risques ? Pourquoi cette occupation illégale ? Serait-il judicieux de dénoncer l'absence de politique de logements d'urgence du gouvernement Fillon tout en rappelant l'afflux de sans-papiers en Seine-Saint-Denis ? L'avocat des collectivités locales fait souvent de la politique sans en avoir l'air : il est le conseiller des princes locaux en période de crise.

Le jour où Claude Bartolone découvre l'ampleur des dégâts liés aux fameux « emprunts toxiques » que les banques ont « vendus » aux collectivités, Didier Seban propose de créer une association et de contribuer à la formation d'une commission parlementaire sur les dérives de la financiarisation et sur la démence (ou la perversité intéressée ?) de ces établissements qui ont poussé certaines communes à indexer leurs emprunts sur le cours des monnaies. Quand le maire de Saint-Denis doit affronter le préfet du département, Christian Lambert, au sujet d'un camp de Roms, l'avocat est aussi à ses côtés. Des maires ont-ils des ennuis avec l'administration parce qu'ils ont organisé des référendums sur le vote des étrangers aux élections locales ? Mᵉ Seban élabore avec eux la réponse à apporter à la police. Le maire (PS) d'Asnières, Jacques Pietrasanta, est-il inondé de plaintes par son prédécesseur, Manuel Aeschlimann ? Didier Seban prépare la riposte, convaincu qu'on ne gagne pas une élection en assignant son prédécesseur au pénal. Le maire de Bagneux est-il poursuivi parce qu'une association œuvrant pour l'intérêt public, dont il est président, a bénéficié de subventions ? L'avocat compile la jurisprudence. Les compagnies d'eau négocient-elles 250 contrats d'un coup ? « Je suis du côté du pot de terre, de la collectivité qui n'en négocie qu'un. Quand on fait économiser 50 centimes sur le prix du mètre cube d'eau, on a l'impression d'avoir gagné quelque chose d'important. » Il se mêle de l'aménagement des villes, sujet « éminemment politique », tranche la question économiquement explosive de la propriété des stations de métro, que se disputent syndicat des transports, Région et RATP. Il attaque l'État qui se désolidarise d'une Seine-Saint-Denis qui ne peut plus faire face à l'afflux de mineurs isolés...

Mais Didier Seban a une autre passion aux antipodes de la première : les *cold cases*. Manière, sans doute, de revenir au pénal, cette fois du côté des victimes. C'est par l'entremise d'une journaliste (du *Nouvel Observateur*), fille d'un vieux copain de l'UNEF, qu'il se retrouve avec les « disparues de l'Yonne » sur les bras. Elle le présente au président de l'association des familles des disparues, qui le cueille à froid : « Êtes-vous franc-maçon ? – Pourquoi ? – Ils sont tous dans la même loge, ici, on ne peut rien en tirer. – Je ne suis pas franc-maçon ! – Êtes-vous pour la peine de mort ? – Non. » Accord conclu : l'avocat embauche la juriste de l'association et se met sur la piste des tueurs en série à la française, de Michel Fourniret aux huit enfants disparus de l'Isère. Il devient ainsi celui qui pourfend les dysfonctionnements du service public, dénonçant la destruction trop rapide des scellés qui, aux États-Unis, ne servent pas seulement à confondre les criminels, mais aussi à innocenter après coup certains condamnés. « C'est un combat pour les victimes, mais aussi pour la justice », dit-il, comblé par une reconnaissance médiatique qui n'a pas tardé à venir, bien qu'il ait écarté la thèse du « complot » pour privilégier celle de négligences des juges, gendarmes et policiers.

« On a toujours nié l'existence de criminels en série, du moins jusqu'à l'arrestation de Guy Georges, explique Mᵉ Seban. Notre division administrative fait qu'on est sûr de ne pas les voir, puisque policiers et gendarmes travaillent crime par crime, dans la proximité de la victime. On n'envisage pas l'hypothèse du criminel de passage, et on utilise la police technique et scientifique de manière catastrophique. La justice, elle, oublie ses fondamentaux, à force de vouloir faire du chiffre. Elle oublie les gens. Seules les familles peuvent porter cette exigence de vérité, mais elles ont besoin de ça pour tenir debout, et tant pis si les pénalistes nous méprisent ! Pourquoi laisserait-on les victimes sur le bord du chemin sous prétexte que ce serait un truc de droite ? Quelle erreur ! Les victimes ont le droit que les coupables soient recherchés, c'est même une exigence démocratique ! »

Son souvenir le plus fort : avoir entendu le tueur en série Michel Fourniret le traiter d'« avocat de merde » parce qu'il avait réussi à lui « voler son film », autrement dit à raconter le meurtre à sa place en insistant sur les phases qu'il aurait occultées, en « montrant son vrai visage », sans oublier ces attouchements *post mortem* dont l'évocation pousse l'accusé à impliquer sa compagne, Monique, qui jusque-là se tenait à l'écart de la scène de crime. « Il manque de courage, conclut l'avocat, vainqueur aux points. Il a besoin que sa femme soit là pour passer à l'acte ! »

Sa petite fierté : en cas de disparition suspecte, les familles peuvent désormais obtenir l'ouverture d'une information judiciaire quand elles n'obtenaient jusque-là qu'une brumeuse inscription au fichier des personnes recherchées. Une novation acquise après un long siège de l'Assemblée nationale au nom de la « dignité humaine ».

Comment concilier collectivités locales et familles de victimes ? « Robert Badinter était bien associé dans un cabinet d'affaires », tranche Didier Seban, assez fier de se placer dans l'ombre de ce grand ancien qui côtoya aussi bien des clients venus du milieu du cinéma, des criminels éclaboussés de sang, que le monde feutré du bizness, avant de devenir garde des Sceaux.

CLAUDE BENYOUCEF ET LA SERPETTE MATRICIDE

Lunettes rondes à monture d'écaille, combinaison blanche : c'est dans cette tenue que Mᵉ Claude Benyoucef découvre son nouveau client en garde à vue. Son short et son tee-shirt étaient si bien maculés de sang qu'on les lui a retirés. L'homme s'appelle Patrick Imbert, il est âgé d'une soixantaine d'années et, quand il le dévisage, son avocat ne peut s'empêcher de fixer les perles écarlates qui ont séché sur les verres de lunettes.

Nous sommes au début de 2000. L'interrogatoire de première comparution prend la forme d'un monologue de quatre heures. Le juge d'instruction écoute, comme tétanisé. La greffière est au bord des larmes. Les gendarmes sont figés. L'homme vient de tuer sa mère, et il n'y a aucun risque qu'elle lui adresse à nouveau la parole : il l'a décapitée et lui a sectionné les mains. Mais ce qu'il raconte, c'est son propre calvaire.

Cette femme de quatre-vingt-cinq ans a eu deux fils, il est l'aîné. Son mari martiniquais l'a tellement trompée qu'elle a décidé de quitter les Antilles pour rejoindre Pau, sa ville d'origine. Personnage un brin tyrannique, elle ne laisse pas passer un jour sans lancer à son aîné : « Tu es aussi minable que ton père ! » Il part alors pour les États-Unis. Il y rencontre une première femme, puis une deuxième avec laquelle il a deux enfants. Un infarctus perturbe tous ses plans, notamment professionnels. « *No money, no sex* », lui fait comprendre sa compagne. Il atterrit dans le studio de sa mère. Il fume ; elle déteste. Il s'exile souvent sur le balcon. Grâce au Net, il finit par retrouver un ami d'avant, lequel tient une auto-école. Il loue un costume pour aller lui rendre visite. « Demain, je pars, annonce-t-il à sa mère. – Petit con, t'en fous pas une rame ! » réplique-t-elle. Il sort sur le balcon. Elle vocifère à l'intérieur. Elle approche. Il lui souffle la fumée de sa cigarette en plein visage. Elle crie. Il la pousse. Elle tombe. Il se laisse choir sur elle et lui heurte la tête contre le sol « jusqu'à ce qu'elle se taise ».

« J'ai bien nettoyé parce que, maniaque comme elle est, ç'aurait été horrible, poursuit-il en substance. J'ai pris une douche. Je me suis dit : faut pas que je la laisse là. » Il se souvient de ce terrain que possède la famille. La nuit venue, il enveloppe sa mère dans une couverture et la porte jusque sur la banquette arrière de sa voiture. Il se perd, erre autour de Toulouse pendant plus de deux heures, finit par retrouver le fameux terrain. Dans la cabane, il y a une serpette. Il essaie de creuser un trou, mais n'y parvient pas. Il décide d'enterrer la victime en morceaux. Il lui coupe les mains et la décapite. « Il a fallu que je la retourne, elle me regardait », dit-il. Il n'arrive pas à enterrer cette tête. Il appelle son frère : « J'ai tué maman. – Il faut que tu te rendes. » Ce qu'il fait. Aux gendarmes de Montpellier.

Durant ce récit, le juge n'a guère l'occasion de le relancer : l'homme a besoin de parler. Plus tard, en détention, il sombre dans la folie, comme en témoigne ce qu'il déclare alors à son avocat : « J'ai fait un scrabble, hier, avec ma mère. – Et elle vous a pardonné ? hasarde M⁰ Benyoucef. – Oui. »

L'avocat s'ouvre de ce glissement vers la démence au juge Bernard Courazier : « Il n'est pas en état d'être jugé », lui déclare-t-il. Le matricide se retrouve à l'hôpital psychiatrique. Un jour, le magistrat lui rend visite, seul, et décèle le début d'explication qui leur faisait défaut : « Votre client regardait un dessin animé avec d'autres patients, raconte-t-il à l'avocat. D'un seul coup, il a dit : "Mais Bambi, c'est moi !" C'est comme ça que le surnommait sa mère... »

Peu à peu, les morceaux du puzzle s'assemblent : jeune, il a eu une relation avec ce garçon devenu patron de l'auto-école ; sa mère l'avait appris ; c'est là qu'il avait bifurqué vers les États-Unis. N'a-t-elle pas évoqué à nouveau ces faits lorsqu'elle a su qu'il retournait voir cet homme ?

Le juge et l'avocat sont à peu près certains que le procès n'aura jamais lieu et que personne ne demandera à l'assassin pourquoi il a coupé les mains de sa mère, mais un psychiatre parle de rémission, et le procès approche.

« Soyez vous-même », lui dit son avocat, la veille de la première audience où il finit par comparaître pour meurtre et recel de cadavre. Devant les jurés, l'homme parle de sa mère « de façon extraordinaire », rapporte Me Benyoucef : « Je ne voulais pas la tuer, je voulais seulement qu'elle se taise. Quand elle s'est tue, j'ai compris qu'elle était morte. »

L'avocat fait déposer le juge d'instruction. Pas pour lui tendre le moindre piège : il a conservé avec lui les meilleures relations et l'a même informé de ce qu'il comptait lui demander à la barre. Le juge prend la défense de l'accusé, bientôt conforté par un psychiatre qui explique que, à l'heure de cacher le cadavre, l'accusé n'était plus « dans le coup ». Ce qui permet à l'avocat d'obtenir un acquittement pour le recel, et une peine de huit années pour le meurtre.

« Pour le juge comme pour moi, il y a eu un avant et un après, confie Claude Benyoucef. Si j'avais connu cette vie-là, peut-être aurais-je fait la même chose ? » Son procès passé, le détenu est devenu bibliothécaire de la prison et personne n'en connaît les rayons aussi bien que lui.

Me Benyoucef, lui, est un des avocats qui « pèsent » à Montpellier, comme Georges Catala à Toulouse, Alain Fort à Valence, ou Benoît Ducos-Ader à Bordeaux. Quand il a débuté, ils étaient 130 dans la capitale de l'Hérault, dont une dizaine de femmes ; la ville en compte aujourd'hui pas loin de 850, dont une moitié d'avocates. Parmi eux, une bonne quarantaine ont un pied en politique – lui le premier. Une combinaison naturelle à ses yeux, et pas seulement à cause de la passerelle franc-maçonne : « Avocat est un métier de communication, dit-il. On est dans l'oralité. » Ce qui n'empêche pas quelques désagréments, comme ces clients un peu marlous qui abusent des périodes électorales pour échapper aux honoraires en se déclarant colleurs d'affiches ou gardes du corps dans les meetings. Raison pour laquelle lui-même n'a jamais sollicité aucun mandat électoral.

Claude Benyoucef n'en est pas moins l'avocat historique du Parti socialiste en Languedoc-Roussillon, fédération historique qui revendique près de 200 000 sympathisants. C'est à ce titre qu'il a pris la défense, en 2011, de Robert Navarro, chef de file régional du parti, « flingué », affirme-t-il, dans le droit fil des misères faites à son mentor, le défunt Georges Frêche.

L'affaire, à l'entendre, démarre en février 2010, lorsque Navarro se fait exclure du parti pour ne pas avoir désavoué Frêche au lendemain d'une de ses tirades controversées dont il avait le secret. La rue de Solférino place la fédération sous tutelle, un audit des comptes est réalisé, et Navarro se voit bientôt reprocher des malversations. Une information est ouverte après la plainte déposée par Me Yves Baudelot au nom de Martine Aubry, patronne du PS. Mme Navarro se retrouve en garde à vue, et les journalistes font le siège du cabinet Benyoucef. En tant que secrétaire fédéral, l'avocat est évidemment au courant de tout, ou presque. Patrick Maisonneuve, défenseur régulier du parti, est appelé en renfort au nom de l'efficacité des binômes.

Le « client politique » n'est pas un client comme les autres : « Il faut le désarrimer du discours politique, explique Me Benyoucef. Quel qu'il soit, l'élu mis en cause a toujours tendance à évoquer "tout ce qu'il a fait pour le parti depuis vingt ans" ; or, ce que le juge attend de lui, c'est de savoir s'il a remboursé tel ou tel repas et avec quel argent. Il va devoir se justifier, et vous êtes celui qui le protège. »

Le client et ami veut-il poursuivre une feuille confidentielle qui l'a représenté en une avec des menottes ? L'avocat calme le jeu au nom de l'« inutile battage ». Un conseil de tous les instants, qui ne ressemblera jamais à celui dispensé au citoyen accusé d'avoir tué sa voisine. Parce qu'ils font partie du même monde, l'élu et lui, mais aussi à cause de l'enjeu politique : « Même si l'on débouche sur une relaxe ou un non-lieu, l'effet d'une affaire est toujours désastreux pour un élu, observe Claude Benyoucef. L'essentiel, en politique, c'est de tuer tout de suite. »

Dans une ville de la dimension de Montpellier, un avocat qui a prêté serment en 1978 finit par connaître la plupart des magistrats. Il lui arrive même de déjeuner avec l'un ou l'autre, mais il tente de conserver la bonne distance et évite de les appeler par leur prénom : « Ce serait polluant, assure-t-il. À tout moment, le magistrat peut être amené à prendre une décision qui fera perdre vingt dossiers à l'avocat ! »

Claude Benyoucef en sait quelque chose : il est né en 1951 dans le Constantinois, de l'autre côté de la Méditerranée, où son père était magistrat (et sa mère, originaire de Montpellier, professeur dans l'enseignement public). Lorsque, l'indépendance de l'Algérie venue, la famille a regagné l'Hexagone et s'est installée à Mende (Lozère), le jeune homme a été « fasciné », comme tant d'autres, par les comptes rendus d'audience à la radio du fameux chroniqueur Frédéric Pottecher. De la fac de droit au premier stage chez le bâtonnier du coin, il s'est rapidement retrouvé aux assises avec un braqueur pour client. Son patron ayant déchiré la plaidoirie qu'il avait écrite pour cette grande première, il a senti ses jambes se dérober sous lui quand l'avocat général a lancé : « Maître, vous avez la parole ! »

Le jeune Benyoucef a fait fructifier comme il a pu cette faconde qui fut jadis la signature d'un Émile Pollak, avocat marseillais qui préparait son tiercé avec le journal *Paris-Turf* sur les genoux, en pleine audience, glissait un mot à l'appariteur pour qu'il valide le ticket à sa place, se levait dans son costume fatigué et délivrait une plaidoirie généralement explosive. La sienne, ce jour-là, même sans notes, a apparemment plu à un avocat, André Ferran, qui assurait alors notamment la défense des intérêts du maire (proche du PS) de Montpellier, et l'a recruté à son cabinet. En 1983, il a « vissé sa plaque » et acquis sa notoriété régionale comme tous les autres : à la maison d'arrêt. Trente ans plus tard, il affirme ne pas courir les mondanités et renoncer à une dizaine d'invitations par semaine, autant liées à son métier qu'à son engagement socialiste.

« Au pénal, dit Me Benyoucef, l'humilité est de mise. On peut bosser des heures pour un résultat pitoyable. Cette robe, vous pouvez en arriver à la haïr quand, à 11 heures du soir, vous descendez les escaliers du Palais après la dernière journée de débat, et qu'on ne vous a pas compris. Deux jours plus tard tombe le résultat qui vous remet en selle... » Le plus souvent, il voit venir le bon dénouement, tant il est convaincu que les procès se gagnent ou se perdent à l'instruction, le moment où il faut « enfoncer des pieux », à condition bien entendu que le client joue le jeu et ne gâche pas son dossier par un trop-plein d'orgueil ou de narcissisme, ce qui arrive parfois.

Le pouvoir de l'avocat ? « Le plus petit juge de France a davantage de pouvoir que nous ! » clame Claude Benyoucef. Ce qui n'est pas incompatible avec le fait de se faire des ennemis, comme ce jour où il défendit, à Béziers, un jeune homme poursuivi pour avoir tué un enfant au volant d'une voiture rapide. La salle d'audience était pleine à craquer. À la sortie, le grand-père du défunt l'a traité de salaud parce que la peine infligée ne compensait évidemment pas, à ses yeux, la perte d'un enfant. La foule s'est refermée sur lui, prête à le lyncher, et deux policiers ont dû l'exfiltrer *in extremis*...

Chapitre 13

Secrets de campagne

WILLIAM GOLDNADEL
ET LA « PANTALONNADE » DE TOULON

William Goldnadel brandit haut l'étendard de la frange conservatrice de la communauté juive, tendance ashkénaze ; il porte aussi la robe noire et ne cesse de rêver de découvrir demain, après-demain, le nouvel eldorado où s'épanouiront ses affaires. Par exemple, quelques dossiers du côté du Maroc, ou une nouvelle vague d'arrestations parmi ses escrocs favoris, ceux qui ont donné à la justice du grain à moudre dans les affaires dites du Sentier, ce quartier parisien qui fut le haut lieu de la confection, tendance sépharade...

Le client dont Me Goldnadel choisit de nous parler, ce jour-là, à la table de l'un de ces petits restaurants chinois du XVIIe arrondissement où le rouleau de printemps est tout à fait comestible, n'a cependant strictement rien à voir avec la communauté juive : il s'agit de Maurice Arreckx, dit le « parrain » du Var, néanmoins membre de l'association France-Israël.

C'est « un homme d'affaires lié au monde politique » qui le présente au sénateur-maire (UDF) de Toulon, lequel accepte non sans quelques réticences de prendre pour défenseur cet avocat parisien d'à peine quarante ans. L'empathie est apparemment réciproque. Une aubaine, si l'on ose dire : ce sera l'un des premiers politiciens d'importance à être incarcérés pour corruption ! Donnant ainsi l'occasion à Mᵉ Goldnadel d'apparaître dans la très convoitée lucarne du journal télévisé de 20 heures, dont il fait l'ouverture avec quelques phrases assez fracassantes pour rebondir dans les colonnes du *Canard enchaîné* : « C'est un jour noir pour la justice française ! On calme le peuple en enfermant un vieillard de quatre-vingts ans atteint d'un cancer de la prostate, on présente ça comme du courage politique, mais c'est une pantalonnade ! »

Un tournant dans la carrière du jeune Goldnadel, qui se passionne depuis toujours pour l'histoire et la politique, dont il connaissait tous les grands noms dès l'âge de dix ans, affirme-t-il. Au point d'être en mesure de dresser un portrait de Maurice Arreckx, presque un physique à la Chaplin, dès leur première rencontre. Pour le reste, l'avocat fait un peu figure d'extraterrestre dans cette ville où il ne connaît ni ses confrères, ni les magistrats, et où il a tôt fait de découvrir les dessous de la politique locale : les ennuis de son client n'arrangent pas seulement le pouvoir, mais aussi la droite du coin, qui force le trait quand il s'agit de faire état des amitiés dangereuses du sénateur – notamment ses liens avec le véritable « parrain » de la côte, Jean-Louis Fargette.

William Goldnadel est une fois par semaine à Toulon, où il loge dans un hôtel voisin du domicile de son client. L'affaire fait la une des journaux et l'avocat se frotte à ce milieu qu'il ne connaît pas encore. Le courant passe mal avec le nouveau correspondant local du *Monde*, qu'il considère comme « idéologiquement » opposé à son client. Celui d'Europe 1 « adore Maurice », dont le charme et la gentillesse font parfois encore effet. Mᵉ Goldnadel joue sur le registre de la sympathie et de l'ouverture, et fait en sorte que les journalistes aient l'impression qu'il ne les « met pas dans le vent », autrement dit qu'il ne les « promène » pas.

L'avocat accompagne son client lorsqu'il doit comparaître devant le Sénat. Arreckx s'explique devant ses pairs, mais, comme le dit Goldnadel, « c'était couru d'avance » : son immunité est levée. Il va lui falloir répondre devant la justice des accusations de corruption passive et recel d'abus de confiance.

Les audiences commencent un lundi d'octobre 1996. Goldnadel passe le week-end à Saint-Tropez, où il a désormais pris ses habitudes. Il réserve un taxi pour rejoindre le Palais de Justice, mais le client lui envoie une limousine de place aux vitres fumées d'où il s'extrait – effet garanti –, vêtu d'un costume blanc et le visage barré de lunettes de soleil. Une « escouade » de journalistes lui tombe dessus, et il prend à cet instant conscience qu'il a le parfait *look* de l'avocat de « mafieux »...

« Personne ne se fait d'illusions sur l'objectif du juge qui veut l'incarcération de mon client », se souvient Me Goldnadel. La pression est forte. Les enquêteurs ont mis au jour un compte en banque au Luxembourg, baptisé « Charlot » par ses utilisateurs : une première dans un dossier de ce genre. L'avocat sait les magistrats sensibles à l'air du temps, et redoute qu'ils ne statuent pas seulement en droit. Lui qui a fait ses classes chez l'avocat (et député) de tous les « arrangements » de l'époque gaulliste, Pierre Lemarchand, n'ignore pas ce dont les magistrats sont capables dans les « affaires signalées » : « Comme c'est un homme politique, Arreckx doit payer, dit-il. L'affaire a été montée depuis Paris. Il doit être "sur-condamné" médiatiquement et judiciairement. »

Le réquisitoire est assassin : « Vous deviez montrer l'exemple, et vous avez été un traître à la cause du Var ! Vous vous êtes gavé ! » lance l'avocat général, qui réclame cinq ans de prison, dont au grand maximum deux assortis du sursis. Formule dont Me Goldnadel ne tarde pas à souligner la « vulgarité » d'autant plus criante que nous sommes sur les terres de Mirabeau, avant d'exhorter le tribunal en ces termes : « Ne soyez pas victimes des contingences ! Ne soyez pas victimes de la pression ! »

À l'issue de la dernière audience, l'avocat croise le président du tribunal, qui lui fait plaisir en lui disant : « J'ai appris que vous aviez été formidable. – Je crains malheureusement le poids des contingences, réplique Goldnadel. – Je crains que vous n'ayez pas tort », conclut poliment le magistrat.

Après sa plaidoirie, Goldnadel reçoit de son client une « lettre d'amour ». Le verdict tombe le 16 décembre 1996 : deux ans de prison, un million de francs d'amende et cinq ans de privation des droits civiques. Petit succès pour l'avocat : Arreckx ne connaîtra pas une seconde fois l'opprobre de la prison. Malade et âgé, il est conduit à la clinique des Baumettes.

Lorsqu'il va chercher « Papy », six mois plus tard, à la sortie des Baumettes, après un passage par la cour d'appel d'Aix-en-Provence, Goldnadel soigne les apparences. Piégé à l'ouverture du procès, il a compris l'impact des images. Voyant marcher vers lui Arreckx avec un gros sac Tati dans une main et un attaché-case dans l'autre, il prend courtoisement et professionnellement l'attaché-case et laisse le confrère qui l'accompagne poser pour la photo avec le « sac à poireaux » à la main.

Après avoir défendu Maurice Arreckx comme il aurait défendu son grand-père, l'avocat entre dans le club fermé des *people*, une forme d'aristocratie, d'ordre dans l'Ordre, avec, en prime, des dossiers dont il n'osait pas même rêver avant. « On ne vous accorde pas plus de crédit professionnel ou moral, mais, si l'on a été assez malin pour entrer dans ce club, celui des magistrats y sera sensible, observe Goldnadel. Je fais partie du club, mais j'en suis un membre atypique, pas "dans le moule", et je sais que cette reconnaissance-là ne dure pas. »

Les pénalistes ne le considèrent pas comme un des leurs, mais, à la limite, cela rassure plutôt les clients à qui l'avocat à 100 % pénaliste fait peur. Goldnadel conserve une double spécialité : droit des affaires d'un côté, droit pénal de l'autre, plus un peu de droit de la presse. C'est par les milieux d'affaires qu'il a rencontré des politiques, mais il reste l'un des avocats à la mode parmi les affairistes *borderline*, ceux qui, deux fois sur trois, s'en sortent sans trop de casse. « Je suis l'homme des délinquants qui ne le sont pas tout à fait », dit-il, tout en revendiquant une certaine « créativité » sur le plan du droit. « Ceux qui font leur métier mécaniquement sont inutiles, assène-t-il. Je ne suis pas dans une stratégie de rupture, mais, en certaines circonstances, cela peut sauver davantage que la connivence. Pourquoi être connivent si l'on n'a rien à se reprocher ? Si l'on craint le conflit, il faut choisir un autre métier. Il est rare que le compromis apporte quelque chose. Pragmatiquement, la fermeté est payante. »

Né en 1954, William Goldnadel a grandi dans un « pays », la région rouennaise, où « il n'y avait que des goys ». Les roustes que lui mettaient les cathos intégristes dans la cour de récré lui ont « tanné le cuir ». Il découvre ce qu'il appelle la « complexité de la nature humaine » en écoutant ses parents lui raconter l'Occupation. Sa mère, fille de juifs russes communistes, vante la conduite magnifique des communistes et celle des gendarmes français ; son père, descendant d'une famille juive polonaise très humble mais plus lettrée, lui rapporte en revanche qu'il a été en butte à un épouvantable antisémitisme. « L'un et l'autre avaient raison », tranche le fils, qui opte pour le droit après avoir procédé par élimination plus que par passion véritable. Peut-être aussi y est-il porté par ce déterminisme évoqué par le Russe Yuri Slezkine dans *Le Siècle juif*, selon lequel les juifs comme les Libanais appartiendraient définitivement au camp des « Mercuriens », fragiles, nomades, aspirant à la réussite et à l'élévation intellectuelle, à la différence de ceux qui, éleveurs sédentaires ou paysans, sont attachés à la terre...

Devenu avocat auprès de Me Lemarchand en 1979, William Goldnadel est rapidement « déniaisé ». Avocat barbouze sous de Gaulle (qu'il appelait « papa ») et Pompidou, proche du ministre de l'Intérieur Roger Frey, radié par le Conseil de l'Ordre pour son rôle trouble dans l'enlèvement de Mehdi Ben Barka, homme de « coups tordus », capable du meilleur comme du pire, spécialiste de l'intervention politique, Pierre Lemarchand passe auprès des juges pour avoir le bras long. Le jeune Goldnadel a pris la place au cabinet du petit-fils du Général, également prénommé Charles, grâce à l'entremise de son « copain » Michel Konitz. Il monte au Palais pour défendre julots casse-croûte, souteneurs, en attendant les hommes d'affaires et les politiques. Le « petit juif » s'engueule évidemment avec le patron (pro-arabe) sur le Proche-Orient, mais lui voue une « reconnaissance éternelle » à l'heure de s'installer à son compte en 1990.

William Goldnadel admire l'intelligence de son confrère Georges Kiejman, se dit « épaté » par le succès d'Olivier Metzner, mais assure que « les avocats se sont décrédibilisés en défendant n'importe qui et n'importe quoi ». Lui-même aurait du mal à défendre un agresseur de petites vieilles, défendrait « mal » l'auteur d'un crime de sang, et préfère la veuve et l'orphelin à ce délinquant qui a « annexé la douleur ». Il déteste les leçons de morale, le « droit-de-l'hommisme », le manichéisme et tous les conformismes ; il adore jouer à contre-courant, en fonction de quoi on le voit prendre la défense ici des Serbes, là des Israéliens, ou encore du « petit Blanc de banlieue » qu'il considère comme le « nouveau juif ». Il reçoit à son cabinet des escrocs, des élus, des entrepreneurs de tous bords qu'il estime être les « vrais aventuriers » d'aujourd'hui et dont il affirme qu'ils ont un mal fou à survivre en toute légalité. D'aucuns le présentent comme un « avocat communautaire », mais il dément, expliquant que l'injustice l'insupporte, quelle qu'en soit la victime : flic, « Français de souche » ou Israélien. Il conteste même le communautarisme au nom du réalisme (« Le goy est plus nombreux, une petite étude de marché m'en a convaincu... »), tout en assumant pleinement le rôle d'homme d'influence et d'intermédiaire, lui qui connaît désormais autant de journalistes que de politiques ou de policiers.

« Avocat est un métier de pouvoir et d'influence dans une société où le verbe est roi, dit Goldnadel. Celui qui a le pouvoir de la parole, le pouvoir de l'indignation, et une ouverture sur les médias, règne en maître. On est des intermédiaires. On passe des messages, on marie, on arrange. On a plus de pouvoirs que le député de base. Mais on ne peut me réduire à un seul combat, même quand on veut me faire la peau. Je me bats contre les décisions stéréotypées acquises d'avance de la part des juges, plus que beaucoup de faux rebelles et de petits marquis qui ont le verbe haut contre les institutions mais font des ronds de jambe aux magistrats dans les cocktails. »

La flagornerie, ce n'est pas le style Goldnadel : on l'a constaté lorsque l'ex-juge d'instruction Philippe Courroye a témoigné dans le procès de l'Angolagate. L'avocat défendait le Franco-Israélien Arcadi Gaydamak, dont la décoration reçue après la libération de pilotes français détenus en Bosnie a été interprétée comme une preuve de culpabilité.

« C'est bien vous qui avez rendu un non-lieu en faveur de Jacques Chirac ? interroge l'avocat.

– Oui, répond celui qui est devenu procureur de Nanterre.

– Monsieur le Procureur, c'est bien vous qui avez reçu la Légion d'honneur sous la présidence de Jacques Chirac ?

– Oui.

– Si un esprit chagrin vous reprochait (injustement, bien entendu !) d'avoir monnayé votre médaille, est-ce que vous ne vous sentiriez pas offusqué ? »

Tollé sur le banc des magistrats, dont Philippe Courroye profite pour répondre à côté. Commentaire après le coup d'éclat de l'avocat : « C'était le moment de prendre de vrais risques. Ce n'était pas une posture esthétique et je n'avais que des coups à prendre, mais c'est ma façon à moi de défendre la robe. »

Une autre fois, alors que l'on juge un des volets des escroqueries dites du Sentier, un magistrat commence ainsi son adresse à l'un des mis en examen, juif : « Vous et vos congénères... » L'avocat laisse passer, mais prend note. Le magistrat récidive un peu plus tard : « L'État d'Israël devrait être mis au banc des nations, car il n'a pas coopéré dans cette procédure. » Avocat par ailleurs de l'ambassade d'Israël, Mᵉ Goldnadel sait que les policiers français envoyés sur place y ont été plutôt bien accueillis. Il obtient qu'une magistrate israélienne proteste contre les « scandaleuses » déclarations du magistrat français et il revient à l'audience, le lendemain, en brandissant une dépêche de l'AFP et en lançant :

« Il y a en ce moment le procès d'Alois Brunner. Je ne pense pas que votre *alter ego* du parquet ait demandé à ce que l'État syrien, qui a protégé ce criminel de guerre, soit mis au ban des nations. C'est vrai que c'est moins important qu'une affaire de cavalerie : il ne s'agit que de la déportation de petits juifs français ! »

Bronca assurée dans la salle, mais effet garanti. L'affaire en question s'est d'ailleurs soldée par un taux de relaxe qui, paraît-il, pourrait figurer dans le Guinness Book des records : autour de 30 %.

« Je connais les ressorts du pouvoir médiatique et du pouvoir politique, déclare William Goldnadel. J'en connais la physique et la chimie. » On prend beaucoup conseil auprès de lui, comme Ariel Sharon qui, un jour, alors qu'il était ministre de la Défense d'Israël, lui demanda de porter plainte en France, après avoir gagné aux États-Unis, contre *Time Magazine*. L'avocat lui fit savoir que ce serait une « bêtise », même s'il avait des chances de gagner contre celui qui l'avait traité de « criminel de guerre ».

On connaît ses bons rapports avec Nicolas Sarkozy, on le dit proche de Benyamin Netanyahou, actuel Premier ministre israélien, mais William Goldnadel assure que les « vrais » secrets sont rares. D'ailleurs, il s'en méfie. Il lui est même arrivé de refuser un client qui risquait de lui en confier de trop lourds : l'ancien préfet Maurice Papon, poursuivi pour avoir orchestré la déportation de juifs à Bordeaux. Le recevant « humainement » à son cabinet, il l'a éconduit en termes courtois, faisant abstraction de sa faiblesse pour les vieux : « Je ne pense pas que vous veniez me voir pour mon talent. »

JACQUELINE LAFFONT :
LOIN DES MÉDIAS, PRÈS DU POUVOIR

Charles Pasqua est un bosseur et il a trouvé en Jacqueline Laffont son double, version robe noire. Michel Roussin est un lieutenant fidèle et taiseux, et s'il a fait confiance à cette même avocate, c'est probablement aussi qu'elle lui ressemblait. Le premier, pilier de la Ve République gaullienne, s'est retrouvé acculé par une cascade d'actions en justice initiées par ceux à qui il faisait de l'ombre ; le second, rouage essentiel de la Chiraquie, a échoué pour quelques jours à la prison de la Santé parce qu'il refusait de donner la combinaison des coffres secrets de ses mentors. Leur point commun : ils n'ont que des compliments aux lèvres lorsqu'on leur parle de cette avocate – jugement d'autant plus surprenant que, dans la génération du premier et le milieu du second, on prenait plutôt *un* avocat.

Fille d'un officier de marine (pas d'avocat dans la famille), bac littéraire en poche, Jacqueline Laffont a vingt-trois ans lorsqu'elle prête serment en 1984. À la faveur d'un stage auprès du juge Jean-Louis Bruguière, elle rencontre un confrère, Patrick Maisonneuve, qui la met en relation avec Pierre Haïk, lequel la prend pour collaboratrice. Elle l'épouse sans bruit et se « jette dans l'arène » du pénal. « Avocate, on passe un examen tous les jours, raconte-t-elle. On est confronté au jugement des autres. "Pourquoi Mᵉ Haïk m'envoie-t-il sa secrétaire ?" me demande parfois un client. Une fois qu'ils vous voient à l'œuvre, ça s'aplanit. Avec les confrères, ce peut être plus compliqué. C'est un métier d'hommes, un de leurs domaines réservés. À l'écart de cette virilité, on est moins en concurrence frontale qu'ils ne le sont eux-mêmes. Certains clients choisissent plutôt une femme par calcul, notamment dans les affaires de mœurs. »

Jacqueline Laffont n'aurait jamais rencontré Charles Pasqua s'il ne l'avait désignée pour le défendre. « Les avocats d'affaires défendent des gens de leur monde, plus rarement les pénalistes », observe-t-elle. Le « faiseur de rois » de la droite française ne gravite pas dans son environnement, mais l'homme qu'elle rencontre ne correspond guère à l'image qu'en donnent les médias. « Ce n'est pas un homme d'argent, dit-elle. Il a un vrai sens de l'État. Il fait totalement confiance aux gens. Il est très attentionné. »

Devant la Cour de justice de la République, Pasqua doit répondre de trois chefs d'accusation. Lef Forster plaide dans une affaire, Pierre Haïk dans une autre, Jacqueline Laffont s'occupe d'une histoire de casino dans laquelle l'ancien ministre de l'Intérieur est soupçonné d'avoir favorisé des amis, moyennant compensation financière. Elle obtient la relaxe. Pasqua lui demande alors de le défendre dans le dossier le plus difficile, celui de l'Angolagate, où il est accusé d'une foule de turpitudes, dossier signé Philippe Courroye. Elle le tire complètement d'embarras.

Ces affaires durant parfois jusqu'à dix ans, des liens se tissent forcément entre avocats et clients. Lorsqu'il se retrouve incarcéré, Michel Roussin préfère que sa compagne ne le voie pas dans cette situation, mais ses avocates (il est également défendu par Élisabeth Maisondieu-Camus) lui rendent visite tous les jours. Il se prépare à l'idée d'y rester, et sa chance d'en sortir est *a priori* minime...

« Ce sont des moments où la vie des gens bascule, des moments très intenses, raconte l'avocate. Au départ, je ne connaissais pas M. Roussin. Dans les affaires pénales, on voit les gens dans ce qu'ils ont de plus humain. Le plus souvent, ils disparaissent après le résultat, même s'il est bon, parce qu'ils veulent oublier. C'est la même chose avec un chirurgien après une opération. C'est un peu comme si on avait été otage avec eux. On ne doit pas s'aimer, la distance ne peut disparaître... »

Pierre Haïk plaide la remise en liberté devant la chambre d'accusation, tandis que Jacqueline Laffont attend devant la prison de la Santé, portable branché. *In extremis*, la remise en liberté est accordée après quelques jours de détention, l'avocat ayant démontré qu'il y avait peu de risques que l'ancien gendarme prenne la fuite. Elle le voit arriver de loin, à travers la grille, et lui adresse un « grand sourire », tandis que le terroriste vénézuélien Carlos applaudit à tout rompre, imité par un certain nombre de prisonniers africains (Michel Roussin est un spécialiste des affaires africaines). Il est libéré le lendemain, après paiement de la caution par sa belle-mère. Et tous se retrouvent chez lui : « Un grand moment, comme peuvent l'être certaines relaxes, surtout quand la détention est injuste. »

Le dossier des marchés de la région Île-de-France, dans lequel est principalement impliqué Michel Roussin, avance à l'allure d'un « rouleau compresseur, explique Me Laffont. Les condamnations sont acquises d'avance. Michel Roussin doit payer, et lui seul, alors que l'argent, s'il y en a eu, est allé directement des entreprises aux caisses des partis politiques. On lui a dit qu'on serait là, quoi qu'il arrive ».

Verdict : quatre ans de prison avec sursis. « Il a pris pour solde de tout compte pour toute la classe politique dont lui-même ne faisait pas vraiment partie, commente l'avocate. Cette condamnation l'a meurtri, même si on s'y attendait. »

Évidemment, quand on fréquente ce type de personnages, « on se retrouve dépositaire de quelques secrets, mais ils ne nous disent pas tout. On découvre la face cachée sans pour autant pénétrer dans l'arrière-cabinet ». À la place de ces puissants, Jacqueline Laffont n'aimerait pas particulièrement tomber « entre les mains de n'importe quel juge », tant elle sait avec quelle vitesse les choses peuvent « s'emballer de façon irrationnelle ».

« Certes, poursuit-elle, nous sommes un contre-pouvoir », mais ce n'est pas forcément du côté des journalistes qu'elle ira chercher un relais. Elle n'a le numéro de téléphone d'aucun homme de presse et confie « ne pas savoir très bien utiliser les médias ». Plusieurs fois, elle a même été « déçue » par la manière dont les chroniqueurs suivaient les dossiers. La dernière fois, c'est quand elle défendait Pasqua devant la Cour de justice de la République : elle a démontré que certains témoins étaient de « fieffés menteurs », mais la presse, elle, attendait... une condamnation. « Les médias font des choix, ils ont une approche idéologique des dossiers », affirme l'avocate. En l'occurrence, ils ont expliqué que Pasqua avait été épargné par une « justice de pouvoir », et non pas parce qu'il était innocent ou... bien défendu ! On ne risque donc pas de la voir dans une émission de télé, d'autant qu'elle en est intimement convaincue : « On ne gagne sur un dossier que si on l'a bien épluché. »

JEAN-MARC FÉDIDA, UN AVOCAT DANS LA CAMPAGNE

Lorsque Didier Schuller, né en 1947, membre de la Grande Loge nationale de France, directeur de l'office HLM des Hauts-de-Seine entre 1986 et 1994, ancien conseiller général du canton de Clichy, se présente devant le tribunal correctionnel de Créteil en octobre 2005, Jean-

Marc Fédida sait que le climat ne lui est pas favorable. Les tentatives de déstabilisation de plusieurs magistrats durant l'instruction, dont Éric Halphen, risquent même de teinter cet accueil d'une certaine hostilité. Surtout que le prévenu, comme le dit son avocat, « a donné l'impression de faire des pieds de nez depuis les cocotiers[1] pendant sept ans, et d'avoir bravé l'autorité judiciaire en s'exprimant dans *Paris-Match*, *VSD* et *Le Monde* ».

Côté carcéral, Didier Schuller est en prison depuis trois semaines, alors que son subordonné est incarcéré depuis six mois et que le chef d'entreprise par qui tout a commencé, Francis Poullain, en a fait encore davantage. De quoi créer un contexte judiciaire « redoutable » à l'heure où s'ouvre ce procès qui doit durer plus de trois semaines, avec une presse mobilisée qui guette le moindre mot tombant de la bouche de l'ex-fugitif le plus recherché de France, sur fond de guerre des droites – une sorte de « tour de chauffe » avant l'affaire Clearstream, avec le même Dominique de Villepin (en plus jeune) dans la coulisse.

Fidèle à sa pratique, Jean-Marc Fédida se prépare tout en s'attendant à tout. Il peaufine sa ligne au fil de l'audience, oralité oblige. Didier Schuller se fend d'une déclaration liminaire dans laquelle il affirme qu'il n'a pas fui la justice et la respecte. Mais, le lendemain, le président l'appelle à la barre : « Vous êtes divorcé ? lui demande-t-il. – Oui. – Vous respectez les décisions de justice ? – Oui. – Vous avez réglé la pension alimentaire de votre ex-femme pendant sept ans ? – Eh ben, non, monsieur le Président, mais… » L'étau se resserre : il faudra, à l'heure de plaider, « balayer dans tous les recoins de la pièce et mettre un peu de rationalité dans l'affaire »… En attendant, rester attentif à l'ambiance, qui peut faire basculer le procès d'un côté ou de l'autre.

C'est un ami de Didier Schuller qui est venu voir Jean-Marc Fédida cinq ans plus tôt, en 2000. L'avocat fait la une

---

1. Il a trouvé refuge dans les Caraïbes.

à cause de l'affaire des HLM de la Ville de Paris, dont il a hérité grâce à son ami Arnaud Montebourg, devenu député. Il défend François Ciolina, l'ancien directeur de l'office HLM, qu'il parvient peu à peu à faire reléguer au cinquième plan, derrière le maire de Paris et quelques autres hauts responsables, en somme complice d'un système qui existait avant lui... Le contact est bon, se souvient l'avocat qui donne son accord pour prendre la défense de Schuller, mais il reste sans nouvelles pendant plusieurs mois. Lorsque celui-ci le rappelle, en février 2001, c'est pour lui demander s'il est prêt à s'envoler pour Saint-Domingue, ce que l'avocat accepte après une brève conversation avec le fugitif. La compagne de ce dernier, Christel Delaval, elle aussi recherchée par Interpol, viendra le chercher là-bas à l'aéroport.

Première rencontre décisive, où l'avocat comprend que l'on a instamment prié son client de disparaître de la circulation, « dans l'intérêt de tous », à la veille de l'élection présidentielle de 1995. Une fois au pouvoir, ses amis lui fourniraient les moyens d'un exil agréable et l'on arrangerait peut-être le coup à la faveur d'une amnistie, mais qu'il quitte le pays au plus vite et se soustraie à la curiosité de juges et de journalistes qui rêvent de se servir de lui pour percer les secrets financiers des Hauts-de-Seine, ce fief juteux de la droite !

Fait plus curieux, c'est un avocat, Francis Szpiner, proche du camp Chirac, qui lui aurait suggéré la Suisse comme porte de sortie, et les Bahamas comme destination, avec pour objectif caché de « plomber » la campagne d'Edouard Balladur. Il vit d'ailleurs sous la fausse identité de Didier Waiser, ressortissant suisse, mais, sur le plan économique, sa situation est assez tendue. C'est pourquoi sa famille et lui ont quitté au bout de deux ans les Bahamas pour se replier sur la République dominicaine, où le budget école-maison-personnel est passé de 50 000 à 5 000 dollars par mois... Il est pour l'heure en train d'épuiser ses derniers sous, et toujours pas de nouvelles de ses

« amis », pas plus que d'amnistie au menu de l'Assemblée nationale. Au surplus, si ses interviews à la presse française ont apparemment eu le don de hérisser les magistrats, elles ont aussi agacé ses copains, qui y ont vu comme la menace de révélations à venir sur leur financement politique si rien ne se passait.

Rien ne se passe encore pendant près d'un an, jusqu'au jour où le fils de Didier Schuller précipite les événements. En froid avec son père pour des raisons financières, il est approché par des journalistes de *Paris-Match* qui lui promettent une somme substantielle en échange de photos où l'on verrait le fugitif les pieds en éventail sous les Tropiques. La crise familiale s'aggrave, et le jeune homme commence à bavarder...

Avant de s'envoler pour la République dominicaine, Jean-Marc Fédida rend visite au juge d'instruction Philippe Vandingenen : « Je ne vous demande aucune faveur, sauf de me dire quand il est possible de caler une série d'auditions consécutives. Une fois que mon client aura répondu à toutes les questions, je ferai une demande de mise en liberté. » Le juge accepte. Si tout se passe comme prévu, Schuller ne devrait pas moisir en détention au-delà d'un délai raisonnable.

Parti à la veille de l'élection présidentielle de 1995 qui voit la victoire de Jacques Chirac face à Lionel Jospin (et la déconfiture d'Edouard Balladur), Schuller jette un froid sur celle de 2002. Mais, « si l'on part du principe politiquement correct qu'il ne faut pas s'occuper des affaires pendant la campagne, remarque Me Fédida, on ne s'en occupera jamais, car ces gens-là sont toujours en campagne ! »

Une meute de journalistes guette à l'aéroport de Roissy le retour de l'« emmerdeur », aussitôt placé sous mandat de dépôt. Fini les Caraïbes, bienvenue au quartier VIP de la Santé, où on l'installe dans la cellule voisine de celle d'Alfred Sirven, fraîchement coffré aux Philippines sur ordre des juges chargés du dossier Elf.

Mais, déjà, la polémique fait rage. En direct sur Europe 1, Jean-Pierre Elkabbach embarrasse François Hollande, patron du Parti socialiste : cet avocat, Jean-Marc Fédida, n'est-il pas membre du PS ? N'est-il pas un ami d'Arnaud Montebourg ? Ce retour fracassant de Saint-Domingue ne coïncide-t-il pas un peu trop bien avec la campagne en cours ? Certains vont même jusqu'à suggérer que l'avocat a été missionné par un conseiller du Premier ministre Lionel Jospin (nous sommes en pleine cohabitation), mais Fédida conteste formellement. La seule chose vraie, c'est que son propre père, psychanalyste de renom, qui habitait dans le même immeuble que Jospin, a signé l'appel à sa candidature en 1995, et qu'il aurait fait de même en 2002 dans un autre contexte. Pour le reste, assure encore l'avocat, « Jospin a toujours considéré qu'on ne faisait pas de politique avec les affaires », contrairement à la mode qui prévaut à droite. Et Schuller n'est rentré que pour une seule et unique raison : il était au bout du rouleau.

Jean-Marc Fédida prend enfin connaissance d'un dossier qui n'a cessé de grossir. Il se concentre sur son rôle : la défense de Didier Schuller sous l'œil menaçant de ses « amis » des Hauts-de-Seine et d'ailleurs. La politique, c'est pour son ami Arnaud Montebourg qui a quitté la robe pour l'écharpe de député ; lui se sent « trop tendre » pour ce monde-là. Surtout, rester avocat : sinon, il en prendra « plein la gueule ».

D'ailleurs, le dossier, pour épais qu'il soit, n'est pas catastrophique pour son client. L'avocat se convainc même qu'on en a rajouté pour l'inciter à disparaître, parce qu'au-delà d'un coup de fil anonyme, d'une carte de visite compromettante... et de mois de recherches, notamment à Tel-Aviv où on le croyait reconverti dans le vin casher, il n'y a pas vraiment de quoi l'envoyer au bagne... « On avait préparé une défense George-V et on nous sort l'impasse de l'Âne-Rouge dans une petite ville de province ! » résume Fédida. Pas de quoi, en tout cas, faire imploser la baronnie des Hauts-de-Seine...

Durant près de dix jours d'audition, Didier Schuller raconte tout, mais a-t-il d'autre issue ? « Il est parti sept ans, observe son avocat. S'il ne parle pas, il n'a aucune chance de sortir de prison. Ils l'ont fait partir, il a rempli ses obligations morales vis-à-vis de ses amis, puis ils l'ont oublié. Maintenant, il s'explique. »

Rapidement remis en liberté à la surprise générale, Didier Schuller ne regrette pas d'être rentré, seulement d'être parti et d'avoir vécu toutes ces années dans l'idée que le « juge communiste manipulé par Montebourg » voulait sa peau, et que son dossier était accablant, alors qu'il ne l'est pas tant que ça, comme le prouve le dénouement judiciaire. La peine de cinq ans d'emprisonnement, dont deux fermes, infligée en première instance, sera ramenée, en appel, à un an d'emprisonnement. Lequel sera purgé dans un régime de libération conditionnelle, avec bracelet électronique quelques jours par semaine à certaines heures...

Plongé au cœur des jeux de pouvoir, Jean-Marc Fédida assure ne pas « avoir recours aux réseaux d'influence », à la différence de certains de ses confrères. « Francis Szpiner joue la proximité avec les milieux de pouvoir : dans la même journée, il a au téléphone Gbagbo et Chirac ; d'autres mettent en avant leur relations avec Laurent Fabius ; Véronique Lartigue a fait la campagne de Borloo à Valenciennes, etc. Je n'ai pas cette vocation à mélanger les genres », affirme-t-il. Le dossier Schuller, qu'il a traité en même temps que celui des HLM de Paris, avec à la clef des déboires considérables pour Jean Tibéri et le basculement de la mairie de la capitale à gauche, lui a permis de faire la part, dans les affaires, entre ce qui relève du droit et ce qui ressortit au militantisme. Quand il voit l'affaire Karachi prendre son envol à l'approche de la présidentielle de 2012, il n'est pas dupe et reconnaît quelques-unes des « ficelles » qu'il a déjà entrevues dans l'affaire Clearstream...

Né à Villeurbanne en 1963, fils d'un homme couvert de distinctions universitaires et d'une militante communiste et féministe, Jean-Marc Fédida suit les cours de l'Institut de droit comparé à Paris, en 1983, lorsque son professeur lui propose de partir pour Berkeley, aux États-Unis. Il s'apprête à s'inscrire au barreau de Californie quand le décès de sa mère le ramène à Paris. Son père l'envoie à Georges Kiejman, qui défend précisément les États-Unis après l'assassinat du consul américain à Strasbourg. Il devient le chauffeur-collaborateur-porteur de dossiers de cet avocat au faîte de la gloire, proche du président de la République (Mitterrand), qui le fascine par « sa façon seigneuriale d'exercer son métier », et qui le paie royalement, lui laissant en même temps le loisir de prêter serment en 1989...

« Mon bain d'acide, c'est l'affaire de la profanation du cimetière juif de Carpentras dans la nuit du 8 au 9 mai 1990 », raconte l'avocat. Fan de concours d'éloquence, il envoie au Mémorial de Caen un discours en forme de plaidoirie pour Félix Germon, l'homme dont le cadavre a été extrait de son cercueil, rédigé sur une nappe en papier dans un restaurant de la rue des Rosiers, à Paris, « en dévorant un *chawarma* ». Sélectionné, il demande au rabbin du quartier de prier son homologue de Carpentras d'intercéder auprès de Mme Germon pour voir si elle l'autorise à lire ce discours. Non seulement elle pleure, mais elle accepte... et lui demande de devenir son avocat.

Une partie de la presse se déchaîne, notamment *Le Figaro* qui voit « l'ombre de Kiejman planer sur Carpentras », tandis que le juge d'instruction imagine (déjà) Fédida en sous-marin de la Chancellerie... où vient précisément d'être promu Kiejman. Avec Arnaud Montebourg, il a déjà fait déménager Alain Juppé[1], démasqué le faux

---

1. Une information judiciaire a été ouverte pour « prise illégale d'intérêt » à propos d'un appartement de la Ville de Paris loué à un tarif très préférentiel ; le classement du dossier rimera avec le déménagement du ministre, en 1995.

rapport sur la francophonie de Xavière Tibéri et cha-
touillé avec succès le système des « faveurs » mis sur pied
par la droite parisienne. Pendant près de six ans, il se
rend presque tous les mois à Carpentras pour déjeuner
avec Madeleine Germon, et ce dossier peu à peu le
« transforme en avocat ».

« Dans ce dossier, il y a tout, dit-il. Il y a les excès et
les passions. Il y a une enquête minutieuse et un dossier judiciaire fouillé. Il y a les dysfonctionnements de la
justice, ceux du juge d'instruction qui libère un gosse
dont on découvrira qu'il faisait partie du commando,
ceux du parquet qui étouffe l'affaire parce qu'elle est
cause de désordre dans cette ville. Il y a la presse qui, à
force d'enquêter, s'éloigne de plus en plus de la vérité. Il
y a la rumeur locale qui pointe du doigt des gens pour
leur appartenance à une certaine classe sociale. Sans
oublier la préemption de l'affaire par le Front national,
et Gilbert Collard qui assure détenir l'identité des profa-
nateurs... Il y a le dysfonctionnement de l'appareil d'État,
enfin, avec le piétinement de la scène du crime par le
ministre de l'Intérieur arrivé sur place alors que les
empreintes ne sont pas encore relevées ! C'est un échec
absolu, mais, pendant sept ans, je m'en suis tenu à une
ligne qui se résume à une phrase : ne pas faire de différence entre l'irresponsable antisémite et l'antisémitisme
irresponsable. »

Il ne lui restait plus qu'à prendre quelques gifles devant
des cours d'assises pour comprendre ce que signifie le
fameux « point aveugle » dont lui avait jadis parlé
Georges Kiejman. Lequel se référait au cas de Pierre
Goldman, accusé d'avoir assassiné une pharmacienne ;
alors que l'avocat préparait sa défense, l'icône du gauchisme français s'était enfermée dans le bureau de ce
dernier et avait enregistré un long monologue sur magné-
tophone. Me Kiejman s'était fait un devoir de ne pas
écouter les bandes. « Quand on est avocat, avait-il dit à
Jean-Marc Fédida, il existe toujours un *point aveugle...* »

Jean-Pierre Versini-Campinchi
lâche la presse contre l'ennemi

Il œuvre dans l'un des plus beaux bureaux de Paris, au premier étage d'un hôtel particulier situé à deux pas du cabinet de son confrère Jacques Vergès. Aux murs, des peintures, des photos de ses illustres ancêtres, tous avocats ou presque, du grand-père au neveu, du père au fils en passant par la sœur, le petit-fils et la tante. L'un de ses grands-oncles, contemporain de Maurice Thorez, a quitté la robe pour devenir député, puis ministre, ce qui l'autorise à porter un regard plutôt critique sur les hommes politiques qui courent après la robe : « Avocat, ça leur confère un statut social, une carte de visite. Ce ne sont plus des "ex". Ils vendent de l'influence, même quand ils n'en ont pas. À cet égard, le cas le plus énorme est celui de Jean-François Copé. On les embauche parce que ça fait chic. Pour eux, c'est la garantie de ne pas être "rien" le jour où ils ne sont plus députés. »

À son âge – soixante-douze ans à l'heure où nous conversons avec lui –, Jean-Pierre Versini-Campinchi n'a apparemment peur de rien ni de personne. « La politique et l'avocature sont deux domaines de la démonstration et de la parole, poursuit-il. Il s'agit du même genre de métier : convaincre un groupe de citoyens ou un tribunal. Les avocats de talent ont été de bons politiques, comme Gambetta, grand tribun, ou Poincaré. L'avocat a un rôle de passeur : il "passe" une matière souvent incompréhensible pour le commun des mortels. C'est aussi un polémologue, un homme qui traite des conflits. »

« Les vrais pénalistes ne peuvent monter au charbon comme je le fais, explique-t-il. Ils n'attaquent pas frontalement, parce qu'ils sont en situation de quémander quelque chose. Quand on est civiliste, les textes de loi sont appliqués, alors qu'au pénal les juges frôlent aisément la forfaiture. Par exemple, la garde à vue ne devrait être utilisée que si l'intérêt de l'enquête l'exige. »

À la différence des « vrais » pénalistes qui tous ont commencé par la prison avant d'évoluer vers le financier à la faveur des « affaires », Versini-Campinchi a opéré le mouvement inverse. Il a connu l'époque où les patrons n'avaient pas à se frotter au Code de procédure pénale, où « celui qui n'avait pas de compte en Suisse était chauffeur de taxi ». Puis celle où les juges ont commencé à mettre ses clients en taule. Trente ans plus tard, il s'est taillé dans les milieux économiques et politiques une réputation de nettoyeur de tranchées. Que l'on soit patron d'une compagnie aérienne ou d'un groupe du BTP, sénateur ou député, quand on est au fond du trou avec de l'eau jusqu'au menton, on frappe à sa porte.

Jean-Pierre Versini-Campinchi passe pour un maître dans l'art de « rameuter » la presse pour faire reculer l'ennemi. Sa capacité d'indignation est intacte, et jamais, dit-il, il ne part « vaincu devant l'institution ». Si un juge « fait n'importe quoi », il le lui fait remarquer. Il lui est même arrivé à deux reprises de réclamer la récusation d'un magistrat : « Je ne les ai pas attaqués en tant que personnes, précise-t-il, mais les juges ont trop souvent tendance à piétiner le droit des personnes au nom d'une vérité. L'écoute est devenue un mode d'instruction. Les gendarmes perquisitionnent chez le client, emportent quelques disques durs, bougent des papiers, et le jour même la secrétaire, la femme, la petite amie, le directeur, les sous-directeurs sont mis sur écoutes. Et ils attendent. Au départ, ils n'ont rien. Ils jettent leurs filets et, s'ils ne ramènent rien, ça part à la décharge... L'avocat, dans ces conditions, ne peut être autre chose que spectateur, ou alors il faut lâcher les "chiens" et faire un truc très fort. »

Deux affaires témoignent de cette méthode : la première concerne les sommets de l'État ; la seconde, le rayon alimentation.

Durant plus de huit ans, Jean-Pierre Versini-Campinchi a ferraillé avec Philippe Courroye, encore « simple » juge d'instruction au pôle financier de Paris. Avec l'Angolagate, le juge croit tenir de quoi tuer d'une même balle tout à la fois Charles Pasqua, qui pourrait prétendre – après l'avoir « fait » – gêner sérieusement Jacques Chirac dans sa course à l'Élysée, et Jean-Christophe Mitterrand, symbole à lui seul des « dérives » des années pendant lesquelles son père a régné sur la France. L'avocat défend le fils de l'ancien Président, l'homme qui dira du magistrat alors en pleine ascension qu'il « sue la haine ».

« Un jour, se souvient Versini-Campinchi, j'ai tendu la main à Philippe Courroye pendant trente secondes, et il ne l'a pas prise. » Sans cesse au bord de la rupture, l'instruction prend dès les premières secondes des airs de guerre des tranchées quand le juge demande au fils Mitterrand de préciser... le prénom de son père ! L'avocat explose : « Maître, intervient alors le juge, avec ce comportement vous n'avez pas d'avenir. – Vous avez l'âge de ma fille aînée : je n'ai plus de futur », lui réplique Versini-Campinchi.

Le juge laisse à peine le temps au suspect de répondre à ses questions, le coupe en brandissant des articles de loi, attitude qui fait vrombir l'avocat corse le plus antillais de Paris (et *vice versa*) : « Les Anglais font la chasse à courre. Si le renard est assez malin, on ne prend pas un fusil pour le tuer à huit cents mètres. En France, on ne supporte pas l'idée du crime impuni : il faut tuer le renard. La vérité n'existe pas ; ce qui compte, c'est la vérité judiciaire. Si le mec est un assassin, mais que la justice ne peut le démontrer, il doit être acquitté ; sinon, on est dans la barbarie. »

Au passage, pour que Jean-Christophe Mitterrand perde cette étiquette de « vendeur d'armes » qui lui colle à la peau depuis le début du scandale, son avocat lui suggère de rester cinq jours de plus en prison. Seule façon, à ses yeux, de se « victimiser », au moins en surface.

Le temps, pour Versini-Campinchi, de marteler tous les jours dans tous les journaux et sur toutes les chaînes que son client est enfermé parce qu'il ne peut payer la « rançon » – entendez : la caution. De quoi, espère-t-il, rendre un brin sympathique un homme présenté dans toute la presse comme un « margoulin ».

La mémoire et la réputation des Mitterrand sont une chose, la survie d'une entreprise en est une autre. Avec l'affaire Buffalo Grill, ce n'est pas l'image d'une famille qui est en jeu, mais des centaines d'emplois. Ce n'est pas tant contre un juge que Versini-Campinchi va par ailleurs se battre, mais contre les journalistes, qui vont lui faire « perdre cinq kilos » en l'espace de quelques jours.

Quand l'affaire éclate, Christian Picart, le PDG de cette chaîne de restaurants implantée sur tout le territoire, voit son nom cité au journal de 20 heures dans les pires conditions : on informe la France entière de sa mise en examen pour « homicide par imprudence ». Motif : il aurait servi aux clients de ses restaurants de la viande anglaise sous embargo. La société perd 50 % de son chiffre d'affaires en quelques jours, passant de 62 000 à 32 000 couverts servis. Durant les deux semaines qui suivent, l'avocat passe « dix heures par jour » au téléphone, le plus souvent avec des journalistes, pour contrer la rumeur selon laquelle la chaîne aurait cuisiné de la viande avariée. Un « combat homérique », raconte l'avocat, qui parle à ce propos d'une véritable « épreuve physique ». « On vous enfume ! » répète-t-il sur tous les tons.

Une sueur qui paie, puisqu'un premier article dans *Le Canard enchaîné*, suivi d'un second dans *Le Monde*, met en doute la solidité des éléments à charge. Non seulement le PDG n'aurait pas vendu de la viande de vache « folle », mais cette fracassante mise en examen aurait surtout pour objectif de permettre à la juge d'instruction de conserver le dossier.

« On a réussi à retourner le mouvement médiatique alors que la juge et les gendarmes l'avaient tué », se félicite l'avocat. Le scandale est enterré aussi vite qu'il avait été soulevé. Le chef boucher de Buffalo Grill aura fait trois mois de préventive, mais ne sera jamais réentendu par la suite. Depuis le 15 janvier 2003, assure Me Versini-Campinchi, c'est le silence radio judiciaire. Quinze jours de folie et plus aucune nouvelle : sans doute un record dans ce genre de scandale !

« Dans les dossiers difficiles, si tu n'as pas la presse avec toi, tu es mort, observe l'avocat. Si tu l'as contre toi, tu es pulvérisé. Entre l'exigence du secret et la défense du client, j'ai choisi : avec un article, on parvient à faire bouger les curseurs, surtout quand le dossier ne correspond pas à ce que racontent les flics. »

L'erreur judiciaire est rare, reconnaît Versini-Campinchi, mais quelques juges « ont fait du mal au système ». Qui ? Il cite Thierry Jean-Pierre et Eva Joly. « Ils ont voulu se faire des noms et, pour y parvenir, ils étaient prêts à marcher sur la gueule des gens. Pour faire face, il faut des avocats comme moi, qui s'en foutent et n'ont pas le réflexe de se demander comment ils feront avec le dossier suivant. »

Pour lui, l'avocat est définitivement celui « qui se dresse contre », raison pour laquelle il ne brigue pas de ces décorations « attribuées discrétionnairement par le pouvoir exécutif en guise de récompense... **Dans ma génération**, à part Jacques Vergès et moi, ils en **ont** tous, clame-t-il, et comme j'ai été condamné par le **Conseil de l'Ordre**, je ne risque pas d'en demander ! Les décorations émoussent la faculté d'indignation... »

Frédérique Pons et l'argent de Pierre Botton, autodidacte (trop) généreux

De l'affaire Botton, Frédérique Pons sort « quelque peu épuisée, avec un sentiment d'incompréhension face à une justice préoccupée de se venger... Pierre Botton a dérangé une bourgeoisie bien-pensante, dit-elle. Ce n'était pas un bandit de grand chemin. On lui reprochait des délits financiers dans le cadre de sociétés dont il était actionnaire à 90 %, mais il avait dédommagé ses victimes. Il ne méritait pas d'être cassé à ce point, surtout quand on a fermé les yeux pendant des années sur les relations entre le pouvoir et les grandes entreprises... »

Tout commence par un dîner dans le Midi au cours duquel Pierre Botton évoque avec l'avocate les soucis qu'il rencontre dans ses affaires. Elle l'aiguille sur François Gibault, qu'elle considère un peu comme son beau-père depuis que son mari, l'avocat Alex Ursulet, le lui a présenté. Lorsqu'elle apprend quelques semaines plus tard que Botton a été incarcéré, elle propose à « François » de venir le voir avec lui.

Ce dossier à la croisée du pénal et des affaires, truffé de rapports d'expertise financiers, est taillé pour elle. Elle ne le sait pas encore, mais elle met les pieds dans l'affaire la plus médiatique de l'année, qui mêle chefs d'entreprise (Martin Bouygues), journalistes célèbres (Patrick Poivre d'Arvor) et hommes politiques (Michel Noir, étoile montante de la droite et maire de Lyon, dont Botton est le gendre, mais qu'il considère un peu comme son père).

Pierre Botton, né à Lyon en 1955, supporte mal la détention. Il s'énerve contre un système dans lequel il inclurait presque ses défenseurs, au point d'être à deux doigts de « basculer », un soir de Noël. Plusieurs dizaines de fois, Frédérique Pons accompagne son client dans le bureau de Philippe Courroye, qui ne s'est pas encore fait un nom et n'est encore que juge d'instruction à Lyon. Sans cesse, elle revient à l'assaut pour réclamer des expertises financières dont elle espère qu'elles atténueront les charges. Mais elle ne sent pas le juge prompt à instruire dans ce sens. « Ce qui l'intéresse, se souvient-elle, c'est le volet politique et le volet médiatique. C'est lui qui invente cette notion morale constitutive de l'abus de biens sociaux. "Je n'accepte que les cadeaux que l'on peut rendre" : tel est le principe qu'il pose en pointant la relation déséquilibrée entre Botton et PPDA, qui utilise l'avion de Botton. On n'est plus là dans le Code pénal, mais dans la morale. »

Un jour, hanté par le sentiment d'avoir été lâché par tout le monde, Botton, toujours en détention provisoire, lâche à Courroye des informations sur les politiques. Il lui écrit une vingtaine de pages depuis sa cellule, sans consulter son avocat.

Les journalistes assaillent l'avocate, surtout pour savoir si leur nom a été cité dans les procès-verbaux, souligne Frédérique Pons. Le scandale gronde, mais Courroye connaît apparemment ses limites. Il incarcère Botton, mais « les vrais puissants, eux, ne vont pas en prison », observe l'avocate. « Quelle que soit la volonté de purification de ce type de juges, à un moment donné, un de leurs neurones se connecte pour leur rappeler le "grand tableau" et la Légion d'honneur. "Il faut juger en tremblant", disait le président Canivet. Ceux qui ont trop de certitudes me font peur. Dans cette affaire, Philippe Courroye n'était pas habité par le doute... »

Le climat à l'audience, se souvient-elle, est « insupportable ». Frédérique Pons évoque le parcours d'un autodidacte qui a compris que les pharmacies devaient évoluer, qu'il devenait urgent de les aménager – un créneau qui l'a beaucoup enrichi. « Ce qui l'a tué, explique-t-elle, c'est qu'il est entré dans un monde qu'il n'était pas structuré pour affronter. Il ne connaît ni les experts-comptables, ni les commissaires aux comptes. Il n'a jamais entendu parler du délit d'abus de biens sociaux. Bon nombre de cadres des partis politiques sont encore payés à l'époque par des sociétés. Les chefs d'entreprise font passer femmes de ménage et voyages personnels dans les comptes de leur société. Pierre Botton ne pense pas commettre une infraction quand il invite des amis journalistes à bord de son avion. La rencontre avec Michel Noir marque le début d'une forme de déraison. Les banques y sont allées joyeusement, participant à cette griserie collective... »

Les magistrats décident de ne pas renvoyer en prison Pierre Botton, qui accepte la sanction sans broncher. Ni lui ni son avocate n'ont l'intention de faire appel, mais les autres condamnés, eux, ne veulent pas s'en tenir là. Du coup, le parquet fait appel pour tous. Nous sommes au printemps 1995 ; le deuxième épisode intervient durant l'hiver 1996.

« En appel, raconte Frédérique Pons, l'ambiance n'est pas bonne, elle est même glaciale et, à la fin, Botton est cisaillé. Coupable d'abus de biens sociaux, il prend beaucoup plus que Michel Noir pour recel : quatre ans de prison, dont deux avec sursis, tandis que son mentor ne prend que quinze mois de prison avec sursis. Pour le casser complètement, on le fait arrêter à la barre. Il n'y a pas pire que de renvoyer quelqu'un en prison, d'autant qu'on lui avait dit qu'il n'y retournerait pas. Un profond sentiment d'injustice l'envahit. Qu'est-ce que la société avait à y gagner ? »

Pierre Botton tournera la page... en se consacrant à l'amélioration du droit des détenus dans les prisons. Il ne reverra pas son avocate : il est vrai que celle-ci ne fait pas tout à fait partie du même monde que lui...

« Plus nulle que moi en matière de réseaux, il n'y a pas, constate Frédérique Pons. Je me suis toujours défendue d'être la fille de mon père. » Cacique de la droite gaulliste, son père, Bernard Pons, l'aurait bien vue faire l'ENA ; elle sentait poindre en elle une vocation de médecin, mais elle passe par HEC, puis opte pour le droit et devient avocate en juillet 1981, juste après l'élection de François Mitterrand à la tête du pays, à laquelle elle a modestement contribué. Elle commence par toucher au droit bancaire et au droit international, puis bifurque (en 1986) vers le pénal par le biais de la Conférence du stage. Elle passe des contrats aux plaidoiries, et en tire une vive satisfaction. Elle s'installe alors avec son confrère Alex Ursulet, qui devient son mari.

L'affaire Botton la propulse vers d'autres sphères, d'autant qu'elle intervient à peu près en même temps qu'une affaire qui lui permet d'approcher la haute diplomatie : désignée par l'ambassade d'Iran à Paris, elle a vu son client expulsé sur ordre du ministère de l'Intérieur, après qu'elle a obtenu son acquittement devant la cour d'assises où il était jugé pour l'assassinat de l'ancien Premier ministre iranien Chapour Bakhtiar.

François Gibault, qui ne la quitte pas des yeux depuis que son mari la lui a présentée, conseille à l'avocate de « faire » l'IHEDN (Institut des hautes études de la Défense nationale). Elle l'écoute et se retrouve dans la « promotion » de la juge Eva Joly. Ça la change du barreau, cet « extraordinaire terreau pour le développement de l'ego masculin », où elle a eu parfois le sentiment de se retrouver « dans une cour de récré ». Sans s'affoler pour autant, car, au fond, lâche-t-elle en souriant, « c'est tout de même une profession où l'on a réussi à mettre les hommes en robe ! »

Chapitre 14

Secrets du stade

JEAN-YVES LIÉNARD ET LES DIEUX DU STADE

Bernard Tapie a été son « Cap Horn ». Pourquoi lui demande-t-il de le défendre ? « Je t'ai pris parce que j'avais plus un rond, sinon j'aurais pris Leclerc ! » lâchera un jour l'homme d'affaires à M⁰ Jean-Yves Liénard.

Le dossier qu'il lui confie a toutes les caractéristiques de ces tempêtes judiciaires qui font courir à l'avocat un risque professionnel et personnel important. Celui qui fut ministre de la Ville sous François Mitterrand et préside alors aux destinées de l'Olympique de Marseille est soupçonné de tricherie, lors d'un match de foot de Ligue 1, entre son équipe et celle de Valenciennes. Jamais auparavant Jean-Yves Liénard n'a subi un tel assaut de la part de la presse. Il perd provisoirement quelques clients, persuadés qu'il n'aura pas assez de temps à leur consacrer, mais y gagne une notoriété certaine. Et constate en direct « la terrible influence des médias sur la justice » : « Nous avons assisté à une incroyable chasse aux sorcières. On était fait aux pattes ! *L'Équipe* nous "tordait" tous les matins parce que Tapie avait dû un jour foutre un journaliste hors du vestiaire. En dépit de la preuve de son innocence, il ne pouvait pas être relaxé. »

L'histoire : après la victoire de l'OM contre Valenciennes (1- 0), le 20 mai 1993, un joueur de Valenciennes déclare avoir été contacté par un joueur de l'équipe adverse qui lui a proposé de modérer son énergie sur le terrain en échange d'une certaine somme d'argent, ce trucage devant permettre à l'OM de préserver ses forces en vue de la finale de la Ligue des champions contre le Milan AC (que les Marseillais remporteront), quelques jours plus tard.

Le contexte : à l'époque, Bernard Tapie, quatre fois champion de France avec l'OM, vise la mairie de Marseille. C'est cette ambition, selon Jean-Yves Liénard, que l'on « fait payer » à son client : « On avait une très bonne défense, poursuit-il. On a démontré que Jean-Pierre Bernès [directeur général de l'OM], qui nous accusait, était un menteur, mais on aurait accusé Tapie d'avoir volé les tours de Notre-Dame, on l'aurait condamné sans vérifier ! C'était injouable ! Les faits ne comptaient pas. On jugeait le personnage, sa réputation, son côté sulfureux et bling-bling. »

Bernard Tapie avait assuré lui-même sa communication lors du premier procès, en mars 1995, et ça ne lui avait pas porté chance : deux ans d'emprisonnement, dont un ferme. En appel, il demande à son avocat d'être son seul communicant, non sans lui donner les consignes d'un homme qui n'a plus rien à apprendre en ce domaine : « L'affaire OM-VA, sur TF1, c'est dix secondes. Tu passes ton message et tu tournes les talons ! » Au moins, en calibrant ainsi son propos, il ne risque pas d'être coupé au montage !

Verdict : deux ans de prison, dont seize mois avec sursis. Un bon point : Tapie n'est plus considéré comme le vecteur principal du trucage.

Ne reste plus à l'avocat qu'à négocier l'essentiel : la protection de l'image d'un homme qui n'a pas fini de rebondir. Autrement dit, une incarcération sans caméra, et surtout pas de photo avec menottes aux poignets. Sans oublier de répondre à la question aussi sèche que brutale d'un client qui n'est jamais passé par la case prison : « La taule, Jean-Yves, c'est comment ? – Comment ? T'as pas de femme, là-dedans, mon vieux ! » Jolie pirouette...

Bernard Tapie n'est pas un mondain ? Tant mieux : Jean-Yves Liénard n'est pas un avocat de salon, ni un avocat de plateau télé. « J'ai toujours exclu les mondanités, dit-il de sa voix forte et caverneuse. J'aime mes chats, ma musique et mes bouquins. » Et d'avancer, parmi les qualités requises de l'avocat, le courage, « une certaine force morale », et une certaine capacité à « encaisser les coups de gourdin ». « Il faut aussi être très disponible, sans compter qu'on ne fait pas fortune », ajoute-t-il pour ce qui le concerne.

Rue du Château à Versailles : en poussant la porte de ce pénaliste à la carrière remplie, on pourrait s'attendre à rencontrer un grand bourgeois enfoncé dans un fauteuil rouge et or. À soixante-dix ans, Me Liénard est exactement aux antipodes : il roule en scooter et offre un franc-parler à mi-chemin entre celui de Gérard Depardieu, de Bernard Tapie et des rois du Milieu manouche, qu'il a tous défendus avec la même fougue. Mais il ne court pas davantage les premières du show-biz que les sauteries politiques ou les mariages de gens du Milieu qui lui en ont pourtant raconté, des histoires de belles montres, de voitures et de gonzesses ! Il passe sa vie à enfourcher son scooter, se définissant volontiers comme un « OS du pénal », l'« avocat de base », celui qui n'a « jamais perdu la philosophie de la défense de tous, y compris des plus modestes ».

Jean-Yves Liénard est aussi bien l'avocat de Nicolas Bazire[1] (ancien directeur de cabinet d'Edouard Balladur à Matignon, l'un des amis les plus proches de Nicolas Sarkozy), des frères Barresi, parfois présentés comme les « parrains » de Marseille, que du petit gitan déféré au juge pour une bagarre ou un larcin. « Et alors ? » interroge-t-il.

Alors, il persiste à considérer que « la plus grande plaidoirie ne vaut pas un concert de Beethoven ». Que

---

1. Mis en examen dans l'affaire Karachi.

l'avocat exerce un « art volatil dont il ne reste rien le lendemain ». Et il cite à la volée cette réplique de M⁰ René Floriot, étoile du barreau dans les années 1950-1960 : « Que reste-t-il d'un grand avocat après sa mort ? Sa veuve. » Même s'il réussit chaque plaidoirie avec le brio d'un Lionel Messi marquant trois buts à chaque match sous les couleurs du FC Barcelone ? « Oui. »

L'incarcération de Bernard Tapie constitue tout de même, à ses yeux, un tournant : ce jour-là, les puissants découvrent la justice pénale et le principe de l'égalité devant la loi. « Ils comprennent que l'autorité judiciaire ne recule plus devant ce qu'ils représentent. Après la mise en examen de Loïk Le Floch-Prigent[1], plus belle carte de visite de France, par Eva Joly, ils se mettront à trembler à l'idée d'une convocation au Pôle financier. Le rapport de forces face au petit juge n'est plus celui qu'ils croyaient. Ils découvrent que le bâton, c'est le juge qui le tient ! »

Avec une nouveauté architecturale au passage : l'installation de ce Pôle dans des bâtiments dignes du siège d'une grande entreprise, boulevard des Italiens à Paris. « Le patron convoqué dans ces murs n'est pas dépaysé. Il n'est pas dans un univers apparemment hostile. Illusion ! Entre écœurement et lassitude, le type finit par en ressortir affaibli. La présence de l'avocat quelques instants à ses côtés n'est qu'une pantalonnade : un avocat qui n'a pas accès au dossier est aussi utile qu'une pute privée de son cul ou qu'un chirurgien sans bistouri. Nous ne servons à rien, si ce n'est à emmerder les policiers. »

Aussi, peut-être, à rassurer le gardé à vue qui va devoir affronter les journaux, l'opinion publique, ses amis – autant de motifs d'angoisse que ne connaît pas le voleur ordinaire, davantage inquiet d'une privation de liberté qui va l'éloigner de ses enfants ou cousins, mais pas vraiment effrayé à l'idée que ses proches le voient avec les « pinces » aux poignets.

---

1. Dans l'affaire Elf.

Un grand nombre de ses confrères ont reçu un ruban, de Thierry Herzog (le bleu du Mérite après l'affaire Tibéri, le rouge de la Légion d'honneur un peu plus tard) à Pierre Haïk (après avoir défendu Michel Roussin), en passant par Jean Veil et Jean-Yves Le Borgne. Pas Liénard : il ne l'a jamais demandé. Les médailles n'ont guère plus d'importance à ses yeux que cette médiatisation qui « rend les avocats cinglés » : « La télé, c'est comme le camembert : ça labellise, lâche-t-il. Vu à la télé, c'est forcément de bonne qualité. On risque de se laisser griser. » Il sait de quoi il parle : se retrouver « porte-parole » de Bernard Tapie dans l'affaire OM-VA ne lui a rapporté qu'une gloire éphémère. « Être l'avocat de tel ou tel, cela ne vous confère pas son pouvoir », affirme-t-il.

Question de profil aussi, sans doute : issu d'une famille de petits commerçants, Jean-Yves Liénard est devenu avocat après avoir vendu des chaussures pendant sept ans. « Un beau jour, j'ai eu une révélation bizarre : plus possible de continuer à demander aux clientes si elles avaient vu le petit modèle dans la vitrine. Ce métier-là m'ennuyait. En plus, je ne faisais que de mauvaises affaires. J'avais lu un excellent livre d'Albert Naud [sur la peine de mort] et je suis devenu abolitionniste. J'ai par ailleurs la chance de ne jamais juger les autres. »

Et celui qui a délaissé les semelles compensées et les hauts talons pour le barreau de clamer son « amour » pour ces vers de Georges Brassens :

> *Quand j'croise un voleur malchanceux*
> *Poursuivi par un cul-terreux,*
> *J'lance la patte et pourquoi le taire ?*
> *Le cul-terreux s'retrouv' par terre.*
> *Je ne fais pourtant de tort à personne,*
> *En laissant courir les voleurs de pommes...*

Que ses clients soient innocents ou coupables lui est « indifférent ». « Je regarde le dossier, dit-il. Je me moque de la vérité vraie, n'étant ni professeur de morale ni confesseur. La vérité vraie, le juge s'en fiche lui aussi. Tout le monde ment du matin au soir. La justice est une théorie d'apparence. L'avocat a le devoir de prendre en charge cette apparence et d'y adapter son discours. »

À celui qui se fait attraper, cul-terreux ou énarque, Liénard propose « la thèse qui sera la plus recevable judiciairement », et tente de la lui faire adopter.

« Je refuserai toujours de plaider contre ma conviction, explique-t-il. Je suis là pour donner au prévenu les meilleures chances, pour limiter la déconfiture pénale, pas pour lui faire plaisir. Si l'épreuve doit passer par l'aveu, même douloureux, je ne fais pas l'impasse. Quel que soit son profil, le client est un malade et je suis le médecin. Le médicament que je lui administre est celui que je donnerais à mon propre frère. »

L'avocat ne peut évidemment parler à Bernard Tapie avec les mots qu'il utilisera pour parler à un Nicolas Bazire, qui fraie avec les sommités du CAC 40[1], ou à un petit caïd, fût-il en pleine ascension. « Avec le client qui a fait Sciences-Po, Navale ou l'ENA, on servira de guide dans une maison qu'il ne connaît pas ; le reste, il le comprendra tout seul, résume Liénard. Avec le gitan, il faut se mettre à la rame : il est de passage dans une maison dont il ignore à peu près toutes les règles. »

Avec ce dernier, parfois analphabète, l'avocat « simplifie » son langage à l'extrême et fait dans la pédagogie « primaire », un exercice auquel il est habitué puisque c'est à peu près le langage qu'il tient en cour d'assises à l'heure de convaincre les jurés... Le « malade » rechigne à le suivre ? Liénard lui raconte l'histoire du stylo, ou bien une autre, au gré de son inspiration :

« Tenez, je vous donne mon stylo. Vous partez avec. Quand vous êtes dans l'escalier, j'appelle la police et je

---

1. Il dirige notamment le fonds d'investissement créé par Bernard Arnault et Albert Frère.

dis : "Il y a un drôle de mec qui m'a volé mon stylo." Qui va-t-on croire ? Vous, ou moi ?... Vous niez ce dont on vous accuse. Quatre policiers vous reconnaissent. Qui va-t-on croire ? Vous, ou les policiers ? Les policiers, bien sûr ! »

Jamais à court de ressources, l'avocat peut aussi recourir au jeu de rôles : « Monsieur W., vous êtes intelligent, on va jouer à un jeu. Vous n'êtes plus W., vous êtes le juge. Qu'est-ce que vous en pensez ? » En général, l'interlocuteur plie : « Vous, avez raison. » L'avocat marque le point : « Bien sûr qu'il faut que vous reconnaissiez les faits ! »

« La négation est un réflexe naturel et universel, explique Jean-Yves Liénard. "Ce n'est pas de la confiture... ce ne sont pas mes doigts...", dit d'emblée l'enfant chapardeur. L'avocat est là pour peser les éléments d'un dossier et élaborer un schéma de défense. Quelqu'un qui adopte un bon schéma a déjà fait les trois quarts du chemin. Un mauvais choix, relayé par le plus beau talent oratoire, ne servira à rien. Imposer une orientation à quelqu'un qui n'a pas la lucidité de regarder son propre dossier en face, c'est le moment le plus difficile dans cette profession. Si l'on passe en force, on sera accusé en cas d'échec. Il faut que chacun comprenne sa ligne de défense et soit convaincu d'avoir fait le bon choix. Des avocats sont défaillants par manque d'autorité. Imaginons qu'un médecin estime indispensable de faire une ponction lombaire, que le patient proteste et que le médecin cède : c'est un mauvais médecin. Personnellement, quand je vois un médecin, je ne discute pas son avis, n'ayant pas fait ni l'intention de faire médecine. »

Parmi ses clients, il n'y a pas que les petits caïds, il y a aussi les grands professionnels. Comment imposer une ligne de défense à des personnalités aussi fortes que celles qui dominent la voyoucratie française ? « Il faut y aller par des voies détournées, en misant sur le partage d'intelligence », admet Me Liénard. Avec ceux-là plus encore qu'avec d'autres, il évite les confidences et le mélange des genres. Même lorsque les relations se resserrent, comme ce fut par exemple le cas avec l'un des pontes de la bande (bastiaise) de la « Brise de mer », le Corse Richard Casanova, l'avocat parle foot ou politique, « jamais des crimes qu'on leur prête : c'est une règle ».

Il est cependant arrivé à Liénard de passer outre les réticences d'un client. Ce fut le cas avec Jean-Michel Bissonnet. Appelé à défendre en appel cet homme d'affaires de soixante-deux ans accusé d'avoir fait assassiner sa femme, le 11 mars 2008, l'avocat décide de s'écarter du choix du prévenu. Au terme de trois semaines de procès, il plaide en dernier, sait que personne ne l'interrompra, et avance une hypothèse de culpabilité toujours niée jusque-là. Jean-Michel Bissonnet proteste d'autant moins que le résultat est au rendez-vous : dix ans de moins qu'en première instance. Ils n'auront pas le temps de commenter le verdict : sitôt celui-ci connu, l'avocat saute dans un taxi et prend le premier avion pour Paris.

Commentaire à froid : « Rien n'est pire que l'avocat qui plaide pour faire plaisir, qui fait des décibels, raconte n'importe quoi aux magistrats qui savent qu'il est en train de justifier ses honoraires. La valeur ajoutée de la défense est alors négative : on ne sert à rien. »

« Autorité » : dans la bouche de Jean-Yves Liénard revient régulièrement ce mot, indissociable, à ses yeux, de la défense pénale. « Tous les pénalistes ont un physique, un poids ; ce sont des gens qui existent, qui ont une voix. Il faut que ça passe à l'oral. Dupond-Moretti, c'est Falstaff[1] ; Pelletier, c'est une montagne ! »

Et d'embrayer sur un autre thème cher à Brassens : les copains. « Avocat est un merveilleux métier de copains. En particulier aux assises, tu partages avec d'autres des moments de vie chargés de très grandes émotions et de vraies douleurs. »

---

1. Personnage particulièrement imposant créé par Shakespeare. Allusion aux avocats Éric Dupond-Moretti et Jean-Louis Pelletier.

Les procès d'assises, Liénard en compte des centaines derrière lui, mais la fougue y est toujours. « Quand l'avocat se lève, il donne le maximum du maximum qu'il peut faire. À l'heure du procès, j'aime intensément ceux que je défends. » Si intensément qu'il n'en sort jamais indemne, même après des années d'exercice du métier, mais Robert Badinter, alors considéré comme l'avocat le plus célèbre de France, était fait de ce même bois tendre. Liénard se souvient d'avoir été à ses côtés alors qu'il avait à peine un an de stage. Ils devaient plaider un samedi matin et il ne restait plus personne dans le tribunal, hormis les jurés :

« Robert Badinter n'était pas bien, il sortait toutes les deux minutes. Cela a été pour moi une belle leçon. Sur les bancs de la défense, il n'est pas exceptionnel de ne pas se sentir au mieux de sa forme. Cela rappelle les beaux emportements amoureux. Cela dure peu de temps, c'est indescriptible, mais quand vous obtenez un acquittement sur le coup de 2 heures du matin... On a évidemment tendance à se l'attribuer, ce qui ne correspond pas toujours à la réalité. Des années après l'acquittement d'un braqueur que je défendais, le président m'a avoué que les jurés, en majorité des femmes, n'avaient pas voulu condamner un jeune homme aussi beau ! Il faut faire modestement ce qu'on a à faire : vendre des cercueils à deux places à des célibataires qui n'ont pas envie de mourir... »

Il en faut, de l'autorité (on y revient), pour convaincre un gangster de reconnaître un vol à main armée qui n'apparaît pas dans le dossier ! Mᵉ Liénard l'a fait une fois avec l'un de ses clients, mais « c'était sans risque », se souvient-il. « Cela lui a permis de montrer qu'il entendait se mettre au clair avec la justice et avec lui-même. À l'heure du verdict, les jurés en ont tenu compte. »

« Le criminel intelligent est un bon accusé, assure l'avocat. Il sait regarder le bout de ses souliers en jurant qu'on ne l'y reprendra plus, sans oublier de prononcer un mot intelligent pour les victimes. » Mise en scène ? « Nous devons être les Federico Fellini de la comparution, tout en laissant à l'accusé sa part de vérité. Si l'on ne défendait que des Depardieu, ce serait facile, mais il faut laisser le client exprimer ce qu'il est. Il va dégager une impression, mauvaise ou bonne, dont juges et jurés tiendront compte. Mieux vaut qu'il dégage une certaine authenticité plutôt que de la sournoiserie. »

Le reste doit respirer le « bon sens populaire » : « Seuls les imbéciles compliquent le discours, soit qu'ils ne connaissent pas la matière, soit qu'ils ignorent les comportements humains. »

Homme de pouvoir, l'avocat ? « Il faut ramener ce métier à ses justes proportions. C'est un métier d'artisans, de manipulateurs de la règle de droit, même s'il y a, aux assises, quelque chose de plus sensoriel. » De plus sensoriel et de totalement imprévisible, car Jean-Yves Liénard l'affirme : « Même l'innocence n'est pas un paratonnerre ! » Raison pour laquelle celui que la justice accuse a impérativement besoin d'un... avocat, avec qui il devra « s'accorder comme on accorde un piano ».

Le procès terminé, un client n'en chasse pas tout à fait un autre. Lorsqu'un homme comme Mario Hornec, un temps considéré par la PJ comme l'un des piliers du Milieu à Paris, se retrouve sous les verrous, Jean-Yves Liénard reste mobilisé à ses côtés. Il proteste avec force lorsqu'il voit cet homme, « détenu modèle », délinquant primaire, jamais évadé d'aucune prison, frappé du statut de DPS (détenu particulièrement surveillé). « La rumeur publique ne suffit pas à lui infliger un tel traitement, explique-t-il. Rien ne justifie cet enfermement dans l'enfermement ! C'est totalement discrétionnaire[1] ; même le juge n'a rien à y redire. Le détenu lui-même ne peut pas comprendre le sens d'une telle décision. »

La prison, pour l'avocat, « c'est comme le sang pour le chirurgien : on finit par n'y plus prêter attention », affirme Liénard, décidément prompt à comparer palais de

---

1. La décision relève de la seule administration pénitentiaire.

justice et hôpital. Mais, jusqu'à sa dernière visite derrière les murs, l'arbitraire des conditions de détention le révoltera. Comme cette façon qu'a l'administration pénitentiaire de ne (presque) jamais répondre aux requêtes de l'avocat. Une leçon de modestie pour ceux qui se croient dotés d'un pouvoir long comme le bras...

MAURICE LANTOURNE CONTRE LA BANQUE

Quand il ne parle pas de son ami Bernard Tapie, Maurice Lantourne raconte des histoires à faire coucher un inspecteur du travail dehors. Cet avocat jongle entre tribunaux de commerce, banques, patrons, démembrements, délocalisations, faillites, sauvetages d'usines et... organismes étatiques, car nous sommes en France, où l'État finit toujours par se mêler de la vie des entreprises. Les banques qui freinent les crédits, les sociétés en difficulté qui guettent le rebond, les actionnaires réticents, le *cash flow* qui a fondu, les effectifs en surnombre, les erreurs de gestion, il en consomme à toutes les sauces. Mais, avec « Bernard » (Tapie), c'est autre chose :

« C'est quinze ans de bagarres ! Depuis 1996, on a progressé de façon permanente. On a fait annuler un prêt de 100 millions. On a contré la stratégie du [Crédit] Lyonnais. On est recevables en cassation, alors qu'en face ils nous disaient qu'on ne pouvait plus rien faire pour obtenir la condamnation de la banque. Ça a été long ! Il s'est créé une vraie complicité entre nous. Je fais partie de sa famille. On a à peine besoin de se parler pour se comprendre. C'est un type d'une intelligence, d'une rapidité d'esprit incroyables. Il apprend très vite la technicité. Le Lyonnais veut faire annuler une expertise qui dit que tout le monde a fait du profit avec Adidas, sauf Tapie ? Je le vois à la Santé et il me sort un courrier où l'on voit que la personne qui réclame la nullité n'est autre que celle qui a pris la décision quand elle était au tribunal de commerce. Quand je sors ça, le président du tribunal baisse les yeux et m'accorde le renvoi… »

Piéger celui qui veut vous tuer est un plaisir qui se partage, surtout quand Lantourne est l'avocat et Tapie le client. À la clef, un « feu vert » pour des actions dont le commun des mortels ne perçoit pas vraiment le sens, mais que les chefs d'entreprise connaissent bien : l'action en responsabilité contre la banque, et le comblement de passif.

« À chaque fois qu'ils ont voulu lancer un truc contre nous, ça s'est retourné contre eux, assure l'avocat. Au début, en octobre 1995, quand on impose à Tapie le rachat de ses actions Adidas par les banques, les autres se disent : on va le payer en monnaie de singe, Tapie est mort, il va aller en prison ! Quand je parviens à récupérer les titres grâce à un vice de forme, leur astuce devient un handicap. À la fin, quand on aura fait les comptes pour l'arbitrage, il a fallu qu'ils les paient, ces 500 millions de francs, et avec les intérêts ! Ce qui gonflera l'enveloppe finale annoncée par Christine Lagarde. Ce combat pour le gêner s'est encore retourné contre eux ! »

Les téléspectateurs se souviennent de la saisie organisée chez Tapie à l'initiative de Jean Peyrelevade, président du Lyonnais de 1993 à 2003, avec caméras et micro-trottoirs ! Ces images avaient pour objectif d'« humilier » l'abominable homme d'affaires ? Elles ont été à nouveau projetées lors de ce fameux arbitrage qui n'a pas fini d'être contesté, avec ce commentaire de Tapie à l'adresse de ses adversaires : « Non seulement vous faites fuir les bons clients, mais vous faites venir 2 000 personnes dans la rue au bas de chez moi, avec ma femme qui doit se réfugier dans la salle de bains ! Les meubles saisis ont passé dix ans dans un garde-meubles, et le CDR[1] a fini par payer ! »

---

1. Structure mise en place pour gérer le passif du Crédit Lyonnais.

« Le préjudice moral s'est alourdi à chacune de leurs actions, poursuit Lantourne, et la facture avec. Ils ont développé une stratégie avec effet boomerang. C'est une attitude propre à l'*establishment* parapublic français. Il est pour eux inimaginable de penser qu'ils ne puissent pas avoir raison. Ils s'estiment investis d'une mission. La banque, c'était l'État. Face à un Tapie, il était ahurissant qu'on ne lui donne pas raison. Le droit n'est plus à leurs yeux qu'un moyen d'abattre celui que vous voulez abattre... »

À l'heure de l'arbitrage, rendu sous la houlette de Pierre Mazeaud, président du Conseil constitutionnel, Jean Peyrelevade continue à « marquer contre son camp ». Il déclare que le Lyonnais avait « acheté » Adidas, avant de se contredire dans un courrier. Sauf qu'il accorde au *Point* une interview dans laquelle il affirme avoir fait gagner un milliard de francs à la banque... poussant Lantourne à s'envoler pour les États-Unis, où il récupère, dans une autre procédure, un document stipulant que le Lyonnais était bien propriétaire d'Adidas à 92 %, ce qui change tout. Mazeaud n'apprécie pas franchement ces contre-vérités... Circonstance aggravante : les montages réalisés par la banque, avec société relais en Belgique, pour échapper à l'impôt sur les plus-values. Difficile ensuite de reprocher à Tapie son manque de clarté en affaires...

Qui veut la mort de Bernard Tapie ? Pour Maurice Lantourne, il ne fait aucun doute que ce sont les politiques qui ont appuyé sur le bouton en 1994. Qui ? Edouard Balladur est alors Premier ministre, mais celui que l'homme d'affaires gêne le plus, c'est Jean-Claude Gaudin, maire de la cité phocéenne, qui redoute de voir celui qui est encore le patron de l'Olympique de Marseille réaliser le grand chelem et emporter la mairie au printemps 1995. En passant, explique l'avocat, « on rend service au Parti socialiste, qui n'a pas digéré le bon score de

Tapie aux élections européennes, et craignait de le voir se lancer dans la course à la présidentielle ».

Leurs premières conversations laissent l'avocat estomaqué. Si ce client – avec lequel il ignore encore qu'il s'engage dans une aventure à rebondissements de septennat en quinquennat – lui dit vrai, il a été mis en liquidation à tort, a été placé en redressement judiciaire aux termes d'un jugement nul en droit, le parquet lui est franchement hostile, et une cellule a été mise en place à la Chancellerie pour s'occuper spécifiquement de son cas. Peu importent ces imperfections, répond-on du côté du parquet, puisque le pénal, de toute façon, va le tuer. Bercy est de la partie, avec plus d'une vingtaine de contrôles fiscaux qui débouchent sur la saisie d'un bateau, le *Phocéa*, « dont on s'apercevra qu'il [Tapie] paie les charges annuelles, à titre personnel, pour un montant énorme ». La juge d'instruction Eva Joly est mobilisée à 200 % pour dépecer celui qu'elle considère probablement comme le plus grand voyou du siècle.

« J'ai touché à la politique, et on ne me l'a pas pardonné, explique Tapie à son défenseur. J'ai la gauche et la droite contre moi. C'est la règle du jeu en politique. Quand on n'est pas contrôlable, c'est le tir aux pigeons. »

Une scène confirmera plus tard la dangereuse popularité de Tapie dans la cité phocéenne. Quand le propriétaire de l'Olympique de Marseille le rappelle pour sauver le club, au bord de la deuxième division, le stade se lève et scande son nom en l'apercevant dans la loge. Mais Tapie et Lantourne ne forment pas une simple équipe : entre le client et son avocat, le lien relève de la Sainte Alliance. Quand arrive l'heure de l'ultime rebondissement, à la fin du quinquennat de Nicolas Sarkozy, sous la forme d'un arbitrage au sommet, ils ont en face d'eux ce qui se fait de mieux parmi les avocats d'affaires, de Jean Veil à Georges Jourde en passant par Jean-Pierre Martel et Gilles August. Tous multiplient les procédures, quand Lantourne, lui, fourbit ses « preuves » : en poussant Tapie dans les cordes du pénal, on a semé de multiples pièces et documents qu'il fait remonter à la surface. Objectif : affaiblir la thèse selon laquelle on aurait sauvé Tapie malgré lui (et selon laquelle on aurait racheté la marque sportive à bon prix).

« Dans cette histoire, résume l'inénarrable homme d'affaires passé depuis lors au théâtre, il y a une banque et deux cons : moi et Robert Louis-Dreyfus ! » Effet garanti sur les arbitres convoqués pour trancher après plus de quinze ans de démêlés judiciaires...

« La finance, ce peut être aussi violent que le pénal, remarque Me Lantourne. On peut provoquer la mort civile de quelqu'un, sans compter les conséquences fiscales et familiales d'une telle chute. Le fait d'être complaisant, de se courber, ne paie pas. »

Certains ont mis ses bons résultats dans le dossier Tapie au compte d'amitiés maçonniques, mais l'avocat dit qu'il n'a jamais été franc-maçon, pas davantage que Tapie : « Je ne suis pas au service d'un clan. »

Qu'il ait combattu une banque n'empêche pas les fonds d'investissement de lui faire confiance, ce qui est indispensable quand on se veut un champion du *restructuring*. Il en a évidemment besoin quand trois cadres d'une société de sous-traitance automobile du centre de la France le chargent de les guider pour racheter leur entreprise, lâchée par leur actionnaire allemand. Ils raclent les tiroirs, hypothèquent leurs maisons, tandis que les salariés se mobilisent. En plein mois de juillet 2009, un samedi matin, l'avocat obtient le « feu vert » de toutes les instances, parquet compris, discute de l'endettement avec les caisses régionales du Crédit agricole et du Crédit mutuel, qui acceptent un étalement de la dette sur quinze ans, et les trois cadres vont de l'avant, achètent une petite société à Clermont-Ferrand, puis une autre à Blois, spécialisée dans les cabines de camions... Trois ans plus tard, l'entreprise affiche un chiffre d'affaires de 250 à 300 millions d'euros.

Un conte de fées ? « On est là au cœur du métier, constate Lantourne. Quand vous êtes en difficulté, les créanciers vous retirent leur confiance, mais tout se négocie, à condition de ne pas verser dans l'acharnement thérapeutique. La restructuration se fait toujours dans l'urgence. Il y a toujours le feu au lac. Vous rentrez dans la boîte pour comprendre comment elle fonctionne. Quand il s'agit d'une PME, on est à côté du chef d'entreprise qui joue sa survie. Cela relève de l'opération commando. »

De mère normande et de père corrézien, Maurice Lantourne joue dans la cour des très grosses entreprises, mais sa réussite parisienne (il est membre du cabinet Willkie Farr & Gallagher, deux cents associés à travers le monde) ne lui a pas fait oublier ses débuts à Montargis, en 1977, avec un premier stage chez un avocat local, Charles-François Dubosc, qui lui flanque entre les mains ses premières entreprises en difficulté. À l'époque, il n'inspirait aucune crainte aux banquiers. Et n'imaginait pas un instant qu'il ferait un jour basculer un Pierre Mazeaud, président du Conseil constitutionnel, dans son camp – celui d'un Tapie mis au ban de l'*establishment*.

THIERRY DE MONTBRIAL
DANS LA SERINGUE DU TOUR DE FRANCE

Fin 1997 : contrôle antidopage inopiné parmi les joueurs de l'équipe de France de football, en stage à Tignes avec femmes et enfants en vue du Mondial. L'entraîneur, Aimé Jacquet, n'apprécie pas cette intrusion. Au point qu'il le fait savoir à Jacques Chirac, président de la République en pleine cohabitation avec le socialiste Lionel Jospin : « Si vous voulez qu'on ait une chance de gagner, dit-il en substance, ne nous cherchez pas des noises ! »

La communiste Marie-George Buffet, ministre des Sports, prépare une loi contre le dopage, mais les réticents freinent des quatre fers. Elle voudrait une loi qui s'applique à tous, amateurs compris ? Soit, mais qu'elle ne songe pas à faire un coup de pub du côté du foot : Coupe du monde oblige, le feu est au rouge ! En revanche, le Tour de France à venir va lui offrir un enviable terrain d'expérimentation.

Les footballeurs à l'abri, il reste à tendre les mailles du filet. Il y a ceux qui estiment qu'il faut frapper fort et partout, et ceux qui considèrent qu'il faut limiter le ménage à une seule équipe cycliste, pour l'exemple.

L'arrestation de Willy Voet, soigneur de l'équipe Festina, à la frontière franco-belge, le 8 juillet 1998, peu avant le départ du Tour, est-elle un coup monté ? Est-ce au contraire un indice supplémentaire du fameux « flair » des douaniers ? Hormone de croissance, produits dopants, stupéfiants, amphétamines, testostérone : on trouve miraculeusement à peu près tout ce qui existe sur le marché dans cette voiture mise à la disposition de l'équipe par la société du Tour.

L'avocat Thierry de Montbrial, trente ans à peine, fait une entrée discrète dans l'affaire en se rendant trois jours plus tard à Dublin, où se joue le prologue de la compétition. Il voit le directeur sportif de Festina, Bruno Roussel, mais aussi plusieurs cyclistes, dont le champion Richard Virenque ; tous lui tiennent ce qu'il appelle le « discours du parti » : pas de seringue chez nous !

Le cœur de la France bat depuis trois jours au rythme de « son » Mondial de foot lorsque, à l'arrivée de la quatrième étape du Tour, la menace se précise. L'avocat parle au téléphone avec Bruno Roussel quand s'avance vers ce dernier, fendant la foule, un commissaire de la police judiciaire de Lille : « Ah ! maître, il faut que je vous laisse, les voilà... »

Dans la nuit qui suit, vers 2 heures du matin, les policiers appellent Me de Montbrial sur son portable et lui passent Roussel : « Je voulais vous parler... – Imaginez bien que notre conversation n'est absolument pas confidentielle. – Bon, c'est pas grave, vous allez comprendre. On m'a montré un certain nombre de choses, je voudrais dire toute la vérité. – Mais il faut toujours dire la vérité... – C'est maintenant que je vais avoir besoin d'un avocat... Est-ce que je peux compter sur vous, quoi que je dise ? – Bien sûr, cela va de soi », répond l'avocat, assis sur son lit dans le noir.

Entrant le lendemain dans le bureau du juge Patrick Keil, en charge du dossier, Thierry de Montbrial s'essaie à l'humour en apercevant une canette de coca-cola posée sur le bureau : « Je vois, monsieur le Juge, que nous avons le même produit dopant ! » Le magistrat ne sourit pas : mauvais présage. « Je le mets en prison, je ne peux pas faire autrement », assène-t-il tandis que l'avocat prend connaissance des procès-verbaux : Bruno Roussel raconte qu'il était opposé au dopage, qu'il n'a pas su résister à la pression, mais qu'il a pris ses responsabilités et limité les risques pour ses coureurs.

Le directeur sportif, parti avec l'ambition de gagner le Tour, débarque dans le bureau, pas vraiment frais. « Vous allez aller en prison », lui annonce le magistrat. « Je compte vous en faire sortir le plus vite possible », dit l'avocat avant de se tourner vers le juge : « M. Roussel va réitérer ses aveux et même les compléter devant vous. Mais, vu l'agitation qui règne au-dehors, vu que le monde entier nous attend, je ne vais pas laisser dire qu'il est un infâme salaud. Ce milieu est pourri, et ils le savent tous. On va y aller à fond, mais j'ai besoin d'une heure en tête à tête avec mon client. – Prenez votre temps. »

Le client et l'avocat rédigent ensemble, sur un cahier à spirale, le texte que lira l'avocat devant les dizaines de micros et de caméras qui attendent à la sortie de l'ascenseur. Puis ils retournent devant le juge, qui accepte, sous réserve de rebondissements, de libérer Bruno Roussel après la confrontation avec son soigneur qu'il dit vouloir couvrir.

Dix étages plus bas, Thierry de Montbrial se retrouve face à un mur de journalistes. Ému, stressé, il sort son cahier et demande à lire sa déclaration. Quelques minutes plus tard, il est seul dans sa voiture lorsque France Info annonce la nouvelle, imitée par toutes les radios périphériques. Une heure après, la société du Tour de France exclut l'équipe Festina, tandis que l'avocat, au bord du KO, dîne avec l'épouse de son client, dévastée par l'affaire...

« La ligne de conduite s'est imposée à moi comme une évidence, raconte Montbrial. Quand on est dans un dossier aussi suivi médiatiquement, on ne peut se contenter de subir. Le monde du Tour, les équipes, les anciens, tous célébraient la compétition et tombaient à bras raccourcis sur Roussel. Le système de défense que nous avons adopté était clair : mon client reconnaît s'être dopé, mais il fait partie des modérés. »

L'avocat apporte le lendemain les journaux du jour à son client, qui partage une cellule avec un violeur : il n'y en a que pour l'équipe de France de foot qui vient de gagner la Coupe du monde, et pour ces révélations qui vont durablement ternir l'image du cyclisme professionnel. « On a eu raison », lâche Roussel, dont le ressort bluffe son jeune défenseur. Il assume tout, même si la cargaison saisie par les douaniers dans la voiture du soigneur – il le confiera bien plus tard à son avocat – ne lui était pas destinée. Le plus dur est cependant à venir, après sa libération, onze jours plus tard, quand il devra faire face aux lâchetés du monde du vélo.

Pour Thierry de Montbrial aussi, l'affaire rime avec rupture. Avant les aveux, pendant trois jours, il a nié le dopage sur tous les plateaux télé, portant une parole officielle avec la bénédiction de son patron de l'époque, l'avocat Jean-Pierre Mignard, pas mécontent de voir ce jeune élément, sportif et prometteur, se débrouiller avec un dossier aussi sensible, alors que la moitié du cabinet est en vacances. Après les aveux, celui qui avait apporté le dossier, membre éminent du monde du cyclisme, s'est fâché au point de réclamer la tête du jeune avocat « irresponsable ». La mission n'était-elle pas de demander au soigneur de la boucler ? « Thierry est un fou furieux, fais-le dégager ! »

Jean-Pierre Mignard, dont les liens avec Lionel Jospin, alors Premier ministre, ne sont un secret pour personne, explique à son collaborateur qu'il n'aurait jamais dû se livrer à la lecture publique de sa déclaration, à la sortie de l'ascenseur. Montbrial assume, mais il sait que ses jours sont comptés au sein du cabinet. Il fait corps avec le « courageux » qui dénonce un « système mafieux », et se prépare à faire le procès d'une dérive collective, lui qui est allé chercher son client à la prison avec sa propre voiture que ses enfants ont reconnue, le soir, au journal de 20 heures. Il résiste aux pressions, éconduit tel avocat parisien venu lui proposer de l'argent pour convaincre son client de dédouaner certains caciques du cyclisme : « Tu es obligé de demander à ton client ce qu'il en pense », insiste le confrère, mais Montbrial le met à la porte. Il y a aussi des moments cocasses, comme lorsque le soigneur, en pleine confrontation, se jette sur Richard Virenque pour lui casser la figure, retenu de justesse par les gendarmes sous les yeux de l'avocat du champion, l'inénarrable Gilbert Collard, lunettes de soleil sur le nez...

Ultra-médiatisé, le procès s'étire sur trois semaines en octobre 2000. Bruno Roussel, condamné à un an avec sursis, ne retourne pas en prison – résultat qui lui convient, puisque c'est celui que son conseil et lui avaient imaginé en noircissant le cahier à spirale, deux ans plus tôt. « Il a été condamné par un tribunal qui l'a compris et qu'il a compris », résume son avocat. Dix ans plus tard, il s'est reconverti dans l'immobilier et semble plutôt serein, presque heureux d'avoir enrayé la machine à étouffer les affaires. Un jour, il a appelé Montbrial, qui regardait comme lui une finale de foot à 100 % espagnole à la télévision : au deuxième rang, dans le stade, il avait reconnu des spécialistes du dopage qui sévissaient dans le vélo...

Bienvenue dans le monde des avocats « sportifs », ceux à qui il arrive de se faire menacer par un indicateur colombien, de découvrir qu'on a démonté un phare de leur voiture, de mettre les pieds dans un trafic d'armes qu'ils n'avaient pas vu venir, de voir leur appartement nuitamment visité alors qu'ils défendaient la veuve d'un capitaine assassiné dans une histoire de frégates, et de s'entendre dire au coin d'un couloir : « Il y a des mecs qui veulent vous buter, faites gaffe ! »

Avec un sommet atteint au moment de l'affaire Clearstream, qui voit Thierry de Montbrial en intermédiaire téméraire transmettant en douce des courriers de Jean-Louis Gergorin au juge Van Ruymbeke. Ce qui lui vaut, assure-t-il, d'être suivi à plusieurs reprises lors de ses déplacements, avant et pendant le premier procès. Et de développer des habitudes que l'on rencontre assez rarement chez les avocats, du type parcours de sécurité avant de rentrer chez soi, et repérage des plaques minéralogiques de voitures suspectes. Il effectue même une démarche, en 2002, pour bénéficier d'un permis de port d'arme, mais Étienne Apaire, magistrat en poste à l'Intérieur, l'appelle : « On ne tient pas à ce que le barreau de Paris se transforme en Far West ! On n'accorde ce permis qu'aux avocats impliqués dans les dossiers corses. Avec tous les policiers que vous défendez, on ne craint pas pour votre sécurité ! » On lui accorde finalement une autorisation similaire à celle dont bénéficient les bijoutiers – dossier classé « secret défense » à la préfecture.

Fils du patron de l'Institut des relations internationales et d'une productrice de cinéma, Thierry de Montbrial, ancien parachutiste, se serait bien vu en flic ou en militaire dans une unité d'élite ; il est devenu avocat en 1995, à l'âge de vingt-six ans, certain qu'y trouverait son compte sa soif d'indépendance : « Je n'appartiens à aucun clan, aucun réseau apparent ou souterrain, affirme-t-il. Je ne suis ni franc-mac, ni UMP, ni PS, ni juif, ni catho, ni musulman. Je défends les victimes aux assises sans états d'âme, qu'il s'agisse de policiers ou de militaires, car je pense que l'une des bases de la société, c'est l'ordre. J'ai le devoir de donner à ceux qui défendent durement la République. »

« Tu seras l'un des grands plaideurs de ta génération », lui a dit Jean-Pierre Mignard, son « maître », avant qu'ils ne se séparent. Il a été l'avocat de Noël Mamère, leader des Verts (avocat lui-même), sans être écolo, et il défend les victimes blessées dans l'attentat de Karachi sans sacri-fier à aucun tabou, même s'il estime que son confrère Olivier Morice va trop loin en liant nécessairement l'attentat aux rétrocommissions, et s'il n'adhère pas à sa « stratégie médiatique ». Quand le terrorisme basque fait des victimes dans la Police nationale ou que se pose une question de légitime défense, c'est à lui que pense aussitôt le cabinet du directeur général de la Police (Frédéric Péchenard à l'époque).

Qu'un présumé coupable haut placé plastronne et affiche l'assurance des nantis le hérisse. Voyant Dominique Strauss-Kahn en passe de s'offrir une nouvelle virginité, il s'emballe pour la cause de ses présumées victimes fran-çaises, qu'il se propose de faire témoigner dans le cadre du procès américain de l'ancien patron du FMI... À côté des pressions qu'il commence alors à subir, celles dont il a fait l'objet dans l'affaire Karachi relèvent de l'enfan-tillage, assure-t-il : « Je me suis mis en travers de la route de la mécanique destinée à faire de DSK le prochain pré-sident de la République. Un certain nombre d'avocats connus ont démarché le bâtonnier pour suggérer à mon encontre une procédure disciplinaire. Ils m'ont fait un procès en sorcellerie. Jean Veil a même appelé *Paris-Match* pour faire savoir que si je figurais dans la liste des avocats qui allaient faire la "rentrée", il ne voudrait pas en être, mais le journaliste n'a pas obtempéré. »

Comme dit Mᵉ de Montbrial, les affaires sensibles, « ça tue ou ça rend plus fort ».

Michel Bénichou,
un stade à lui tout seul

Taille moyenne, allure sérieuse, presque effacée, il est habillé comme un expert-comptable, mais ses cheveux blancs, ses bacchantes blanches taillées en pointe, ses grosses lunettes et ses yeux rieurs lui donnent un air de jumeau de Groucho Marx, sans la teinte hollywoodienne : Michel Bénichou, pince-sans-rire, au cœur d'une réflexion sur l'avenir des barreaux français et européens à l'heure de la mondialisation[1], mène une carrière discrète d'avocat d'affaires dans le Dauphiné. Juif, franc-maçon, membre du PS, il a en même temps un pied en politique, puisqu'il a été adjoint au maire de Grenoble et a présidé aux destinées du Conseil national du barreau au tournant de l'an 2000 – l'occasion de constater que le prétendu lobby des avocats relève de l'illusion, tant cette profession est « éclatée »...

C'est cet homme qui a tenu la barre, entre 2001 et 2012, devant toutes les instances possibles, face aux adversaires pugnaces et procéduriers du stade des Alpes de Grenoble. Une bataille riche de quatre-vingts recours, ponctuée de victoires, mais aussi de défaites surprenantes, et qui a atteint un niveau de violence plutôt rare dans les enceintes judiciaires.

Objectif : mener le projet à son terme afin d'épargner une défaite politique à ses concepteurs, les responsables de l'agglomération grenobloise, le projet de stade concernant au total vingt-sept communes.

Le jour où il a fallu faire descendre de jeunes opposants qui s'étaient accrochés dans les arbres, sur le site du chantier, on a frôlé la catastrophe. Michel Bénichou est seul dans une salle du tribunal de grande instance de

---

1. Les vingt-sept barreaux européens rassemblent environ un million d'avocats !

Grenoble envahie de clameurs « hystériques », et se demande comment tout cela va finir. Les écolos sont là, les « alternatifs » aussi, plus motivés que jamais, une partie d'entre eux dans le tribunal, le reste dehors. La « haine » qu'il essuie lui rappelle celle de certaines manifestations « anti-avortement », mais il ne cède pas, veillant à ce que jamais ne soit suspendu l'indispensable permis de construire.

Le recours se fracasse en fin de compte devant la cour administrative de Lyon. Mais un autre suit : c'est gratuit, aucune raison de se priver ! souligne l'avocat.

L'UMP se jette à son tour dans la mêlée après les amis de l'ancien maire, Alain Carignon, les Verts et l'extrême gauche. Le stade accueillera-t-il un jour un concert de Johnny, ou un match au sommet de la Ligue 1 ? À plusieurs reprises, le projet est sauvé de justesse. Il s'en serait fallu d'un centimètre d'épaisseur des murs encadrant les issues de secours pour que tout soit annulé ! Sauf qu'un chantier pareil sans la moindre faille n'existe pas, et que les adversaires finissent par la trouver. D'autant plus qu'ils ressourcent leur imagination, avec des caisses de documents à l'appui, auprès des opposants au grand stade de Lille que ses promoteurs voulaient construire sur une nappe phréatique.

Michel Bénichou plaide à nouveau devant la cour d'appel administrative de Lyon en janvier 2005. Tout semble bien se dérouler et on boit l'apéro à la santé du stade… Mais voilà que la justice, un mois plus tard, annonce par un bref communiqué de presse l'annulation du permis de construire. C'est le juge lui-même qui a soulevé l'argument fatal : l'appel d'offres commun au stade et aux parkings, avec deux maîtres d'œuvre et d'ouvrage différents…

À trois ans des élections municipales, c'est une victoire majeure pour l'opposition. Le stade est mort… sauf qu'il reste encore le Conseil d'État, devant lequel l'avocat va définitivement emporter le morceau après neuf années de bagarres, de confusion, de pièges déjoués, le tout rehaussé d'un tombereau d'insultes souvent antisémites. Sans compter deux cambriolages perpétrés au cabinet de l'avocat, dont les auteurs se sont acharnés sur un vieux coffre de cinq tonnes sans jamais réussir à le forcer (à l'intérieur, ils n'auraient trouvé qu'une... brosse à dents : on vous disait bien qu'il y avait quelque ressemblance entre cet avocat et Groucho Marx !).

Le stade, lui, est inauguré en 2008 ; Johnny s'y produit et la Ligue 1 est bien au rendez-vous.

Chapitre 15

Secrets du système

Jean-Louis Pelletier et le magistrat diabolique

« Je fais ce que j'ai envie de faire et ce que je crois savoir faire. » Les bandits de tous âges l'identifient comme l'avocat de Jacques Mesrine, l'ennemi public numéro un des années 1970 ; lui se voit « généraliste », tout simplement. Pas la moindre fanfaronnade à attendre de la part de Jean-Louis Pelletier, qui n'a jamais été du genre à se pavaner. Ni ses clients fameux, des malfrats corses aux braqueurs des cités, ni l'admiration de ses confrères ne lui ont jamais fait tourner la tête. Et pourquoi, d'ailleurs, serait-il devenu un « spécialiste » ?

« En province, dit-il, on est avocat. Je n'allais pas me spécialiser à soixante ans ! Quand j'ai commencé, on était submergé de commissions d'office, avec la guerre d'Algérie et des types qui chantaient l'hymne du FLN en plein tribunal ! »

Me Pelletier a une quarantaine de clients en même temps à la prison des Baumettes : c'est une personnalité entre la Canebière et le cours Mirabeau, on le pousse même à se présenter aux élections cantonales, mais il saisit l'opportunité parisienne qui s'offre à lui. Hormis Henri Leclerc et Philippe Lemaire, qui l'acceptent parmi eux, les autres n'accueillent pas tous à bras ouverts ce trublion venu du Sud qui, bientôt, défend tous les ennemis publics incarcérés à la maison d'arrêt de la Santé. Pelletier a l'habitude : quand il était arrivé de Hyères, sa ville natale, à Aix, les membres du Conseil de l'Ordre l'avait fraîchement reçu, lui qui, à la différence d'un Paul Lombard, autre produit provençal, n'était pas fils d'un grand médecin marseillais. Pas de relations à faire valoir ? Non, juste un diplôme et quelques années de pion, sans compter qu'il avait été voiturier au Monte Carlo Palm Beach, où il garait les véhicules des célébrités du show-biz, de Jean Marais à Marie Bell en passant par Michel Piccoli... Charles Robaglia l'adopte néanmoins, et ce n'est pas rien : cet avocat corse tient à l'époque, dans la capitale, le « marché » des voyous...

Le Méridional impose son panache en marchant sur les traces de ses « dieux » : Émile Pollak, issu d'une vieille famille de joailliers juifs de Marseille et « monstre du verbe », et le non moins fameux René Floriot. Sept ou huit fois, il sauve des clients de la peine de mort ; il y en a même un qu'il sauve deux fois, le bienheureux ! Jean-Louis Pelletier a tout juste vingt-sept ans quand il rend visite à de Gaulle en personne pour plaider la grâce d'un garçon fauché qu'il n'a défendu qu'en appel. Et il l'obtient. S'il lui faut sept ans pour avoir gain de cause, comme la mule du pape il marche sans faire de cadeau à personne : c'est sa signature.

Si les médailles étaient attribuées aux avocats en fonction de leurs contentieux avec les magistrats, ce grand indépendant en serait couvert, car l'époque n'était franchement pas à la pommade ! D'Aix-en-Provence à Nice, son premier territoire de chasse, et de Draguignan à Paris, il a connu le temps des présidents de cour d'assises « hyper-répressifs ». La cour de Draguignan était un « abattoir » où il bataillait aux côtés de son confrère Guillaume Barlès, un avocat qui quittait son bureau le vendredi pour aller surveiller ses vignes. « On ne composait pas avec les présidents, se souvient Pelletier. On se faisait donner acte de leurs saloperies. »

À Paris trônait un certain André Giresse, « un homme avec lequel on ne pouvait avoir aucun dialogue ». Les avocats étaient avec lui « à couteaux tirés », mais c'est lui qui a fini par craquer le premier ; un beau jour, en plein procès, il s'est levé pour s'exclamer : « La pègre règne dans le prétoire, je quitte mes fonctions ! » Il suffisait de suivre son regard pour voir qu'il visait Henri Leclerc, Robert Badinter et Jean-Louis Pelletier, ses ennemis jurés. À côté, le juge Philippe Courroye et ses mandats de dépôt fictifs brandis pour faire craquer un prévenu au Pôle financier parisien, c'est du « petit gibier » ! Le juge en question ne lui a d'ailleurs pas fait deux fois ce petit chantage, car Pelletier le rebelle s'est fait fort de colporter la scène dans tout le Palais, aux heures d'affluence – son bureau parisien est situé rive gauche, face aux tours de Notre-Dame.

Quand Giresse a démissionné avec fracas, des journalistes ont contacté Pelletier. Il n'a eu que deux mots : « Bon débarras ! » « Ce magistrat était aussi sévère que diaboliquement intelligent », souligne l'avocat, qui rappelle comment son confrère Philippe Lemaire l'avait « claqué » : « Pour des motifs que vous connaissez, je ne plaiderai plus devant vous, parce que vous êtes un président déshonoré ! »

À Aix, Raymond Filippi, autre « maître de l'époque », petit bonhomme rondouillard et prince du verbe, avait lui aussi les magistrats dans le nez. En particulier l'un d'eux, fils de gendarme, à qui il disait dès qu'il le pouvait : « Rien que de te voir, je vais moins bien. Depuis que tu es à la cour d'assises, c'est devenu une poubelle, parce que les poubelles on y met les ordures comme toi. »

« C'est plus aseptisé aujourd'hui », laisse tomber avec son flegme habituel Jean-Louis Pelletier, qui ne se fait guère d'illusions sur le pouvoir des avocats : « Nous n'avons que le pouvoir qu'on veut bien nous laisser. Les magistrats sont les patrons. Certains sont des gens très bien, d'autres sont des crapules qui truquent les cartes. Combien de fois les jurés sont venus me dire qu'ils n'avaient pas fait ce qu'ils souhaitaient ! »

Lef Forster et les secrets d'Outreau

« J'aurais voulu défendre Jésus, car sa condamnation à mort a été une catastrophe historique... »

Au lieu de cela, Lef Forster a défendu des bandits de tout poil, des responsables politiques de tout bord, de Charles Pasqua à Julien Dray en passant par Dominique Strauss-Kahn, et... un magistrat : Gérald Lesigne, le procureur d'Outreau, traduit devant ses pairs du Conseil supérieur de la magistrature (CSM), l'instance suprême, au lendemain d'une affaire tellement calamiteuse qu'elle est (provisoirement) devenue le symbole même de l'erreur judiciaire.

Ce nouveau client n'est pas un inconnu pour Mᵉ Forster : six cents affaires d'assises lui ont donné l'occasion de ferrailler avec bien des magistrats, dont Lesigne. Il conserve le souvenir d'un homme « pas spécialement tendre, mais loyal et d'une grande rigueur ». D'un « bon contradicteur » plus que d'un « adversaire ». D'un procureur « soucieux de la nécessaire dignité des débats », avec lequel on peut dialoguer. Lorsqu'il se présente devant lui dans la peau du justiciable, Gérald Lesigne paraît « désemparé et profondément blessé... Il est doublement tourmenté par des poursuites qu'il ne comprend pas et par le procès d'Outreau sur lequel il ne cesse de s'interroger ».

Un quartier déshérité dans une ville du Nord, des enfants qui accusent leurs parents et les amis de leurs parents de violences sexuelles répétées : Lef Forster ne connaît l'histoire que de l'extérieur. Comme nombre d'observateurs, il a été frappé par « une atteinte à la présomption d'innocence considérable » et par « un battage médiatique à charge », la presse unanime décrivant sans laisser planer l'ombre d'un doute ces familles du quart monde, dans un Nord imprégné de misère et d'alcool, où l'on transforme ses propres rejetons en objets sexuels...

L'avocat a suivi le brusque renversement de situation intervenu pendant le procès, le parquet ayant soudain la relaxe à la bouche et les médias changeant leur fusil d'épaule pour charger des juges « aveugles et incompétents ». Il lui reste à se plonger dans le dossier pour aller avec les armes adéquates défendre son client devant le CSM, l'une « des plus redoutables juridictions », où l'« on se retrouve face à des magistrats qui bénéficient tous d'une expérience considérable, devant lesquels plaider son innocence est plus difficile qu'ailleurs, surtout si l'on entend dénoncer le fait même d'être poursuivi ».

Très vite, l'avocat cherche à tirer parti de l'ambiguïté des critiques faites à Gérald Lesigne : « On lui reproche de ne pas avoir informé le parquet général de l'évolution du dossier au fur et à mesure, et en même temps de ne pas avoir entamé les poursuites assez tôt. On lui reproche de ne pas avoir empêché le juge d'instruction d'organiser des confrontations collectives, ce qui aurait été contraire à la séparation des pouvoirs ! C'est un fusible. On ne cherche pas à comprendre, on cherche des responsables. Quelqu'un doit payer pour le fiasco d'Outreau : c'est lui et le juge d'instruction Fabrice Burgaud. »

Le procureur n'est pas particulièrement préparé à affronter de telles accusations. Ni sur le plan humain, ni sur aucun autre plan, à entendre son avocat : « Le fait d'incarner le fiasco le perturbe énormément. C'est un homme investi de son rôle de serviteur de la République, totalement dévoué au point d'avoir pris en charge un parquet de Boulogne en déshérence, malgré trois infarctus, avec des parquetiers et des juges d'instruction débutants et une lourde charge de travail, entre les entreprises "ripoux" qui déposent leur bilan, Sangatte et ses migrants, les trafics de drogue et une population frappée par un taux de chômage effrayant... Autant de sujets qu'il a traités avec humanité et professionnalisme. »

Lef Forster a déjà défendu plusieurs magistrats. Quand il aborde le cas Lesigne, c'est fort de sa connaissance des mécanismes judiciaires, mais surtout de ces dysfonctionnements auxquels il est sans cesse confronté, avec, à son actif, plusieurs acquittements arrachés... après de longues détentions. N'a-t-il pas, un an auparavant, obtenu l'acquittement de quatre prévenus totalisant à eux tous douze ans de préventive ? Pénaliste depuis près de quarante ans, il est bien placé pour savoir que l'affaire d'Outreau n'est pas l'exception que l'on dit. Que la justice déraille au quotidien plus souvent qu'on ne le croit. Défendre ce procureur va lui permettre de dire enfin publiquement ce qu'il pense depuis longtemps de ces anomalies, et en particulier du fonctionnement de cette institution qui constitue la colonne vertébrale du système judiciaire français : la chambre de l'instruction. « Elle est théoriquement en mesure de contrôler l'activité du juge, qui n'est pas le solitaire que l'on veut bien décrire », rappelle l'avocat. Des centaines de fois, il a plaidé devant cette instance composée de magistrats de la cour d'appel, souvent surchargée et sous-équipée. Même dans les cas où il a fini par obtenir l'acquittement, elle avait systématiquement confirmé auparavant la détention du prévenu...

« On a voulu faire d'Outreau une exception pour gommer les défauts d'un système où la présomption d'innocence n'est pas respectée, où les intervenants sont insuffisamment formés sur les phénomènes sociaux et comportementaux, avec une culture marquée par le XIXe siècle et une volonté répressive qui ne vise ni à établir des faits, ni à prendre en considération la condition humaine », assène Lef Forster. Coup de patte ganté d'un compliment qui suit : « Au passage, on a oublié que l'énoncé des principes n'avait rien à voir avec la pratique, et que seul le dévouement des hommes permettait à un système fragile de survivre. »

L'avocat étudie le rapport de l'Inspection générale des services judiciaires et les auditions de la commission parlementaire sur Outreau, « qui a traité ceux qu'elle entendait comme on traite des mis en examen ». Ce qui le frappe, c'est toujours cette « volonté d'exorcisme », de « désigner les têtes sur lesquelles faire retomber le courroux ». L'affaire survient par ailleurs à pic pour ceux qui prônent la suppression du juge d'instruction, remarque-t-il. « Comme il est difficile de ne poursuivre que le juge, on prend le procureur comme alibi. »

Devant ses pairs, Gérald Lesigne affirme n'avoir jamais dévié de l'exercice de ses fonctions. Il se montre convaincu d'avoir toujours respecté sa hiérarchie. Il a bien du mal à tolérer la mise en cause de son honneur, et souffre à l'idée même d'être déféré. Il ne dissimule rien, s'exprime sans langue de bois, ne cherche à esquiver aucune question, se présente en homme blessé, fait parler son émotion, mais Lef Forster n'est pas tranquille : « Les innocents sont les plus difficiles à défendre, dit-il. Ils pensent que leur innocence est une évidence, qu'il n'y a pas besoin de l'établir. » Il y a aussi autre chose : l'avocat sait que les juges sont rarement tendres entre eux. « On accepte difficilement que l'un des siens ne soit pas aussi intègre que soi-même, explique-t-il. Je vais plaider devant des hommes confrontés à leur propre reflet, et c'est ce qu'il y a de plus ardu. » De ses procès devant les assises, Forster a en effet ramené l'idée que, s'il veut mettre toutes les chances de son côté, le bourgeois devra préférer être jugé par un ouvrier, et l'étranger éviter de l'être par un étranger.

Ce procès devant le CSM n'en reste pas moins, pour Lef Forster, une formidable occasion de procéder à une forme d'« autoanalyse ». Il a en effet parfaitement conscience de faire partie de ce processus judiciaire cloué au pilori après le dérapage incontrôlé d'Outreau. Il se lance. Il raconte aux magistrats l'histoire d'un tout jeune juge d'instruction (Fabrice Burgaud) qui n'a pas tous les défauts qu'on lui prête et à qui l'on a confié un dossier très lourd. D'un procureur qui ne pouvait faire autrement que d'engager des poursuites au vu des éléments préoccupants qu'on lui présentait, mais qui n'avait la charge ni de juger ni de décider de la détention des personnes mises en examen. Qui avait même requis dans cette affaire un certain nombre de non-lieux que le parquet général n'avait pas suivis. Qui, de nouveau, devant la cour d'assises, avait requis des acquittements, obtenus cette fois. Les trop longues détentions infligées aux protagonistes ? Comment les lui imputer, alors que le juge de la détention n'a jamais été mis en cause par ses pairs ? Le procureur n'aurait pas tenu le parquet au courant ? Il y avait une copie du dossier à la cour d'appel !

Plus jeune des vieux et plus vieux des jeunes, ainsi que se présente volontiers cet avocat coincé entre deux générations, Lef Forster convainc les magistrats, qui relaxent leur pair. Rachida Dati, garde des Sceaux, va-t-elle les suivre alors que le ministère souhaitait à mots à peine couverts une condamnation ? Finalement, non. Son « honneur sauvé », Gérald Lesigne est même nommé substitut général à Caen, poste qu'il briguait. Et la justice continue tant bien que mal son chemin, avec près de 80 % des justiciables qui, selon les calculs de Lef Forster, à l'instar des accusés d'Outreau, n'auront jamais les moyens de leur défense…

Omission notable, observe l'avocat, ce procès n'a pas fourni l'occasion de porter un regard critique sur l'influence des médias sur le processus judiciaire. « À Outreau, tient-il à rappeler, on a d'abord vu un acharnement médiatique sur les présumés coupables, puis l'inverse absolu qui a débouché sur la recherche d'un coupable au sein de l'institution. Si les médias avaient couvert le procès devant le CSM, ils auraient constaté que ceux qu'ils voulaient stigmatiser n'étaient pas forcément les bons. C'est une mécanique que j'ai souvent vue à l'œuvre : on désigne une cible et on tire avant de se demander si c'est la bonne. »

Pour l'état civil, il est Léon Lef Forster, mais, au Palais, on l'appelle « Lef ». Sans forcément connaître la double signification de ce prénom. Lef, c'est le lion. On pourrait aussi traduire par « Liberté, Égalité, Fraternité ». Une longue histoire : sa mère ayant figuré sur les fameuses listes de Schindler et son père ayant été fait prisonnier en Sibérie, la probabilité pour que ces deux juifs polonais, fiancés avant la guerre, se retrouvent à Paris un jour de 1946 était tout à fait improbable. C'est pourtant ce qui s'est produit sur un quai de la gare de l'Est.

Lef naît un an plus tard, découvre dans les années 1960 la politique au lycée Voltaire, milite pour l'Algérie indépendante, se fait bibliothécaire du côté de la « zone » de Montreuil par le biais d'une organisation juive socialiste, rédige un mémoire sur les positions de Jean-Paul Sartre vis-à-vis du Parti (communiste), avant d'opter pour le droit. « Au nom de l'équité et du principe de justice sociale, dit-il, pour défendre les gens injustement poursuivis. »

Au lendemain de Mai 68, la fac se révèle à ses yeux « coupée des réalités ». Certains de ses camarades se tournent vers l'usine, un Tiennot Grumbach[1] se consacre au droit du travail ; le jeune Forster, lui, enseigne à l'Institut des sciences sociales du travail. Il passe aux travaux pratiques en devenant avocat, option droit pénal : « le lieu où l'on peut intervenir dans les situations individuelles ». Un ancien résistant communiste, Manfred Imerglik, avocat du MRAP (Mouvement contre le racisme et pour l'amitié entre les peuples, créé en 1949), le domicilie pour qu'il puisse prêter serment. Un copain de Sciences-Po lui trouve un premier stage...

---

1. Neveu de Pierre Mendès France, futur bâtonnier de Versailles et futur président du Syndicat des avocats de France.

« Avocat, tu es indépendant et libre, tout en étant au cœur de la problématique du rapport à l'État », se justifie Me Forster. Premier cas concret : un militant syndical de Poissy, CFDT, en butte à l'hostilité des syndicats patronaux. Il rencontre les féministes du Palais de Justice avec son aîné Henri Leclerc, participe à la création du « Groupe Information-santé » comme du « Comité d'action pour les prisonniers ». Un fils de l'anthropologue Claude Lévi-Strauss lui prête une pièce pour exercer à son compte, rue des Martyrs, dans ce IXe arrondissement parisien qu'il ne quittera plus, allant de la rue de Douai à la rue de Châteaudun avec escale rue Fontaine, à deux pas de Pigalle.

Les jeunes que côtoyait Lef Forster glissaient des lames de rasoir dans leurs santiags ; il a lui-même connu la ségrégation à l'école, les insultes raciales. Sa première commission d'office le conduit à défendre, devant le tribunal pour enfants de Bobigny, un gamin accusé d'avoir volé un panier de fraises sur le marché de Rungis. Il va voir le « délinquant » chez lui, avec le regard du politologue passé au moule situationniste, et prépare une plaidoirie d'une heure où il sera question de transgression. « Si Rungis est le ventre de Paris, faites en sorte d'en être le cœur » : ce sera sa phrase de conclusion, si tout va bien. En réalité, l'avocat n'a pratiquement pas le temps de finir sa première phrase que son client écope de 100 francs d'amende !

Me Forster a beau être membre de la Conférence du stage, il va volontiers au tribunal en jean et sabots suédois, ce qui fait de lui l'exact opposé d'un de ses prédécesseurs au rang de neuvième secrétaire : Me Tixier-Vignancour, aussi marqué à l'extrême droite que Forster se proclame libertaire.

Lef Forster est de ceux qui poussent le quotidien *Libération* à lancer sa « chronique des flagrants délits », mais cette première expérience avec les médias est vite balayée. Le voleur de fraises de Rungis cède en effet la place à des personnages d'une tout autre facture : l'avocat défend les premiers notables pris dans les rets de l'abus de biens sociaux, nouvelle incrimination à la mode, piège à patrons pas très droits. L'un d'eux s'appelle Michel Reyt ; socialiste et ancien résistant, il est accusé de superviser le financement occulte de la frange non mitterrandienne du PS par le biais de son bureau d'étude, la SAGES. On est à une époque (les années 1990) où la presse d'investigation découvre les délices des affaires politico-financières, et où l'avocat tente de trouver le moyen de convaincre les magistrats sans succomber aux lois du spectacle médiatique.

D'autres clients de poids viendront frapper à la porte du cabinet où l'on se faufile entre statuettes africaines et peintures contemporaines – le « fils d'immigrés », comme il se définit lui-même, est féru d'art. Charles Pasqua, ancien ministre de l'Intérieur de Jacques Chirac, le sollicite en 2001. Dominique Strauss-Kahn, champion de la Gauche socialiste, le désigne alors qu'il est empêtré dans l'affaire de la MNEF (mutuelle étudiante considérée comme la pouponnière de la gauche). Le député socialiste Julien Dray se tourne vers lui au moment où il est « plombé » par quelques trop belles montres et un parquet chauffé à (l'or) blanc contre lui.

Le lien que l'avocat tisse avec un Pasqua venu à lui après une recommandation corse (Forster a défendu le nationaliste insulaire François Santoni) pourrait paraître contradictoire. Il découvre « un homme surprenant, attachant, résistant à quinze ans... un homme qui n'a pas l'œil blanc, qui ne rejette pas l'autre... Pour bien défendre quelqu'un, il ne faut pas d'antipathie, observe Forster. Personnage atypique, Charles Pasqua prend un avocat atypique. Quelle que soit son histoire, le client est d'abord un individu que je défends face au rouleau compresseur de l'appareil répressif, un individu avec son affect, son intelligence et ses engagements. Ce n'est pas parce que l'on a une image négative que l'on doit être condamné. Le notaire de Bruay-en-Artois n'était pas coupable de viol parce qu'il était notaire ».

DSK et Dray sont plus proches de sa famille politique qu'un Pasqua, mais les trois affaires ont un point commun : leur extrême médiatisation. L'occasion, pour l'avocat, de revoir ses liens avec cette presse que ses camarades qualifiaient autrefois d'« officielle » et de « bourgeoise », de plonger tête baissée dans cette société du spectacle dont il analyse l'avènement comme « un échec de Mai 68 ».

La défense du procureur d'Outreau comme celle de Pasqua, DSK ou Dray conduit en effet Me Forster à faire amende honorable : « J'ai eu tort de considérer que mon seul interlocuteur, c'était le tribunal. Quand une affaire est médiatisée, il y a un combat tout aussi intense à mener dans la presse. Avec Julien Dray, j'ai vu que des gens pouvaient être déclarés innocents par la justice et continuer à subir l'opprobre[1]. »

« Les avocats deviennent des *people* », constate Me Forster, qui aurait visiblement préféré voir la lumière éclairer le contenu de leur défense plutôt que leur personne. « On n'a pas à se faire un nom sur des situations déchirantes », avance-t-il avant d'admettre avoir lui-même cédé à l'occasion : « J'ai parfois eu ce besoin de reconnaissance propre à celui qui vient d'un quartier modeste, Français de première génération de surcroît. Sans doute une façon de rendre hommage à mes parents... »

Signe qu'il n'est pas tout à fait « arrivé au stade de la sagesse », le voilà qui affiche sa trombine dans *Paris-Match* au milieu des stars du barreau. Puis il se voit remettre la Légion d'honneur par Jean-Louis Debré, ancien juge d'instruction devenu ministre de l'Intérieur. De là à se considérer comme investi d'un pouvoir particulier, il y a un pas que Lef Forster ne franchit pas.

---

1. Le député socialiste sera la cible d'une enquête préliminaire sur des présumées dépenses suspectes, qui ne débouchera sur rien d'autre qu'un rappel à la loi et une myriade d'articles de presse.

« Certains rejoignent la profession en attente du politique, dit-il. D'autres viennent chercher sous la robe un substitut au politique. J'ai, pour ma part, choisi ce métier pour me retrouver face au politique. »

Loin de lui cette « tentation mégalomaniaque » qui saisit certains de ses confrères. « Celui qui plaide est en situation d'exhibition et doit être convaincu qu'il est le meilleur, mais il faut savoir en sortir, une fois la plaidoirie terminée », affirme-t-il. Autrement, le risque existe de se voir emporter par la dérive spectaculaire, jeu des vanités et des apparences, mais aussi, plus grave encore à ses yeux, « de participer à la dissimulation des réalités quotidiennes ». Celles-là même que se coltinent précisément les avocats, dont un certain nombre, tient à rappeler Mᵉ Forster, déposent leur bilan chaque année.

CLAIRE WAQUET,
LA FEMME QUI FAIT BOUGER LES « ARBRES »

Claire Waquet fait partie de la petite centaine d'« avocats au Conseil », un petit barreau à part dont les membres n'interviennent que devant le Conseil d'État et la Cour de cassation. Spécialiste de la règle de droit, elle est là pour « cadrer » l'administration et les juges. Un métier qui a survécu à tous les régimes – Révolution comprise – et qu'elle dit avoir choisi par « amour du droit », après avoir vu un film de Fred Zinnemann, *Un homme pour l'éternité*, qui raconte l'histoire d'un magistrat britannique réputé pour son intégrité et ayant fini sur l'échafaud. Elle avait à peine seize ans, mais se souvient parfaitement de la façon dont le héros, Thomas More, évoquait un pays couvert de lois comme d'autant de forêts...

Son agrégation en poche, elle est recommandée auprès d'un certain Mᵉ Waquet, avocat au Conseil, qu'elle épousera avant qu'il devienne magistrat. Nous sommes en 1980, Claire a vingt-neuf ans et entre, pour ne plus en ressortir, dans le petit cercle de la Cassation où tout le monde connaît à peu près tout le monde et où la défense dite de rupture n'est pas très bien vue. On est plutôt dans la tactique, voire dans le « combat militaire », dit-elle. « Cela ne sert à rien de parler en l'air devant ces magistrats qui font du droit. Il faut y aller bien armé. Et puis, si les trente mille avocats de ce pays pouvaient intenter des recours, les magistrats seraient débordés[1]. »

Il peut arriver que la bataille porte ses fruits, au point de faire bouger le droit. Claire Waquet n'est pas peu fière, par exemple, de ce combat qu'elle a mené au nom de la liberté d'expression pour le compte du *Canard enchaîné*. L'affaire prend sa source quand l'hebdomadaire satirique publie en fac-similé, le 27 septembre 1989, les déclarations d'impôts de Jacques Calvet, patron du groupe Peugeot, grâce à quoi l'on se rend compte que le PDG a vu son salaire fortement augmenter entre 1986 et 1988 (45,9 % de mieux en deux ans, tandis que la paie moyenne des salariés n'a été valorisée que de 6,7 % au cours de la même période). Une révélation plutôt opportune à l'heure où le groupe automobile s'apprêtait à copieusement licencier. Sauf que le principal concerné se rebiffe et dépose plainte pour « détournement d'acte ou de titre par fonctionnaire public, violation du secret professionnel, vol de documents pendant le temps nécessaire à leur reproduction, et recel de documents obtenus à la suite d'une infraction », bientôt relayé par Bercy qui poursuit pour « soustraction de documents ».

« Ce n'est pas injurieux ni diffamatoire de dire de quelqu'un qu'il gagne de l'argent, commente l'avocate, raison pour laquelle on ne pouvait poursuivre sur la base

---

1. Seuls ont le droit de se présenter devant cette instance les avocats estampillés « cassation ».

de la loi de 1881. On attaque sur le recel parce que le document reproduit était censé rester aux mains de l'administration. »

Le journaliste et le directeur du *Canard*, Roger Fressoz et Claude Roire, qui invoquent la liberté de la presse et assurent avoir reçu les documents de façon anonyme, sont relaxés en première instance, mais condamnés devant la cour d'appel pour « recel de photocopies de déclarations d'impôts provenant de la violation du secret professionnel par un fonctionnaire ». Nous sommes en 1993, soit quatre ans après la publication de l'article, lorsque Claire Waquet se voit refuser le pourvoi par la Cour de cassation.

L'avocate décide alors de porter l'affaire devant la Cour européenne des droits de l'homme. La réponse tombe sous la forme d'un arrêt historique rendu le 21 janvier 1999 : la condamnation prononcée par la justice française est contraire à l'article 10 de la Convention européenne des droits de l'homme. La France est condamnée (à l'unanimité) pour atteinte à la liberté d'expression, « fondement essentiel d'une société démocratique ». Message adressé aux magistrats français : on ne peut brider la liberté d'expression en invoquant le recel du secret fiscal.

La preuve est faite que l'on peut même faire bouger une « forêt » si l'on s'en donne le temps et les moyens ! Un « séisme », commente Claire Waquet, qui se félicite de voir la Cour européenne faire ainsi évoluer le droit de la presse en France, et qui parle de « prise de conscience ».

Les magistrats n'apprécient pas forcément cette intrusion, mais c'est le métier de cette avocate qui a rêvé un jour de proposer une réforme du droit de la presse visant à interdire de rendre public le nom des juges d'instruction – manière de contrecarrer le comportement de « stars américaines » de certains d'entre eux.

Les avocats lui envoient des dossiers, Me Waquet fait le tri. « Les magistrats nous font confiance, explique-t-elle. Si l'on vient plaider, c'est que ça en vaut la peine. » Les clients, eux, viennent rarement frapper à la porte du cabinet. « C'est un peu comme d'aller voir un médecin dans son laboratoire rempli d'éprouvettes : les clients ne comprennent pas bien ce que je fais. » Quand Didier Schuller, ancien cacique des Hauts-de-Seine, revenu de sept ans de cavale dans la Caraïbe, s'est assis en face d'elle, il lui a avoué ne pas bien piger ce qu'elle lui racontait.

« Le droit, ce n'est pas un jeu, ni pour nous ni pour les magistrats, poursuit-elle. Ils ont une politique jurisprudentielle, ils doivent être cohérents dans leur interprétation de la loi. Nous avons nous aussi un devoir de cohérence et de rigueur intellectuelle. Je ne suis pas là en train de conclure des *deals* avec les magistrats, je dois comprendre comment ils fonctionnent. »

Claire Waquet produit du sur-mesure. Elle ne promet jamais la lune, ne demande « pas énormément » d'argent (entre 2 000 et 10 000 euros, en fonction de l'importance du dossier), et intervient en tous domaines. Un jour elle traite une affaire d'inceste, le lendemain un viol, avant de passer au « secret défense » dans le dossier Karachi, puis de revenir au droit de la presse. Elle a contraint le législateur à revoir la loi de 2010 sur l'inceste, « trop imprécise ». Dans une affaire de contamination par le sida, elle défend l'idée que l'empoisonnement suppose l'intention de tuer.

« Le droit est le protecteur des libertés, dit encore l'avocate. Les dossiers les plus excitants sont ceux où *deux libertés* entrent en conflit. Il faut alors trouver une ligne de partage. Le juge d'instruction n'a pas beaucoup de limites, mais il doit en avoir. Chaque pouvoir doit s'exercer avec mesure. La puissance du Conseil d'État consiste à pouvoir dire à l'administration qu'elle a passé les bornes. C'est théorique, mais, en pratique, cela pèse sur la vie des gens. Le barreau de Paris se vit comme un gros groupe de pression, mais, hors de nos outils, son pouvoir reste assez limité. Nous savons cependant que la défense du justiciable est l'un des traits majeurs des pays démocratiques. »

Le chêne ne rompt pas, mais la jurisprudence s'infléchit : telle semble être la devise de Claire Waquet, dont l'écho des batailles en coulisse parvient rarement à l'oreille du grand public.

VÉRONIQUE LARTIGUE, BÊTE NOIRE DES TRIBUNAUX DE COMMERCE (ET DE QUELQUES AUTRES)

« Notre premier pouvoir, c'est notre liberté de parole contre les systèmes déviants », proclame Véronique Lartigue, fille de fonctionnaires, avocate depuis 1976, « disponible vingt-quatre heures sur vingt-quatre, même le dimanche ». Des investisseurs floués par Bernard Madoff, le redoutable escroc américain, frappent à sa porte ? Elle n'hésite pas à attaquer les banques, « au mieux négligentes », quitte à se fâcher avec une partie de l'*establishment*. Les abus de pouvoir, elle les attaque au casse-noisettes ; les réseaux de mâles dominants, au sécateur ! Les intouchables ne la font pas reculer.

« Trop d'avocats font leur carrière en usant de leur pouvoir *underground*, qu'ils tirent de leurs liens avec les magistrats, poursuit-elle. Les réseaux n'ont jamais été aussi puissants, à commencer par celui des francs-maçons. Puis il y a le microcosme : si vous faites partie du Siècle, vous bénéficiez d'entrées que les autres n'ont pas. Le Rotary pèse moins que le Cercle Interallié. Tout cela induit des affinités, un regard bienveillant. Il y a enfin le réseau politique, à travers lequel s'épanouissent certaines influences. Pour moi, un avocat, ça doit être indépendant ! Si l'on fait partie du même monde, comment inspirer la moindre crainte à l'adversaire ? On vient me voir pour ma pugnacité et parce qu'on sait que je ne me ferai pas corrompre, que je ne baisserai pas pavillon si l'on m'invite à transiger. »

Une affaire pourrait résumer Véronique Lartigue : c'est l'histoire d'une certaine Nicole Blondelle, dépossédée à la sauvage du magasin de fourrures et cuirs qu'elle avait acheté après avoir gagné au Loto. Tous les ingrédients sont réunis pour une homérique bataille qui va durer de 1988 à 2011 : un corrupteur soupçonné de financer un parti politique (de droite), un magistrat qui aurait touché un million de francs (150 000 euros) sous le manteau, mais qui reste en exercice, et cette plainte dont l'avocate met plus de deux ans à obtenir la validation. « Tu es folle ! Tu vas tous te les mettre à dos », la prévient-on lorsqu'elle se lance. Quarante-cinq procédures et des courriers adressés à trois gardes des Sceaux plus tard, elle comprend l'avertissement, mais ne regrette rien. Elle a au passage acquis la certitude que « toutes les décisions ne sont pas forcément rendues en droit ».

« Vous n'allez pas me croire, mais tout est vrai », insiste la cliente en grand désarroi lors de sa première visite au cabinet : elle a investi dans l'achat de ce magasin les 4 millions qu'elle a gagnés au Loto, un client étranger lui a laissé une ardoise de 1,5 million de francs et elle a été poussée au dépôt de bilan par un conseil juridique dans la perspective de négocier un plan de continuation… C'est à ce moment que la novice a vu un inconnu débarquer au pas de charge et rafler son commerce sous ses yeux avec la bénédiction du tribunal de commerce de Paris !

Véronique Lartigue découvre vite que le magistrat chargé de superviser le sort du magasin en faillite a signé avec le repreneur, deux jours avant l'audience, une convention lui allouant le fameux million prestement encaissé. L'épisode a stupéfié les observateurs. Non seulement le magistrat a délibéré seul, mais il a opté pour l'offre la plus maigre : 700 000 francs, alors que la propriétaire avait sous la main un ami prêt à ajouter 2 millions de francs (300 000 euros) au pot pour relancer la boutique, particulièrement bien placée dans la capitale. Tout paraît clair, presque trop ; il ne faudra cependant pas moins de dix ans à l'avocate pour obtenir un premier jugement, moyennant un nombre record de recours rejetés !

La chasse contre la corruption n'est pas encore à la mode en ce début des années 1990 ; les généreux donateurs bénéficient d'une sorte de parapluie judiciaire en échange de leur obole versée aux partis politiques, et les piliers des tribunaux de commerce s'enrichissent encore à l'abri de réseaux maçons : voilà les premières explications qu'avance l'avocate. Quand la cour d'appel finit par lui donner raison trois fois d'affilée, la Cour de cassation remet aussitôt tout en cause, permettant miraculeusement au bénéficiaire de conserver l'argent... alors même qu'il aurait corrompu un magistrat ! Le tribunal de commerce finit malgré tout par reconnaître ses erreurs, le parquet par admettre que le dossier est « calamiteux », et le tribunal par condamner le magistrat à dix-huit mois de prison avec sursis, mais la Cour de cassation casse. Motif : le juge du tribunal de commerce n'avait pas forcément à l'esprit la somme encaissée deux jours plus tôt lorsqu'il a rendu sa décision ! Et, pendant ce temps, l'ex-heureuse gagnante du Loto cumule les ennuis entre pressions, filatures et menaces de saisie de son appartement...

Face à elle, Véronique Lartigue voit défiler en tout sept avocats, dont William Laskier et Maurice Lantourne, dont elle ne soupçonnait ni la puissance ni l'entregent. Dix-huit mois après sa très bonne opération, le repreneur met pour sa part en vente le fonds de commerce pour la modique somme de 11 millions de francs, non sans avoir préalablement rempli ses caisses en cédant le stock de fourrures, mais celui que l'avocate de la « spoliée » présente comme un « prédateur » est très bien défendu. Si bien que la justice ne lui demande même pas d'indemniser cette femme à laquelle il refuse le statut de « victime » ! Le fait que les médias s'en mêlent n'y change rien, pas plus que l'écho accordé à l'affaire par le pourfendeur des tribunaux de commerce véreux, l'ancien policier Antoine Gaudino.

« Toute institution a du mal avec ce qui la remet en cause, observe à froid Véronique Lartigue. Dans cette affaire, on s'est heurté au mur de la Cour de cassation. On a réussi à sauver l'appartement de la victime, mais les dés étaient pipés dès le départ... J'ai travaillé pendant neuf ans sans honoraires, parce que c'était injuste et que je ne supporte pas l'injustice. »

Tandis que l'adversaire a le culot de réclamer le paiement de frais d'avocats qu'il évalue à 420 000 euros, Véronique Lartigue, elle, finit par proposer à Nicole Blondelle un job de standardiste au sein de son cabinet pour la tirer de la misère dans laquelle elle s'enfonce. Au fil de la bagarre, elle a perdu cette confiance « aveugle » qu'elle avait en la justice au début de sa carrière. Elle s'est endurcie, ne sort plus jamais à découvert, sans se « blinder » auprès de professeurs de droit. Elle voit arriver les vautours de plus loin et se méfie tout particulièrement de ceux qui collectionnent les entreprises en difficulté.

Installée dans les locaux qui servirent de siège à la Fondation Elf, précisément dans l'ancien bureau de Fatima Belaïd qui fut, à la grande époque, la « danseuse » du PDG de la compagnie pétrolière, Me Lartigue a-t-elle seulement jamais été naïve ? L'épaisseur de la porte capitonnée qui sépare son bureau de la salle de travail permet d'en douter. C'est d'ailleurs elle que consultent plusieurs importantes agences de publicité avant de lancer leurs campagnes. Parce que les avocats sont aussi sollicités pour ça : valider ou invalider une campagne, par exemple celle que veut lancer la marque de préservatifs Durex. Mission : éviter au maximum les actions en justice. En d'autres termes, veiller à ce que les publicitaires n'offusquent personne, eux qui naviguent souvent entre rire et provocation au point d'imaginer de vendre des préservatifs en mettant en scène le pape, un rabbin, un nain ou un Noir, voire un chat (contre toute attente, ce sont en l'occurrence les amis des animaux qui tenteront de faire interdire le spot, pour lequel elle avait préconisé l'abandon du personnage de grand Black petitement monté).

Véronique Lartigue n'est pas non plus complètement étrangère à la sphère politique, puisqu'elle a été l'associée du centriste (et avocat) Jean-Louis Borloo avant de faire campagne avec lui lorsqu'il s'est éloigné du barreau pour partir à l'assaut de Valenciennes la nordiste, en 1989. Une « parenthèse » qui lui inspire ce commentaire pas forcément favorable aux politiques : « Ce n'est pas un hasard si Le Pen, Mitterrand, Sarkozy et Villepin sont avocats : ils ont le recul nécessaire, savent négocier et défendre leur cause avec éloquence. Il ne leur reste plus qu'à faire le serment de défendre la veuve, le faible et l'orphelin, comme les avocats. »

Quand elle a vu son ami et confrère accepter un poste de ministre au sein du gouvernement Chirac, elle en a été quelque peu surprise. Quand Borloo s'est mis au service du président Sarkozy, Me Lartigue lui a alors parlé « clause de conscience ». Mais quand il a évoqué une possible candidature à l'élection présidentielle de 2012, elle s'est préparée à nouveau à transformer son cabinet en « back-office » de campagne... On connaît la suite : crédité de 7 %, Borloo a renoncé pour ne pas porter préjudice à son confrère et ami Nicolas. Véronique Lartigue, elle, reste d'attaque, rodée par l'affaire Blondelle, ce combat de vingt ans contre les menus arrangements qui gangrènent la justice.

THOMAS BIDNIC, CHASSEUR DE NULLITÉS

Thomas Bidnic n'a d'yeux que pour les nullités, on dirait même qu'il a chaussé des lunettes spéciales en devenant avocat : il débusque les erreurs de procédure comme d'autres les girolles. Ne rêve que de prendre un magistrat en défaut. Serait prêt à veiller tard si c'est pour trouver la faille, le faux tapi au milieu d'une abondante paperasse.

Défense de rupture, façon Jacques Vergès ? Me Bidnic rejette la parenté : « Vergès contestait la légitimité des juges et de la loi. Moi, j'accuse les juges d'être en rupture avec la loi. » Les magistrats n'aiment pas beaucoup être mis en cause sur le plan juridique, on peut même dire que beaucoup ne le supportent pas ; lui, prend un malin plaisir à pousser le raisonnement à l'extrême, comme d'autres ne sont bons que dans le registre de l'émotion. C'est plutôt l'école Philippe Dehapiot, longtemps imbattable dans l'art de neutraliser les procédures les plus dangereuses en traquant le petit défaut qui tue. L'école Olivier Metzner, aussi, lui qui appliqua très tôt aux affaires de voyous cette méthode héritée de ceux qui plaidaient devant la Cour de sûreté de l'État. Plutôt l'erreur de procédure que les circonstances atténuantes : voilà la ligne.

« Crime », « outrage », « injures »... Thomas Bidnic, né en juillet 1963, s'est habitué aux réactions outrées des magistrats. Il fouaille là où c'est le plus douloureux, ils ripostent en se plaignant auprès du bâtonnier. « Je ne les ai ni parjurés, ni injuriés, réplique en général l'avocat ; je les ai juste accusés de faux en écriture publique. » Rien que ça, et il n'en est pas à son coup d'essai !

« Les magistrats ne comprennent que le rapport de forces, assure-t-il. Mon métier, c'est de défendre mes clients par tous les moyens légaux. Pourquoi les juges ne respecteraient-ils pas la loi, sous prétexte qu'ils ont en face d'eux un trafiquant de stupéfiants ou un braqueur ? Il n'est pas interdit de mettre son indignation au service de la défense, surtout quand l'accusation triche. J'ai trop souvent l'impression que les magistrats, qui ne sont pas incompétents, sont là pour condamner d'avance. »

Thomas Bidnic ne tire pas sans sommations. Il dépose tous azimuts des conclusions truffées de références juridiques qu'un novice prendrait pour de l'hébreu. La chambre de l'instruction, qu'il appelle volontiers la « chambre de sauvetage », ne l'attend jamais à bras ouverts. « Ils font du droit quand on leur parle des biens mal acquis des chefs d'État africains, mais pas quand il s'agit de trafiquants de drogue. » Lui, croit dur comme fer à ses « moyens », comme on les appelle dans le jargon.

Défenseur de l'un des policiers lyonnais poursuivis avec le commissaire Michel Neyret, pris au piège de voyous, Me Bidnic et son confrère Pierre Degoul espèrent bien faire annuler la procédure. Le juge refuse de lui donner raison ? Il fait appel. C'est toujours non ? Il se pourvoit en cassation. « Ils nous accorderont la nullité, annonce-t-il, sauf à se parjurer. » En attendant, l'accueil est des plus mitigés au tribunal de Paris. Aux avocats venus tout spécialement de Grasse, Lyon ou Chambéry, le président Jacques Liberge lâche sur un ton neutre : « La question se pose de savoir si l'on ne va pas renvoyer, car beaucoup de mémoires ont été déposés depuis hier. » L'affaire est renvoyée à un mois plus tard, quelques minutes donc après l'élection présidentielle de 2012 et après la possible promotion du magistrat à la Cour de cassation. L'IGS (police des polices) a-t-elle commis une erreur ? La brigade des stups a-t-elle contourné la loi ? Pour le savoir, il faudra revenir en deuxième saison, ou peut-être même en troisième...

Ils ne sont pas très nombreux, au barreau, à maîtriser la procédure comme l'acrobate le trapèze. Me Bidnic l'a dans le sang. « Ce n'est pas parce qu'on porte un uniforme ou une robe qu'on a raison, dit-il. L'Occupation a montré que la justice était capable des pires ignominies. Elle a démontré que l'administration pouvait se parjurer. La justice n'est pas vertueuse par nature, la police non plus. Pour moi, le pire, c'est quand un flic censé te sauver vient te chercher pour t'envoyer dans un camp. »

Tout est dit ou presque sur cette tournure d'esprit qui ne verra jamais Me Bidnic passer sous la moquette devant l'hermine. « Je suis vivant parce que ma grand-mère s'est rebellée, confie-t-il. Il peut y avoir un devoir de rébellion. » Cirer les pompes des magistrats, il n'est pas fait pour ça. Plaidant pour un complice de Youssouf Fofana et de son « gang des barbares » poursuivi pour l'enlèvement et l'assassinat du jeune Ilan Halimi, il lance à l'avocat général Philippe Bilger : « Je vous ai entendu dire à Fofana qu'il déshonorait l'antisémitisme… c'est le reproche que faisait Bernanos à Hitler ! »

« Mon souci, explique Bidnic, est d'éviter l'arbitraire. J'ai choisi ce métier après avoir lu *L'Exécution*, le livre de Robert Badinter. On ne défend jamais mieux l'intérêt général qu'en défendant l'intérêt particulier. »

Brève rétrospective : après un passage chez Thierry Lévy, dont il a « admiré la rigueur », Thomas Bidnic arrive au cabinet de Pierre Haïk. Trafiquants de stups et braqueurs forment son lot quotidien : un bon entraînement, à l'entendre. « Quand tu sais courir le 100 mètres avec 50 kilos sur le dos et qu'on te les enlève, tu es champion du monde. Quand on passe d'un trafiquant à un ancien ministre, par exemple, on n'a plus ce mur de mauvaise foi en face de soi. C'est même tapis rouge ! Mais on juge d'une société à la manière dont elle traite ses parias. »

Certains magistrats lui glissent à l'oreille qu'il a sans doute raison, mais qu'ils ne sortiront pas son client de prison. Ils ne le disent pas comme ça, mais plutôt en ces termes : « Mon bon monsieur, on ne va tout de même pas faire du droit pour ces gens-là… » L'avocat s'offusque, mais continue à tirer le fil, comme dans un jeu, sauf que ce n'en est pas un et qu'il récuse tout cynisme dans la démarche. Contester le texte, discuter le texte, dénicher les incompatibilités dans le texte : c'est cela, pour lui, le droit. « Vos arguments, monsieur, sont purement intellectuels », lui oppose un jour un magistrat lyonnais. « Quand on finit par dire ce mot comme une insulte, où est-on ? » rétorque-t-il. « Arrêtez vos conneries ! » lui lance un autre, mais, seul face à quatre juges, il ne parvient même pas, ce jour-là, à faire acter l'incident.

« Pour eux, je suis pire que le trafiquant que je défends : je suis le traître. J'ai fait des études et je défends les voyous. Je suis à la recherche du magistrat intègre, mais celui-là, il faut le trouver ! Le droit ne peut être appliqué en faveur des voyous… mais doit l'être pour les flics ! Les juges ont trop souvent une vision à court terme. Ils pensent que la défense de la société passe par la violation de la loi. Leur noble fonction doit être de veiller à ce que personne ne triche ; là, c'est l'arbitre qui triche, et ça n'est jamais sanctionné. Si les juges étaient là pour dire ce qui est bien ou mal, ils ne seraient pas mieux placés que le charcutier du coin. »

Un mélange de plaisir intellectuel et d'indignation non feinte s'empare de ce jeune avocat à la carrure imposante lorsqu'il découvre, en épluchant à la loupe un dossier de blanchiment d'argent, que l'ordonnance de désignation du juge n'est pas datée. La désignation du juge elle-même n'est pas nulle, mais les actes qu'il a accomplis peuvent l'être dans la mesure où l'on ne sait pas quand il a été désigné… Une « requête en annulation » est aussitôt formulée, même si l'espoir est mince.

Une autre fois, c'est le nom du juge d'instruction qui n'est pas mentionné sur le document. Il y a bien une date, le 10 août 2010, mais un blanc à la place du nom du juge. Me Bidnic dépose une requête et obtient une réponse officielle : sur l'original figure bien le nom du juge. Pour l'avocat, aucun doute : on a effectué cet ajout en douce pour éviter la nullité. Les magistrats du tribunal de Nanterre auraient-ils fait un faux dans son dos ? S'est-on arrangé entre amis pour réparer la bourde sur le dos des « méchants » ?

Avec Bidnic, la « QPC » (question prioritaire de constitutionnalité) n'est jamais très loin, et tout est affaire de principes. Le petit livre rouge (Code de procédure pénale) n'est pas sa bible, mais sa cible. Il est l'as du « 6 tiret 1 », un alinéa qu'il dégaine comme le cow-boy son six-coups. Avec lui, « ça fait grief » (c'est nul).

Il faut le voir plaider devant la 16e chambre du tribunal correctionnel de Paris, le 30 mars 2012, pour comprendre le sens de ces bagarres qui se livrent d'autant plus dans l'ombre que la subtilité du débat échappe en général au premier concerné, le client. « Je crois qu'une demande de mise en liberté a été formulée », dit le président. « C'est une demande de liberté d'office dans un cas de figure rarissime, commence Thomas Bidnic. On a une jurisprudence constante qui est de prononcer la liberté d'office d'un homme qui se trouve détenu en vertu d'un titre de détention inexistant. On est dans un cas de figure des plus lourds (…). Il n'a pas été interrogé depuis plus de sept mois (…). Vous le savez mieux que moi, c'est une erreur manifeste, frontale, que chacun peut constater (…). Il faut appliquer la loi ! Il est détenu sans titre depuis le 5 novembre 2011. Le raisonnement me paraît simple. »

Simple, pas forcément, mais l'avocat général estime la demande « inopportune » dans l'enceinte du tribunal correctionnel. « J'aimerais que mon client comparaisse libre », insiste l'avocat avant que le président ne mette la décision en délibéré jusqu'au soir… Il n'aura en réalité pas à se prononcer, puisque le client fêtera en fin de journée sa relaxe dans cette affaire de trafic de cannabis entre la Hollande et Orléans…

« Les policiers ont-ils le droit de commettre des délits pour arrêter des voyous ? Les douaniers ont-ils le droit de mentir et de faire des faux en écriture publique ? Peuvent-ils tricher en toute impunité ? La fin justifie-t-elle les moyens ? Est-on dans le droit divin dès lors qu'il s'agit de faire la guerre à la drogue ? Peut-on violer la loi au nom de la loi ? Peut-on ainsi trahir sa mission et son serment ? » En posant ces questions, Thomas Bidnic y répond déjà, mais il tient à enfoncer le clou : « Le faux en écriture publique est passible de quinze ans de réclusion criminelle. »

Le client est en général partant, surtout quand il sait qu'il est « mort » d'avance, et que la nullité est sa seule porte de sortie. Montrer que les douaniers ont fait « un truc plus grave que lui » pour le prendre la main dans le sac de shit ne risque pas d'aggraver son cas. « C'est votre seul espoir. – Allez-y, maître ! » En plus, il arrive que ça porte ses fruits, mais cela se sait peu, car personne, ni le client ni l'avocat, n'a intérêt à le clamer sur les toits. En cas d'échec, on pourra toujours maudire ce « parquet aux ordres du pouvoir », ce que Thomas Bidnic a eu maintes fois l'occasion de faire sous le règne de Nicolas Sarkozy...

Poursuivi pour trafic de stupéfiants, Hicham, né en France en 1983 de parents marocains, est condamné par défaut à huit ans de prison en mai 2010. Il n'en sait rien lorsqu'il est interpellé un an plus tard sur son lieu de travail. Le tribunal doit examiner son cas le 3 mai 2011, mais renvoie au 21 juin. Ce jour-là, Thomas Bidnic dépose des conclusions demandant l'annulation de la procédure. Motif : non seulement son client n'a pas participé au procès qui lui a valu sa condamnation, mais en outre il est incarcéré depuis le 3 mai sans titre de détention. Le président, coincé pour avoir oublié de demander le maintien en détention, se montre un brin agacé, pour ne pas dire agressif, mais le parquet donne raison à l'avocat. « Le procès s'arrête », tranche alors le président.

Trois jours plus tard, Bidnic envoie un fax au tribunal, avec copie au directeur de la maison d'arrêt, évoquant une « détention sans titre ». Le procureur le prie en retour de rester courtois. « Oui, répond l'avocat, mais si la loi est respectée. » Ses « nullités » écartées au motif qu'elles auraient dû être soulevées avant le débat au fond, autrement dit avant même qu'il ne devienne l'avocat de son client, il écrit de nouveau au procureur, évoque une « séquestration arbitraire », puis se déplace pour le rencontrer... En fin de journée, il rédige à la main une demande de mise en liberté, puis se rend carrément à la maison d'arrêt, où le greffier lui récite la consigne : « On m'a dit de ne pas le sortir. » Il insiste. « On est couvert », lui assure son interlocuteur.

Nouvelle séance devant le tribunal, le 8 juillet suivant, sauf que les témoins ne sont pas présents et que le procès ne peut se tenir… « Ces magistrats sont des croisés ! tempête l'avocat. L'insécurité juridique est permanente… »

Surtout ne rien lâcher, telle est la devise de la maison Bidnic. En misant sur la rumeur qui va se répandre dans la coursive en cas de succès : « Bidnic a trouvé un truc, vous allez tous sortir ! »

Pierre Albert et le chat noir

Quand la Police judiciaire fond sur le clan Maldera, considéré à l'époque comme l'épine dorsale du grand banditisme grenoblois, Pierre Albert est désigné par un présumé lieutenant qui refile son nom à trois autres. Nous sommes en décembre 2004. La presse régionale s'en donne à cœur joie pendant trois jours, sans trop interroger les défenseurs : quand les grands voyous trinquent, l'accusation triomphe toujours.

La presse nationale embraie et l'avocat bout de voir la présomption d'innocence aussi peu respectée. Il doit trouver la faille, dénicher la nullité qui remettra tout le monde à sa place, parce que si ceux-là sont traduits devant le tribunal, même sans preuves, ils seront nécessairement « matraqués ». « Ce n'est pas l'argent qui m'anime, c'est la rage », dit-il.

Pierre Albert se plonge dans le dossier de quelque 25 000 pages, explore les cotes une à une, recherche les charges, se concentre sur la procédure, s'acharne comme il décortiquerait une araignée de mer pour en extraire les chairs. Les premiers actes sont souvent les plus bancals, il le sait d'expérience ; leur annulation est aussi celle qui entraîne le plus de dégâts. Le « micro-chirurgien » du droit traque les virgules mal placées et trouve ce qu'il cherchait à la faveur des fêtes de Noël : un « moyen » qu'il subodore incontestable. Il n'en parle à personne, pas même à ses collaborateurs, histoire de ne pas se faire déposséder de sa trouvaille par un confrère qui risquerait de s'en attribuer la paternité, avec le chèque qui va avec. Et, pour être sûr que rien ne s'envole, les cambriolages n'étant pas rares dans les cabinets d'avocats, il classe le dossier sous un faux nom.

Le virus est programmé pour infester tous les étages du dossier. Le vice se cache dans le détail, en l'occurrence dans le réquisitoire introductif : « Plaise ouvrir information pour tentative d'extorsion de fonds », peut-on lire, le tout adossé aux onze pages de l'enquête préliminaire remontant au mois de juillet 2000, quatre ans plus tôt. « Tentative » au singulier, d'« extorsion » au singulier, tout est dit : la police a tricoté un dossier sur la base d'une misérable tentative de racket sur un malheureux zinc de Grenoble, sans le début du versement du moindre centime. Comment, sur ces minces fondements, justifier une enquête sur le patrimoine des frères Maldera, élargie à toute la famille et au cercle des amis ? Disproportionné, estime l'avocat, qui voit l'onde de choc de ses nullités réduire le dossier en cendres.

Pierre Albert transmet son mémoire à la chambre de l'instruction de Lyon au début de 2005. Pour contraindre les magistrats à lire ses écrits, il dépose des demandes de remise en liberté pour ses clients. Comme le dossier manque de poids, qu'aucune arme et pas un gramme de drogue n'ont été saisis, ceux-là libèrent les lieutenants un à un. Leur religion est faite, en déduit l'avocat qui a le plaisir d'annoncer à ses clients, en juin 2005, l'annulation de toute la procédure... hormis les onze pages de l'enquête préliminaire. Le procureur général a beau se pourvoir en cassation, le couperet tombe définitivement sur le dossier en 2011.

Le « *Titanic* » achève de couler deux ans plus tard quand on s'aperçoit que les faits relatés par la fameuse enquête préliminaire sont prescrits, avec un jubilatoire non-lieu à la clef. Que Pierre Albert revendique avec d'autant plus de fierté que, à l'entendre, certains de ses confrères grenoblois n'ont pas hésité à le plagier purement et simplement, pratique visiblement assez courante. Et lucrative : l'un d'eux aurait empoché 100 000 euros sur son dos, lui-même n'ayant encaissé que le tiers de ses clients...

« Il est difficile d'attraper un chat noir dans une chambre noire, surtout s'il n'y en a pas » : voilà le proverbe chinois préféré de Me Albert, qui revient sur sa découverte : « L'excès de pouvoir du juge crevait tellement les yeux que personne ne l'a vu. » Pour se « payer » les Maldera, celui-ci aurait probablement dû s'y prendre autrement...

Pierre Albert a commencé comme publiciste ; une histoire de grève des loyers l'a convaincu de devenir avocat durant l'été 1979. Sa première spécialité, le droit des étrangers, a très vite fait déborder sa salle d'attente. Ces expulsés qu'il sauvait sur le fil ont passé le mot à leurs camarades et son nom s'est mis à circuler parmi les Italo-Grenoblois et les Algériens, principales pépinières du grand banditisme iserois... Avocat de l'infortune, il devient peu à peu celui de la fortune. Et de la chasse aux nullités il se fait une spécialité, guidé par deux de ses éminents aînés, Daniel Soulez-Larivière et Jean-Denis Bredin, « qui ont montré les limites d'un système judiciaire trop bien huilé » et lui ont appris à ne jamais se satisfaire des apparences. Ses clients apprécient à première vue, et pas seulement les immigrés : dans son antichambre se croisent toutes les classes sociales, sans oublier... les policiers, quand ils ont des ennuis, ni les élus – mais c'est une autre histoire, car Pierre Albert a vécu de bout en bout la chute d'Alain Carignon, alors maire (UMP) de la ville, au point de devenir lui-même un relais important du Parti socialiste, mais en sous-main et sans factures. Tant et si bien qu'il ne défend plus aujourd'hui que des élus de droite, ou presque, chacun sachant que dans ce monde-là, celui de la politique, on est surtout trahi par ses amis.

« J'ai flirté avec le pouvoir, mais je n'en ai pas le goût, confie Mᵉ Albert. Je préfère user de mon pouvoir pour influencer le jugement des juges... et dire non au client quand j'estime qu'il se trompe de stratégie. »

Chapitre 16

Secrets de l'or noir

On fête ce jour-là le 150ᵉ anniversaire de l'amitié franco-gabonaise à l'ambassade du Gabon. Pierre Benoliel est convié par un ami, il vient aussi en voisin. Un Africain le place près d'un homme qu'il lui présente comme le « vice-roi » du Gabon. «Je ne savais pas que c'était une monarchie », plaisante l'avocat. « C'est monsieur Tarallo », lui souffle son interlocuteur. Cette proximité lui vaut d'être calé dans un fauteuil Louis XV quand les autres ont pris place sur des chaises en plastique. L'avocat sympathise avec son puissant voisin et réalise, au cours du cocktail qui suit, l'importance des liens entre Elf et ce pays gorgé d'or noir : tous les cadres du groupe pétrolier français sont là, ou presque. Il ne se doute évidemment pas qu'il va défendre à la fois le président du Gabon, Omar Bongo, contre une justice française qui prétend empiéter sur son territoire, et son « vice-roi », alors âgé de soixante-neuf ans.

Le 3 juillet 1996, la juge Eva Joly incarcère le patron d'Elf, Loïk Le Floch-Prigent. Le lendemain, elle interroge André Tarallo, principal mais discret artisan de la puissance Elf, ami de tous les chefs d'État des pays pétroliers de la côte ouest-africaine et pilier de la si décriée

Françafrique. Un homme qui a sans doute commis l'erreur de finir sa carrière comme président d'Elf Gabon et, en même temps, mandataire de Bongo, ce qui fait de lui un fin connaisseur des circuits en forme de poupées russes qui fluidifient l'argent du pétrole, *via* le Liechtenstein. Une « raffinerie » qui implose avec l'arrivée à la tête de la compagnie française, sur une idée d'Edouard Balladur mise en œuvre dans le dos de Jacques Chirac, d'un certain Philippe Jaffré, inspecteur des finances fait homme.

Serment prêté en 1970, modeste touche-à-tout, Me Pierre Benoliel entre vite en scène, mais sa première mission est plus étendue que la simple défense du « berger corse » André Tarallo : « J'ai fait en sorte que le Gabon soit écarté de la procédure, ce qui revenait à protéger également Elf », révèle-t-il aujourd'hui. Au cours d'une réunion organisée avec la juge Eva Joly et le procureur Jean-Claude Marin qui supervise les affaires financières, l'avocat va droit au but : « Vous n'allez pas vous attaquer au Gabon, parce que c'est dangereux. – Votre client est président, il bénéficie bien sûr de son immunité ; madame Joly, vous continuez donc votre procédure, tranche le procureur. – Avec les Gabonais, insiste l'avocat sur le mode humoristique, il y a les crocodiles... »

« Grâce aux informations fournies par Tarallo, raconte l'avocat, j'ai compris que le groupe Elf était un rouage essentiel de l'économie française. J'ai plaidé auprès de la juge l'histoire de la France, et elle a bien vu où étaient les intérêts de l'État. Elle a compris qu'au Gabon il n'y avait pas que le pétrole, mais aussi l'uranium, sans oublier l'importance de la base de la DGSE (espionnage français) installée là-bas. Elle aurait pu tout foutre en l'air ; aujourd'hui, un juge n'hésiterait pas. Elle a donc décidé de se concentrer sur les cadres d'Elf. » Tout cela, rappelle Me Benoliel, parce que le précédent patron d'Elf avait maladroitement décidé de renflouer les caisses de l'entreprise textile de Maurice Bidermann par l'entremise de la branche gabonaise de son groupe, opération pas vraiment conforme au droit... et qu'un juge suisse a fourni à ses homologues français tous les documents propres à faire éclater l'affaire.

Durant le procès, se souvient Pierre Benoliel, André Tarallo reste fidèle à son caractère : impassible, ne laissant jamais transparaître une quelconque émotion ; il se vante si peu de ce qu'il a fait que son avocat doit lui arracher les mots de la bouche. « C'est un homme de cabinet, un homme secret, un grand diplomate, un négociateur, mais il ne sait pas se vendre », résume Benoliel qui, tout au long de ces cinq années, a noué un rapport « quasi filial » avec cet homme de vingt ans son aîné. « On le poursuit pour des détournements qui procédaient en réalité d'un accord entre Elf et les dirigeants africains, mais il ne veut pas dénoncer le système qu'il a inspiré et protégé. Il n'y avait rien d'écrit. Tout était verbal. » Et l'avocat de passer des heures, au fil des audiences, à « traduire » les « peut-être » et les « pas possible » du peu loquace Tarallo.

Tandis qu'il plaide, Pierre Benoliel déploie une carte du golfe de Guinée sur laquelle on discerne de petits drapeaux. « Voilà l'œuvre de Tarallo », dit-il, soucieux de souligner que son client était d'abord le représentant à la fois officiel et officieux d'une société nationale chargée d'assurer l'indépendance énergétique de la France. Le président Desplan fait la moue, lui qui ne veut voir que l'argent que l'accusé aurait détourné pour se faire construire une villa de rêve en Corse, revendue entre-temps au prince du béton Martin Bouygues. « Vous allez condamner les dirigeants de ce groupe, poursuit l'avocat, mais leurs responsabilités devraient être mises en regard avec les intérêts dont ils étaient les mandataires. » Mais Jacques Chirac a oublié depuis belle lurette son « ami » Tarallo, avec lequel il a tout de même fait l'ENA – oubli doublé d'un coup de poignard puisqu'il a fait pression sur Omar Bongo pour qu'il le lâche également, lui suggérant un nouvel avocat, Jacques Vergès, et une version inédite : « Tarallo ? connais pas ! » Un lâchage qui n'est pas pour rien, selon son avocat, dans la condamnation qui tombe sur l'ex-homme fort du pétrole : sept ans de prison, avec arrestation à l'audience. Un « échec », dit Benoliel qui juge certes cette peine « injuste », mais aussi une réussite, « car j'ai fait en sorte que son honneur ne soit pas entaché et qu'il reste en vie ». Il aura obtenu au passage la libération de Tarallo après deux mois et demi de détention.

EMMANUELLE KNEUZÉ, BLANCHE NEIGE AU PAYS DE L'OR NOIR

Elle aussi a affiché dans son bureau du boulevard des Invalides une copie de lettre à Mme Alfred Dreyfus, signée Émile Zola. Comme plusieurs de ces pénalistes « assez machos » au milieu desquels elle s'est imposée, elle est passée par la case « Conférence du stage », et a été élue secrétaire en 1981. À la différence de ces garçons souvent hâbleurs, elle revendique une certaine discrétion. Elle assure surtout qu'elle a dû « travailler trois fois plus qu'eux » pour montrer qu'elle était « indispensable ».

« On a tout misé sur le boulot pour se distinguer, mais on a maintenant notre place, dit Emmanuelle Kneuzé au nom de ses consœurs. Je suis un peu garçon manqué. Je me suis battue. J'ai une grosse voix parce que je fume, comme [Françoise] Cotta... » Pourtant, Maurice Bidermann l'a très vite surnommée « Blanche Neige ».

Dans les grosses affaires, les femmes défendent en général les troisièmes couteaux, remarque l'avocate. Maurice Bidermann, c'est l'homme par qui est advenu le scandale Elf, « une affaire magnifique, la plus belle du XXᵉ siècle, où l'on trouve tous les personnages : le chef d'entreprise, des espions, le journaliste, la princesse, l'aventurière, la prostituée, sans oublier les banquiers transparents et l'avocat en fuite ». Et Bidermann, « l'homme le plus décalé » qui soit, « un type incroyable qui a toujours mêlé l'affect à ses affaires ».

Fille d'un réalisateur télé, famille nombreuse où les garçons, déjà, avaient plus la parole que les filles, Emmanuelle Kneuzé met précisément au compte de sa discrétion le fait que les avocats d'affaires lui envoient des clients. Mais c'est Mᵉ Philippe Lemaire, son compagnon dans la vie, qui lui envoie Bidermann alors qu'il a déjà un pied dans l'affaire Elf. La première fois que l'entrepreneur vient la voir, il est accompagné d'un avocat qui ne sait pas encore que l'affaire va le rattraper par la mauvaise manche : Claude Richard. Le roi du textile ne dit pas un mot, son accompagnateur n'ouvre la bouche que pour demander du café. Mauvaise ambiance.

Bidermann revient seul au cabinet quelques jours plus tard pour parler de tout, sauf de ses ennuis, avant de dévoiler les raisons pour lesquelles il la désigne : « Je vous aime bien, car vous me faites penser à quelqu'un que j'aime bien. » Il n'en a pas moins décidé de prendre appui sur deux autres défenseurs : l'avocat d'affaires Philippe Missika et le pénaliste Éric Hemmerdinger, qu'il remplacera plus tard par Henri Leclerc.

Nous sommes en 1996, année de sa première convocation chez la juge Eva Joly, et Maurice Bidermann sent bien que ce peut être un atout d'avoir une femme à ses côtés, face à la juge qui fait les unes. Eva Joly n'a-t-elle pas lancé au PDG du groupe Elf qu'il serait « mieux défendu par une femme » ? Apparemment, la juge aime bien cet homme d'affaires doté d'une intelligence bien différente de celle des anciens élèves des écoles de commerce. Mais, comme la devise du moment est : « Tu parles ou je te mets au trou », Bidermann se retrouve lui aussi en prison, où un surveillant plaisante en l'accueillant : « On est content de vous voir ! » Le nouveau pensionnaire a fait fortune loin du pétrole en fabriquant notamment des uniformes pour... l'administration pénitentiaire ! Certains de ses voisins de cellule ne le regretteront pas non plus : il leur trouvera du boulot à la sortie. Quant à lui, passé à l'âge de seize ans par le kibboutz, puis la défense d'Israël les armes à la main, il en a vu d'autres…

Convoqué à nouveau devant « sa » juge, Bidermann la cueille à froid : « Ah, madame Joly, vous êtes comme moi, vous n'avez pas eu le temps d'aller chez le coiffeur ! » Elle sort sa théière et ses petits gâteaux. Il la complimente sur la qualité de l'étoffe de son tailleur. Ainsi se tient le roi du textile dans le bureau d'un juge, comme au restaurant où il engueule une serveuse qui s'y prend mal, apprend qu'elle a bac + 6, lui laisse un pourboire d'enfer et lui déniche un job quatre jours plus tard. Il sait mieux que quiconque que l'affaire Elf a démarré à cause de quelques chèques qu'il a faits au nom de Loïk Le Floch-Prigent, le patron d'Elf. Il sent bien que cette juge Joly est plus animée par sa morale nordique que par une connaissance stricte du Code de procédure pénale ; d'ailleurs, ce n'est pas à elle que l'on devra la synthèse ouvrant la porte à un procès, mais à son confrère Renaud Van Ruymbeke.

« Je vous remets en liberté parce que j'en ai assez de voir vos avocats derrière ma porte, finit par lâcher Eva Joly, que Bidermann fait beaucoup rire. Vous pouvez les remercier. »

Il est resté deux mois en prison, et y retourne trois jours plus tard parce qu'il ne paie pas le million de francs (150 000 euros) réclamé en caution, mais un copain finit par avancer l'argent. Bidermann fête ce dénouement provisoire avec ses avocats au *Flandrin*, une bonne table du XVIe arrondissement.

Le dossier avoisine les 350 tomes, un record, mais l'élégant magistrat qui préside le procès, Michel Desplan, assoit son autorité au bout d'une heure dans une salle d'audience bondée : aucune cote ne semble lui échapper. Plus de trois mois d'audience : ce sera le minimum pour éplucher sept ans d'instruction, mais Bidermann n'est pas un prévenu facile. Brouillon, imprévu, parfois autoritaire, il passe du coq à l'âne et s'explique mal. Emmanuelle Kneuzé le retrouve cependant autour de certaines valeurs comme le courage et la responsabilité.

« On n'est pas là pour faire avouer le client, dit l'avocate, mais il faut qu'il soit défendable. Au début, je ne supportais pas celui qui me mentait. En fait, ils ne mentent pas. Ils s'arrangent avec eux-mêmes pour supporter ce qu'ils ont fait. Si ça ne colle pas du tout, si l'on n'approche pas d'une certaine vérité, je leur suggère d'aller raconter leurs salades à quelqu'un d'autre. La vérité est nulle part et partout, comme dans ce film de Hitchcock où sept personnes ont assisté au même accident, sauf que chacun le raconte en fonction de ce qu'il est. Dans les affaires pénales d'ordre financier, il faut d'abord que le client me raconte ce qu'il a fait de manière non édulcorée. Derrière, je suis la technicienne. »

Si technicienne qu'à la fin Maurice Bidermann ne l'appelle plus « Blanche Neige », mais... « Eva Joly » ! L'avocate s'est mise pour sa part à l'appeler par son prénom, alors qu'en général elle en reste au « monsieur », même si ses clients l'appellent « Emmanuelle ». « Le statut des gens ne m'impressionne pas, c'est l'humanisme qui m'impressionne, confie l'avocate. Je crée avec la plupart des clients une proximité, je rigole avec eux, mais je peux aussi bien être froide, s'il faut les remettre à leur place. On dit que je suis rassurante. Je leur dis que je suis là pour les aider, pas pour les juger, qu'il s'agisse d'un dirigeant d'entreprise ou d'un criminel. Mais je veux connaître la personne par cœur pour mieux la défendre. Je veux pouvoir expliquer qui elle est, car la peine en dépend. Péter les plombs, c'est à la portée de tout le monde. La prison est un tel choc, un tel catalyseur qu'ils finissent par me dire ce qu'ils ne disent à personne d'autre. »

Quand Maurice Bidermann marie sa fille, il invite évidemment ses avocats. Conduisant la promise à travers la synagogue, c'est à eux qu'il adresse son seul clin d'œil, « parce qu'on était les seuls à tout savoir, au-delà même de la vérité », suggère l'avocate, assez touchée par cette marque d'attention. Car, pour le reste, hormis cette petite décoration dont elle a été gratifiée après son passage par le Conseil de l'Ordre, elle assure se tenir à l'écart des mondanités et de tout parti : trop soucieuse de son indépendance. Seule coquetterie : son appartenance à l'Association des pénalistes et à celle, sans prétention, des « vieilles du Palais » où se retrouvent ces femmes qui ont moins besoin de se montrer que leurs confrères masculins et sont probablement moins fascinés qu'eux par le pouvoir et ceux qui l'exercent.

Née en 1955, Emmanuelle Kneuzé aurait pu être archéologue ou s'adonner au théâtre ; elle s'est retrouvée deux ans collaboratrice d'Olivier Metzner, l'homme au cigare. Elle passe sa vie à ausculter des dossiers financiers, et fait accessoirement du théâtre. « Le pénal, ce n'est pas pour les femmes, mais toi, tu n'es pas une femme », lui a dit un jour le caustique Metzner. « Si l'on est intelligent, réplique-t-elle trente ans plus tard, on peut se faire entendre avec une petite voix, l'air de ne pas y toucher. » Pas sûr que Bidermann aurait mordu si elle avait eu une voix de soprano, mais le fait est qu'il ne l'a pas regretté, surtout quand il a appris qu'il s'en tirait avec trois ans de prison avec sursis...

PIERRE HAÏK ET L'HOMME QUI ALLAIT « FAIRE SAUTER LA RÉPUBLIQUE »

« Il faut être honnête et le reconnaître, le pénal est un combat de tous les jours dans lequel on ne part pas gagnant, quel que soit le pouvoir qu'on s'attribue. À force, on peut parfois renverser des situations qui paraissaient établies et, là, on est consacré. Mais pour combien d'échecs ? »

Chez Pierre Haïk, l'un des pénalistes les plus « mordus » de sa génération, pas la moindre illusion de dominer le monde. Le pouvoir de l'avocat serait même, à l'entendre, « inversement proportionnel » à celui du parquet. Autrement dit, proche de zéro : raison supplémentaire, à ses yeux, pour monter sur le ring et se battre, comme il a appris à le faire aux quelque trente-cinq collaborateurs passés par son cabinet en l'espace de trois décennies.

« Le procès est un moment très privilégié, la fin d'un processus, le moment de liberté où l'on vous dit : "Maître, vous avez la parole." Le combat, que personne n'imagine, est celui que l'on mène contre l'incompréhension, la lenteur des instructions, c'est la bataille pour tenter de rencontrer le juge au cours de l'instruction. Nous sommes de petits porteurs, et si la porte reste fermée... Je boxe depuis trente ans et je ne pensais pas que ce serait aussi difficile. Cette profession ne peut s'exercer que si l'on garde en soi la flamme de la révolte. Tous les jours, je passe la robe et je m'en vais chanter. Obtenir une date d'interrogatoire pour un type incarcéré un 15 juin, juste avant l'été, c'est dur. Le juge ne peut l'interroger avant le mois de septembre : la faute à l'institution, bien sûr, au manque de greffiers... »

Né en 1950 à Tlemcen (Algérie) d'un père mercier, arrivé en France en 1962 en même temps que de nombreuses familles juives, Pierre Haïk n'entre au barreau qu'en 1982, mais il connaît déjà la prison et les prisonniers : il a travaillé à l'ombre de Michel Foucault au Collège de France, section sciences humaines. *Surveiller et punir*, l'œuvre phare du philosophe, l'habite lorsqu'il quitte le monde universitaire pour endosser la « blouse » et s'orienter vers les comparutions immédiates à la 23e chambre du tribunal correctionnel de Paris, où ses plaidoiries surprennent d'autant plus qu'elles sont encore gratuites.

« Le Palais ronronnait dans un conformisme généralisé, raconte-t-il. Il fallait employer un tas de formules toutes faites. Avec Temime et Herzog, on nous regardait comme une bande de zozos, parce qu'on a transgressé cette conformité en jouant sur la procédure. On a commencé à nous haïr, à nous considérer comme des "tueurs". Les avocats nous accusaient de trahir notre serment, de rompre le consensus, mais j'ai toujours été contestataire. Depuis ma naissance, je ne supporte pas le mépris, l'injustice, et je me mêle des choses qui ne me regardent pas. Je ne suis pas un gentil garçon, même s'il m'arrive de pleurer aux assises en écoutant certains témoignages. »

Ses étoiles, les pénalistes que Pierre Haïk aurait aimé être, ce sont Henri Leclerc et Jean-Pierre Mignard. Il voit dans le premier « un symbole de simplicité et d'authenticité » ; du second, il dit qu'il est « capable de se battre comme un chiffonnier ». C'est en songeant à eux qu'il se rend au Palais avec son petit cartable, guettant le jour où l'on va le désigner, où il va partir en courant à la prison, « choisi » par un type qui a entendu parler de lui...

Temps anciens où les pénalistes étaient encore les « parents pauvres » du Palais, la « piétaille », même avec un wagon de voyous pour clients, parce qu'ils n'avaient pas encore été « choisis » par des directeurs de cabinet, des patrons d'offices HLM, des responsables politiques, voire des ministres. Des notables décidés cette fois à s'offrir leurs services parce que la justice les traitait « comme des voyous », selon le mot d'un des premiers clients de ce genre venu à Pierre Haïk, Michel Roussin, pilier de la Chiraquie, à qui son directeur de cabinet, par ailleurs beau-frère de l'avocat, avait glissé : « Pour te défendre, il te faut quelqu'un qui sache ce qu'est un juge. » Ce n'est pas un, mais deux défenseurs qui ont accompagné Michel Roussin durant plus de quinze années de batailles judiciaires, puisque Pierre Haïk a « covoituré » le dossier avec sa consœur et néanmoins épouse Jacqueline Laffont, elle aussi pénaliste.

On est loin de *Surveiller et punir*, mais le notable en butte à la justice de son pays est lui aussi la proie de quelques « souffrances », à tel point qu'il noue une relation privilégiée avec son avocat, loin de celle qu'entretient habituellement le voyou avec son défenseur.

« Avec certains c'est pour la vie, d'autres coupent définitivement avec celui qui est devenu le symbole de leur malheur », observe Pierre Haïk. Avec Alfred Sirven, le problème ne s'est pas posé : l'homme clé du groupe Elf, celui dont les confidences devaient « faire sauter la République », est mort trop tôt, peu après sa sortie de prison, à Deauville, d'une crise cardiaque. Sans avoir davantage ouvert la bouche que Michel Roussin, l'homme dont on disait qu'il avait les « lèvres cousues d'or ».

La première fois que Me Haïk rencontre Alfred Sirven, il est « dans une cage » en Allemagne où il fait une escale entre les Philippines, où il se cachait depuis des mois avec sa compagne, et Paris, où les juges l'attendent de pied ferme. Ses premiers mots sont un peu surprenants pour un homme en cavale et à la santé fragile : « Comment allez-vous ? Il ne fallait pas vous déranger, il n'y avait pas urgence. »

« On ne peut rien comprendre à ce personnage et à son comportement dans l'affaire Elf si l'on ne connaît pas son parcours, explique l'avocat. Paradoxalement, cet homme à qui l'on a tout reproché était profondément moral. »

Au soir même de cette rencontre, vers une heure du matin, Alfred Sirven débarque dans le bureau d'Eva Joly, qui a bataillé pour être la première à le recevoir. Elle lui offre, avant toute question, une boîte de cigares qu'elle tient de l'un des policiers qui ont convoyé vers la France l'homme le plus recherché du moment, en espérant quelques confidences en retour. Sirven prend la boîte et lance : « Maintenant que vous me l'avez offerte, je n'ai plus rien à vous dire. » Il partira deux heures plus tard pour la Santé avec ses cigares sans avoir fait la moindre concession, même s'il s'est montré plus avenant et loquace avec le juge Renaud Van Ruymbeke, le dernier à le recevoir, qu'avec Laurence Vichnievsky et Eva Joly, les deux stars de l'affaire Elf.

C'est l'avocat fiscaliste Éric Turcon, ciblé lui aussi par les deux magistrates, qui a envoyé à Pierre Haïk ce client avec lequel il va livrer « un combat de chaque instant », d'abord pour arracher sa remise en liberté. Expertises médicales et courriers du médecin de la Santé ne font pas plier les juges, qui estiment Sirven en assez bon état pour être incarcéré, malgré une bonne quarantaine de demandes de mise en liberté. Un bombardement que le prisonnier n'encourage pas forcément, convaincu que ses demandes n'aboutiront pas, lui qui refuse obstinément d'éclairer la lanterne des juges en échange d'une hypothétique clémence.

Sirven séjourne trente mois au quartier VIP de la prison parisienne sans jamais se plaindre de ses conditions de détention, ni verbalement, ni par écrit. Pas plus qu'il ne souhaite écrire quoi que ce soit sur son parcours[1]. C'est tout juste s'il accepte de parler de son dossier quand Pierre Haïk ou Jacqueline Laffont lui rendent visite, ce qu'ils font régulièrement. Il ne peut quitter la Santé que trois mois avant de mourir.

« Au fond de lui, Sirven réprouvait terriblement ce qui s'était passé, explique Haïk. C'était en contradiction avec ses valeurs. Bien sûr, l'argent avait coulé à flots, mais ce n'était pas le moteur de sa vie. Il a pris son arrestation avec un soulagement. C'était l'occasion de tourner cette page noire de sa vie. »

Ce n'est qu'au milieu du premier procès que l'ancien homme fort du groupe pétrolier français concède sa première vérité. La veille, Loïk Le Floch-Prigent, qui fut son supérieur à Elf, s'est levé pour faire une déclaration désespérée, affirmant qu'il découvrait avec « stupeur et dégoût » les malversations de ses collaborateurs, André Tarallo et Alfred Sirven. Public et magistrats ont vainement guetté une réaction du « vieux », qui s'est abstenu de tout commentaire à chaud.

---

1. Il avait néanmoins conçu le projet de rédiger des mémoires, dont il n'a laissé qu'une cinquantaine de feuillets consacrés à ses années de Résistance dans le Sud-Ouest.

Le lendemain matin, avant l'ouverture du procès, Pierre Haïk évoque cette sortie avec son client, qui assure n'avoir « rien entendu ». L'avocat lui tend les journaux du jour, qui se délectent du « dégoût » de l'ancien PDG d'Elf. Sirven ajuste ses lunettes. « Fou de rage », il ne veut d'abord pas y croire, mais, dès que l'occasion se présente, il prend la parole pour assumer publiquement sa part de responsabilité dans les détournements de fonds et dévoiler le mode de répartition : un tiers pour lui, un tiers pour André Tarallo, le dernier tiers pour Le Floch-Prigent, le « dégoûté » de la veille. En quelques mots, il vient de bousculer définitivement la défense de ce PDG qui tentait de passer pour l'homme qui ne savait rien, et qu'il considérait un peu comme son « enfant ».

Cette unique déclaration pèsera lourd à l'heure du verdict. Alors que le parquet charge un Sirven présenté comme une sorte de *deus ex machina* de la corruption, le tribunal prononcera une peine égale pour tous.

« Un autre avocat aurait peut-être convaincu Sirven de "balancer" en échange de sa liberté, explique Pierre Haïk. Nous ne l'avons pas fait, car ce n'était pas sa volonté. Il avait une trop haute image de lui pour devenir une balance, et j'en étais ravi, car j'ai horreur de monnayer, de *dealer* avec les juges. Par son comportement, Sirven a finalement protégé l'essentiel : un système qui était peut-être hors la loi, mais qui était utile à la France. La justice s'est contentée d'une vision très parcellaire. Elle s'est donné l'impression de régler les choses, mais son intervention est restée on ne peut plus superficielle. »

Ne jamais renoncer, prendre des coups, revenir sans cesse, jusqu'à la fin : telle est la philosophie que Pierre Haïk inculque à ses collaborateurs. Avoir côtoyé pendant de longs mois l'homme qui aurait pu mettre dans l'embarras l'ensemble des partis politiques ne semble pas avoir entraîné de sa part la moindre inféodation. « Je n'appartiens à aucun cabinet, sauf le mien, dit-il parfois. Je ne défends pas les institutions, mais des hommes et des femmes confrontés à l'institution judiciaire. Je n'épouse pas leur cause, ce serait antinomique avec la profession d'avocat. Notre liberté est étroite, conservons-la ! »

LE RENDEZ-VOUS

Un jour, en marge d'une audience du procès Elf, Eva Joly croise dans les couloirs du Palais l'avocat fiscaliste Éric Turcon : « Je voudrais vous rencontrer pour avoir quelques explications », lance la magistrate, qui a toujours pensé que Me Turcon n'était pas pour rien dans la cavale d'Alfred Sirven. « Si c'est vraiment pour purger un problème, je suis d'accord, répond l'avocat. – J'ai une seule condition, reprend la juge, j'aimerais vous voir en présence d'un témoin. Choisissez un confrère ; s'il me convient, c'est d'accord. » Turcon aperçoit au bout du couloir son confrère Pierre Haïk, lequel ne se dérobe pas. La juge accepte qu'il assiste à l'entretien, et rendez-vous est pris au Pôle financier quelques jours plus tard, un matin à l'aube.

Entre-temps, l'avocat transmet la nouvelle à Alfred Sirven, qui n'a jamais digéré le traitement que lui a infligé la magistrate à son retour des Philippines – un jour, il a lancé à Eva Joly, qui tentait une nouvelle fois de monnayer sa remise en liberté en échange de révélations : « Madame le Juge, je suis en prison et je ne demande pas à en sortir. J'ai la liberté de dire ce que je pense, que cela vous plaise ou non. La peine de mort n'existe plus dans ce pays et je m'assois sur vos menaces. Moi, je suis un soldat, et un soldat, ça ne balance pas ! Dorénavant, je ne viendrai plus à vos interrogatoires. En revanche, si votre collègue Van Ruymbeke me convoque, je viendrai. Il travaille ses dossiers, lui ! » Curieux de savoir ce que la juge a sur le cœur, il encourage Turcon, qui fut son fiscaliste, à aller au contact.

L'entrevue commence sur le mode houleux. La juge parle de « réconciliation », mais Turcon reste sous le choc de la perquisition dont il a fait l'objet.

« C'était un viol de ma vie privée, de ma correspondance, de la vie de ma famille, insiste-t-il.

– J'avais une lettre anonyme me disant que vous aviez assisté Sirven pendant sa cavale, réplique la juge.

– C'est étrange, parce qu'elle n'est pas au dossier, cette lettre, vous dissimulez des pièces ?

– Non.

– Vous savez, intervient Pierre Haïk, le témoin du jour, on crée la rumeur et on sait où ça mène... Quand je vois le tableau des gens morts pour la France dans ce Palais, j'observe qu'il n'y a que des avocats, pas un seul magistrat. La rumeur salit. »

Éric Turcon reprend la parole.

« Vous savez madame la juge, si on écoute la rumeur, on ne sait jamais où ça mène. Tenez, par exemple, il y a une rumeur qui circule au Palais au sujet de la magnifique montre Cartier que vous portez au poignet. Faut-il la croire ? »

La juge blémit, se lève et quitte la pièce sans un mot, visiblement piquée au vif. Elle ne rejoint ses invités qu'un bon quart d'heure plus tard, ayant retrouvé une contenance. Elle pose sur la table la fameuse lettre anonyme que réclamait Turcon avant de prononcer une phrase qui reste à ce jour une énigme pour les deux avocats qui la rapportent en ces termes :

« Je suis une femme propre ! Je peux monter en haut du cocotier, vous pouvez regarder ma culotte : elle est propre ! »

Peu après cette scène, sans qu'on sache s'il y avait le moindre rapport, la magistrate s'est mise en disponibilité pour devenir consultante du gouvernement norvégien.

Chapitre 17

Secret fiscal

ÉRIC TURCON, LE FAUSSAIRE ET LA MANILLE

Chagall, Picasso et Botero n'avaient aucun secret pour ce grand faussaire condamné à quelques mois fermes pour contrefaçon de tableaux de maîtres. Alors qu'il purge sa peine à la Santé, il reçoit un avis d'examen contradictoire de « situation fiscale d'ensemble », doublé d'un avis de vérification de comptabilité de son bénéfice non commercial. Le parquet de Paris a en effet pris soin de signaler son dossier au fisc. C'est ainsi que l'« artiste » se tourne vers un ancien vérificateur passé au barreau, Éric Turcon.

Par la force des choses, la vérification se déroule entre les murs de la prison, où l'on ne croise pas si souvent des représentants des Finances publiques. Tellement peu, en fait, qu'un gardien prend le visiteur pour un avocat, lui explique qu'un atelier de peinture a été mis à disposition du client : si l'on pouvait juste le convaincre de signer les dessins de Picasso qu'il y réalise et offre généreusement au personnel pénitentiaire, ce serait bien aimable...

Plus savoureux encore : le contrôleur laisse malgré lui expirer le délai imparti pour notifier à l'artiste les bases sur lesquelles il entend l'imposer. Peu habitué aux horaires de la prison, le vérificateur tente en vain d'accéder à sa cellule, le jour venu, avant de se voir contraint de remettre la visite au lendemain. L'addition qu'il lui présente alors est salée, mais, avec vingt-quatre heures de retard, elle est tout simplement nulle. Le faussaire ne sera pas dépossédé de l'appartement-atelier qu'il possède du côté de Montmartre, à Paris.

Dépitée, l'administration refuse d'en rester là. Elle convainc la commission des infractions fiscales de poursuivre le fraudeur devant le tribunal correctionnel, mais c'est en homme libre qu'il se présente à l'audience. « Mon client a déjà été lourdement sanctionné, plaide en substance Me Turcon. Il sort de la Santé ; l'y renvoyer reviendrait à lui infliger une double peine. Je vous demande au contraire de lui donner la possibilité de se réinsérer. »

Préalablement briefé, le client, aussi bon orateur que peintre, explique que son expérience carcérale l'a transformé et qu'il entend désormais gagner sa vie en vendant ses propres œuvres. Intrigué, le procureur de la République lui demande si, par hasard, il n'aurait pas avec lui quelques photos de son travail actuel. L'avocat exhibe les clichés de tableaux « plus laids les uns que les autres », puis, devant la mine perplexe, voire gênée des magistrats, il leur demande s'il leur serait agréable de voir ce qu'il peignait auparavant. Sans leur laisser le temps de répondre, Turcon fait circuler de magnifiques copies de Picasso et de Matisse, qui éclairent brusquement le visage des magistrats. « Qu'est-ce que c'est beau ! Comme c'est dommage ! » s'exclame le procureur. Verdict : trois mois de prison avec sursis et 5 000 euros d'amende. Son avocat suggère au faussaire de ne surtout pas faire appel...

De pères jésuites en pères maristes, de Marseille à La Seyne-sur-Mer, Éric Turcon a de qui tenir. « Tu seras un très bon magistrat », lui dit un jour un de ses professeurs, et le voilà sur les bancs de la fac de droit d'Aix-en-Provence, en 1973, où il dirige un syndicat étudiant « modéré ». Son truc, c'est le droit fiscal. « Entre aux impôts, tu en sortiras avec un bagage », lui suggère un autre prof. Il entre, le cœur battant, au centre des impôts de Marseille, où il se fait si bien remarquer qu'il atterrit dans une brigade créée à l'initiative du président Valéry Giscard d'Estaing, la septième brigade de la puissante Direction nationale des enquêtes fiscales, à vocation internationale et ciblant avant tout les personnes physiques. Il y reste quatre ans, durant lesquels il voit passer les plus gros dossiers fiscaux français, sous les ordres d'un pionnier du contrôle fiscal, Paul Gratiane, qui lui résume ainsi le métier :

« Le contrôle fiscal, c'est simple : c'est comme la chasse au furet. Vous connaissez ?

– Non.

– Vous vous placez près du terrier et vous donnez un petit coup. Il sort la tête. C'est le contribuable. Vous mettez deux petits coups, il sort un peu plus longtemps. Vous mettez trois petits coups et, quand il est bien dehors, vous lui assenez un bon coup sur la tête. »

En mars 1983, Éric Turcon tente une incursion en politique trois mois après avoir démissionné de l'administration. Il se présente contre Gaston Defferre, maire de Marseille, sur une liste gaulliste. Élu au conseil municipal, il comprend que « ses meilleurs amis sont ses ennemis, et *vice versa* ». Il apprend la méchanceté, pas forcément inutile à l'heure d'attirer ses premiers clients lorsqu'il devient avocat, au mois de juin suivant, dans la capitale.

Tous ses collègues des impôts rêvaient de faire le saut, se souvient-il ; lui, il passe à l'acte à une époque où les avocats fiscalistes se comptent sur les doigts d'une main. Il écope rapidement de gros contentieux. En tant qu'ex-syndicaliste, il se permet d'aller voir ses anciens camarades en jean et baskets. La multiplication des poursuites pénales pour fraude fiscale, sur fond d'explosion des affaires financières, met du vent force 10 dans ses voiles, d'autant qu'il traite aussi d'affaires douanières. Nul besoin de prospectus publicitaires : on sait que Turcon connaît les techniques, les hommes et les méthodes, lui qui est un peu chez lui dans les brigades d'élite de la Direction générale des impôts. Les règles sont floues, mais il s'est tout de même fixé une limite : ne pas prendre de clients dont il s'est occupé naguère en tant que fonctionnaire.

« La procédure, c'est mon dada, confie Me Turcon. Face aux pouvoirs considérables des services fiscaux, il faut être capable de se battre, et je sais faire. »

Sur les très gros dossiers, il travaille en équipe, notamment avec les avocats Pierre Haïk et Jacqueline Laffont, qui sont aussi ses amis. Il traite aussi de divorces et de successions complexes : autant de dossiers qui le font entrer chaque jour un peu plus dans l'intimité des gens fortunés.

Alfred Sirven, qui va devenir l'anti-héros de l'affaire Elf, vient le voir après le décès de sa femme. Il a eu une fille avec elle, et deux autres d'un mariage précédent. Il est patron d'Elf international, qu'il gère à partir de Genève avec le statut de résident suisse.

« Je voudrais que mes enfants héritent de leur mère, et leur faire une donation de tous mes biens, hormis ceux qui j'ai acquis depuis que je suis chez Elf », explique-t-il à l'avocat. Manière à la fois de protéger ses enfants et d'organiser sa solvabilité, décrypte Turcon, s'inscrivant en faux contre la version défendue par la juge Eva Joly, persuadée que c'est l'avocat, au contraire, qui a organisé l'insolvabilité de son client.

« Je vais partir, annonce un jour Sirven à Turcon. Protège mes filles. »

La juge débarque peu après en perquisition chez l'avocat, certaine d'y trouver l'adresse du lieu où se planque celui qu'elle recherche, mais Turcon jure qu'il ne sait rien. Il crie à la violation de son cabinet et obtient le soutien de la bâtonnière, Dominique de La Garanderie, face à celle qui insupporte un nombre de plus en plus substantiel d'avocats. Il n'aura en fait des nouvelles de Sirven qu'après son arrestation aux Philippines, et l'aiguillera pour sa défense sur Pierre Haïk...

On ne croise jamais personne dans la salle d'attente d'Éric Turcon, confidentialité oblige, pas plus qu'on ne voit le moindre dossier traîner dans son bureau : « Je me suis battu pour le secret professionnel des avocats, rappelle-t-il. Je suis le seul à avoir envoyé en correctionnelle deux juges [dont Eva Joly] pour violation de correspondance, violation de domicile et violation du secret professionnel. »

Le bras de fer ne risque pas de s'interrompre, car, à l'en croire, l'administration fiscale ne cesse d'augmenter sa force de frappe, encore décuplée depuis la suppression de la fameuse « cellule ministérielle[1] », après l'épisode Éric Woerth (ancien ministre du Budget sous Nicolas Sarkozy, mis en cause dans l'affaire Bettencourt), suppression dont la conséquence imprévue a été la disparition de tout contre-pouvoir politique. « Cette cellule permettait de négocier quand un redressement risquait de mettre des centaines de personnes à la rue, affirme l'avocat. Elle pondérait la toute-puissance de la Direction générale des impôts. Aujourd'hui, plus rien ne l'arrête... »

La moindre erreur peut être fatale au contribuable qui dissimule. La plus énorme que Turcon ait eu à connaître, à l'époque où il était encore du côté des « chasseurs », fut l'achat d'une manille de bateau, pour 30,57 francs, par un homme immensément riche qui prétendait vivre loin de l'Hexagone. Persuadé que cet homme, vendeur d'armes dans le civil, passait en fait son temps en France, l'inspecteur Turcon se fit porter copie de ce chèque émis sur un compte de non-résident utilisé une dizaine de fois par an. Il se retrouva dans un magasin d'articles de pêche de la région cannoise, dont le patron blêmit. « C'est pas pour vous, le rassura le fonctionnaire, c'est pour un de vos

---

1. Une cellule installée à Bercy, autour du ministre, pour traiter les cas « sensibles ».

clients. – Lequel ? » On lui montra une photo. « Je me souviens : il est venu en maillot de bain, il n'avait pas d'argent, mais il avait une bonne tête. Je me suis renseigné depuis. Il possède le bateau que vous voyez là-bas, le plus fin. »

Le navire bat pavillon étranger, le « capitaine » n'est pas là, mais on peut lui laisser un message dans un hôtel, non loin de là, où il loue une suite à l'année. Il n'y a plus qu'à vérifier combien de petits déjeuners il règle chaque année dans ce palace pour coincer le contribuable fantôme qui semble se partager entre la Côte d'Azur, Deauville et Courchevel. Le carnet de bord du bateau alourdit le dossier, qui accouche d'un redressement sur quatre ans, chiffré en millions, que l'intéressé aurait probablement pu faire annuler en invoquant un vice de procédure, mais Turcon, à l'époque, était du côté des redresseurs...

Trente ans plus tard, des agents des impôts arpentent ouvertement le Palais de Justice de Paris, où le parquet leur signale les affaires regorgeant d'argent douteux. À l'affût dans les galeries d'instruction, en contact avec les greffiers, ils multiplient les sources... tandis que Me Éric Turcon envisage, de son côté, d'attaquer l'État pour « faute lourde » après la mort d'un restaurateur lessivé par le fisc !

PIERRE CHAIGNE, HORIZON : INTÉRÊT GÉNÉRAL

Nœud papillon de rigueur, pochette assortie, deux alliances au doigt depuis le décès de sa femme : Pierre Chaigne, soixante-trois ans à l'heure de nos entretiens, arbore l'élégance de sa fonction : avocat de la Direction générale des impôts. Il avait juré qu'il ne solliciterait pas de décoration après avoir conservé la croix de guerre du grand-père, mais on lui a fait savoir que c'était de tradition, et la Légion d'honneur lui a été remise par le ministre du Budget de l'époque. Il défend parfois l'administration à prix coûtant, mais assume : il n'est pas devenu avocat pour l'argent.

Issu de la Vendée profonde, mère dans les lettres, père notaire à Nantes, Pierre Chaigne est programmé pour entrer à l'ENA, la « voie royale », lorsque survient Mai 68. « J'ai compris que je ne serais jamais haut fonctionnaire, j'étais trop libre dans ma tête. » Il devient avocat, mais le cabinet dans lequel il entre le rapproche nettement de la fonction publique : Mᵉ Michel Normand est l'avocat du fisc.

Des fausses factures de Lyon aux pizzerias de Toulon, Pierre Chaigne est du côté de ceux qui font saigner les fraudeurs avec le sentiment de « servir l'intérêt public » : « La fraude fiscale est un délit contre la collectivité, pas seulement contre l'État », tient-il à préciser. Il ne se satisfait pas de voir les mauvais contribuables punis pour la forme ; il est habité d'un vrai souci d'efficacité. Il pèse de tout son poids judiciaire pour que les sommes réclamées soient réellement recouvrées. « Les pénalistes oublient trop souvent l'aspect matériel, le côté réparation », dit-il. Chez lui, c'est un devoir. C'est même ce qui fait sa réputation auprès de l'administration. Rien ne le choque plus que les passe-droits et les arrangements entre amis. Et si cela avait été de son ressort, jamais il n'aurait déroulé devant Bernard Tapie le tapis rouge de l'arbitrage.

Tout le monde ne suit pas Mᵉ Chaigne dans cette voie, en particulier au sein du Palais de Justice. « Les magistrats sont allergiques aux questions d'argent, observe-t-il. Une condamnation suffit à les combler, comme s'ils allaient se salir les mains en parlant gros sous, pour le plus grand bonheur des contrevenants. »

Certains disent que Pierre Chaigne fait trop de place à la morale ; il se contente de hausser les épaules : il est le bras armé de l'administration fiscale et assume. Seul un drame personnel (la mort simultanée de ses parents, de son frère et de son épouse dans un accident de voiture) l'a fait légèrement dévier : il prend alors le large après dix années passées au cabinet Normand et fonce tête baissée dans l'« affaire de Poitiers », où il défend le docteur Diallo, poursuivi après une anesthésie mortelle. Il affronte sans trembler l'institution judiciaire et obtient un retentissant non-lieu qui le conforte dans l'idée qu'« une vraie défense ne peut se compromettre » et que l'avocat doit être « indépendant des médias, de l'argent, de ses relations, de ses clients et de la routine ».

Bref mais instructif intermède avant de revenir à ses moutons, les contribuables récalcitrants, autrement dit au cœur de la République dont le fisc, dit-il, est « l'un des principaux organes de contrôle et de régulation » : « Il n'y a pas de droit sans justice fiscale, ajoute-t-il avec un regard en biais en direction de ceux de ses confrères qui boudent leur déclaration de revenus. Celui qui ne paie pas ses impôts devrait pouvoir être déchu de la nationalité française. Je suis le suppôt de l'administration, mais c'est l'intérêt général que je défends. L'État, c'est moi, mais c'est vous aussi. »

Quand il attaque au portefeuille l'Église de scientologie ou les Témoins de Jéhovah, ces « manipulateurs de pensée », l'avocat se sent à sa place : celle de quelqu'un qui se bat pour faire respecter la règle républicaine. L'Église de scientologie se reconstitue sitôt après sa mise en liquidation judiciaire, elle ne paie pas tout ce qu'elle doit au fisc, mais il a fait son job. La suite, selon lui, relève des politiques.

« Dans les affaires fiscales, observe Pierre Chaigne, on retrouve toujours les mêmes mobiles : le pouvoir, le jeu, la spéculation et les femmes. »

Cette proximité avec le cœur financier de l'État fait-elle de lui un puissant ? Ce serait mal le connaître ; d'ailleurs, Pierre Chaigne ne croit pas au pouvoir des avocats. « Le seul vrai instrument de pouvoir, dit-il, c'est l'argent. » Sans doute est-ce la raison pour laquelle il n'a de cesse de faire payer ceux qui en doivent à la collectivité, tout en jetant un regard assez réaliste sur la manière dont ses confrères se taillent des parts de marché, entre les avocats « socialistes », les avocats « communistes », les avocats « catholiques », les avocats « juifs », ceux qui font carrière grâce à la franc-maçonnerie, les anciens de Henri-IV, de Janson-de-Sailly ou de Sciences-Po, et ceux qui, comme lui, ne misent que sur la « mafia du football-club du Palais de Justice »... Sa participation aux matches remontant aux années 1970, il y a prescription, mais il se souvient fort bien de celui qui était dans les buts : un certain Francis Jacob, estampillé « communiste ».

« Au final, assure Chaigne, quand vous ôtez ces étiquettes et oubliez ces clubs, il ne reste que le talent et la compétence. Je n'ai pas d'autre mission que celle qu'on me confie. Le client décide, même si je ne suis pas le larbin de l'administration fiscale et que je n'hésite pas à faire connaître ma position en cas de désaccord. »

Il a eu plusieurs occasions de le faire, notamment durant la dernière phase du quinquennat de Nicolas Sarkozy, quand il a assisté en direct au camouflage de certaines faillites « pour des raisons qui avaient plus à voir avec les élections qu'avec l'intérêt général ». « Il est arrivé que l'on coupe les ailes de l'administration et de la justice pour protéger des intérêts supérieurs, affirme l'avocat, droit dans ses bottes. Les interventions auprès des ministres redescendaient vers les directions de Bercy, qui ont souvent laissé tomber les poursuites, par faiblesse. »

Une tradition bien française que l'avocat ne défend pas particulièrement, on l'aura compris.

PHILIPPE NATAF, *SNIPER* AU LONG COURS

L'avocat fiscaliste doit se préparer au marathon, et même plus : il peut avoir à courir pendant vingt ans sans avoir été prévenu. Philippe Nataf n'en est encore qu'à ses débuts quand l'étrange contribuable Ahmad Heidari, de nationalité iranienne, l'invite à courir avec lui ce qui se présente comme une course de haies de quelques centaines de mètres. Il fait ses armes parmi les collaborateurs d'Allain Guilloux, ancien de l'administration passé de l'autre côté de la barrière avec quelques plans secrets et plusieurs limiers désireux de quitter la fonction publique. Il apprend le métier auprès de ces confrères fraîchement sortis du sérail, la meilleure école qui soit. Nous sommes en 1985 ; le Conseil d'État rendra son dernier arrêt dans cette affaire en... 2005 !

Le client n'est pas de ceux que l'on croise tous les jours à Paris, même dans les quartiers chics. Incarcéré après la chute du shah d'Iran, libéré à condition qu'il procure au pays des pièces de rechange pour ses canons pendant la guerre entre Téhéran et Bagdad, flanqué de sérieux amis aux États-Unis, protégé par un ayatollah, Ahmad Heidari plonge le jeune avocat au cœur des mystères persans. Condamné à mort par contumace en 1980 parce qu'il n'a pas livré le matériel demandé, il a fui vers la Suisse et vit entre Genève et la France, pays qui fascine son âme orientale.

Les Iraniens réclament-ils la peau de leur ressortissant à Paris ? C'est apparemment une dénonciation anonyme qui met le fisc français sur la trace de cet homme d'affaires derrière lequel flottent comme des odeurs de poudre. Malgré deux mises en demeure, Heidari, devenu français en 1983, propriétaire de plusieurs restaurants et boîtes de nuit, rejette l'idée même d'une déclaration d'impôt. En octobre 1985, les hommes de la BII – la force d'action rapide de Bercy – fondent sur les villas et bureaux du contribuable récalcitrant, dont les avoirs en Suisse sont provisoirement gelés à la demande de l'Iran. De Cannes au Calvados en passant par son antenne sur les Champs-Élysées, ils ramassent tous les documents qui traînent, parmi lesquels des factures de matériel militaire. Largement de quoi lancer un contrôle fiscal éclair : non seulement on ne croit pas à son statut de résident suisse, mais le forfait dont il s'acquitte dans ce pays est ridicule au regard des commissions qu'on lui prête en marge de présumées livraisons d'armes.

L'addition que l'Iranien apporte à son avocat est lourde : on lui réclame 630 millions de francs pour les années 1981 à 1984, auxquels viendront s'ajouter plus tard, au cas où il redresserait la tête, 47 millions de francs pour la période 1986-1987. On lui colle en sus une plainte pénale qui lui fait craindre de devoir goûter aux geôles françaises, où il pourrait se faire « liquider », dit-il, sur ordre de ses ennemis iraniens. D'autant plus incompréhensible à ses yeux qu'il jure n'avoir jamais livré le moindre matériel militaire.

Autour de lui, on parle de l'Irangate, scandale qui frappe à l'époque de plein fouet l'administration Reagan, de l'énorme contentieux franco-iranien sur le nucléaire[1], mais Philippe Nataf tente de rester pragmatique : il contre-attaque sur le terrain de l'abus de droit, du détournement de procédure, proteste contre l'idée que l'on puisse réclamer des millions à un contribuable sur la seule base de devis improbables.

« Seul face à une armée, on est vraiment des *snipers*, résume l'avocat. Ce qui est motivant, c'est d'enfoncer des coins. Il faut d'abord écouter le client pour bien comprendre ce qu'il a fait. Il faut instaurer cette relation de confiance pour qu'il nous parle de son argent de manière à ne pas être surpris par l'administration. »

La première échéance judiciaire, en l'occurrence, n'est guère encourageante : Philippe Nataf perd devant le tribunal administratif de Nice le 27 septembre 1991. Plusieurs avocats renommés « draguent » ce client à fort potentiel médiatique, mais Heidari garde sa confiance à ce jeune fiscaliste qui lui consacre tout son temps. Non

---

1. Le contentieux Eurodif, un consortium d'enrichissement de l'uranium, dans lequel l'Iran a investi avec la France en 1974.

sans résultat, puisque devant la cour d'appel administrative de Lyon, le 20 septembre 1993, il obtient cet arrêt « génial » qui conclut au dégrèvement total. « Génial » parce que le contribuable ne doit plus rien, mais aussi parce que la décision, véritable camouflet pour la forteresse fiscale, constitue une première dans les annales et sera abondamment commentée par les spécialistes.

L'avocat trouve également la faille pour le deuxième redressement, celui de 47 millions, non sans avoir consulté les milliers de pièces accumulées par la Direction générale des impôts. Mais, en attendant, Heidari le séducteur, un brin baratineur, voit son nom sortir dans la presse, ses clients le fuir et sa bonne fortune s'éloigner, d'autant plus que l'administration refuse de lui restituer ses biens tant que le dossier ne sera pas définitivement tranché. La Peugeot 206 remplace le parc de luxueuses berlines. L'asphyxie guette. D'appel en cassation, il se retrouve laminé sur le plan humain comme sur le plan financier, sans oublier qu'il est loin d'en avoir terminé avec le volet pénal.

Quand arrive l'ultime rendez-vous judiciaire, l'Iranien y croit d'autant moins qu'il se trouve à l'étranger. Incapable de justifier l'origine des fonds déposés sur ses comptes, il a longtemps cru qu'il passerait au travers, que tout cela n'était pas sérieux, avant de laisser filer. Il meurt à la fin de 2009, emportant avec lui la dernière décision le concernant, certes plutôt favorable, mais pas assez pour le maintenir en vie.

Me Nataf, lui, s'est fait un nom en ébranlant l'« *exit tax* », emblématique d'une politique visant à inciter les contribuables à renoncer à l'exil fiscal. Il a acquis un savoir-faire propre à attirer la clientèle à cheval sur plusieurs continents, celle qui brasse des sociétés panaméennes et des comptes à l'étranger. Un terrain mouvant où les règles changent brusquement, comme si le coureur apprenait au beau milieu du marathon qu'il devait courir deux fois plus qu'il ne l'avait prévu. Un terrain où l'humain, contrairement à ce que l'on pourrait croire, est aussi déterminant que la technique, ainsi qu'en témoignent les mésaventures de cette vedette du spectacle dont on taira le nom.

L'artiste a confié la gestion de ses finances à un conseiller fiscal et financier qu'il a écouté les yeux fermés, sauf que le type se révèle être un fieffé escroc. Lorsque Nataf plaide sa cause devant la cour d'appel administrative, il est trop tard : le contrôle fiscal s'est déroulé de la pire manière. Des noms d'oiseaux ont été prononcés de part et d'autre, et le cas est à peu près indéfendable. Le contribuable est certes de bonne foi, l'administration a compris qu'il avait été embarqué malgré lui vers ces traverses et ces montages bidon, mais elle n'entend plus transiger. Il doit un million de francs, plus 9 % d'intérêts par an, plus les pénalités, soit 2,5 millions (375 000 euros). Il ne reste plus à l'avocat qu'à passer le dossier au scanner jusqu'à trouver le vice de procédure, avant d'attaquer le comptable – bataille qui ne lui prendra pas vingt ans, comme avec l'Iranien, mais pas moins de quinze...

Moyennant un entraînement quotidien, il paraît qu'on tient la distance...

THIERRY DURAFOURD, CAUCHEMAR DU RECTIFICATEUR

M. et Mme Portenseigne travaillent en famille, enfants compris. Ils œuvrent dans le domaine du gardiennage et de la télésurveillance, et comptent parmi leurs clients le plus gros camping du Var, l'Espiquette : de quoi leur donner des envies de regarder par-delà les frontières, d'autant plus que l'Europe s'ouvre. L'Espagne, pays du tourisme et du soleil ? Ils jettent leur dévolu sur Majorque et montent sur place une société, à laquelle ils confient une partie de leur activité dans l'Hexagone. Un cabinet de conseil les encourage et les sécurise sur le plan juridique et fiscal, suggérant toutefois que les salaires versés en France soient soumis aux cotisations sociales françaises.

M. et Mme Portenseigne ont cependant la désagréable surprise de voir leur tomber sur le piquet de tente un contrôle fiscal musclé. Les voilà priés, en 2003, d'acquitter un colossal rappel d'impôt sur le revenu pour les années 2000 et 2001 : 470 000 euros. Monsieur croit pouvoir s'en tirer par une lettre rédigée avec l'aide d'un ami, dans laquelle il conteste et annonce cesser sur-le-champ toute activité en Espagne.

Loin de plier, l'administration confirme, poussant l'entrepreneur dans les bras d'un avocat fiscaliste dont la renommée dépasse largement Grenoble, où il est installé : Thierry Durafourd. Lequel attire aussitôt son attention sur le fait que les 80 % de pénalités appliquées pour « manœuvres frauduleuses » sont un très mauvais signe. Il y a même un gros risque que le couple soit poursuivi devant le tribunal correctionnel, signale-t-il à un client estomaqué.

Le raisonnement du contrôleur est assez limpide – trop, aux yeux de l'avocat. La société espagnole n'a pas pour objet le gardiennage, mais le négoce de matériel de vidéosurveillance ; elle est inconnue des services espagnols, donc les prestations facturées sont fictives. Une seule issue : demander l'avis de la Commission départementale des impôts, organisme paritaire devant lequel Me Durafourd arguë du fait que le travail a été effectué, puisque le camping a payé. Vaine tentative qui pousse le fisc à passer à l'étape suivante dès avril 2004 : la mise en recouvrement des sommes dues.

L'avocat s'aventure vers le recours suivant : une réclamation devant le directeur des services fiscaux. Rejet, toujours pour le même motif, qui vaut aux Portenseigne une deuxième rectification, cette fois pour l'année 2002, portant le total dû à 650 000 euros. Avec, en prime, la plainte pressentie depuis les premiers jours.

La phase n° 3 revêt la forme d'une requête devant le tribunal administratif de Montpellier, reprenant l'argument sans doute le plus percutant : le fisc confond chiffre d'affaires et bénéfices. Il considère que le résultat de la société sur les deux années vérifiées est égal à la somme facturée au camping, sans retenir aucune charge, notamment salariale, alors qu'une vingtaine de personnes étaient employées pour assurer le gardiennage. Nouvelle déconvenue, puisque la requête est rejetée en avril 2008, autorisant l'administration à exiger son dû immédiatement, en dépit de l'appel interjeté. Le couple voit ses comptes bancaires bloqués et se démène pour emprunter 300 000 euros, histoire de solder au moins la part réclamée à leurs enfants.

Pour stopper les poursuites, l'avocat introduit un référé, cette fois devant le président de la cour administrative d'appel de Marseille, duquel il obtient une petite concession : les Portenseigne verseront au fisc 2 000 euros par mois en attendant la décision de la Cour, ce qui ne les empêche pas de comparaître devant le tribunal correctionnel de Montpellier, le 1er avril 2009.

Selon son habitude, le fisc soutient que le tribunal ne peut se prononcer sur le bien-fondé de l'imposition et réclame une condamnation. L'avocat développe l'idée inverse et répète qu'il n'y a jamais eu transfert de bénéfices à l'étranger, contrairement au dire de l'administration. « Il est aberrant, plaide-t-il, de prétendre que le juge auquel on demande de prononcer une condamnation pénale n'ait pas le pouvoir de s'assurer de ce que l'infraction a été effectivement commise ! »

Petit souffle d'air frais : le tribunal prononce la relaxe le 13 mai 2009. L'administration fait immédiatement appel et invite le parquet à en faire autant, tandis que le trésorier menace de procéder à la vente aux enchères des meubles et de la maison du couple s'il ne paie pas davantage. Fils d'un militaire et d'une institutrice, Thierry Durafourd parvient à enrayer la machine infernale en arguant de la relaxe et d'une possible décision favorable de la cour administrative d'appel de Marseille : ce sera 2 000 euros par mois, et pas un sou de plus...

La chambre correctionnelle de la cour d'appel de Montpellier tire la première, contrairement au souhait de l'avocat, et examine le dossier le 2 décembre 2010. Elle confirme la relaxe, le 3 février suivant, considérant que la fraude fiscale n'est pas démontrée. Très mauvaise nouvelle pour l'administration, qui fait généralement condamner les contribuables en correctionnelle par des magistrats peu au fait de la chose fiscale, avant même que leur cas soit examiné par une juridiction administrative.

Voilà donc l'arroseur arrosé, mais pas forcément prompt à s'excuser : usés par sept années de guerre judiciaire, les Portenseigne reçoivent dans leur boîte aux lettres un bout de papier sobrement intitulé « Dégrèvement ». En termes pratiques, ils vont pouvoir conserver leur maison et cesser de travailler – ce qui est la moindre des choses quand on a, comme eux, soixante-sept et soixante-douze ans, et que Monsieur a contracté au passage un cancer.

« La prolifération législative, dans le domaine fiscal mais pas seulement, aboutit à l'inverse du résultat escompté, explique Thierry Durafourd, né à Alger en 1960 et avocat depuis 1988 après avoir rêvé d'être médecin et pilote de chasse. Plus personne ne sait quelle est la règle applicable. On ne peut même plus se fier au bon sens ou à la moralité pour décider de la conduite à tenir. Il y a vingt ans, l'inspecteur des impôts cherchait à savoir si le contribuable avait procédé à des dissimulations, et il essayait d'en connaître le montant. Aujourd'hui, on redresse pour des raisons de forme, même si l'État n'a pas été lésé. »

Principes, état de droit : l'avocat se sent dans son rôle quand il rappelle certaines limites à une administration qui, selon lui, n'en connaît pas beaucoup. « Si une loi est si mal rédigée qu'elle conduit à une situation indésirable, l'État doit assumer au lieu de sanctionner celui qui l'a appliquée ! clame-t-il. Sinon, c'est la porte ouverte à l'arbitraire le plus total. Le Code général des impôts, augmenté des circulaires et des directives, constitue une forêt inextricable à côté de laquelle l'Amazonie ressemble à un jardin d'enfants. Quand vous arrivez à trouver un texte applicable et que l'on vient vous dire que vous avez raison, mais que ce n'est pas pour ça que le législateur l'a écrit, vous avez envie de pleurer ! »

Pleurer, cela lui est arrivé quelquefois avant de neutraliser un redressement qu'il n'estimait pas mérité. Technique et usant quand il faut « se battre contre des murs », le métier met fréquemment l'avocat fiscaliste aux prises avec une « armada sûre d'elle ». Et comme il obtient parfois des résultats, l'administration finit par le « détester ». L'avocat n'en reste pas moins fidèle à des principes au nom desquels il peut défendre des clients qui ne paient pas. Comme cette femme un brin déséquilibrée, vivant du SMIC dans une pâle HLM, ciblée un jour par un contrôle parce qu'elle jouait au casino ! À l'heure où l'on s'apprête à geler ses comptes, elle songe à se défendre. Me Durafourd l'envoie chercher son dossier au Centre des impôts, mais c'est jour de grève, et le chef ne veut rien entendre. Coup de téléphone énervé de l'avocat, qui se prend une volée : « Sale avocaillon, on va s'occuper de toi ! » La malheureuse, entre-temps, se jette du haut d'un pont sur le Drac, le cours d'eau voisin...

« Très souvent, il n'y a pas, chez le client, de volonté frauduleuse, observe Thierry Durafourd, mais il comprend vite que je suis le seul à pouvoir le tirer de là. Je sers de tampon, de rempart même, entre lui et le dossier, à l'heure où sa maison va être mise aux enchères. Il faut toujours rester vigilant, car le fisc fait rarement dans la mesure... »

Roland Dumas, canal Bercy

Avocat depuis 1949, Roland Dumas n'en finit pas de rebondir au barreau après une longue carrière ministérielle aux côtés de François Mitterrand, essentiellement au Quai d'Orsay et un passage à la tête du Conseil constitutionnel. Il confie s'« amuser », et pas seulement à l'occasion de ses nombreux voyages à l'étranger, par exemple en Ukraine ou au Kazakhstan. Lui qui a commencé alors que Paris ne comptait pas plus de 3 000 avocats (contre 25 000 aujourd'hui) prend un plaisir particulier à recevoir ces clients fortunés qui couraient, hier encore, derrière les ministres du Budget de Nicolas Sarkozy...

« Vous êtes copain avec [Pierre] Mosco[vici], [Michel] Sapin et [Arnaud] Montebourg, vous allez m'aider, lui disent-ils en substance. Je dois 100 millions d'euros au fisc. Transigez pour moi, et vous ne le regretterez pas. »

« Ils pensent qu'un homme comme moi, supposé proche du pouvoir, peut les aider, explique Roland Dumas. Ils frappaient hier aux portes d'[Éric] Woerth ou de [François] Baroin, et sont à la recherche des nouveaux circuits du pouvoir. Le plus souvent ces interventions ne donnent rien, mais je fais de belles lettres et je reçois de jolies réponses. Il s'agit de jouer sur les pénalités, qui sont souvent plus importantes que le montant initial du redressement. »

En termes d'honoraires, ces dossiers « signalés » se révèlent généralement assez rentables, puisque l'avocat peut prétendre réclamer un pourcentage non négligeable du montant que le client n'aura finalement pas à régler au Trésor. « L'information a un prix, mais je ne fais rien d'irrégulier », nous rassure Roland Dumas, qui glisse avec un sourire malicieux : « Le pouvoir de l'avocat, c'est comme les promesses : elles n'engagent que ceux qui en attendent quelque chose. »

Chapitre 18

Secret police

Philippe Lemaire, mort ou vif

« J'ai évité la peine de mort à un garçon. »

Avocat depuis une cinquantaine d'années, serment prêté en 1958, Philippe Lemaire résumerait bien sa carrière à cette victoire sur la mort. Nous sommes dans son bureau de la rue de Rennes, à Paris, le 28 octobre 2010. Il évoque quelques douleurs, héritage, dit-il, de trop nombreuses parties de tennis, mais un cancer va bientôt l'emporter avant d'assouvir l'une de ses ambitions : devenir le doyen du Palais.

Il poursuit sur un ton à la fois tranquille et passionné :

« C'était un Breton, un garçon sympathique, le seul client que j'aie tutoyé. Il s'appelait Guy Hervé et avait à peine vingt-cinq ans. Il avait commis deux ou trois hold-up, lorsqu'il s'est retrouvé confronté à ce banal contrôle de police, un jour de l'année 1973. Il était armé. Il aurait pu garder son calme. Au lieu de ça, il a paniqué, tiré, il a tué un motard et en a grièvement blessé un autre. »

Le policier décédé est père de deux enfants. L'affaire prend vite une tournure politique. Et les politiques, Philippe Lemaire s'en méfie, surtout quand ce sont des avocats qui sont au pouvoir – « la pire des choses », dit-il.

« Ou ils pensent qu'ils ne sont pas assez répressifs, ou ils pensent qu'ils le sont trop. » Il est assez bien placé pour le savoir : la mère de Nicolas Sarkozy, elle-même avocate, a été collaboratrice chez son propre père, lui aussi avocat (et bâtonnier), dont le cabinet était situé à Paris dans la très sélect avenue Marceau...

Le décès du policier secoue l'opinion et traumatise ses collègues. Plus l'instruction sera longue, moins la pression sera grande à l'heure de l'audience, songe l'avocat, qui prend le parti de « faire traîner ». Le juge, « une énorme baraque », entre dans son jeu sans le lui dire. Il satisfait ses nombreuses demandes d'expertise, et le procès ne s'ouvre que cinq ans plus tard, à Paris.

La passion est loin d'être retombée, comme en témoigne la présence dans la salle d'audience de nombreux policiers en tenue, casque sous le bras et bottes de motard aux pieds. On glisse entre les mains de l'avocat un exemplaire du tract que distribuent les syndicats de police devant le Palais de Justice, « un tract d'une violence incroyable, qui réclamait l'exécution de mon client dans les plus brefs délais », et contre lequel il ne manque pas de s'insurger publiquement, avec la ferme intention de mettre les jurés de son côté, mais aussi le président, apparemment pas du genre à apprécier qu'on lui force la main.

Une dame est assise sur le banc des parties civiles. C'est la veuve du policier, en grand deuil : « une présence très forte », que l'avocat neutralise partiellement à la faveur d'un curieux incident. Alors qu'il est attablé dans un café face au Palais, entre deux audiences, il entend du bruit. Dans un miroir mural, il aperçoit la veuve éplorée en train de « rouler des pelles joyeusement » ! Il se fait volontairement remarquer par un grognement dont il a le secret et, le lendemain, surprise : la dame n'est plus vêtue en noir lorsqu'elle pénètre dans la salle d'audience...

L'accusé respecte la consigne de son défenseur et gomme toute forme d'arrogance, ce qui ne semble guère ébranler l'avocat général, « qui tape souvent juste, mais se laisse parfois emporter, heureusement ». Le magistrat, « un petit gros qui boite assez bas, avec un pied-bot », termine en effet son réquisitoire par cette phrase qui bouleverse l'avocat : « Et c'est d'un pas ferme que j'irai accompagner Guy Hervé à la guillotine ! »

Philippe Lemaire plaide à son tour, et la peine de mort se métamorphose en réclusion criminelle à perpétuité. Mort ou vif, les jurés ont choisi.

La sentence rendue, après avoir serré la main (distraite) de son client, l'avocat va « saluer avec respect le président, qui était au fond de lui contre la peine de mort », avant de se retrouver, en robe, au pied de l'escalier qui mène à la cour d'assises, face à une marée de flics en colère.

« Je ne pouvais pas reculer, raconte-t-il. J'ai avancé et ils se sont écartés en m'insultant : "Salaud !", "Fumier !", "Connard !", "Enculé !". "C'est une honte de faire un métier pareil !" a crié un dernier. J'ai dépassé ces manifestants avant d'être à mon tour pris de colère. Je suis revenu sur mes pas. J'ai attrapé le plus grand par la vareuse en disant : "Dis donc, connard, quand tu auras tué ta femme, tu seras content de venir me trouver pour te défendre !" Puis j'ai disparu. »

Quelques semaines plus tard, le « garçon » envoie une première lettre à son avocat : « C'est la première fois depuis quatre ans que je dors d'un sommeil paisible », écrit Guy Hervé qui, pour toute famille, n'a qu'une mère âgée. Le début d'une relation qui durera le temps de son incarcération : Me Lemaire lui rend régulièrement visite et, à chaque fois, il est « réconforté de le voir en vie ».

« Hervé, dit-il, c'est une belle partie que j'ai jouée. J'ai perdu quatre kilos en une semaine – j'étais assez enrobé. Éviter la mort de quelqu'un, c'est une satisfaction. Personne ne sera là pour m'épargner la mienne ! »

C'est aussi toute une partie de sa vie, comme si cette terrible séquence avait définitivement « uni » les deux hommes. Au point que l'avocat devient le témoin de son mariage en prison avec « une femme remarquable » travaillant pour le cosméticien Yves Rocher, chef d'entreprise très impliqué auprès des prisonniers. Il rencontre les directeurs des prisons où séjourne « son » client, et c'est lui, au bout de vingt ans, qui l'incite à déposer une demande de libération conditionnelle. Guy Hervé est alors incarcéré à la centrale de Saint-Maur (Indre), où on l'a autorisé à passer son permis poids lourds. Qu'il n'ait pas cherché à prendre la fuite au volant de son camion est sans doute un gage de bonne volonté aux yeux de la justice, qui n'en continue pas moins à lui « faire des misères » : libre, Hervé est interdit de séjour à Paris, ce qui compromet son embauche chez Yves Rocher.

Produit d'une longue lignée d'avocats, le métier de la famille depuis sept générations, Philippe Lemaire assure qu'il l'est devenu « par manque d'originalité ». Civiliste, avec quelques écarts vers le pénal, son père a perdu une partie de sa clientèle pour avoir défendu Pétain. Il ne lui en a pas moins ouvert la porte du cabinet de son confrère Jacques Isorni, « un type très drôle », qui a lui aussi défendu le Maréchal et dont il garde en mémoire ce précieux conseil : « Philippe, méfie-toi d'abord des clients. On se dit qu'il faut leur faire confiance parce qu'ils t'ont choisi, mais ça peut être une erreur. »

Star de son époque, Jacques Isorni incarnait le barreau d'avant les années fric. « Il n'a jamais su réclamer un honoraire, se souvient Philippe Lemaire. Sans ses livres, il serait mort de faim, lui dont on avait évoqué le nom pour devenir garde des Sceaux. Il prenait parfois des risques inconsidérés, comme ce jour où, défendant l'un des conjurés de l'attentat du Petit-Clamart contre le général de Gaulle, il décide d'exploiter une lettre parvenue à son cabinet selon laquelle l'un des magistrats présents au procès ne serait pas magistrat. "Monsieur, lui dis-je, c'est peut-être un piège !" Mais sa décision était prise, et il sort l'artillerie en pleine audience. Le commissaire du gouvernement requiert aussitôt sa radiation du barreau... Il s'en sort avec trois ans de suspension, avec application immédiate. »

De quoi inciter le jeune Lemaire à peser les risques lorsqu'il crée son propre cabinet en 1972, et décide de se consacrer au pénal. Les clients satisfaits envoient des clients, et c'est ainsi que se présente Guy Hervé un an plus tard...

Ce n'est ni la première ni la dernière fois que Philippe Lemaire est confronté à la peine de mort. Huit ou neuf fois, elle sera requise en sa présence, mais seulement deux fois prononcée : contre Roger Bontems, poursuivi avec Claude Buffet pour une prise d'otages meurtrière à la centrale de Clairvaux, et contre Philippe Maurice, que défend avec lui Jean-Louis Pelletier. Il tente de négocier la tête du premier auprès de Georges Pompidou, mais le président de la République, malade, lui semble « plus préoccupé par sa propre mort », et Bontems est exécuté. Dans le cas de Philippe Maurice, les deux avocats jouent la montre en misant sur la victoire de leur confrère François Mitterrand lors de l'élection présidentielle du 10 mai 1981, alors que la guillotine a déjà été livrée à la maison d'arrêt de Fresnes.

« On savait que Giscard l'aurait fait exécuter s'il avait été réélu, raconte Lemaire. Trois semaines après son arrivée à l'Élysée, Mitterrand nous convoque, mais Pelletier plaide ce jour-là à Pontoise. À la reprise de l'audience, il demande l'autorisation d'aller soutenir son mémoire en grâce. "Il n'en est pas question !" proclame le président, qui refuse de renvoyer l'affaire. »

Pelletier appelle Lemaire, qui contacte le bâtonnier, lequel prend langue avec le garde des Sceaux, qui sollicite le directeur des affaires criminelles et des grâces... qui convainc le président des assises de libérer enfin Pelletier. Le secrétaire général de l'Élysée, recevant les deux avocats, « fait la tronche ». Normal : nommé par Giscard, il n'a pas encore été remplacé. Lemaire rassure son confrère : « T'en fais pas, le Président a pris position contre la peine de mort. »

Ils voient arriver « un gars très raide » qui les remercie d'être venus avant de s'asseoir dans son fauteuil, tandis qu'ils investissent un canapé.

« Messieurs, je vous écoute », dit François Mitterrand. Les deux avocats « plaident » leur cause. « Vous avez terminé ? demande le Président, resté silencieux. – Oui. » Il se lève et les raccompagne en prononçant quelques mots qui laissent ses visiteurs perplexes : « Je vous remercie. Vous avez fait votre devoir, je vais faire le mien. »

Allait-on exécuter leur client le lendemain à l'aube ? Près de soixante-dix journalistes les attendent au-dehors. Lemaire décide de mentir : « Monsieur le Président était au courant du dossier. Nous sommes très confiants. »

Il est 19 h 45. À 20 h 30, Philippe Maurice est officiellement gracié. Succès total pour une mission élyséenne dont Lemaire conserve un souvenir mitigé : « François Mitterrand aurait pu se fendre d'un "Mes chers confrères", mais non, il nous a reçus dans l'habit du Président qu'il a toujours été. »

Pendant le procès, pourtant, il y avait eu comme un petit signe avant-coureur : le premier juré, de son état professeur de lettres, avait fait deux malaises cardiaques tandis que le président de la cour d'assises, André Giresse, tentait de le convaincre de signer la décision de condamnation à mort. Il pleurait à chaudes larmes lors de l'énoncé du verdict, fait d'autant plus remarquable que l'étudiant de vingt-cinq ans assis à côté de lui arborait un large sourire. De quoi conforter Philippe Lemaire dans l'idée qu'un jury composé de gens très jeunes, « ça n'est pas bon ». « Il ne faut pas non plus qu'ils soient trop vieux », précise le pénaliste, qui a toujours veillé à éliminer les chauffeurs de taxi... et les porteurs de moustaches !

Un jour, alors qu'il venait de publier dans *Le Figaro* une tribune contre la peine de mort, Mᵉ Lemaire avait été alpagué « assez désagréablement » dans les couloirs du Palais. Se retournant, il s'était retrouvé face à son célèbre

...

confrère René Floriot, qui lui avait dit : « Mais, Lemaire, vous êtes fou ! Si la peine de mort est supprimée, il n'y aura plus de boulot pour les pénalistes ! – Non seulement je survivrai, lui avait-il rétorqué, mais je vivrai mieux ! »

Loin de « ces procès horribles où ça sentait le sang », Philippe Lemaire ne chôme guère, une fois passée l'abolition de la peine capitale. On le voit dans les affaires politico-financières, derrière le trésorier du Parti socialiste, Henri Emmanuelli, puis auprès de Christine Deviers-Joncour – la « putain de la République », comme elle s'est elle-même baptisée en pleine affaire Elf. On le voit s'engager auprès de gangsters, à commencer par le Toulonnais Jean-Claude Kella, trafiquant de stupéfiants recyclé dans l'écriture, dont l'avocat s'amuse de voir qu'il a épousé une fille « élevée aux Oiseaux ». Il mourra « sur le ring » en défendant la famille du préfet Claude Érignac, assassiné dans une ruelle d'Ajaccio alors qu'il se rendait au théâtre, dossier dans lequel il aura tenu son rôle tant que ses forces le lui permettaient, derrière « une famille d'une incroyable rigueur ».

« La justice doit passer, disaient-ils sans jamais exprimer la moindre haine », rappelle l'avocat lors de notre dernière rencontre.

Cette dignité, Philippe Lemaire ne l'a apparemment pas retrouvée dans le comportement de celui qui n'était encore que l'assassin présumé du représentant de la République dans l'île de Beauté. En témoignent ces propos tenus alors que se profilait un nouveau procès :

« Tout le monde sait qu'Yvan Colonna est coupable, même ses avocats ! Ses amis l'ont dit. Ce qui me dégoûte, chez cet homme, c'est qu'il n'assume pas son combat. S'il avait assumé, il n'aurait pas écopé de cette peine de sûreté qui bloque toute possibilité de grâce pendant vingt-deux ans, alors que ses complices, eux, vont commencer à sortir de prison. Douze ans de procédure, c'est épouvantable ! Transformer Colonna en victime, c'est une horreur ! Ses avocats se sont rendu compte que les charges étaient lourdes, alors ils ont fait un procès périphérique en évoquant une expertise maladroite, un policier corrompu, dans l'espoir de semer le doute sur sa culpabilité. Ils font diversion pour gagner du temps, espérant que les témoins oublient. Ils nous font croire que l'île est aux mains des nationalistes, alors que c'est un tout petit monde pas très reluisant, et que les vrais nationalistes considèrent cet assassinat comme un acte aussi horrible que stupide. Le FLNC, ce n'est pas le FLN (Front de libération nationale algérien), qui avait une grande partie de la population derrière lui ! Et, pendant ce temps, Mme Érignac continue à dire qu'elle fait confiance à la justice ! »

Des mots durs que l'on se permet de reproduire dans la mesure où la défense aura largement la parole dans ces pages, défense dont Philippe Lemaire dresse un portrait rageur, entre un Antoire Sollacaro « excité » et un Patrick Maisonneuve « qui est là pour tuer le père, lui qui a travaillé des années avec moi ».

Beaucoup de livres dans ce bureau lumineux de la rue de Rennes, entre Montparnasse et Saint-Germain-des-Prés. Rien de clinquant. Sur la cheminée, un buste de Mirabeau. Au mur, encadrée, la une de *L'Aurore* publiant sur six colonnes la « Lettre au président de la République » dans laquelle Émile Zola, prenant la défense du capitaine Alfred Dreyfus, lance son sonore « J'accuse... ! » le 13 janvier 1898. Et cette présence encombrante, envahissante : celle des 125 volumes du dossier Colonna !

« L'avocat, dit Philippe Lemaire, c'est la voix qui s'élève. C'est le dernier recours pour défendre des gens conspués, détestés, haïs. L'avocat arrive avec sa petite robe et fait passer sa parole pour éviter le pire. » La parole, il l'a même rendue à un homme qui l'avait perdue à force d'isolement dans un quartier de haute sécurité (QHS). « Je suis resté trois heures avec lui. Pendant une heure, il n'a rien dit, puis il s'y est mis. »

Philippe Lemaire évolue décidément bien loin de ce monde où les politiques deviennent avocats « pour l'influence qu'ils ont ou qu'ils croient avoir » : les Copé et autres Villepin, « des gens de qualité dont il n'est pas sûr qu'ils se tapent beaucoup d'entraide judiciaire »... Jusqu'au bout, Me Lemaire aura conservé une distance certaine avec ces confrères « qui deviennent fous » sous les projecteurs des médias. « Les médias rendent fous, l'argent aussi, lâche-t-il alors que l'affaire Bettencourt fait la une des journaux. Le monde de Mme Bettencourt et de sa fille a complètement tourné la tête des avocats. »

Les têtes, Philippe Lemaire, lui, se contentait d'éviter qu'on les coupe.

JEAN-PIERRE MIGNARD, L'URGENTISTE DE CLICHY-SOUS-BOIS

Chez Lysias Partners, le cabinet de Jean-Pierre Mignard, les murs affichent la couleur. Peinte à hauteur d'homme, cette phrase de Germaine Tillion, née en 1907, résistante et déportée : « L'asservissement ne dégrade pas seulement l'être qui en est la victime, mais celui qui en bénéficie. » Comme un mot d'ordre passé à la vingtaine de personnes qui travaillent ici, tous généralistes, « comme le sont les urgentistes à l'hôpital ». Tous un brin politiques, du moins l'imagine-t-on quand on entend Mignard se placer, en sus de Tillion, sous la protection du confrère Henri Leclerc qui lui a appris que « l'ingrédient politique est au cœur de notre expertise juridique ».

« Le droit est la déclinaison du politique, avance cet héritier déclaré de Leclerc. Il peut submerger le politique lorsqu'il devient valeur. J'ai constamment fait les deux. L'école Leclerc, c'est une manière de fabriquer le droit comme symptôme des rapports sociaux, comme vecteur de progrès et de paix, comme la forme canalisée du compromis entre capital et intérêt général. Ce cabinet n'est pas une machine de guerre pour écraser les faibles, même si nous défendons les puissants. »

Idéalement, Jean-Pierre Mignard, issu d'un mariage de marxisme et de christianisme, aurait été à la fois avocat et député, mais il n'en aurait pas eu matériellement le temps, même s'il a été l'un des trois piliers de la haute autorité chargée d'encadrer les primaires du Parti socialiste (et s'il a abrité en son temps deux avocats partis en couple sur la rive politique : Ségolène Royal et François Hollande, avec lesquels il a conservé des relations étroites). « Plaider la loi ou la faire, dit-il, il faut choisir. » Il a opté pour la création d'un cabinet « démocrate » où l'on pousse au dénouement du conflit et au renouement des liens, « un cabinet combattant, respectueux de la déontologie, où l'on évite les coups bas ». Une version contemporaine de l'expérience vécue avec quelques autres, dont Leclerc, à l'époque de la mobilisation antinucléaire de Plogoff[1], de la Cour de sûreté de l'État, des premiers dissidents chinois, du Larzac[2] et de la rue Gay-Lussac[3], autrement dit avant que la gauche au pouvoir ne dissolve toutes ces causes « comme la vessie le calcul rénal ». Une époque où il ne gagnait rien, figurait sur la liste noire des dirigeants économiques, affrontait la « laideur » du monde et n'imaginait pas un instant devenir, entre autres, l'avocat d'EDF.

Lui qui a prêté serment en 1975 trouve, trente ans plus tard, une cause à sa mesure, au service de laquelle il met son savoir-faire : l'affaire de Clichy-sous-Bois, ces deux gamins dont la mort par électrocution, alors qu'ils fuyaient un contrôle de police, déclencha de longues nuits d'émeute

---

1. En 1978, les habitants de cette commune bretonne sont parvenus à faire reculer l'État qui avait prévu chez eux l'implantation d'une centrale nucléaire.

2. La lutte de paysans contre l'agrandissement d'un camp militaire sur le causse du Larzac.

3. Théâtre des principaux affrontements entre policiers et manifestants en mai 1968.

dans les cités françaises en novembre 2005. Ce sont des journalistes qui le recommandent aux familles des victimes. « Notre frère était là, il a vu passer les policiers, lui explique de sa voix rauque le premier jeune à le guider sur les lieux. Ils les ont suivis. Il y a bien eu une course-poursuite. »

L'avocat sent que la version officielle est bancale, qu'on a peut-être tendu une souricière à ces jeunes. Il détecte aussitôt son principal adversaire : Nicolas Sarkozy, encore ministre de l'Intérieur, qui mettra plus d'une semaine à accepter l'ouverture d'une information judiciaire. L'avocat « met le pied dans la porte pour que les familles ne se retrouvent jamais seules avec leur exaspération », non sans profiter pleinement de la part d'estime dont il jouit pour prendre la parole dans les médias, et contribuer à répandre une mauvaise conscience qu'il espère productive. Avec l'impression d'être de nouveau au cœur de ce métier qui est aussi celui d'« objecteur de justice », selon la formule de son confrère Jean-Marc Varaut, et la ferme intention d'ébranler la vérité policière pour atteindre à la vérité tout court, même si elle est insupportable aux yeux de certains.

« Il n'y a de solution que dans la vérité, insiste Me Mignard, qui garde un souvenir précis du départ de l'un des corps carbonisés vers la Mauritanie. Cela passe par l'affrontement, l'isolement, la marginalité. On ne peut être courtisan, mais on doit être diplomate, qu'il s'agisse d'un divorce ou de la banlieue. On est l'électronicien qui remet les fils en silence. »

Son objectif, dans cette affaire aussi politique que médiatique, consiste à pousser les magistrats à admettre que des jeunes peuvent être victimes d'un délit, voire d'une faute pénale commise par des policiers. Véritable médiateur, il porte la parole de ces familles d'origine africaine qui ne maîtrisent pas l'expression publique. Il a été l'avocat de l'État tchadien et celui du dirigeant ivoirien Alassane Ouattara ; il est maintenant celui d'un quartier où la population subsaharienne n'est pas loin d'être majoritaire. « On ne peut faire un baisemain au ministre du Pétrole et ignorer ce qui se passe à 15 kilomètres du bureau, ou bien on est un "salaud" au sens de Sartre, dit-il. On peut être happé par l'argent, qui est un mauvais maître, mais on peut aussi éviter de renier son idéal. C'est par mes convictions, mes combats, que je construis ma clientèle. »

Jamais une affaire ne l'aura autant mobilisé que celle de Clichy-sous-Bois, assure-t-il. À ses yeux, un pays aussi sophistiqué que la France ne peut accepter un tel travestissement de la vérité. Pour lui, définitivement, les policiers ont menti – même Nicolas Sarkozy l'aurait reconnu, mais un peu tard, sans oublier la garde des Sceaux, Rachida Dati, qui lui aurait déclaré qu'il avait raison. Une seule issue pour Me Mignard : tenir bon par tous les moyens. Jusqu'au jour où il pourra « offrir » aux victimes un procès public et un jugement afin que ces jeunes « cessent de dire qu'il n'y a pas de lois ».

« Ce n'est pas une attaque frontale contre la police, précise-t-il. Je le dis à chaque fois aux jeunes : la lumière est venue de l'intérieur même de la police. Je veux qu'ils captent cette complexité, à savoir que des policiers ont sauvé l'honneur de la police en n'occultant pas certaines preuves. »

La tentative d'implanter un cabinet secondaire à Clichy-sous-Bois a été un échec retentissant sur le plan financier, mais Jean-Pierre Mignard continue à travailler avec le lycée de la ville, histoire de faire passer le message aux générations suivantes.

« Je suis plus utile avocat que ministre », conclut-il. Plus utile et peut-être plus influent, car, il le constate tous les jours : plus les juges prennent du poids, plus les avocats se retrouvent au centre du jeu.

MICHEL KONITZ, DÉFENSEUR DES « OPPRIMÉS »

« Tant que le téléphone est branché, les clients appellent. Même le samedi ils appellent, parfois en hurlant, comme dans la cité. » Si c'est un vague cousin qui est au bout du fil, qu'il ne sait trop comment ça va se passer pour les « honos » (honoraires), Michel Konitz hésite, mais si le lien a déjà été établi, il fonce... « Si on est rigoureux, on est payé normalement. »

Évidemment qu'il n'a pas un carnet de commandes rempli pour un an, comme son camarade Éric Dupond-Moretti, mais le modeste Konitz s'en contente. Si modeste qu'il parle d'Éric plutôt que de lui-même. Éric dont il se souvient qu'il venait aux assises avec un gros cahier et y notait tout ce que faisaient ses aînés. Éric dont il connaissait le talent bien avant le procès d'Outreau. Éric qui aime la chasse alors que lui, c'est plutôt la pêche à la mouche, où, « de temps en temps, tu ferres et tu gagnes à condition de trouver la bonne mouche ». Il parle aussi de ces anciens rivaux devenus ses complices : Thierry Herzog, Pierre Haïk et Pascal Bruelle, « avec qui on a en commun la détestation de la violence de la justice ». Il parle de ces avocats dont les médias n'ont jamais entendu parler et qui « tiennent » Créteil, Nanterre et Bobigny. Il sait que ses clients n'appellent pas parce qu'ils ont lu son nom dans le journal ou qu'ils l'ont vu sur le Net : « Ils ne lisent pas beaucoup. » D'ailleurs, s'il ne répond pas dans le quart d'heure, constate-t-il, ils en appellent un autre...

Non, sa caisse de résonance à lui, c'est la taule, le « téléphone arabe ». Et ces types qui appellent en gueulant parce que c'est urgent ne cherchent pas non plus à avoir leur nom dans le journal. Michel Konitz a même remarqué que ce pouvait être contre-productif : il n'est que de regarder, pour s'en convaincre, les premières peines infligées par un tribunal dans une affaire d'arnaque à la taxe carbone qui a rendu millionnaires quelques escrocs particulièrement doués au milieu des années 2000 : elles étaient très raisonnables. Quand est venu le procès suivant, l'affaire avait été très médiatisée. Résultat : des sanctions bien plus lourdes.

« Les médias, c'est une drogue, dit Konitz. Tu en veux toujours plus. C'est comme le pognon, comme les honneurs : c'est sans fin, et ça n'a aucun intérêt. Je suis apprécié par les huissiers et les greffiers, on se respecte, et c'est plus important que d'être dans la *short-list* du mensuel masculin *GQ* ! »

Il lui est même arrivé de décourager un journaliste d'assister à une audience où devait être jugé un chef d'entreprise suspecté d'une carambouille portant sur 10 millions d'euros : « Aucun intérêt, je vous assure. » Le journaliste est revenu plus tard, vexé mais beau joueur : « Vous m'avez eu ! »

Quand Konitz mobilise les médias, c'est qu'il y a une entorse aux principes. Un scandale à dénoncer. Une dérive de l'institution judiciaire ou policière. Comme l'affaire de Villiers-le-Bel. Il a défendu le « gang des postiches[1] », s'est frotté aux crimes passionnels, mais là, on est dans une tout autre dimension : deux gamins chevauchant une moto ont été tués en percutant une voiture de police ; le quartier s'est enflammé, « on » a tiré à l'aveugle sur les CRS ; il défend l'un des tireurs présumés. Pour rien au monde il n'aurait lâché ce dossier qui ne lui rapportera pas un fifrelin, et certainement aucune médaille, mais qui est, à ses yeux, « emblématique de la manière dont on traite les cités, en abaissant la règle de droit ».

« À l'époque, les flics sont prêts à tout pour obtenir un résultat, raconte-t-il. Les gamins écrasés, tout le monde s'en fout. Eh bien, je suis là pour ça. Pour plaider l'injustice, je suis bon ! Ces gens-là sont des exclus. Ils vivent

---

1. Braqueurs de banques, devenus célèbres par l'usage systématiques de postiches, dans les années 1980.

dans un environnement pourri. Je suis allé dire aux magistrats, ces gens tranquilles dans leur robe, qu'ils cautionnaient tout et n'importe quoi, et que leur dossier puait. Ç'a été très conflictuel avec le parquet, mais ils méritaient d'être traînés dans la boue. Ils sont dans leur bonne conscience, veulent montrer qu'ils sont honnêtes, mais ils invoquent une dangerosité qui n'existe pas, et prouvent l'improuvable. Je ne verse pas systématiquement dans l'agressivité, mais quand il y a une fenêtre de tir, il ne faut pas la rater. Si je trouve les réquisitions grotesques, je le dis. »

L'affaire de Villiers-le-Bel a été pour Michel Konitz une sorte de laboratoire. L'accusation prétend que son client est l'un des deux « grands méchants » à qui il aurait suffi de claquer des doigts pour mettre quatre cents jeunes dans la rue. Sauf que des témoins anonymes ont été payés pour le dire et que, pour l'avocat, « c'est pire que de tirer sur des policiers, parce que cela porte atteinte à l'institution judiciaire ».

« J'ai du mal à accepter que des magistrats se comportent comme les gens des cités », résume Me Konitz. En cause, cette phrase prononcée par la procureure Marie-Thérèse de Givry, moins de cinq heures après les faits, pas complètement étrangère à la violence de la réaction du quartier : « Les policiers n'ont commis aucune faute. » Et l'appel à témoins rémunérés qui a suivi. Avec, à la clef, plusieurs témoins « sous X » dont la crédibilité sera mise en cause jusqu'au dernier jour, parce que si ce n'était pas la banlieue, assure l'avocat, jamais on n'aurait osé exercer cette « justice au rabais ».

« Les assises, c'est un combat, c'est de la boxe, poursuit-il. Le pénal financier, à côté, c'est de la danse, des entrechats ! » En première instance, ses confrères et lui secouent les magistrats, sans résultat probant. En appel, quelques acquittements couronnent leur acharnement, et trois jurés pleurent à l'heure du verdict parce qu'ils ne voulaient pas condamner...

Konitz, lui, est définitivement du côté des « opprimés », de ceux que la société revêt du costume de « salopards » pour mieux les « humilier » en prison. Il n'espère rien de moins que de revoir une mère, à la sortie du tribunal, venir lui baiser la main et le bénir, avec le clin d'œil de la greffière en prime, après le résultat obtenu pour son fils. Le matin, dès son lever, il va en prison, croise des « matons » sympas, d'autres qui le sont moins, puis il file au Palais pour chercher la petite bête face à un président qui considère son client comme coupable, avant de rendre visite à un juge d'instruction qui gère la pénurie, de s'engueuler avec lui, puis de gagner son bureau où il lui faut encore « se battre », cette fois pour récupérer de l'argent auprès d'un type qui ne peut pas forcément payer...

« La plupart du temps, les flics te tuent à la barre », mais, quand parfois le contraire se produit, avec un acquittement improbable à la clef, c'est assez « jouissif », déclare ce fils d'industriel à qui la politique a visiblement donné le goût du combat. « La politique consiste à convaincre les gens, à les faire changer d'avis, dit-il. Avocat, c'est la même chose : si un mec est coupable et qu'il est acquitté, c'est que le système est sain ; mieux vaut en laisser filer quelques-uns plutôt que de frapper aveuglément. »

Quand il est arrivé sur le marché, en 1978, les vieux lui ont expliqué que le métier était « foutu ». Il ne les a pas trop écoutés. Plus marqué par son engagement à la LCR (Ligue communiste révolutionnaire), l'une des principales matrices du gauchisme, que par son bac : passé par les Vosges, il entend devenir avocat non pour s'enrichir, ni pour occuper tel ou tel strapontin, mais pour « défendre les militants ». Il trouve une place auprès d'un type abonné aux tribunaux de commerce, mais il regarde déjà ailleurs. Il est de toutes les sorties avec Jacky Robaglia, avocat comme son père Charles, qui truste tout ce que le milieu corse sécrète comme parrains. Une copine lui présente la fille d'un avocat estampillé « gaulliste social »,

Pierre Lemarchand, mais on lui aurait présenté Belzébuth qu'il l'aurait suivi...

Autres temps, autres méthodes. Plutôt mauvais plaideur et d'une moralité élastique, le « patron » a d'autres atouts dans la manche. « À quoi est sensible la chambre de l'instruction ? demande Lemarchand au jeunot, qui ne hasarde aucune réponse. – Aux pressions ! Viens, on va déjeuner au Sénat. » Une autre fois, c'est le procureur en personne qui débarque au cabinet. « Il faut te démerder pour qu'il sorte ! » s'époumone l'avocat des dossiers piégés du gaullisme qui défend le patron du milieu grec à Paris, fraîchement incarcéré. Et le type sort.

« Les magistrats obéissaient, et Lemarchand n'a pas vu le tournant », observe Michel Konitz. C'était au siècle dernier, mais cet avocat lui aura au moins appris qu'on ne devait pas avoir peur des juges. « Il était tout sauf révérencieux. C'était un rebelle. Il voulait tordre les textes, regardait ce qu'on pouvait en tirer... Et puis, il était attachant... »

Tandis que Lemarchand recrute des hommes sérieux pour aller combattre l'OAS, Konitz fait entrer au cabinet un autre talent prometteur, William Goldnadel. Qui doit bientôt se faire pardonner d'avoir un peu trop brillé en obtenant une relaxe pour le compte de la fille du patron... Lemarchand emmenait ses jeunes collaborateurs jusqu'à Auxerre pour assister à un match de foot au volant d'une Ferrari dont il poussait le moteur jusqu'à 250 kilomètres à l'heure, mais il laissait assez peu d'espace pour les autres.

« Lemarchand m'a appris le combat, le reste est littérature, raconte Konitz. Au pénal, on voit si tu es combatif. Tu as une salle bondée et tu as été bon ? On te demande ta carte. Ton client va être écrasé ? Tu prends des coups pour lui. Tu mouches le procureur, tu mouches l'institution judiciaire ? Tu te bats... Je n'ai aucun complexe, car le système est injuste : 99 % des délinquants sont issus de milieux défavorisés. Le type qui vit dans une cité a très peu de chances de prendre l'ascenseur social. »

Rien de plus stimulant, aux yeux de Michel Konitz, que d'éviter à quelqu'un d'aller en taule. Les mauvais jours, il considère son utilité sociale comme égale à zéro ; les bons jours, il se convainc qu'il lutte contre « une forme d'injustice ». Les fusions-acquisitions, ce n'était pas pour lui. Avec le pénal, il a l'impression de continuer à « faire la révolution » comme quand il avait vingt ans. Il aurait pu devenir journaliste ou prof, il est devenu « acteur », parce que l'avocat est « perpétuellement en représentation » et qu'il a intérêt à être bon, s'il veut jouer dans le prochain film !

Yassine Bouzrou
et le mystère du commissariat de Courbevoie

Les contes de fées, ça n'est pas pour lui. C'est en lisant des portraits d'avocats pénalistes dans un livre consacré au grand banditisme que Yassine Bouzrou a choisi de frapper à la porte de Jean-Yves Le Borgne et Jean-Yves Liénard pour y apprendre le métier à la sortie de la fac. Il reste six mois chez le premier, puis un an chez le second, apprenant sur le tas les ficelles du pénal. Et c'est par une bavure policière que le brillant élève entame sa carrière en solo au lendemain de sa prestation de serment, le 25 octobre 2007. L'occasion de se frotter directement aux mensonges, aux petits arrangements entre administration, pouvoir et Palais de Justice, ainsi qu'aux journalistes, mais aussi de jauger la force de frappe de l'avocat et la meilleure façon de l'utiliser par temps agité.

La victime en est-elle vraiment une ? Pas forcément aux yeux de tous, puisque Abou Bakary Tandia, trente-huit ans, look rasta, en France depuis quinze ans, est un sans-papiers soupçonné d'un vol à la portière dont personne n'a conservé la trace. « Ces gens-là sont prêts à tout », dira un policier du commissariat de Courbevoie où ce Malien dont le Mali ne veut pas est transporté dans la nuit du 5 décembre 2004. Prêt à tout, mais peut-être pas à mourir dans cette bâtisse moderne et sans âme où il se retrouve seul avec quatre fonctionnaires en train de baragouiner dans sa langue qu'on lui accorde ses « droits ».

Le contexte politique n'est pas innocent, et pèsera lourd sur la longue enquête judiciaire à venir. Nicolas Sarkozy est alors ministre de l'Intérieur. La lutte contre l'insécurité est à l'honneur. Il a aussi promis une police irréprochable, et chacun va faire en sorte que la promesse soit tenue. Autrement dit, que la police ne soit pas prise en défaut, afin de ne pas compromettre la carrière d'un homme politique qui se voit déjà président de la République.

Que se passe-t-il, cette nuit-là, au commissariat de Courbevoie, tenu par un chef de poste passablement impulsif ? Les fonctionnaires présents divergent. L'un dit avoir vu Tandia se cogner la tête contre la porte de sa cellule ; les trois autres n'ont rien vu. Tous évoquent cependant une altercation dans les toilettes, environ une heure après son arrivée dans les lieux. Le « rasta », comme on l'appelle dans ce quartier proche de la Défense, aurait sali le lavabo en se lavant les mains, après la prise d'empreintes. Il aurait refusé de nettoyer, même après l'intervention du chef, avant d'être « fermement » raccompagné dans sa cellule. Violences « légitimes », selon les policiers. Il y a vingt-huit mètres à parcourir. Le temps d'assener quelques coups, de pratiquer quelques prises qui ne visent certainement pas à tuer le « Black », mais le fait est qu'on le retrouvera dans le coma et qu'il n'en sortira jamais.

Malheureux concours de circonstances ? La caméra était curieusement hors service pour cause de fils arrachés. Le dossier médical a disparu. Et le premier réflexe du parquet consiste à classer sans suite, dès le 10 mars 2005, avant même les résultats définitifs de l'autopsie. Le commissariat de Courbevoie, une zone de non-droit ? Pensez donc !

Un comité de soutien à la victime voit le jour, comportant des élus municipaux et quelques notables en guise de têtes d'affiche. La famille se mobilise aussi, et à l'avocat de l'ambassade du Mali succède Yassine Bouzrou un peu moins de trois ans après les faits. Certes débutant, il a grandi à Courbevoie, où il est né en 1979 ; il connaît les coins et recoins de cette ville dont plusieurs ressortissants, en froid avec la loi, l'ont encouragé à devenir « baveux » (avocat). Les anomalies qui jalonnent le dossier lui donnent l'impression – peut-être fausse – que l'on a voulu cacher un crime.

« Un tabassage au commissariat, ça n'est pas si rare, diagnostique l'avocat. Le plus grave, c'est ce qui se passe après. Dire qu'une caméra est en panne alors qu'elle ne l'est pas, faire disparaître des radios, égarer le tee-shirt, la chemise et le pull de la victime, ce n'est pas digne de nos institutions, pas plus que cette façon de nettoyer le linge sale en famille pour ne pas fragiliser les policiers ! »

Nicolas Sarkozy, ministre de l'Intérieur, n'a-t-il pas annoncé qu'il n'y aurait pas de bavures tant qu'il serait en poste ? Et surtout pas dans les Hauts-de-Seine, son fief...

Yassine Bouzrou découvre les aléas de la vie d'avocat. Sans qu'il puisse établir un lien avec ce dossier sensible, il est cambriolé à trois reprises, et son véhicule saccagé plusieurs fois. « Si la justice dysfonctionne, on doit pouvoir en appeler aux élus de la République ! » dit-il. Il se tourne vers Christiane Taubira, député de la Guyane, ex-candidate à l'élection présidentielle (en 2002). Elle écrit à la garde des Sceaux, Rachida Dati, censée mettre un peu la pression sur le parquet de Nanterre.

Première affaire, affaire politique : vif pour deux, M\ :sup:`e` Bouzrou n'aurait pu rêver meilleure intronisation. Il a été à bonne école auprès de Jean-Yves Le Borgne, fin connaisseur des jeux judiciaro-médiatiques. Une entrée dans le métier par la grande porte.

Près de quatre ans se sont écoulés depuis les faits lorsque le dossier médical de Tandia refait magiquement surface. Le juge le trouve sur son bureau à son retour de congé, en septembre 2008, dans une enveloppe vierge de toute mention. L'arrivée d'un nouveau procureur, Philippe Courroye, promu par Nicolas Sarkozy, a-t-elle fourni l'occasion d'un petit ménage dans les murs du palais de justice de Nanterre ? S'il y a eu bavure, elle ne sera pas couverte, fait-on savoir à l'avocat, mais n'a-t-on pas déjà annihilé l'enquête ?

La radiographie retrouvée exclut la thèse du choc à la tête évoqué par les policiers : elle confirme l'absence de lésions internes. Yassine Bouzrou saisit la chambre de l'instruction de Versailles pour qu'elle supervise le travail du juge. S'entendre dire que Tandia est mort parce qu'il a arrêté de respirer ne le satisfait pas vraiment ! Soucieux de se montrer à la hauteur de ce premier dossier criminel, il y consacre près de 70 % de son temps.

Le procureur accorde à l'avocat de nouvelles auditions des fonctionnaires comme témoins assistés en septembre 2009. Pas très concluantes : les « trous de mémoire » s'agrandissent. La manifestation annuelle du comité de soutien n'arrange rien aux états dépressifs. Les gardiens de la paix, tous très jeunes au moment des faits, hormis le chef de poste, admettent mal cette image d'« assassins » qu'on veut leur coller. D'autant que le cas Tandia cohabite, dans le rapport d'Amnesty international, avec les bavures de policiers mexicains ou chinois...

Le troisième juge nommé concède une quatrième expertise médico-légale. Yassine Bouzrou joue serré : pas question, pour lui, de se laisser enfermer dans une case « anti-flics » qui limiterait son rayon d'action. Il fait attention aux mots. Il a attendu 2008 pour parler de « possible bavure ». Il communique peu, sauf lorsqu'il s'est agi de dénoncer la disparition du dossier médical. Obtenir le renvoi des fonctionnaires pour violences ayant entraîné la mort sans intention de la donner : tel est son objectif, finalement raisonnable au regard de celui du premier avocat désigné, qui avait maladroitement déposé plainte pour « tortures et actes de barbarie ». Il n'est cependant pas là pour « caresser les institutions dans le sens du poil », rappelle-t-il. Carré, ne craignant pas les foudres du fisc, contrairement à plusieurs de ses confrères, il se sent libre d'attaquer le ministère de l'Intérieur, les prisons, la Chancellerie. Et il ira jusqu'au bout.

Heureusement pour le jeune avocat, il n'y a pas que le cas Tandia. La « bavure de Montfermeil[1] », le « gang des barbares », Jean-Pierre Treiber, l'homme des forêts soupçonné de meurtres[2], dont il défend la femme et la fille, ont fait entrer le numéro de téléphone de Yassine Bouzrou dans les portables des journalistes de la presse judiciaire.

« C'est la clientèle qui nous fait », constate-t-il. Pas si simple, car il le reconnaît lui-même : la scène judiciaire est plutôt verrouillée, avec ces pénalistes forts de vingt-cinq à trente ans de « barre » dont les voyous se repassent les noms de génération en génération, et qui attirent les « belles instructions ». Sauf que, avec le temps, de nouveaux voyous émergent, qu'ils veulent marquer leur différence et imposent « leurs » avocats, jeunes de préférence, en espérant qu'ils leur consacreront plus de temps que les ténors.

« Nous sommes concurrents, mais je suis très respectueux des anciens, observe Yassine Bouzrou. J'ai des mentors qui me protègent. » Et une forte personnalité qui l'a conduit à opter pour le « cavalier seul » là où d'autres sont devenus collaborateurs, parce qu'à ses yeux

---

1. Deux policiers ont été reconnus coupables de violences lors d'une interpellation qui avait été filmée, en 2008.

2. Le garde-chasse s'est suicidé en 2010 avant d'être jugé pour l'assassinat de deux jeunes femmes.

« la défense est un exercice individuel, qui ne se partage pas ».

Encore faut-il une « bonne » adresse et, sur ce point, Yassine Bouzrou n'a pas lésiné : il a installé son premier quartier général sur l'avenue des Champs-Élysées, juste au-dessus du McDo, repère universel ! Un tout petit bureau, mais quel prestige ! Pour le reste, l'avocat assure ne pas « jouer le communautarisme », comme le lui permettraient ses origines : ses parents, berbères du Maroc, ont quitté Tiznit pour la France dans les années 1960. Il dit n'avoir jamais abusé de cette carte-là. Il ne s'est par ailleurs jamais posé la question de savoir s'il fallait parler aux journalistes : pour lui, communiquer est « naturel ». « On ne va pas se voiler la face, cette médiatisation fait une publicité énorme », admet-il. À condition de rester « prudent », précise-t-il.

La preuve par l'affaire Gasquet. Nous sommes en juin 2000. Enfant gâté du *team* Lagardère, le tennisman porte plainte contre une fille dont les baisers auraient entraîné un contrôle positif à la cocaïne. Richard Gasquet bénéficie de l'appui de l'un des meilleurs avocats de la place parisienne, Jean Veil, et d'un conseiller en communication recherché en la personne de Ramzi Khiroun. Un cas d'école qui fournit à Yassine Bouzrou l'occasion de se frotter aux professionnels des médias.

Le sportif sait pouvoir compter sur la bienveillance de plusieurs journaux, filiales du groupe Lagardère. Et ça marche à merveille : le classement sans suite de la plainte déposée par le champion contre la fille accusée d'empoisonnement est présenté par la presse comme une victoire pour... Gasquet !

« Avec l'affaire Tandia, j'ai compris l'impact de la com', commente l'avocat. Si je n'en parle pas à la presse, l'affaire est enterrée. Avec l'affaire Gasquet, j'ai mesuré l'influence que peuvent exercer certains puissants sur la vision journalistique. » Indice supplémentaire : la plainte en diffamation qu'il dépose après une double page parue dans *L'Équipe* sur le tennisman et la fameuse Pamela ne suscite pas l'appétit des médias. Elle finit malgré tout par être rendue publique sur deux sites, lepoint.fr et lepost.fr, BFM TV rebondit… et la presse étrangère embraie. Au passage, on découvre une jeune femme de trente ans qui, loin d'être la call-girl de luxe un peu trop rapidement dépeinte, est manager dans une chaîne de restaurants et gère plutôt bien sa carrière (elle retirera sa plainte).

À la manœuvre, le « redoutable » Jean Veil, inégalable dans son rôle d'homme de l'ombre, lui qui distribuera les rôles à l'heure du procès de Jacques Chirac, entre Jean-Yves Le Borgne et Georges Kiejman, après avoir réussi cette véritable prouesse : faire en sorte que le juge d'instruction de Nanterre, Jacques Gazeaux, se déplace au domicile de l'ancien président de la République pour lui signifier sa mise en examen pour prise illégale d'intérêts en décembre 2009.

Entre-temps, Yassine Bouzrou aura changé d'adresse. Il a installé son cabinet place Saint-Michel, dans un immeuble où il croise facilement l'un de ses modèles, Thierry Herzog. Il s'est rapproché du Palais de Justice, et ses locaux ressemblent davantage à ceux d'une entreprise. Il a également tenu pendant deux ans une chronique hebdomadaire consacrée au droit pénal sur Radio Génération, ce qui a eu l'avantage de faire tourner son nom en boucle dans les prisons et d'inspirer un rappeur : « Si t'es dans le trou, t'appelles Bouzrou ! » Et un autre : « On fait un coup, et on se paie Bouzrou… »

Passant de « la plus belle avenue du monde » à la place Saint-Michel, l'avocat a abandonné cette Porsche 911 dont le vrombissement si particulier alertait l'oreille des détenus quand il arrivait aux abords de la Santé, cette prison qui a toujours fait partie de son décor, tout comme les mandats de dépôt et les joyeusetés qui bercent l'adolescence des jeunes des cités. Il a endossé sans ciller son nouveau costume, lui qui n'a jamais imité l'accent banlieue, ne porte pas la casquette à l'envers et conserve avec ses clients une distance toute professionnelle. Une consigne encore héritée de ses formateurs qui disaient à l'unisson : « Ne copine jamais, garde toujours tes distances tout en restant courtois et poli. » Ce qui n'empêche pas les dédicaces, à l'instar de celle de ce rappeur manouche rendant hommage, au fil d'une chanson, à « l'avocaillera de Courbiche », délicieux cocktail verbal à base d'avocat, de racaille et de Courbevoie... Mieux qu'un spot publicitaire à la télé !

Chapitre 19

Secrets sanitaires

Henri Leclerc en tenue de combat

S'il est un avocat « politique », c'est bien Henri Leclerc. Si ce fidèle de Michel Rocard a accepté de défendre l'ancien Premier ministre Dominique de Villepin dans l'affaire Clearstream, c'est parce qu'il trouvait « scandaleuse l'attitude de Nicolas Sarkozy » dans cette histoire. « Dire que l'on va accrocher son ennemi à un croc de boucher quand on est président de la République, et donc président du Conseil supérieur de la magistrature, ce n'est pas acceptable[1] ! » tranche-t-il.

Le métier d'avocat, à ses yeux, a toujours été un « combat ». Combat contre la répression policière en Guadeloupe, au milieu des années 1960, lorsqu'il contribue à ce que soit posée la question de la décolonisation devant une Cour de sûreté de l'État. Combat lorsque, dans le sillage de Mai 68, il défend les fondateurs de *La Cause du peuple*, mais aussi Alain Geismar ou Dany Cohn-Bendit. Combat

---

1. La phrase a été rapportée par Alain Genestar, ex-patron du *Journal du Dimanche*, qui participait à Deauville au dîner autour de Nicolas Sarkozy au cours duquel elle fut prononcée. Mais visait-elle explicitement Dominique de Villepin ?

pour la liberté de la presse lorsque, en 1973, il défend le quotidien *Libération*, poursuivi pour « atteintes aux mœurs » par le procureur général de Paris. Combat écolo avant l'heure lorsqu'il défend la CFDT après le naufrage de l'*Amoco Cadiz*, un pétrolier géant, au large des côtes bretonnes en mars 1978...

Issu d'une famille « engagée » à gauche, Henri Leclerc est surpris de voir un jour son père revenir à la maison dans une colère noire parce qu'on n'a pas laissé Laval se défendre. Laval ? L'abominable Pierre Laval ? L'homme qui a pactisé avec l'occupant allemand ? En guise d'explication, le père offre à son fils un livre d'Albert Naud, résistant et grand avocat, dans lequel celui-ci évoque en effet l'« exécution sommaire » de Laval, à qui l'on n'a même pas laissé l'occasion de se défendre.

Quelques années plus tard, en 1957, Henri Leclerc entre au cabinet de ce Mᵉ Naud, « homme de droite très attachant, premier combattant contre la peine de mort ». Des pêcheurs bretons aux mineurs de fond, des paysans ouvriers à Dominique de Villepin, il fait écho à la colère de son père, probablement avec plus d'efficacité, juge-t-il aujourd'hui, que s'il avait opté pour la filière député-ministre. La preuve : on a voulu plusieurs fois lui faire la peau en vrai, par exemple lorsqu'il défendit Richard Roman, accusé (avec Didier Gentil) du viol et du meurtre d'une fillette de sept ans (et finalement acquitté). « La défense des individus au pénal permet d'agir sur le cours des choses, affirme-t-il. La justice est au cœur de la vie sociale. Un avocat qui tient une position ferme peut être entendu par l'opinion publique. »

Parfois, c'est assez dur – Henri Leclerc en fait l'expérience lorsqu'il assure la défense du professeur Fernand Dray, chargé à l'Institut Pasteur d'extraire la fameuse hormone de croissance. Le dénouement judiciaire de l'affaire est récent, puisque le dernier arrêt a été rendu en 2010, mais les faits, eux, remontent à 1985. Des enfants ont été soignés avec une hormone censée traiter le nanisme, sous la houlette d'un grand pédiatre des hôpitaux de Paris. Sauf que les glandes hypophyses dans lesquelles était prélevée cette hormone étaient collectées dans la morgue des hôpitaux dans des conditions pas vraiment optimales, explique le professeur à l'avocat en 1993. Et que l'on signale aux États-Unis que plusieurs enfants « soignés » avec cette hormone seraient morts dans d'atroces souffrances de la maladie de Creutzfeldt-Jakob...

L'incubation étant assez longue, des cas pourraient bien surgir en France, parce qu'on a négligé un détail, faute d'en savoir assez long sur cet agent plus petit qu'un virus, le « prion ». Un professeur américain s'en est attribué la découverte, mais les scientifiques se sont moqués de lui avant qu'il ne reçoive le prix Nobel... En attendant, le professeur est d'autant plus inquiet que de nombreux pédiatres auraient administré cette hormone non seulement aux enfants souffrant de nanisme avéré, mais aussi à d'autres qui risquaient juste d'être un peu petits...

Le professeur fabriquait la poudre, qu'il livrait à la pharmacie des hôpitaux, laquelle la transformait et la conditionnait en médicament injectable : il est donc l'un des premiers à se retrouver mis en examen par la juge Marie-Odile Bertella-Geffroy, la spécialiste des affaires de santé. Les premières expertises sont en effet calamiteuses pour le client de Mᵉ Leclerc, qui redoute le déchaînement des parties civiles. Il veut tout savoir, et demande d'ailleurs toujours la vérité au client ; s'il ne parvient pas à le convaincre, il le met en garde et, le cas échéant, lui conseille de se présenter en coupable. Fernand Dray n'est pas un client facile, tant il a l'air sûr de lui. « Quand je le comprenais, il était content, se souvient l'avocat. J'ai vite considéré qu'il avait raison, mais la science n'a aucun intérêt, si elle ne s'articule pas au droit. »

Le procès s'ouvre au mois de janvier 2008 dans un espace aménagé au beau milieu de la salle des Pas perdus, au Palais de Justice de Paris, afin de pouvoir accueillir les familles des cent dix-neuf victimes répertoriées. Le professeur Dray et l'Institut Pasteur font citer le fameux chercheur américain qui a isolé le prion ; les parties civiles répliquent en appelant à la barre le professeur Luc Montagnier qui, dès 1980, avait averti des risques théoriques liés à l'usage de cette hormone.

Dans la peau du puissant qu'il faut condamner, le professeur Dray est « très bon » lorsqu'il éclate (enfin) en sanglots en évoquant son fameux test. « Oui, je regrette, lâche-t-il. Oui, je n'aurais pas dû... »

« Peut-on poursuivre quelqu'un sur la base d'une information qu'il n'avait pas ? interroge Henri Leclerc. Pourquoi le professeur Dray aurait-il cru ce que racontait ce chercheur américain dont tout le monde se moquait ? Dès que les premiers cas ont été connus, il a fait le nécessaire pour tuer le prion. Il n'est pour rien dans le fait que la pharmacie des hôpitaux a continué à écouler le stock antérieur. Tout a été fait avec l'accord de l'Institut Pasteur. »

Sur les bancs des parties civiles, les familles ont besoin de mettre un visage sur leur douleur, et Fernand Dray tombe à pic. Lorsque, dans la salle des Criées, le tribunal annonce ne pas retenir la faute pénale, mais simplement une faute civile, c'est un « drame épouvantable », se souvient Henri Leclerc. Les injures fusent, et le parquet fait appel.

Pour le deuxième procès, Fernand Dray, quatre-vingt-huit ans, est bien seul : le directeur de la pharmacie des hôpitaux est décédé, de même que l'ancien responsable de l'association France-Hypophyse. À nouveau, Me Leclerc tente de lutter contre cette atmosphère dramatique qui semble conditionner les magistrats. Il essaie de les convaincre de « ne pas céder au populisme », leur répète que leur décision n'est pas faite pour panser les blessures...

Le parquet requiert contre Dray une peine de prison avec sursis qui réconforte brièvement les familles. Brièvement, car le jugement décide d'une nouvelle et complète relaxe en attendant le pourvoi en cassation...

Drôle de combat, mené contre l'opinion et sans le soutien de cette presse qui aura maintes fois volé au secours de ses causes. « Même durant l'audience, je n'ai pas convaincu la presse, reconnaît Henri Leclerc, tant l'horreur était l'élément médiatique central. Certains me reprochent de ne pas communiquer, mais, dans la plupart des affaires, j'ai gagné en laissant la presse se convaincre elle-même... »

Plus facile, évidemment, quand on défend des victimes de la répression policière plutôt qu'un professeur qui n'a pas vu venir les découvertes scientifiques avec dix ans d'avance, mais Leclerc est de cette époque où les journalistes menaient de véritables contre-enquêtes, et le « combat médiatique », il l'avoue, ne présente pas grand intérêt à ses yeux. Il l'a encore montré dans sa gestion des affaires DSK : hormis quelques communiqués et une conférence de presse calibrée, motus !

Jean-Paul Teissonnière, Robin des Bois de l'amiante

S'il y a un Robin des Bois de l'amiante, c'est bien lui ! Jean-Paul Teissonnière bataille pour prendre de l'argent aux entreprises et le transférer dans la poche des ouvriers victimes des poussières cancérigènes. Plus il en prend, mieux les familles sont indemnisées. Avec Sylvie Topaloff, son associée, une quarantaine de personnes autour d'eux et un cabinet secondaire à Marseille, ils ne font que ça. « Mais vous êtes dingues, vos dossiers sont prescrits ! » les ont mis en garde leurs confrères quand ils se sont lancés dans cette folle entreprise. Ils ne les ont pas écoutés.

Passé par le Parti communiste, devenu avocat en Seine-Saint-Denis à l'orée des années 1970 avec pour première spécialité les prud'hommes et la défense des locataires,

Jean-Paul Teissonnière, originaire de Perpignan, a toujours eu le sens du collectif. C'est à la faveur de son engagement auprès des comités d'entreprise, dont celui de la société Eternit, qu'il rencontre l'amiante au milieu des années 1990 : « On imaginait 100 000 morts entre 1994 et 2025, et des milliers de malades », se souvient l'avocat. Une catastrophe industrielle invisible et silencieuse, jusqu'à ce qu'il ait l'idée, avec ses collaborateurs, de bousculer ou plutôt de révolutionner la jurisprudence.

Me Teissonnière déniche une loi de 1898 qui prévoit une réparation complète en cas de « faute inexcusable », mais les conditions semblent quasi impossibles à réunir, sauf à démontrer que l'employeur est un assassin. Les spécialistes ne l'encouragent toujours pas, mais l'avocat propose à l'association des victimes une solution mêlant l'audace et le sens de la communication (il a voulu être journaliste). « Le seul moyen de s'en sortir, leur dit-il, c'est de saturer les tribunaux de procédures en s'appuyant sur les médias. Les magistrats finiront bien par prendre conscience de l'enjeu, et tordront ce droit archaïque. Si l'on se contentait d'appliquer la jurisprudence de 1941, il faudrait que des gens malades, mourants, reçoivent les huissiers pour constater leur état de santé ! »

Côté médias, il y a aussi du chemin à faire ! En 2000, alors que des escarmouches s'organisent au niveau local, les avocats peinent à faire diffuser l'information à l'échelon national. Cent drames épars ne font pas une catastrophe digne de la une. *La Provence* évoque bien une assemblée générale de deux cents personnes, mais on en reste là.

« On achoppe sur la distance vis-à-vis d'une classe ouvrière qui n'est plus d'actualité », observe Teissonnière, marqué par la descente aux enfers de cette femme de cinquante ans à peine, assistante maternelle, contaminée pour avoir lavé les « bleus » de travail de son mari, employé chez Eternit. Par quel artifice établir un lien juridique entre l'usine et cette maladie, alors que la victime n'en était pas salariée ?

« Quand je ne serai plus là, vous lui direz qu'il y a une chose que je ne regrette pas : c'est de l'avoir épousé », glisse la mourante à l'oreille de l'avocat qui prépare un petit discours pour l'enterrement, le 23 juillet 2000, dans une petite église bourguignonne. Il s'attend à trouver une assemblée clairsemée, mais le village a fermé boutiques et presque tous les habitants se sont déplacés. L'événement marque sur le plan local, mais ne passe pas les frontières du village, constate Teissonnière qui sait que, tant qu'il n'aura pas sa « cause nationale », les 100 000 morts resteront invisibles, hormis au cimetière.

À Thiant, dans le Nord, siège de l'une des usines Eternit, il faut aussi vaincre les réticences des victimes elles-mêmes. Les premières à se manifester le font presque clandestinement, tant la pression locale est forte. Quand cela se sait, on dénombre plusieurs agressions, des pneus crevés, parce que dans cette petite ville « Eternit a donné du travail à nos parents ! » Dix ans plus tard, lors des réunions de l'association, les habitants apporteront des gerbes de fleurs aux avocats...

Côté judiciaire, « on est dans l'expérimentation ». « Vous êtes irresponsable ! » lance un magistrat de Cherbourg avant de donner raison à l'association et à ses avocats pour des motifs humains plus que techniques : son propre père est mort entre-temps de l'amiante.

Les dossiers s'accumulent, comme prévu, à la Cour de cassation, et déjà quelques indemnisations substantielles sont accordées à des gens plongés dans un grand dénuement matériel. Quelques hauts magistrats prennent la responsabilité de revoir les règles du jeu en s'inspirant de ce que firent leurs ancêtres, dans les années 1930, avec les accidents de transport : l'employeur a commis une « faute inexcusable » dans la mesure où il n'a pas « transporté » son salarié sain et sauf, tranchent-ils le 28 février

2002. Trente ouvriers malades bénéficient alors de cet arrêt « révolutionnaire ».

Pour nourrir la réflexion des juges, Mes Teissonnière et Topaloff fouillent les archives. Pendant « des milliers d'heures », ils épluchent les rapports des inspections du travail de la première moitié du XXe siècle. Retrouvent trace de morts de l'amiante dès 1893. Passent au crible le droit romain jusqu'à découvrir le moyen de contourner la prescription : elle ne court pas pour quelqu'un qui ne connaît pas ses droits. Dans Pline l'Ancien, ils dénichent une référence, remontant à 50 ans avant Jésus-Christ, où il est question d'esclaves malades pour avoir trop côtoyé cette roche qui fera les beaux jours de l'aventure industrielle moderne : on n'a rien trouvé de mieux jusque-là que l'amiante pour limiter les déperditions d'énergie.

Les deux avocats sont bien les seuls à y croire, avec quelques chercheurs de la faculté de Jussieu et le toxicologue Henri Pézerat, qui a vainement bataillé contre l'amiante dès les années 1970 et dispose sur le sujet d'une documentation inestimable. La perte en espérance de vie serait d'un an pour trois ans d'exposition.

Pour compliquer la tâche, la maladie peut se révéler quarante ans après l'exposition, ce qui oblige non seulement à rechercher une entreprise parfois disparue, mais aussi à recréer les conditions de travail de l'époque.

« Faites-nous confiance, répètent Teissonnière et Topaloff (elle aussi issue de la génération 68) aux familles, le plus souvent sans revenus, qui leur font face. Vous nous paierez si on gagne. » Pendant deux ans, sans percevoir d'honoraires, ils s'acharnent, jusqu'au jour où les cours d'appel commencent à céder l'une après l'autre, bientôt suivies par la Cour de cassation elle-même. À ce stade, ils peuvent se prévaloir de porter plus de 15 000 dossiers, pour la plupart d'anciens ouvriers de la métallurgie, de la sidérurgie ou des constructions navales.

« La difficulté, raconte l'avocat, a été de jouer collectif, de déposer quarante dossiers en même temps, d'aller au tribunal avec les familles et les caméras de France 3. Les procès sont de grands moments de visibilité. »

Les télés sont là lorsque Teissonnière plaide ses premiers cas devant les tribunaux de la Sécurité sociale, habitués à expédier les dossiers en dix minutes. Ils ronronnaient ? Les voici sommés de dépoussiérer leurs étagères et le reste ! Autrefois, un accident du travail mortel coûtait moins cher à l'entreprise qu'un accident non mortel ! L'avocat prétend que le préjudice personnel subi par la personne décédée doit tomber dans la succession. Il ne se veut pas le porte-parole d'un hypothétique Parti des travailleurs, il a juste versé dans le social en Mai 68. Pour lui, l'amiante, c'est Hiroshima. Et le droit, un « objet malléable ».

L'affaire du sang contaminé est passée par là. Elle a fixé à un niveau élevé le montant des indemnisations. En se calant sur ces barèmes, l'avocat obtient 150 000 euros pour un sous-marinier empoisonné par les poussières en suspension dans l'habitacle confiné de son vaisseau. Alors que des centaines de dossiers affluent, le fonds d'indemnisation des victimes d'infractions pénales se met en cessation de paiement, incitant le législateur à créer un fonds dédié aux victimes de l'amiante.

En face, le lobby industriel ne reste pas inactif, mais l'avocat de l'Union des industries et des métiers de la métallurgie (UIMM), Philippe Plichon, comprend que le vent change de cap. Il se retourne contre la Sécurité sociale dans l'espoir de mutualiser les frais. Parce que c'est là que Teissonnière et son cabinet ont décidé de porter le fer : sur le terrain de l'argent, qui touche davantage les patrons que celui des responsabilités. Voici d'ailleurs qu'ils déterrent une nouvelle hache de guerre, celle du « préjudice d'anxiété » dont sont victimes les malades. « Ce qu'il faut sanctionner, plaide l'avocat, c'est la mise en danger. Le dommage apparaît trop tard. » Premier résultat concret : le tribunal a condamné la société Alsthom à verser 10 000 euros pour « préjudice d'anxiété » aux 200 ouvriers mobilisés pour démolir, sans aucune protection, un four à l'amiante. Ce qui devrait permettre aux ouvriers irradiés après une « fuite » nucléaire de ne pas attendre pour réclamer leur dû...

En matière de droit du travail, l'amende maximale qui puisse être prononcée est de 75 000 euros, alors qu'elle est de plusieurs centaines de milliers d'euros en matière de droit de la concurrence. Une anomalie aux yeux de Jean-Paul Teissonnière, qui rêve que « les atteintes à la santé du salarié soient comparables aux atteintes à la liberté du commerce ». « On a affaire à des gens qui ont menti et se sont énormément enrichis », plaide-t-il.

Prochaine étape : les quelque 150 000 personnes irradiées par les essais nucléaires français depuis 1960. Deux associations d'anciens appelés du contingent en Algérie et en Polynésie se sont montées. Lieu de la bataille à venir : les tribunaux de la Sécurité sociale et ceux des Pensions militaires. Cible : l'État et le Commissariat à l'énergie atomique, un État dans l'État, raconte l'avocat, tournant le dos à la fenêtre de son bureau d'où l'on aperçoit celles de la Cour de cassation, sur l'autre rive de la Seine. Avant d'évoquer l'une de ses fiertés : avoir fait revenir le *Clemenceau* de l'océan Indien grâce à un arrêt du Conseil d'État, alors qu'il était promis à une démolition dans des conditions « épouvantables » sur une plage indienne, sachant que le vieux navire était truffé d'amiante pour lutter contre la propagation des incendies à bord...

Pas une semaine sans que Jean-Paul Teissonnière **ou** l'un de ses associés participe à une assemblée de victimes, de celles du distilbène (une hormone longtemps administrée aux femmes enceintes) à celles du nucléaire. Le mouvement social prend des coups ; lui, il remporte des batailles spectaculaires, parce que « la maladie et la mort ne font plus partie du contrat de travail ». Ultime satisfaction au-delà des procès gagnés : que le débat pénètre au Parlement et qu'on l'invite à donner son avis à l'heure d'élaborer de nouvelles lois, avant d'aller partager son expérience avec les confrères indiens ou chinois, dont les pays ne peuvent manquer de connaître quelques grandes catastrophes industrielles dans les temps à venir.

PIERRE-OLIVIER SUR,
L'ESCRIMEUR ET L'« EMPOISONNEUR »

« Les meilleurs escrimeurs ne racontent que leurs combats perdus, pour mieux se préparer au suivant », assure Pierre-Olivier Sur, qui a une certaine pratique de ce sport. Le combat perdu, en l'occurrence, est cette condamnation à deux ans de prison ferme infligée au professeur Jean-Pierre Allain en 1993. Pouvait-il espérer meilleure issue dans cette affaire du sang contaminé qui fut le premier grand dossier de santé publique jamais instruit en France, avant la « vache folle », le nanisme hypophysaire ou le scandale de l'amiante ?

« Nul n'a été épargné, pas davantage les politiques que les médecins prescripteurs », insiste l'avocat, qui rappelle cette circonstance forcément aggravante : le sang porteur du sida a notamment été injecté dans les veines d'enfants souffrant d'hémophilie.

« On était en pleine dérive, en plein lynchage, poursuit Pierre-Olivier Sur. On était dans cette phase où le juge devait se saisir de tout : de la santé aux catastrophes en passant par l'argent et la pédophilie, une époque qui a vu le pénal sortir de son lit et tout emporter ! Aujourd'hui, le professeur aurait été relaxé, parce que son acte n'avait aucun caractère intentionnel. »

Le procès en appel se déroule en plein mois de juillet 1993, et le rôle des dizaines de malades en train de mourir porte jusqu'à cette salle d'audience aménagée là encore pour l'occasion. Sans compter une paranoïa diffuse dénonçant ces moustiques qui rôdent au-dessus des têtes et pourraient bien propager le virus... L'avocat reçoit à son cabinet, par la poste, de petits cercueils accompagnés de seringues. Il a soudain la désagréable impression de défendre le sinistre docteur Mengele, qui mit jadis sa science au service des nazis...

Jean-Pierre Allain a « donné de sa vie aux hémophiles », plaide Pierre-Olivier Sur. Il a « sacrifié sa famille » pour créer un centre d'hébergement, leur apprendre les gestes qui sauvent. Il est monté avec eux au sommet du Mont-Blanc pour planter le drapeau de l'association. Le Samaritain est devenu « l'Empoisonneur », parce que les produits utilisés, non chauffés, se sont révélés potentiellement porteurs du virus. Il en a bien eu l'intuition, avant de le constater scientifiquement, suggérant même à un jeune malade qu'il avait pris en charge chez lui de ne plus utiliser que des produits chauffés... Et, comme le rappelle à la barre le professeur Jean Bernard : « Avant de savoir, on ne sait pas. »

Une plaidoirie à l'envers, constate vingt ans plus tard l'avocat. Présenter son client comme un saint homme ne pouvait avoir d'impact dans cette salle acquise aux victimes, et surtout pas sur les journalistes, « pires que des procureurs ». « L'histoire aurait pu être magnifique, sauf que Jean-Pierre Allain est tombé, et le système avec », résume Mᵉ Sur.

Quand le tribunal confirme la sentence, le président demande le mandat de dépôt à la barre. Le professeur tend à son avocat ses clefs de voiture, tandis que deux gendarmes s'apprêtent à l'emmener et qu'une goutte de sueur perle à son front. Plus tard, au parloir de la prison de Fresnes, il confiera à son défenseur : « J'ai donné vingt ans de ma vie aux gosses hémophiles. Ils sont en train de mourir. Si, en donnant deux ans de ma vie, je peux assouvir un désir de vengeance, si je peux les apaiser... »

Depuis, la Cour de cassation a modifié la jurisprudence, « sinon tous les médecins allaient tomber pour empoisonnement », esquive l'escrimeur du droit qui assure avoir été « plus fort » dans tous les dossiers qui ont suivi, quand « le pénal s'est mis en tête de tout éradiquer ». D'attaque pour affronter les grands dossiers politico-financiers et faire en sorte qu'ils accouchent le plus souvent possible d'une souris...

Quand Pierre-Olivier Sur, fils d'avocat, débarque sur le marché du pénal au milieu des années 1980, « Jean-Louis Pelletier dominait, se souvient-il. Les avocats de la drogue affichaient une réussite arrogante. Pierre Haïk circulait en Jaguar, et Thierry Herzog en Mercedes blindée. Olivier Metzner plaidait mal, mais a eu tous les honneurs de la presse après avoir obtenu l'annulation d'un dossier et la libération d'un gang de voyous. Hervé Temime, lui, avait les mains dans le cambouis... » Me Sur se glisse dans la roue du pénaliste Olivier Schnerb et va tous les samedis matin en prison, *boosté* par la casaque « Conférence du stage » dont il est douzième secrétaire (comme Philippe Lemaire). Schnerb passe lui aussi pour un novateur en matière de nullités, Sur est à bonne école. Lemaire lui offre un rôle dans une des premières grandes affaires d'escroquerie, et Sur a droit à son tour à un « papier » dans *Libération*, en même temps qu'il tape dans l'œil d'un des trois magistrats, qui le fera entrer plus tard dans l'affaire du sang contaminé. C'est l'époque où Herzog écarte les avocats d'affaires pour prendre en main la défense du maire de Paris, Jean Tibéri, traité par la justice comme seuls l'étaient jusque-là les voyous. Me Sur intègre le petit groupe de pénalistes qui prennent la vague et voient leur chiffre d'affaires exploser en alignant leurs honoraires sur ceux des cabinets d'affaires.

La vue du portique de la prison donne des boutons à nombre de ses anciens condisciples de Sciences-Po devenus avocats, mais il ne fait pas peur à Me Sur. Il connaît les codes des juges d'instruction, « une race à part », des gens à qui il ne sert à rien d'offrir des boîtes de chocolats, comme font certains avocats d'affaires. Il connaît les greffières et sait la part de ce qui se décide entre deux portes. Le Pôle financier du Palais de Justice de Paris monte en puissance ; s'y déversent des dizaines d'abus de biens sociaux en pleine germination. L'avocat est dans l'ascenseur. Il voit les « grands juges » grossir, enfler, certains d'entre eux exploser en plein vol. Il est aux premières loges quand Bernard Tapie, à qui le fameux « Pôle » doit une partie de son existence, renverse le cours des choses avant de « partir avec le chèque ». Un retournement spectaculaire que Mᵉ Sur aurait rêvé d'offrir au professeur Allain dans l'affaire du sang contaminé, mais c'était une autre époque...

Aujourd'hui à la tête d'un cabinet qui a pignon sur rue boulevard Malesherbes, à Paris, volontaire pour le bâtonnat – ce qui lui permettrait de représenter la profession aux yeux des pouvoirs publics –, Pierre Olivier-Sur est sur tous les fronts. Il est auprès de la veuve de Yasser Arafat qui veut savoir si son mari n'a pas été empoisonné, ce qui lui vaut les réprimandes de quelques confrères juifs ; il est derrière le propriétaire de *La Voile Rouge*, le célèbre bar de plage de Saint-Tropez, fermé sur décision de justice – et, avec lui, enterrées les années filles-et-champagne. Il se souvient comme si c'était hier de cette phrase prononcée pendant le procès Elf par « Dédé la Sardine », le truculent André Guelfi, quatre-vingt-cinq ans, et nettement plus enjoué que le pauvre professeur Allain : « Monsieur le Président, ma grand-mère est morte à cent douze ans parce qu'elle est tombée de son mulet, et comme je ne monte jamais sur un mulet... »

Ultime pied de nez d'un homme d'affaires surgi d'un autre temps, à la veille de se faire piéger par une caméra en train de boire la bouteille de vin la plus chère, à Roland-Garros, après s'être fait porter pâle lors du procès... Mais Pierre-Olivier Sur n'avait pas encore tout vu. Le procès Elf terminé, révèle-t-il, un autre homme d'affaires, Jeffrey Steiner, pièce rapportée au dossier, invitera tous les avocats à la Maison du Caviar, non loin des Champs-Élysées, où, dans un salon privé, il allumera un énorme joint en disant : « Et il est où, le président Desplan [qui présidait les audiences] ? Il est en train de se faire une pizza Pino ? »

Chapitre 20

Secrets d'héritiers

JÉRÉMIE ASSOUS, DES O.S. DE LA TÉLÉRÉALITÉ
AU GROUPE DE TARNAC

Qu'est-ce que le travail ? Qu'est-ce que l'exploitation du travail d'autrui ? Qu'est-ce qu'un prolétaire ?... Voilà quelques-unes des questions philosophiques que brasse Me Jérémie Assous, encore trentenaire lorsqu'il défend, dans les médias et devant les tribunaux, des « acteurs » de seconde zone de la téléréalité à la française qui s'estiment lésés par les producteurs.

À l'affût des bruissements du monde contemporain, Julien Coupat et son amie Yldune Lévy ne ratent pas une miette de ce débat qui attise leur insatiable curiosité de militants. C'est ainsi, avec la distance nécessaire de jeunes gens qui ont décidé de planter leur campement politique dans l'épicerie du village de Tarnac, qu'ils entendent pour la première fois parler de celui qu'ils vont bientôt désigner pour les défendre, après que le patron de la SNCF eut grimpé aux rideaux de la République pour se plaindre des retards infligés à ses TGV par d'anonymes saboteurs. Après, surtout, qu'une ministre de l'Intérieur soucieuse de son image de surveillante générale, Michèle Alliot-Marie, eut maladroitement demandé à la toute neuve Direction centrale du renseignement intérieur (DCRI), fruit pas encore mûr de la fusion de la DST avec les RG, d'accélérer, au risque de la bâcler, l'enquête sur ce petit groupe « ultra-gauchiste » qu'elle piste depuis plusieurs mois…

La stratégie de défense que leur proposent leurs premiers avocats ne leur convenant pas, Julien Coupat et Yldune Lévy démarchent les grands avocats de la capitale. C'est ainsi qu'ils débarquent dans le bureau de Thierry Lévy, lequel cite tout naturellement le nom de Jérémie Assous, ce « fils spirituel » qu'il sait capable de se plonger plusieurs semaines d'affilée dans un dossier, ce qui devrait se révéler encore un peu juste pour digérer les 65 tomes de l'« affaire de Tarnac », appellation consacrée par les médias.

Assous, l'avocat des rescapés de la téléréalité ? Pourquoi pas ? Une seule rencontre suffit pour que dix des mis en examen désignent Lévy et Assous pour assurer leur défense – Yldune, elle, reste fidèle à Me William Bourdon. Ils contestent l'intégralité des charges qui pèsent sur eux : pas question, donc, de revendiquer quoi que ce soit. Aucun d'entre eux n'a évidemment les moyens de se payer les milliers d'heures de travail qui se profilent, mais ces clients « agréables, intelligents et d'une correction absolue », selon les mots de Jérémie Assous, se proposent de s'y coller eux-mêmes. Puisqu'il leur est interdit de se rencontrer, ils viendront l'un après l'autre éplucher le dossier au cabinet. Ne sont-ils pas les mieux placés pour détecter ce qui tient et ce qui ne vaut rien ?

Grands lecteurs, ils sont servis, et c'est sur la base d'une « absolue confiance » qu'ils passent avec Jérémie Assous des nuits moins philosophiques qu'ils ne l'auraient sans doute souhaité, mais épouvantablement juridiques. Avec un objectif commun : démonter les méthodes de l'antiterrorisme qui, pour se défendre, noie les accusés sous des tonnes de documents.

Le dossier est ultra-médiatique et Me Assous, qui tient Thierry Lévy pour un avocat « intelligent, distingué, serviable et indépendant », croit savoir pourquoi : une partie des journalistes, les plus anciens, marqués par les dérives terroristes des années 1970, s'identifient à ces jeunes Blancs issus pour la plupart des classes moyennes, plus facilement en tout cas qu'ils ne pourraient s'identifier à des barbus islamistes. Avec les « fous de Dieu », quand la police dit qu'il s'agit de « terroristes », la presse relaie les yeux fermés ; avec ceux de Tarnac, c'est une tout autre histoire. Les médias sont même prêts à offrir à Julien Coupat la possibilité de s'exprimer dans le journal de 20 heures, mais le jeune homme ne mange pas de ce pain-là. Il ne cherche pas à se mettre en scène, mais à transformer son procès en procès de la DCRI, et les journalistes bientôt en redemandent. Ce service n'est-il pas présenté comme le chef-d'œuvre policier de Nicolas Sarkozy, qui en a confié la direction à un flic de confiance, l'ancien numéro deux des RG, Bernard Squarcini ?

La DCRI laisse entendre que ces apprentis « terroristes » avaient des liens au-delà des frontières ? « Ils n'ont rien, pas une photo », martèle l'avocat. La source des services de renseignement, un écolo anglais infiltré ? Il raconte des sornettes. Le dossier lui-même, plaident Mᵉ Assous et ses clients, n'a surgi que pour justifier l'existence de ce nouveau service. « Ils ont été écoutés, suivis jour et nuit depuis avril 2008, sans qu'aucune infraction ait été relevée ! s'exclame l'avocat. Les syndicats de la SNCF étaient au bord de la grève, la ministre de l'Intérieur allait être remerciée, alors la Super-Police a sorti ces coupables ! »

La DCRI et le juge d'instruction ne s'attendaient certainement pas à pareille contre-attaque. Les magistrats du Pôle financier ont l'habitude de voir une armée d'experts éplucher leurs dossiers, pas ceux de l'antiterrorisme. Coupat et ses « complices », accusés d'avoir retardé des trains avec des fers à béton, se sont consacrés à plein temps, pendant plus de six mois, à détecter les faiblesses juridiques, fragiliser l'accusation et retourner l'opinion.

Jérémie Assous en fait-il trop ? « Il n'y a pas de dossier plus important que les autres, assure l'avocat. Toute affaire est obsédante, même une affaire de copropriété. » Tous les clients ne parlent pas littérature avec leur avocat, tel Julien Coupat qui lui recommande des livres, comme d'autres de bons restaurants. Mais tous les avocats n'ont pas passé leur bac en candidat libre à Tübingen, la ville où étudia Hegel, en fréquentant une bibliothèque ouverte nuit et jour...

Après avoir épluché les 25 000 pages du dossier, l'équipe déniche, entre deux expertises techniques sans intérêt, le procès-verbal socle, celui sur lequel repose l'accusation vantée par Michèle Alliot-Marie en personne. Il y est question des déplacements nocturnes de Julien Coupat et de son amie à proximité de lieux où des trains ont été mis en carafe. L'avocat et le père du jeune homme refont les trajets, chronomètre en main. Conclusion provisoire : ni les suiveurs ni les suivis ne pouvaient être sur les lieux aux heures mentionnées dans le procès-verbal. Assous retente l'expérience en *live* avec un journaliste d'Europe 1 et une équipe de TF1, et le verdict est le même : à allure normale, difficile de parcourir les 31 kilomètres en dix minutes. Sans respecter les limitations de vitesse, sur une route fermée à la circulation, ils mettront même trente-deux minutes le jour de la reconstitution officielle...

L'avocat demande au juge de questionner les vingt policiers présents sur le terrain à bord de douze véhicules. Les fonctionnaires mettent neuf mois pour répondre et justifier leur emploi du temps : des réponses partielles qui permettent à Jérémie Assous de jeter le doute sur le fameux PV n° 104, arguant du fait qu'un procès-verbal fait foi « à condition qu'il soit rédigé par un officier de police et qu'il retranscrive des faits dont lui-même a été le témoin direct ». Or le fonctionnaire qui a apposé sa signature ne pouvait être présent à tous les endroits en même temps...

« S'il n'y a pas de PV n° 104, le dossier s'écroule », se réjouit l'avocat, qui assure que le lien entre les quatre sabotages répertoriés et les jeunes de Tarnac n'a pas été établi.

« À force de contrer nos arguments, ils se sont enfermés, poursuit-il. Quand on ment, il faut avoir une excellente mémoire ! Ils auraient été vingt policiers postés aux points de passage obligés, équipés d'intensificateurs de lumière, et n'auraient pas vu quelqu'un escalader les grillages avec un fer à béton et des perches ? À cet endroit, on peut voir quelqu'un à 800 mètres, et personne ne les a vus ? Je veux bien que ces policiers soient aveugles, mais ils ne peuvent pas tous être sourds ! C'est un dossier fabriqué. On a fait de mes clients un groupe uni, solidaire, ne parlant que d'une seule voix, mais ça non plus ne repose sur aucun élément factuel. »

Relayée par la presse, la DCRI riposte en sortant de nouvelles cartouches, mais l'avocat tient bon... L'école Thierry Lévy, sans doute, pénétrée de cette idée propre à la culture juive qu'il ne faut pas prendre forcément pour incontestables les dogmes de la majorité, mais considérer que si l'on veut, on peut. Quitte à heurter de front une puissante institution (la DCRI) dont le patron (Bernard Squarcini) est alors installé à la droite de Dieu (Nicolas Sarkozy). Quitte à battre en brèche l'assurance de ces juges antiterroristes qui collectionnent les médailles du RAID et du GIGN, « caste à part qui se prend pour l'élite », en particulier celui qui a cru que le dossier Tarnac serait l'affaire de sa vie...

Arthur Dethomas, le gendarme moustachu et la Subaru

Le courrier envoyé en recommandé et daté du 15 juin 2007 émane du président de l'Autorité des marchés financiers (AMF) : « Les investigations menées par la Direction des enquêtes et de la surveillance des marchés de l'AMF ont permis de constater que vous pourriez avoir utilisé une information privilégiée relative aux grandes chances de dépôt imminent d'une offre publique d'achat de la société Alcan sur les titres de la société Pechiney. »

Entre le 20 et le 26 juin 2003, le destinataire, un *trader* italien d'une quarantaine d'années, a acheté 73 000 actions Pechiney, champion de la métallurgie française, par le biais d'une banque monégasque, et 26 700 actions en son nom, *via* une banque de Lugano, soit une dépense de près de 3 millions d'euros. Il a revendu l'intégralité de ces actions le 7 juillet suivant, réalisant une plus-value record de 995 000 euros après le rachat de Pechiney par le géant canadien de l'aluminium. Pour les « gendarmes » du marché, tout porte à croire que le *trader* a bénéficié d'une information privilégiée, d'autant qu'il n'a apparemment pas l'habitude de suivre de très près le marché français.

C'est sur la recommandation de Jean Veil que cet homme suspecté de délit d'initié débarque dans le bureau de Me Arthur Dethomas. Au bas mot, il encourt une amende de 10 millions d'euros – beaucoup plus si le parquet se saisit du dossier, sans compter une éventuelle peine de prison, de cinq ans maximum. Mission de l'avocat : affaiblir les indices affichés, sachant que les enquêteurs ont déjà accumulé de nombreux éléments sur le cheminement bancaire des opérations, mais que la preuve d'un délit de ce genre est toujours malaisée à apporter.

Difficile de mettre ces gains sur le compte de la seule chance de l'investisseur, mais le jeune avocat va tenter de montrer que « le vraisemblable ne peut tenir lieu de preuve ». Il entend également souligner qu'il n'y a rien d'illégal à œuvrer à partir des îles Vierges. En tout cas, pas de quoi en conclure que son client a définitivement les mains sales.

« C'est un indice et ce n'en est pas un », plaide Me Dethomas au cours de ce qui restera comme la première audience de l'AMF délocalisée au tribunal de commerce. Une audience étalée sur deux jours, là où ces dossiers se traitent normalement en deux heures. « Une coïncidence ne veut rien dire, insiste le jeune avocat. Le doute doit profiter à l'homme face à la machine. Vous êtes les gardiens du doute... »

L'affaire se termine plutôt bien pour l'avocat et son client, puisqu'en février 2009 le *trader* est mis hors de cause, ce qui est loin d'être le cas des vingt-cinq personnes qui ont comparu dans le cadre de ce dossier lourd de 35 000 pages... Pour Arthur Dethomas, confronté pour la première fois à un délit d'une telle ampleur, c'est l'occasion rêvée de se faire remarquer des « grands » avocats, d'autant plus que le dossier va être très commenté par les opérateurs du marché, mais aussi dans la presse spécialisée, car les audiences sont désormais publiques.

« Une information boursière, explique-t-il, c'est comme une Ferrari qu'on donne à un jeune de dix-huit ans sur le bord de la route : difficile de résister ! Ce type de dossier est cependant assez rare, même si des radars ont été disposés un peu partout. En l'occurrence, ils n'ont pas été en mesure de prouver que mon client devait ce succès à autre chose qu'à son flair. Or, on ne peut reprocher à quelqu'un d'être intelligent ! »

La brigade des stupéfiants a les yeux braqués sur le prix du kilo de cocaïne ; les gendarmes boursiers guettent un volume anormal de titres achetés ou vendus, surtout à l'approche d'une OPA susceptible de faire monter de 20 %, en un laps de temps très bref, le cours de l'action de l'entreprise ciblée. À chacun ses courbes, à chacun ses clients. Avec des enjeux différents au bout, mais le risque financier fait, paraît-il, presque plus peur que le risque carcéral. « Une sanction de 100 millions d'euros, pour une entreprise, cela relève de la peine de mort », plaide Arthur Dethomas dans l'une des salles de réunion du cabinet qui l'emploie, rue Saint-Honoré, à Paris.

Les avocats qu'il croise dans son domaine s'appellent Jean-Michel Darrois, Éric Dezeuze ou Olivier Schnerb, qui connaissent les dessous des marchés à terme probablement mieux que les palais de justice de Poitiers ou de

Digne. Une technicité d'autant plus nécessaire que la surveillance des marchés a été considérablement renforcée
ces dernières années avec, à la clef, des peines de plus en
plus lourdes pour les tricheurs (l'AMF sanctionne une
vingtaine de cas chaque année, avec possibilité de recours
devant la cour d'appel ou le Conseil d'État).

« Avant, c'était le gendarme moustachu campé sur le
bord de la route, mais le gendarme de la Bourse s'est
désormais installé dans une Subaru ! » décrypte Dethomas.

Une surveillance qui n'est cependant pas infaillible, on
l'a compris lorsqu'on a découvert que la SEC – équivalent
américain de l'AMF – avait contrôlé une cinquantaine de
fois, sans se rendre compte de rien, la société vérolée de
l'escroc Bernard Madoff...

Cette entrée fracassante dans le monde clos des avocats
d'affaires qui comptent, Arthur Dethomas ne la doit ni à
son arrière-grand-père, tout de même deuxième secrétaire
de la Conférence, ce concours d'éloquence qui vous
assigne votre place pour longtemps, ni à cet oncle qui fut
premier secrétaire. Il la doit à un court exil et à un passage par le barreau de New York, en 1999, suivi d'un
retour en fanfare à Paris : il intègre alors aussitôt un cabinet international, travaille sur la fusion de l'avionneur
EADS, devient un spécialiste des LBO, ces acquisitions
avec effet de levier qui révolutionnent la façon de monter
des entreprises (on met 20 % de cash, on emprunte le
reste, et on rembourse en serrant à mort le budget de la
société rachetée), jongle avec des contrats de 20 centi-
mètres d'épaisseur, mais ce n'est pas fini : en 2002, sur
le conseil d'un ami, Dethomas passe le concours de la
Conférence... sans avoir jamais plaidé. Le premier tour
passé, il se prend au jeu et le voilà élu, l'année suivante,
premier secrétaire : une étrangeté pour quelqu'un qui n'a
fréquenté que les fusions-acquisitions. Dans la foulée, il
plaide aux assises pour un oncle du fameux bagagiste[1] de
Roissy, défendu pour sa part par le redoutable procédurier Philippe Dehapiot. Il est surtout adoubé par la

lignée des premiers secrétaires, parmi lesquels de nombreuses vedettes, de Jacques Vergès à Arnaud Montebourg en passant par Jean-Marc Varaut et Olivier Schnerb. Adoubé et conseillé : alors qu'il défend le vice-procureur de Bobigny[1], mis en examen, Dethomas appelle Vergès pour lui demander que faire avec les trente caméras qui l'attendent devant le tribunal. « Si tu n'es pas sûr de toi, ne communique pas, et fais gaffe », lui glisse l'ancien. Une fraternité « avec de vrais rapports de tendresse des vieux pour les jeunes », observe Dethomas, qui n'entend pas manquer un seul des repas annuels organisés par les « premiers ».

Poser sa plaque comme les autres, ces « artisans » du droit ? Ce n'est pas tout à fait le genre de cet avocat, même s'il essaie d'aller aux assises une fois l'an. Il se reconnaît davantage dans le *process* des cabinets anglo-saxons, campe à la croisée du droit des affaires et du contentieux, et rejoint le cabinet fondé par Thierry Cotty, un ancien de chez Darrois, et Fabrice Marchisio, venu de chez Bredin-Prat. Avec, en ligne de mire, ce qu'il appelle les « dossiers à forte teneur stratégique », du contentieux boursier à celui de l'Autorité des marchés financiers. Des dossiers peu médiatiques, mais ces clients-là recherchent rarement la lumière.

« Un pacte d'actionnaires, c'est comme un contrat de mariage, confie Dethomas, soudain poétique. Le jour où l'on se fait des petits dans le dos, il faut s'assurer que le contrat puisse être appliqué par le juge en lui laissant le moins de marge d'interprétation possible. Le droit, ce sont des négociations : il faut prévenir les conflits. »

Tout comme ses confrères pénalistes revendiquent le droit de mettre en cause les magistrats, lui-même affirme ne pas toujours s'en tenir au mode en vigueur dans les

---

1. Poursuivi pour complicité d'acte terroriste, jusqu'à la découverte de la supercherie.

1. Poursuivi pour corruption passive.

salons feutrés : « Il ne faut pas avoir peur d'affronter l'autorité de poursuite, le régulateur, ces machines administratives aux pouvoirs exorbitants, dit-il, tranchant avec le discours usuel des avocats d'affaires. L'avocat moderne est celui qui place sa pugnacité au service du client, c'est l'avocat qui se mouille, surtout dans un pays qui se veut le fer de lance en matière de régulation financière et boursière. »

Veil et Darrois, ses « référents », l'ont bien compris, qui envoient régulièrement des dossiers à Arthur Dethomas.

EMMANUEL MARSIGNY ET LA PERQUISITION GÉANTE

Janvier 1995 : Emmanuel Marsigny vient de prêter serment. Il a procédé à ses repérages au Palais de Justice et déposé sa candidature chez une dizaine de pénalistes. Sans réponse, il demande un rendez-vous à Olivier Metzner, qui s'est fait un nom auprès des « droit commun » et ne quitte jamais son bureau avant 22 heures. Il se propose d'effectuer un stage de trois mois, non rémunéré. Metzner accepte, mais le premier client qu'il lui confie fait faux bond malgré lui : il est assassiné à la veille du procès de la catastrophe du stade de Furiani, à Bastia.

Août 1995 : première affaire criminelle. Du côté d'Annecy, les gendarmes ont découvert un cadavre gisant en chien de fusil sur la banquette arrière d'une voiture dans un sous-bois. L'homme, restaurateur dans une petite station de ski, a été tué par balle entre 48 et 72 heures plus tôt. Il a également reçu un coup à l'arrière du crâne. L'enquête désigne un entrepreneur d'origine sicilienne, venu menacer la victime huit jours plus tôt, sur fond de dettes et de coucheries. Il y aurait eu une dispute, le Sicilien aurait appelé ses neveux à la rescousse ; c'est l'un d'eux que défend Emmanuel Marsigny, lequel fait aussitôt une demande de mise en liberté devant la chambre d'accusation : son client reconnaît la bagarre, mais non l'assassinat intervenu plusieurs jours plus tard.

Le client entre dans le box. Le président commence, puis s'interrompt au bout de cinq minutes et regarde le type en disant : « Enfin, monsieur, vous vous rendez compte de ce que vous avez fait ? »

« Ce jour-là, raconte l'avocat, j'ai pris de plein fouet la réalité de ce qu'est souvent la justice pénale : des *a priori*, pas de culture du doute, une culpabilité scellée. On est loin de l'examen des charges sans préjugés ! On privilégie une piste : la thèse initiée par les services d'enquête. On s'enferme dans une vision. C'est au présumé coupable d'apporter la preuve de son innocence, alors que ce devrait être à l'accusation d'apporter la preuve de sa culpabilité. Il faut parfois un investissement incroyable pour faire reconnaître que le verre est blanc ! » Le neveu fera quatre ans de prison.

1996 : Olivier Metzner est plongé dans la tentaculaire affaire Elf, dont il défend le dernier patron, Loïk Le Floch-Prigent. Marsigny va voir le PDG en prison, où il rend en même temps visite à un autre fameux client du cabinet, le banquier Jean-Maxime Lévêque. Tous les jours ou presque, dans le bureau de la juge Eva Joly, il joue les messagers entre elle et Metzner. Il comprend rapidement le poids et le rôle des médias qui tournent autour de l'affaire Elf. Il perçoit surtout le décalage qui peut exister entre ce que racontent les journaux et la réalité. Un vaccin pour la suite... Au passage, il voit son client s'étonner devant le juge de disposer d'un compte en Suisse, et le greffier facétieux, la fois suivante, arborer une petite pancarte où l'on peut lire : « On m'a enrichi malgré moi. »

Printemps 1998 : en face de l'avocat s'assied un certain Patrick Stefanini. Recommandé par un ami commun, le client est empêtré dans une affaire de recel de prise illégale d'intérêt : on l'accuse d'avoir été embauché par la mairie de Paris pour le compte du RPR, sous la houlette d'Alain Juppé.

Le pénal financier est une spécialité en vogue : le jeune avocat ne demande qu'à en croquer. Les juges à qui il a à faire face ont souvent commencé en traitant des affaires de stups et de comparution immédiate ; lui aussi. Quand la justice se durcit envers les puissants qui s'enrichissent frauduleusement, lui-même ne tombe pas du placard, contrairement à d'autres. Les hommes politiques confrontés aux juges, eux, ne comprennent pas, au début, ce qui leur arrive. Quand l'avocat leur explique la procédure pénale, ils protestent : « Mais ce n'est pas possible ! » Et l'avocat de répondre du tac au tac : « Mais c'est vous qui l'avez voté ! »

C'est l'école Metzner, dont Marsigny est un élève appliqué, discret, capable de monter au front s'il le faut, sans avoir les dents qui raient le plancher. La preuve : il devient associé du ténor dès l'été 1998, trois ans après son premier stage. Il lui reste à se bâtir une crédibilité. À s'enfermer le samedi au cabinet pour dénicher la pièce qui permettra de démonter la thèse de l'accusation, à douter de tout, à apprendre à manier avec aisance la liberté de parole propre aux avocats. Et à se faire à l'idée que c'est le client qui fait l'avocat, et non l'inverse, toute désignation venue d'un personnage important étant une forme de reconnaissance du travail effectué.

Associé de Metzner, ça ouvre des portes : à quarante ans, Marsigny est l'un des rares à être admis dans le cercle des pénalistes incontournables, les Maisonneuve, Liénard et autres Haïk, qu'il côtoie de procès en procès. Un vieux voyou le prend en affection et le « choisit » après avoir eu recours à Robert Badinter et Henri Leclerc : difficile de ne pas s'en réjouir, surtout que l'on n'a pas tous les jours de bonnes nouvelles à l'issue des audiences. Puis c'est un héritier du clan Hornec, encore aux commandes de la voyoucratie parisienne, qui frappe à la porte.

Mais le plus lourd est devant, quand Pierre Falcone le fait entrer, aux côtés de Me Pierre-François Veil, dans le dossier tentaculaire de l'Angolagate, à l'occasion duquel il aura l'honneur d'interroger à l'audience le juge Philippe Courroye. Nous sommes en 2005, l'histoire a un parfum d'affaire d'État, et l'avocat fait connaissance avec son client à l'étranger, où celui-ci s'est provisoirement retranché. Il rencontre un homme d'une « détermination inouïe », totalement convaincu qu'on lui fait un « faux procès », et aborde avec lui, sous la foi du secret, un dossier qui va manger une partie de sa vie. Son nom : Pierre Falcone, un homme dont l'avocat assure qu'il n'a jamais fui ses responsabilités, au point de rentrer en France pour se rendre au chevet de son père, au risque d'une incarcération. Tout cela pour déboucher, plusieurs années plus tard, sur une relaxe qui fera du bruit jusqu'en Afrique, car, au-delà du règlement de compte franco-français, il en allait aussi de la souveraineté d'un pays, l'Angola[1].

Le dossier permet au passage à l'avocat de vérifier qu'il n'y a plus d'intouchables, que les puissants suivent les procédures judiciaires à la loupe, que les réseaux sont à l'œuvre derrière toutes les « affaires », et que seule une défense « musclée » permet d'en sortir vivant...

Les anciens intervenaient dans le combat pour la légalisation de l'IVG ou dans le débat sur la pertinence de la légitime défense. Emmanuel Marsigny prend de plein fouet le durcissement de la politique pénale et le débat houleux sur la récidive durant le quinquennat Sarkozy : « Les peines sont aujourd'hui plus lourdes, les règles sont de plus en plus strictes, de moins en moins de nullités sont reconnues, constate-t-il. Peut-être faudra-t-il de nouveau œuvrer dans l'intérêt général et combattre cette inflation des peines. »

---

1. Ce pays a toujours considéré que la justice française empiétait sur ses affaires intérieures.

En attendant, le jeune avocat affronte la tempête des « biens mal acquis ». L'Élysée (nous sommes toujours sous le règne de Nicolas Sarkozy) tente vainement d'empêcher une instruction qui entend faire la lumière sur l'enrichissement personnel supposé de plusieurs chefs d'État africains et de leur progéniture, mais les juges prennent le contre-pied de la diplomatie, et foncent. Une manifestation d'indépendance qui laisse les avocats en première ligne, au milieu d'intérêts hautement stratégiques. Leurs cibles : Gabon, Congo-Brazzaville, Guinée équatoriale, Angola, Burkina Faso et Cameroun. Le biais : blanchiment et recel.

Emmanuel Marsigny défend le fils du président de la Guinée équatoriale. À l'entendre, les chefs d'accusation ne tiennent pas dans la mesure où l'on ne signale aucune infraction dans le pays d'origine. L'une des plus longues perquisitions de l'Histoire n'en est pas moins organisée dans l'hôtel particulier de la famille Obiang, avenue Foch, à Paris. Une perquisition spectaculaire, largement relayée par la presse qui s'ébaubit devant la douzaine de voitures de luxe saisies – voitures, s'étrangle l'avocat, dont les cartes grises étaient bien au nom du fiston, Théodore, et non d'une obscure société off-shore ! De même que les virements suspects sur le compte du jeune homme émaneraient de sociétés dont il est actionnaire, et non des caisses de l'État dirigé par papa.

« C'est comme si l'on disait que tel avocat est à la solde de la CIA au vu de la liste de ses clients », proteste Me Marsigny, qui exige – vainement à ce jour – la restitution des voitures saisies. Et tente de démontrer que son client n'a jamais caché au fisc être propriétaire de l'immeuble parisien.

« L'objectif de la justice est ici de faire du tapage médiatique, argumente-t-il. On procède à des saisies sans poser de questions. On ne démontre pas la fraude. Or il suffit de se rendre au centre des impôts pour voir que tout est en règle. »

À l'entendre, son client a fait fortune dans les affaires ; à vingt ans, il était propriétaire de sociétés de pêche et n'a jamais vécu de l'argent public. Et Mᵉ Marsigny d'inviter les curieux à se pencher sur l'origine des plaintes, cette association « Transparency » dirigée par un ancien cadre d'une société pétrolière française hier encore en contrat avec la Guinée équatoriale, et dont l'un des bienfaiteurs aurait fomenté un coup d'État dans le pays en 2004...

Basse contre-attaque destinée à porter atteinte au crédit des plaignants et de leur avocat, William Bourdon, accusé de porter le flambeau d'organisations non gouvernementales (ONG) opaques, à la solde d'intérêts contestables ? Plus les enjeux sont lourds, plus les protagonistes sortent l'artillerie lourde, que ce soit dans le dossier des « biens mal acquis » ou dans le conflit entre la mère et la fille Bettencourt. Et, bien sûr, les avocats en prennent pour leur grade...

Mais l'affaire s'emballe. Le (perspicace) juge Roger Le Loire, qui mène l'enquête depuis le Pôle financier parisien, transmet au Quai d'Orsay une demande dans laquelle il exprime le vœu d'entendre le fils Obiang. Le courrier parvient en Guinée équatoriale... alors même que se déroule la fameuse perquisition avenue Foch durant laquelle le juge menace d'embastiller l'ambassadrice si elle continue à faire barrage. Le juge délivre dans la foulée un mandat d'arrêt.

Emmanuel Marsigny, lui, tente de faire du droit, mais le débat éthique semble prendre le dessus – du moins dans les médias, dont aucun ne défend évidemment ces roitelets nègres forcément corrompus. Il démontre que l'immeuble perquisitionné a bien été acheté par la Guinée équatoriale, acte enregistré par le fisc français, plus-value déclarée ; que son contenu appartient à cet État souverain, et non à la famille Obiang. Il crie au « cambriolage judiciaire ». Mais que valent les faits contre ce que l'avocat appelle la « bien-pensance » ?

« Le combat est difficile, reconnaît-il. On est en apparence dans le domaine judiciaire, mais l'affaire se joue davantage sur le terrain médiatique. Nous partons avec un handicap : ce raccourci qui veut que dirigeant africain + argent = corruption. On a quitté le droit à l'occasion des affaires politico-financières. On s'en est affranchi quand on n'arrivait pas à établir la corruption, et s'est imposée l'idée que la justice pouvait tout, y compris faire de la morale. Autrefois, pour renverser un régime africain, on envoyait quelques mercenaires prendre le palais présidentiel et le siège de la télévision. Aujourd'hui, on utilise les ONG, mercenaires judiciaires qui essaient d'obtenir par la loi ce qu'on obtenait naguère par les armes. »

Pour Emmanuel Marsigny, le dossier pourrait être simple : son client, entrepreneur fameux, bosseur, est tout le contraire du « fils à papa » cocaïnomane que certains ont présenté. Il a gagné beaucoup d'argent, qu'il n'a jamais cherché à dissimuler. Et toute cette affaire ne serait qu'une manifestation d'un nouvel « impérialisme » destiné à faire plier un régime qui refuse de laisser confisquer 80 % de ses richesses par les Occidentaux, comme cela se faisait autrefois... Discours décoiffant, mais, pour l'heure, totalement inaudible, car aucun média ne le relaie... Pas plus que les journaux ne reprennent les accusations formulées à mots à peine couverts par les défenseurs des chefs d'État visés contre leur confrère William Bourdon, putatif bras armé d'une offensive menée en sous-main par la CIA pour expulser les Français hors du golfe de Guinée et faire main basse sur ses richesses naturelles...

Dans cette affaire, la justice est « manipulée », l'avocat en est convaincu, mais une fois la machine judiciaire lancée, « elle se prend à son propre jeu ». La stratégie devient essentielle, si l'on ne veut pas exploser en vol et perdre son client faute d'avoir su le rassurer, le protéger, gérer ses intérêts dans l'enceinte judiciaire, mais aussi au-dehors, sur fond d'ultimes soubresauts de ce que fut la Françafrique. Surtout, il faut faire en sorte d'avoir un lien direct avec le chef d'État concerné, ne pas craindre de lui dire ce qu'il ne veut pas entendre, se débrouiller pour qu'il écoute, et éviter le cercle des conseillers qui croient que les petits arrangements entre amis sont encore d'actualité...

La somme des clients, Emmanuel Marsigny l'admet, finit par faire de l'avocat le dépositaire d'un tas de confidences. « On entre dans l'intimité de ce qui est le plus précieux pour eux, dit-il. À certains moments, ils n'ont plus que leur famille et leurs avocats. » Un droit de regard sur le dessous des cartes qui n'a pas vraiment d'équivalent et confère à l'avocat cette place à part, ce supposé pouvoir qui fait la différence. Des années après sa condamnation (à dix mois avec sursis) dans les affaires de la mairie de Paris, Patrick Stefanini n'invite-t-il pas « son » avocat à assister avec ses proches à la remise de sa Légion d'honneur ?

Son père était grossiste en fleurs, mais Emmanuel Marsigny a été élevé par ses grands-parents dans « une ambiance très IIIe République », avec un grand-père maire d'un petit village, tendance laïque. Peut-être faut-il y voir l'explication de la pondération dont il fait montre quand on lui parle du « pouvoir » des avocats : « Il faut savoir rester à sa place. La notoriété du client, son état de fortune ne sont pas les nôtres. Par-delà le sensationnel, une starisation parfois excessive, nous devons faire nos preuves tous les jours. Le seul pouvoir que l'on a est celui d'appeler un magistrat pour le compte de nos clients qui font l'objet d'un mandat d'arrêt, ou de renverser une situation à l'audience. »

CLARISSE SERRE ET LES CAÏDS

Jean-Louis Pelletier, Philippe Lemaire, Philippe Dehapiot, Pierre Haïk, Thierry Herzog : voilà le quinté de Me Clarisse Serre. Ses « figures », auxquelles elle ajoute aussitôt celui qu'elle considère comme une « légende » : Jean-Yves Liénard. Des ténors qui, pour certains, lui ont appris le métier, puisqu'elle a été collaboratrice chez deux d'entre eux, Mes Dehapiot et Haïk.

Mais ceux qui ont fait avancer la jeune pénaliste, ce sont surtout trois « affreux », les anges ayant rarement besoin, il est vrai, d'être défendus. Trois voyous trentenaires qui l'ont désignée alors que son nom ne claquait pas en une de la presse. Trois jeunes caïds qui ont en commun avec elle l'entêtement, et cette capacité à ne rien lâcher, jamais.

« Je suis là pour mener le combat, clame Clarisse Serre, aussi fluette que décidée. Certains me traitent de harpie ou d'hystérique parce que je tiens tête aux hommes, mais je suis simplement tenace. Je pense qu'il ne faut rien laisser passer, attaquer tous les procès-verbaux, même au risque de passer pour une emmerdeuse aux yeux des magistrats. C'est mon caractère. »

Quand elle avait quinze ans, on lui disait souvent : « Je te verrais bien avocate. » Elle est devenue avocat sans *e* à l'âge de vingt-quatre ans, en 1994.

Le premier des « affreux » s'appelle Zaher Zenati. Accusé d'avoir participé au commando qui a « arraché » Antonio Ferrara à la maison d'arrêt de Fresnes en 2003, évasion qui traumatisa l'administration pénitentiaire, il a toujours clamé son innocence. Il a trente-huit ans et croupit en prison depuis sept ans : la peine dont il a écopé en première instance, lorsque s'ouvre à Paris le procès en appel. Nous sommes le 9 septembre 2010. Le box est plein à craquer de ces garçons qui ont risqué leur vie pour aller libérer leur camarade, fleuron du banditisme issu des cités. À la surprise générale, le président de la cour d'assises, Hervé Stephan, répond favorablement à la demande de Me Serre et met fin à la détention de Zenati. Un coup de théâtre dont l'avocat(e) est évidemment crédité(e).

L'un des membres de la bande, Loïc Delière, ami de Ferrara depuis l'adolescence, décide alors d'accorder sa confiance à cette jeune avocate culottée. Lorsqu'elle vient lui proposer de déposer une demande de mise en liberté pour un braquage pas encore jugé, et d'attaquer les conditions d'isolement auxquelles il est soumis au lendemain d'une condamnation à neuf ans de détention, il lâche : « Faites ce que vous voulez. »

La cinquième demande est la bonne : le mandat de dépôt est levé. Me Serre réclame la confusion des peines et plaide l'acquittement au jour du procès. Elle obtient la confusion, et les compliments de son client en prime : « J'ai eu raison de vous faire confiance. » Dans la foulée, la mesure d'isolement est levée après plus d'une vingtaine de transferts consécutifs, traitement que l'on fait subir à ceux qui sont susceptibles de s'évader.

Peu après, Clarisse Serre voit débarquer la mère de Delière, qui lui lance tout de go : « Vous êtes Dupond-Moretti ! Vous avez sauvé mon fils ! » Un compliment qui n'est pas seulement dû au fait que le camarade d'Antonio Ferrara a passé avec succès un BEP de cuisinier en prison, mais à ses résultats.

Le troisième « affreux » est un membre du clan Hornec, famille manouche enracinée dans l'Est parisien et longtemps accusée par la police judiciaire de tenir les ficelles du crime organisé dans la capitale. Prendre une femme comme avocat, pour un manouche, ça ne va pas de soi, mais c'est la femme de Mehdi Hornec qui est venue trouver Clarisse Serre en 2003. L'avocate est au bord de l'accouchement ? Peu importe, la jeune femme attendra.

Comme tous les pénalistes, Clarisse Serre connaît le patronyme de ce nouveau client à peine plus âgé qu'elle, mais elle comprend vite qu'il ne la choisit pas pour « faire les courses », autrement dit pour l'utiliser comme bonne à tout faire depuis la prison. Elle s'impose comme l'aurait fait un homme. « Jugez-le pour ce qu'il est », plaide-t-elle. Et elle le fait sortir de prison, suscitant dans les chaumières et les cellules un tintamarre favorable.

L'un des avocats historiques de la famille Hornec, Jean-Yves Liénard, enfonce le clou en confiant aux oncles de Mehdi qu'ils ont fait le « bon choix » en désignant Clarisse Serre. La croisant quelque temps plus tard, l'ancien glisse à la trentenaire quelques mots sur sa façon de voir les choses : « Ce qui compte, c'est la constance. Ce n'est pas de faire la une des journaux et de monter de façon fulgurante. »

« On est plus dans l'ombre que les hommes, commente huit ans plus tard Clarisse Serre. Mais une femme qui plaide au milieu de dix hommes, on l'écoute. »

C'est encore une femme qui présente à Me Serre son client le plus aguerri : Michel Lepage, un « baron » de la banlieue sud, gangster à l'ancienne qui, la soixantaine venue, a décidé de se ranger parmi les sages et désire négocier un aménagement de peine. Une désignation qu'elle reçoit presque comme une médaille, tant cet homme semble en connaître plus long qu'elle sur le système judiciaire.

Pour Michel Lepage comme pour les autres, Clarisse Serre « mouille sa chemise ». « J'ai toujours voulu défendre », dit-elle. Dès l'école, elle s'insurgeait contre les punitions « anormales », mais c'est auprès d'un juge d'instruction, Gérard Poirotte, qu'elle a appris la rigueur et préparé son concours. Avec Frédéric Trovato, Marie-Alix Canut-Bernard et quelques autres, elle fait partie de ceux que les « patrons » du pénal ont adoubés. Une *short list* à laquelle elle ajoute évidemment Christian Saint-Palais, cet ancien instituteur palois devenu avocat, détecté et recruté très tôt par l'incontournable Jean-Yves Le Borgne. Elle n'est pas la seule à citer son nom : le jeune pénaliste attire les compliments…

CHRISTIAN SAINT-PALAIS, LE FOU,
LES INFIRMIÈRES ET LE PRÉSIDENT

Nous sommes dans un restaurant proche de l'Odéon, juste avant une petite manifestation d'avocats qui doit se dérouler du côté de la place Dauphine et où il rejoindra, entre autres, son amie Clarisse Serre. Avec cette simplicité qui le caractérise, Christian Saint-Palais revendique d'emblée « une passion, une certaine vocation, un appétit pour défendre ». Sa jeunesse ne l'empêche pas d'afficher déjà les réflexes des anciens : « Nous ne devons avoir aucune limite dans les moyens de la défense. Dès lors que c'est utile à celui que nous défendons, rien ne doit nous empêcher d'attaquer un magistrat si l'on estime qu'il a violé la loi. »

En l'occurrence, en acceptant de prendre la défense de Romain Dupuy, c'est face à la machine d'État que Christian Saint-Palais s'est retrouvé. Le client est poursuivi pour avoir tué une infirmière et une aide-soignante paloises en décembre 2004, alors qu'il avait tout juste vingt ans. Il a par ailleurs braqué les trois policiers venus l'arrêter, mais l'arme n'a pas fonctionné. Un premier expert a estimé que Dupuy était responsable, et qu'un procès pouvait avoir lieu. Les deux experts désignés pour les tentatives d'homicides sur les policiers, eux, ont déclaré pénalement irresponsable le jeune schizophrène. Les familles des victimes, qui veulent le procès, se cramponnent à la première expertise…

À la veille du procès, trois ans après les faits, les deux dossiers sont joints. Romain Dupuy est devenu le symbole du Mal absolu aux yeux d'une partie de l'opinion, mais l'avocat ne veut pas entendre parler d'un procès dont il ne perçoit pas le sens. Pour lui, son client n'est pas responsable, puisqu'il est fou. Dans le débat, il se heurte cependant à plus gros que lui en la personne de Nicolas Sarkozy.

Nous sommes un vendredi lorsque le procureur, faisant fi des pressions du pouvoir politique, propose le non-lieu. Les parties civiles se tournent aussitôt vers le président de la République, qui les reçoit séance tenante. L'absence de procès voudrait dire que les faits n'ont jamais eu lieu, plaident en substance les familles. Nicolas Sarkozy intervient, ému, sur les écrans de télévision tout en faisant entrer dans la danse la garde des Sceaux, Rachida Dati. Sitôt demandé, sitôt obtenu : avant même que le juge ait eu le temps de prendre sa décision, les familles rencontrent le procureur général près la cour d'appel. Elles auront un procès public, parole de Sarkozy !

« Depuis l'Antiquité, on ne juge pas les fous », persiste Me Saint-Palais qui, pour l'heure, s'interdit toute interview et tout « tapage ». Et se fait fort de « résister à l'émotion de la rue », en l'occurrence récupérée par un Président passé à côté de sa mission pédagogique, comme en témoigne ce propos détonnant : « Je ne suis pas sûr que le mot "non-lieu" soit compréhensible pour un mari dont on a égorgé l'épouse ou pour une femme dont on a décapité la sœur. »

Le juge reste apparemment insensible au chant des sirènes de la place Vendôme, puisqu'il rend à son tour un non-lieu. La chambre de l'instruction confirme la décision au terme de trois jours d'audience durant lesquels comparaît Dupuy, flanqué de deux infirmières, avant de laisser la place aux neuf experts. Au terme de quoi le gouvernement – réflexe bien rodé ! – demande que la loi soit modifiée. Avec ce credo en bouche : que les parties civiles aient droit à une audience publique, même s'il faut pour cela exhiber un malade. Et, à la clef, des modifications qui n'en seront pas vraiment, à en croire l'avocat.

« Dans cette affaire, j'ai été légaliste, commente Christian Saint-Palais. J'ai milité jusqu'au bout pour l'application de la loi. Un homme qui n'a pas sa raison ne peut être jugé, et rien ne pouvait entamer ma conviction. » Rien, ni les pressions supérieures... ni le client, qui a pourtant expliqué à son défenseur qu'il préférait la prison à l'hôpital psychiatrique. « Il a contesté sa pathologie, poursuit l'avocat. Il a soutenu qu'il ne se soignait pas parce qu'il n'était pas malade. J'ai été son avocat malgré lui, et il a fini par adhérer à ma démarche. »

Pour convaincre Dupuy de le suivre sans pour autant se sentir trahi, Saint-Palais a obtenu le droit de s'entretenir de façon confidentielle avec lui à l'hôpital de Cadillac, en Gironde. Parler à l'oreille d'un fou, ce n'est pas simple, surtout quand on tient un discours différent du sien. Le dominer, c'est encore plus compliqué ! Le jeune homme a cependant fini par faire sienne une démarche qui était aussi celle de ses parents, à l'origine du choix de l'avocat palois. Il a validé toutes les demandes de ce « médiateur », y compris celles qui étaient contraires à ses souhaits. Résultat : admis dans une unité pour malades difficiles, l'homme a fini par accepter de se soigner.

Contrat rempli ? « Le pénal déstabilise tout le monde, quel que soit le niveau social. L'avocat est là pour faire le lien entre deux niveaux de parole, deux milieux. Face à la démarche inédite du président de la République, j'ai choisi de ne pas médiatiser cette affaire, de dire que la justice n'était pas compatible avec le tapage. Je n'ai pas voulu me prêter à cette vulgarité. J'aurais eu besoin de beaucoup de temps pour exposer mes arguments face à ceux, forcément simplistes, du journal de 20 heures. Et puis, comment contrer une communication élyséenne ? »

Saint-Palais n'est d'ailleurs pas un adepte de la médiatisation outrée, pas plus qu'il n'est convaincu que le plus exposé de ses confrères soit celui qui ait le plus de pouvoir. « La médiatisation d'un avocat n'est pas forcément en rapport avec ses compétences, observe-t-il. Nous devons à nos clients de la mesure et une certaine austérité. Nous leur devons aussi l'oubli, même si nous avons besoin de voir notre nom affiché. Le métier est fait de travail, de rigueur et de conviction. »

Plus que son CV, c'est certainement la personnalité de ce Béarnais que Me Jean-Yves Le Borgne a repérée lorsqu'il a fait de Saint-Palais son collaborateur en 1995. Né en 1963, élevé dans un milieu paysan, le jeune homme a fait ses études de droit tout en étant instituteur, et n'a prêté serment qu'à trente ans. Il rêvait de devenir pénaliste, et sa motivation ne faisait aucun doute. Le fait d'avoir été secrétaire de la Conférence a achevé de convaincre le futur bâtonnier de le prendre à ses côtés, tout comme Olivier Metzner avait ouvert la porte à Emmanuel Marsigny, ou Francis Szpiner à Caroline Toby. Sans oublier cet accent palois et cette tradition oratoire propre au Sud-Ouest qui allaient forcément le distinguer parmi les Parisiens.

« Les pénalistes aiment l'humain, les différences, plaide Saint-Palais. On va vers ceux qui ont transgressé, les vies chaotiques. Défendre est une nature. C'est en moi. »

Près de vingt ans après, il défend des « puissants » plus souvent que des faibles, des « décideurs » davantage que des paysans. Ceux-là ont compris qu'ils ne pouvaient plus se contenter de dire qu'il n'était pas légitime de les attaquer, qu'on ne négociait pas avec un juge d'instruction – au point d'avoir fait naître chez certains l'idée d'une réforme visant à le supprimer…

« Les raisons commerciales vous poussent vers le pénal financier où les sociétés peuvent payer le tarif horaire, constate Saint-Palais avec son habituelle franchise. Les années passant, on est moins disponible pour la prison, on se rapproche des lieux de pouvoir. On va pouvoir recevoir sa décoration… »

Le copinage avec les juges n'est pourtant pas son fort. Il est même tout à fait opposé à ce qu'un jour juges et avocats partagent les mêmes écoles. Parce qu'« on ne doit jamais renoncer à faire annuler un dossier, explique-t-il.

On ne peut défendre un client jusqu'au bout et cultiver un lien d'amitié avec le magistrat ». Question de liberté, dit-il. Une liberté qu'il a expérimentée dès sa première affaire, quand, commis d'office, il a défendu un Français d'origine algérienne accusé d'avoir recruté le terroriste Khaled Kelkal, impliqué dans une série d'attentats[1] au milieu des années 1990. Un cas d'école, affirme-t-il : « Dans ce genre de procès, on sait que la machine s'emballe et broie tout sur son passage, que l'on a très peu de pouvoir. Le seul objectif est de restituer celui que l'on défend dans sa dignité, de le remettre debout, le temps de la plaidoirie, même si les juges ont déjà pris leur décision. »

CAROLINE TOBY, FRANCIS, XAVIER, CHARLES ET LES AUTRES...

Le *baby-sitting* mène à tout, y compris au métier d'avocat. C'est en gardant les « petits » chez l'écrivain Pierre Assouline que Caroline Toby décroche un stage chez Francis Szpiner. C'était en 1993, elle venait de prêter serment ; elle est toujours dans le bureau voisin de celui de « Francis », mais en tant qu'associée.

Elle rêvait d'une profession « avec une grande dimension humaine » ; cette Parisienne née à Casablanca a été largement servie. Elle avait la culture juive pour bagage et, en tête, un parallélisme saisissant entre certaines traditions et la culture juridique, mais on lui avait déconseillé le pénal : « Pour une femme, ce sera difficile » ; elle a été « subjuguée » dès son premier procès aux assises, où son futur *coach* était partie civile pour la famille d'une jeune femme tuée par son amoureux.

---

1. Il a notamment fait partie du groupe impliqué dans l'attentat perpétré à la station Saint-Michel, le 25 juillet 1995.

Szpiner laisse de l'espace à la débutante ; elle prend des coups, obtient des résultats par elle-même. « Vous vous débrouillez et vous apprenez à vous protéger », l'admoneste-t-il. Pas taillée pour devenir un ténor, elle laisse la plaidoirie à « Francis » et se concentre sur l'instruction et les interrogatoires. Et sur l'humain : elle noue une relation de confiance avec un jeune homme paumé et malade, accusé d'avoir assassiné le vieux monsieur chez qui il se prostituait trois fois par semaine ; devant les assises, elle fait « tomber » la peine de quinze à dix ans. Elle assiste son patron dans l'affaire du « Temple solaire[1] » et découvre la pression médiatique. « Est-ce que l'on apprend à gérer les médias ? » demande-t-elle ingénument. « Démerdez-vous ! » répond Francis.

Caroline Toby reçoit dans son bureau, lieu « très personnalisé » où le client comprend qu'elle va donner « énormément » d'elle-même. Manière de compenser un contexte lourd, puisque le visiteur est en général au bord de la mise en examen, si ce n'est déjà fait. « Ce sont eux qui nous introduisent dans leur intimité, pas l'inverse », dit-elle, calée derrière le bureau en verre et métal qu'« il » lui a prêté.

Un passage par le Conseil de l'Ordre, où elle est élue en 2001, permet à Caroline Toby de se faire connaître et de façonner sa propre image aux côtés de celui dont elle est désormais l'associée. Elle noue des contacts avec nombre de magistrats, mais ce sont les confrères qui lui font confiance, notamment Jacques-Georges Bitoun, l'avocat des maîtres du cinéma, et l'avocat d'affaires François Lasry, avec lequel elle a le Maroc en commun.

Avec Xavier Niel, pionnier de la téléphonie, on n'est plus tout à fait dans le *baby-sitting*. C'est l'avocat historique du fondateur de « Free », Yves Coursin, qui fait

---

1. Une secte impliquée dans un suicide collectif dans le Vercors, le 23 décembre 1995.

appel à Me Toby quand le juge Renaud Van Ruymbeke envoie Niel en prison[1].

« Je sais que tu as failli accoucher dans le bureau de Van Ruymbeke », lui glisse-t-il au téléphone. Anecdote véridique : enceinte de huit mois et demi, elle a été conduite à la maternité par son client ; un peu plus, et elle appelait son fils Renaud ! De quoi améliorer des relations déjà souriantes avec le personnel du Palais, des greffiers aux présidents de chambre ; elle y tient, même si elle assure pouvoir jouer sur des registres plus durs.

L'avocate rend régulièrement visite à Xavier Niel à la Santé, où elle lui apporte copie des six tomes d'un dossier qu'il compte bien éplucher entièrement avec une passion affichée pour la matière juridique. Elle lui suggère de ne pas faire appel de sa mise en détention, contrairement à ce que réclame son *board*, et la suite lui donne raison : le juge libère Xavier Niel un mois plus tard.

Mais c'est d'abord en termes d'image que l'avocate s'emploie à limiter les dégâts. Caroline Toby concentre toute sa communication sur un point : ancrer l'idée que cette affaire concerne son client personnellement, en aucune manière son entreprise. Il en va de la survie des affaires de Niel : Iliad, maison mère de Free, est cotée en Bourse depuis à peine deux mois lorsque est arrivée cette tuile.

« Quel que soit l'enjeu du dossier, il ne ménage pas son temps, observe l'avocate. Il *veut* gagner. »

Sur le fond, Me Toby bataille pour faire tomber l'accusation de proxénétisme avant l'audience, et réduire le battage médiatique programmé. Loin de chercher une improbable rupture avec Van Ruymbeke, elle juge plus productif de miser sur le rapport amiable. Xavier Niel n'est finalement renvoyé devant le tribunal « que » pour recel d'abus de biens sociaux. Recel qu'il reconnaît adroitement dès le premier jour, alors qu'il aurait été à ses yeux naturel de

---

1. Il le suspecte de proxénétisme et d'abus de biens sociaux.

ne rien lâcher, surtout face à un magistrat qui estime judicieux de remarquer que, à cause des activités du prévenu, ses enfants auraient pu malencontreusement tomber sur un site porno... Verdict : deux ans de prison avec sursis, mais l'essentiel est sauf, puisque l'entrepreneur a été totalement blanchi des faits de proxénétisme.

La *baby-sitter* du Palais veille également sur Frédéric Beigbeder. Arrêté en train de consommer de la cocaïne dans une rue de Paris, l'écrivain noctambule s'en tire avec une injonction thérapeutique : merci, Caroline !

L'assassinat d'Ilan Halimi par le « gang des barbares » entraîne l'avocate sur une tout autre planète, « au cœur de l'horreur ». Avec « Francis », elle reçoit la mère et les sœurs de la victime moins d'une heure après la découverte de l'issue dramatique : le jeune homme a été enlevé, torturé, puis achevé par une bande de jeunes en rupture avec toutes les valeurs de civilisation, persuadés qu'enlever un juif, ça « payait ». Comment conserver le recul nécessaire ? La première fois qu'elle lit le rapport d'autopsie, Caroline Toby s'effondre. Ilan aurait pu être son fils.

Dès l'ouverture du procès, Youssouf Fofana, chef autoproclamé du gang, se dresse pour lancer à la mère de la victime : « Je t'avais prévenue ! Tu n'as pas payé ! »

Pendant deux mois et demi, raconte l'avocate, « la mère fait preuve d'un incroyable courage en se tenant face aux bourreaux de son fils tous les jours ». Mes Toby et Szpiner épaulent cette femme et ses filles qui ne comprennent pas pourquoi ces gens ont traité leur fils, leur frère, comme une chose, non comme un être humain.

« Partie civile, on accompagne une victime dans son malheur, dit l'avocate. On est le porte-parole de ce malheur. »

Chapitre 21

Secrets marseillais

Denis Fayolle et l'Olympique de Marseille
des avocats

Marseille, un million d'habitants *intramuros* : un « petit » barreau (un peu moins de 1 800 avocats) où « la réputation compte plus qu'ailleurs », à en croire le pénaliste Denis Fayolle qui se partage entre la cité phocéenne et Paris, où il a rejoint le meilleur avocat qu'Aix-en-Provence ait donné à la capitale, Jean-Louis Pelletier.

Marseille où tout se sait : qui sont les avocats sérieux, qui les « tordus ». Marseille où un avocat, Michel Pezet, a failli, après Gaston Defferre, emporter la mairie sous les couleurs socialistes, et où un autre avocat, Yves Moraine, est parfois présenté comme un possible successeur de Jean-Claude Gaudin, l'actuel maire (UMP), dont l'un des adjoints, José Allegrini, pénaliste réputé, affirme : « On a un viatique, dans cette ville, c'est le sens de l'humour. Quand on est confronté à la misère humaine, on ne peut survivre qu'avec des éclats de rire. »

Marseille, pépinière d'avocats au talent reconnu et à l'art oratoire infaillible, d'Émile Pollak à Raymond Filippi, en passant par Paul Lombard. Marseille où la parole a plus d'importance qu'ailleurs, « où tout le monde plaide sans robe », selon les mots de Denis Fayolle, long-temps collaborateur de celui qui reste le défenseur attitré du Milieu local, Frédéric Monneret, l'avocat qui collec-tionne les Ferrari miniatures, rouges de préférence.

Marseille, gros village où l'anonymat est difficile à gar-der et le mélange des genres, presque inévitable. Où l'avo-cat qui défend le patron du club de foot se retrouve facilement du côté des pouvoirs publics pour gérer les affaires internes à ce même club. Où flics, avocats, jour-nalistes et voyous ont tôt fait d'entretenir des amitiés communes, pas forcément avec de mauvaises intentions, parfois à un fil des liaisons dangereuses. Et se croisent, à l'heure du dîner, dans les mêmes restaurants ou dans les loges du stade, les jours de match de l'OM.

Petite illustration des surprises qui attendent Mᵉ Fayolle au coin de la rue, sans prévenir : le client est agent de sécurité dans une boîte de strip-tease à la mode, *Le Boudoir*. Il a commis l'imprudence de tomber amoureux d'une certaine Matilda, originaire des pays de l'Est, et de lui proposer un job dans la boîte... au moment même où les RG locaux reçoivent un « tuyau » selon lequel des pros-tituées y ont leurs habitudes. Curieusement, l'enquête ne donne rien, pour une raison assez simple : pas mal de flics s'encanaillent entre ces murs, la nuit venue. Du moins dans un premier temps, car le directeur d'enquête finit par tomber lui aussi sous le charme de la blonde... et envoie l'agent de sécurité en prison pour proxénétisme !

Pour boucler son dossier, le policier s'est simplement rapproché du meilleur ami de l'agent de sécurité, qui se trouvait remplir les fonctions d'ADS (adjoint de sécurité) dans la police ; il lui a soutiré les noms d'anciennes copines qu'il a amenées dans des clubs échangistes... Facilités de la proximité, dira-t-on.

L'agent de sécurité est finalement blanchi des faits de proxénétisme que lui imputait son rival policier, mais il n'est pas passé loin : la fille se proposait de tapiner pour rémunérer son avocat et le remercier de lui avoir trouvé un appartement ! Il a tout de même passé près de huit mois en prison et entendu l'avocat général réclamer contre lui quatre ans fermes. Libéré, il commet une dernière erreur : celle de quitter cette fille, qui se précipite auprès des policiers pour leur raconter l'inverse de ce qu'elle a déclaré précédemment, autrement dit que cet homme l'a obligée à se prostituer. Mais, estime-t-on, ses accusations sont devenues sujettes à (forte) caution...

Comment se faire un nom à Marseille, la ville aux vingt villages ? « Au-delà du réseau corse et des francs-maçons, ce qui compte, c'est Radio-Baumettes, dit Mᵉ Fayolle. Une notoriété se construit d'abord à partir de l'unique prison de la ville, qui est une énorme caisse de résonance. »

Avec néanmoins un écueil plus tangible dans cette cité que dans n'importe quelle autre : le fait que les voyous s'entre-tuent à un rythme parfois effréné, vous privant de votre client avant même qu'il ait pu régler vos honoraires. Certains survivent cependant, résistant au renouvellement par le bas, à l'instar d'un Tony Cossu, *alias* Tony l'Anguille, un « voyou à l'ancienne, fiable et fidèle », longtemps considéré comme l'homme fort du Milieu marseillais. Un homme qui incarne, selon son avocat, « tout ce que la justice peut avoir de manichéen quand elle ne voit en lui que le grand bandit capable de ne s'exprimer que dans le crime », à charge pour son défenseur de démontrer qu'« un homme ne peut se résumer à son casier ». Des arguments plus difficiles à avancer avec la génération montante des caïds à kalachnikov, mais, comme tous ses confrères, Denis Fayolle s'adapte. Au fond, l'idée sera toujours la même : derrière les liasses de billets et les tonnes de « produit », il y aura toujours des personnes à faire valoir dans l'espoir que les juges montreront une indépendance d'esprit suffisante pour ne pas condamner l'œuvre présumée de l'accusé, forcément diabolique, mais s'en tenir aux faits.

Marseille, paradis des pénalistes à condition d'en sortir... « Avant d'être marseillais ou parisien, on est pénaliste », observe Denis Fayolle, mais ce n'est pas vrai dans le regard de tous, tant Marseille charrie de fantasmes : l'avocat marseillais qui débarque dans un tribunal à Bourges ou Arras est attendu au tournant, surtout s'il n'est pas coiffé comme François Fillon – ce qui est le cas de Me Fayolle, qui porte par ailleurs rarement la cravate. « Je prends un malin plaisir à provoquer un changement d'attitude, à obtenir une écoute sans abandonner le côté direct et chaleureux du Sud », dit-il. Une corde utilisée en leur temps par ses aînés, dont un certain nombre, partis « d'en bas », ont su imposer leur accent dans tous les tribunaux du pays.

OLIVIER GRIMALDI DANS L'ENFER DES COMMUNES

Olivier Grimaldi a beau avoir des origines corses, il est né en Alsace et ne met les pieds à Marseille qu'à l'âge de vingt-deux ans, en 1996, à l'occasion de son service militaire. Une entrée par la porte administrative, puisqu'il est grouillot au cabinet du sous-préfet. Jean-Claude Gaudin (UMP) est déjà maire, mais il est surtout ministre de la Ville, ce qui lui permet d'insuffler un brin de dynamisme à la léthargie marseillaise. Le jeune Grimaldi découvre la ville depuis cette lucarne en forme de baie vitrée. Il noue des liens, notamment avec les dirigeants de Force ouvrière (FO), le syndicat le mieux implanté dans la fonction publique territoriale. Parmi eux, un certain Élie-Claude Argy, futur numéro un de l'organisation, l'un des meilleurs connaisseurs des arcanes de la cité phocéenne, qu'il s'emploie à décoder pour le novice.

Le métier d'avocat n'est pas la vocation de ce fils d'enseignants à l'ancienne, mais Olivier Grimaldi finit par se lancer en 2004, avec un net penchant pour le droit public. Il est aussitôt l'avocat de la branche « collectivités » de FO, dont Marseille est l'un des centres névralgiques. Un tremplin : hormis sur le port, domaine réservé de la CGT, FO est partout majoritaire à Marseille. Même chez les gardiens de la paix, dès lors que la puissante UNSA-Police décide de rejoindre le giron de ce syndicat.

Plusieurs collectivités lui font d'emblée confiance, dont la mairie de Marseille elle-même, ville dont il connaît les énormes difficultés économiques, mais dont il « tombe amoureux ». Ce sont cependant les petites municipalités qui font vivre son cabinet, les communes de 10 000 à 30 000 habitants, toutes tendances confondues, dont les maires vivent un « enfer » administratif et juridique quotidien. Me Grimaldi rayonne rapidement au-delà des frontières du département, jusque dans le Var dont le président du Conseil général, Horace Lanfranchi (UMP), lui soumet en 2005 un cas urgent : empêcher l'ouverture d'une maison pour personnes âgées non conforme aux règles sanitaires. Comme d'autres vont trouver le juge d'instruction, il jongle devant le tribunal administratif avec les plans d'urbanisme.

« Certains disent qu'il faut être apparenté PS ou UMP pour avancer dans ce métier ; je ne suis pas de cet avis, dit-il. Je ne veux pas être marqué. »

Olivier Grimaldi a d'autres tigres dans son moteur. En 2010, il s'associe avec un pénaliste de deux ans son aîné, Emmanuel Molina. L'idée – prémonitoire quand on connaît la suite des événements – consiste à faire face aux demandes des maires, de plus en plus exposés au pénal. Les cas affluent, comme celui de cet édile d'une commune du Var, pilonné devant le tribunal pour une histoire de licence de taxi. Grimaldi apprend aussi les précautions utiles : quand un maire le convoque au sujet d'un marché public, il demande que les personnes autour de la table se présentent, histoire de ne pas contrevenir au Code général des collectivités...

Jusqu'en février 2011, l'association entre les deux avocats fait merveille. « Je me sentais solide, je faisais mon métier, mais je ne maîtrisais pas l'environnement », admet l'avocat, qui se retrouve brusquement en garde à vue dans la gigantesque affaire Guérini, celle qui va conduire à la (lente) chute du président (PS) du Conseil général des Bouches-du-Rhône, Jean-Noël Guérini, et faire trébucher son frère Alexandre, fortune faite dans le traitement des déchets, son métier de toujours. Défaut de vigilance, comme il le dit ? Olivier Grimaldi, qui travaille pour Alexandre Guérini depuis 2009, jure qu'il n'a « rien vu venir ».

Qu'on l'entende dans ce dossier, que le juge veuille connaître son rôle, cela lui semble « normal ». La forte médiatisation de sa garde à vue lui reste en revanche en travers de la gorge : « Je peux tout accepter, mais que les gendarmes viennent me chercher à 7 heures du matin, chez moi, devant ma femme et mes enfants, j'ai du mal à l'admettre, confie-t-il. Ils se sont dit qu'ils allaient me faire peur, mais les dommages collatéraux sont lourds... »

« Vous êtes dans un dossier politico-financier, ce sont les pires », glisse un officier de police judiciaire à l'oreille de l'avocat, dont un réconfort extérieur émane à l'époque du maire de Marseille, qui lui exprime publiquement sa sympathie. Le bâtonnier et l'Ordre des avocats, choqués par la méthode, le soutiennent pour leur part « à l'unanimité ». Grimaldi découvre à cette occasion qu'il n'est pas le seul, que d'autres ont eux aussi été placés en garde à vue, mais dans des dossiers si peu médiatisés que nul ne l'a su. Il mesure également l'intensité que peuvent atteindre jalousies et rivalités au sein du barreau lorsqu'il voit des confrères tenter de faire main basse sur certains de ses clients à la faveur de ses difficultés. Tandis que d'autres s'interrogent ostensiblement sur sa réussite, lui qui, à trente-sept ans à peine, gère déjà un cabinet d'une douzaine de personnes, lui dont on murmure sous la robe qu'il a « doublé » son chiffre d'affaires depuis qu'il a rencontré les frères Guérini, lui qui s'est d'ailleurs acheté une Aston Martin, la voiture de James Bond... Au passage, pour « protéger le cabinet », son associé Emmanuel Molina est contraint de se retirer de la défense d'Alexandre Guérini.

« Je ne suis le fils de personne, proteste Me Grimaldi. Je ne suis "maqué" avec personne, et personne ne m'a jamais forcé la main. L'Aston Martin, je l'ai achetée pour amener ma mère à son mariage (tardif), mais mon père est mort avant ! C'est trop facile, de cogner sur un avocat sorti de nulle part ! Le barreau de Marseille s'est constitué sur le modèle méridional de l'avocat isolé. C'est très individualiste. Un cabinet comme le mien, avec douze personnes, c'est extraordinaire. Le plus gros cabinet, ici, c'est tout de suite vingt à vingt-cinq personnes. Sur les dossiers importants, on voit systématiquement débarquer des Lyonnais, des Parisiens, des Montpelliérains... »

De l'influence, Olivier Grimaldi continue malgré tout d'en avoir à travers le réseau de collectivités qu'il défend. Peut-on parler de « pouvoir » ? Un jour, le maire (UMP) d'une commune du Var le fait venir pour lui donner lecture de la lettre de démission qu'il compte envoyer à la préfecture. « Je n'ai plus la confiance du patron du groupe politique », lui confie l'élu, totalement dépité. L'avocat lui demande un petit délai, le temps de corriger son courrier ; il en profite pour rendre visite au cacique du coin... et dénoue la crise autour d'un bon repas.

Un scénario à peu près identique se déroule quelques mois plus tard avec un maire de gauche, sauf qu'il faudra aller rechercher la lettre déjà postée... Comme quoi un avocat, métier à risques, peut parfois sauver du naufrage la carrière d'un politique... mais aussi bien couler avec lui.

RÉGIS DE CASTELNAU,
L'HOMME QUI « SÉCURISE » LES ÉLUS LOCAUX

Mais comment Régis de Castelnau s'est-il retrouvé dans cette galère ? Comment cet avocat parisien qui défend plusieurs centaines de collectivités locales s'est-il laissé embarquer dans les affaires marseillaises ? C'est simple : le Conseil général des Bouches-du-Rhône et son président, le socialiste Jean-Noël Guérini, figuraient parmi ses clients.

L'occasion pour lui de constater à ses dépens que, à Marseille, rien ne fonctionne vraiment comme à Paris, Toulouse, Lille, ni même aux Baux-de-Provence où il dispose d'une antenne... Et de traverser quelques moments délicats, comme ce jour où il est convoqué chez le juge Charles Duchaine, assisté de Thierry Herzog, son voisin de bureau place Saint-Michel, à Paris, et frôle la mise en examen. Avec une circonstance aggravante : sa propre épouse, la pénaliste Florence Rault, a été la première avocate d'Alexandre Guérini, ce qui lui a valu quelques séances houleuses dans le bureau du même juge d'instruction...

Pourtant, quand il a rencontré pour la première fois Jean-Noël Guérini, qui venait de remporter le Conseil général, l'homme politique aurait donné pour consigne à l'avocat de « remettre de l'ordre » dans les dossiers. « L'irréprochabilité, c'était sa feuille de route », assure-t-il aujourd'hui. Même s'il a bien vu qu'il n'était pas sollicité pour *tous* les dossiers, ce qui l'aurait sans doute conduit à allumer quelques feux rouges ici et là, Me de Castelnau insiste : « On m'appelle en général pour se border, pas pour tricher. Je ne suis pas marseillais, et la succession de Gaston Defferre ne m'intéressait pas. Je ne connaissais rien non plus au Milieu, ce qui faisait de moi, dans cette ville, une sorte d'idiot utile. »

Au bout de six ans de bons et loyaux services, on présente Régis de Castelnau à Alexandre Guérini, « un passionné, grande gueule, sportif, drôle et meilleur politique que son frère... On le dit sulfureux, *border-line*, mais Alexandre reste pour moi du bon côté de la ligne, du moins est-ce ma conviction à l'époque, témoigne l'avocat. On parle de foot, de femmes, aussi de Georges Marchais qui le fascine, mais surtout boulot. Il travaille dans les déchets, domaine dans lequel mon cabinet bénéficie d'une certaine compétence, comme en matière d'eau ou de transports. Il me demande conseil sans arrêt. Il cherche à vendre ses sociétés. Il m'appelle pour assister à des rencontres avec des acheteurs potentiels, mais cela ne va jamais très loin ».

Fin août 2009, « Alex » bombarde l'avocat de questions au sujet d'une décharge qu'il exploite depuis 2004 dans le cadre d'une délégation de service public, sur fond de refonte de la communauté d'agglomérations de Salon-de-Provence. Des élus protestent, le Conseil d'État donne son avis, on parle préjudice, indemnisation. Les géants de l'eau et de la propreté, à l'instar de Veolia, s'en mêlent. On recompte le tonnage des déchets traités pour tomber d'accord sur une indemnité de 7 millions d'euros, plus 9 millions pour amortissement, mais les dix-sept maires qui composent la communauté d'agglomérations ne sont pas tous d'accord...

L'offre d'Alexandre Guérini finit par l'emporter – « en toute légalité », affirme aujourd'hui l'avocat, qui tient à couper court à tout soupçon : « Je ne vais pas me transformer en gangster à soixante et un ans, ma carrière est derrière moi ! » D'ailleurs, après avoir vainement tenté de négocier avec un directeur général des services « fermé comme une huître », il a complètement laissé tomber le dossier.

Pendant ce temps, dans les coulisses phocéennes, les ennemis de Jean-Claude Gaudin, maire UMP de Marseille, et ceux de Jean-Noël Guérini se donnent le mot et déclenchent une offensive « politique » à coups de lettres anonymes, avec les ravages que l'on sait... Mais, loin du théâtre des opérations, Régis de Castelnau ne voit pas venir ces sombres vengeances ayant pour ultime objectif la mainmise sur la mairie en 2014...

Avocat des collectivités locales, vu de loin, ça fleure bon la planque et les ronds-de-cuir. De près, c'est tout le contraire : une sorte de parcours d'obstacles où l'on risque gros à chaque instant. Faux frères, trahisons, chausse-trapes, guet-apens, putsches, messes basses, dénonciations anonymes, on trouve de tout chez les élus locaux, d'ailleurs pas seulement dans la cité phocéenne. « C'est assez pénible de se retrouver dans un tel bordel quand ce n'est pas votre monde », laisse tomber Régis de Castelnau, qui n'en a pas terminé avec la justice marseillaise, même si le juge d'instruction semble avoir admis sa bonne foi. Son cabinet a également traité quelques affaires pour le compte de l'office HLM local, Habitat-Marseille-Provence, ce qui lui vaut bientôt l'appel intéressé d'un policier. Une nouvelle enquête démarre, qui cause vite quelques soucis à une autre avocate locale, Stéphanie Clément, épouse dans le civil du député marseillais (UMP) Renaud Muselier, pour avoir traité (tout à fait normalement, dit-elle) de nombreux dossiers de cet office…

Régis de Castelnau met un point d'honneur, dans son travail, à se tenir à distance respectueuse d'un terrain forcément piégé. Il compte parmi ses clients Martin Malvy (PS) et la région Pyrénées, Martine Aubry (PS) et Lille, tout comme Christian Estrosi (UMP), député-maire de Nice, mais il évite autant que possible de se mêler aux bagarres locales. « Ce que nous gérons en faisant du droit, c'est le risque politique, affirme-t-il. Ce n'est ni leur argent, ni leur liberté. »

Découvre-t-on un jour qu'un directeur de société d'économie mixte du nord de la France s'est alloué des sommes indues ? « On fournit des solutions juridiques en quarante-huit heures, explique l'avocat. On démine. » Dans ce cas précis, le cabinet suggère la démission immédiate du suspect tout en proposant d'attendre la fin de la période électorale pour déposer plainte.

Des gens du voyage s'installent-ils nuitamment sur la voirie d'une commune ? Mᵉ de Castelnau démontre au maire que la liberté de circulation relève de ses compétences, ce qui en l'occurrence le ravit. Mairie, communauté urbaine et Conseil général, tous trois tenus par des socialistes, bataillent-ils à Toulouse autour du prolongement d'une ligne de métro ? On prie l'avocat de trouver en urgence une solution « opérationnelle ». Le maire de

Livry-Gargan (Seine-Saint-Denis) voit-il d'un mauvais œil le tracé d'une nouvelle ligne de tramway ? Le cabinet multiplie les recours contre le projet...

« Les collectivités sont des personnes morales, observe Régis de Castelnau. Elles sont insérées dans un champ économique. Elles ont besoin d'accompagnement sur les questions juridiques, qui ont pris le pas sur la régulation administrative, depuis la fin des années 1980, avec le recul de l'État. L'intérêt général devient le fruit de la mise en cohérence d'intérêts particuliers par le droit. L'annulation du permis de construire d'un stade, comme on l'a vu à Valenciennes, peut avoir un fort retentissement politique. S'ils viennent me voir, c'est que les élus cherchent une défense technique. L'insécurité est forte à cause de l'inculture juridique générale, mais aussi de l'énorme complexité des normes. »

Les ennuis peuvent pleuvoir de partout. Un élu local de L'Haÿ-les-Roses a ainsi participé un jour à un vote autorisant la vente d'un terrain à un promoteur. Il devient maire de la ville, le bâtiment a été construit, sa mère tombe malade... et il achète pour elle un appartement dans l'immeuble. Au moment où l'élu devient député, le procureur du coin dégaine une accusation de « prise illégale d'intérêt ». L'avocat obtiendra la relaxe, mais après quelques bonnes suées !

Faire tampon entre les politiques et les magistrats n'est pas un métier reposant, surtout quand on défend un politique persuadé que tout se monnaie, que tout peut s'arranger. « Ils ne comprennent pas toujours que le juge décide à leur place, confie l'avocat. Ils le vivent d'autant plus mal que les magistrats ne sont pas toujours au niveau, qu'ils sont imprévisibles, qu'il leur arrive d'afficher leur défiance vis-à-vis du politique. »

Régis de Castelnau a entamé sa carrière dans le sillage des communistes en 1972, après avoir adhéré au PCF. Durant près de vingt ans, il traite avec les collectivités, les syndicats, les mutuelles, avant d'être recruté par

Maxime Gremetz, cacique de la Place du Colonel-Fabien, et de se mettre au service de la direction du Parti, devenant une sorte d'officier d'état-major de ces « rouges » auxquels son grand-père général et son père colonel vouaient une haine viscérale. Il ne prend ses distances que le jour où on lui suggère de monter un cabinet d'affaires entre Paris et Moscou, alors que l'Union soviétique commence à se disloquer.

Depuis lors, l'avocat n'a de cesse d'élargir son spectre, à l'image de la panoplie de portraits qui ornent un mur de son bureau parisien : Darwin, de Gaulle, Marx, Mandela, Anquetil... La décentralisation entamée par François Mitterrand et Gaston Defferre en 1982 lui donne des ailes. « Elle contient en germe le recul des régulations administratives au profit des régulations juridiques, explique-t-il. Il va falloir changer la norme, former, apporter des compétences externes aux communes, aux départements, aux régions. »

Pionnier en ce domaine, Me de Castelnau monte l'Association française des avocats des collectivités, il enseigne et crée un cabinet qui rassemble aujourd'hui une vingtaine d'avocats, en concurrence notamment avec celui de Corinne Lepage, spécialiste des questions environnementales (qui laissera provisoirement la gestion du cabinet à son mari lorsqu'elle deviendra ministre de l'Écologie). Le nouveau Code des marchés déclenche une guerre des prix qui laisse quelques cabinets sur le tapis, mais la floraison des communautés urbaines, de Rouen à Toulouse en passant par Nice et Lille, donne du grain à moudre à tout le monde, en attendant le « Grand Paris » et ses casse-tête juridiques en cascade...

« Je ne suis ni socialiste, ni maçon, ni corse, plaisante Régis de Castelnau, mais les politiques ont tous besoin d'un regard extérieur sur leur territoire. » Extérieur : le mot est bien trouvé, mais, à Marseille, l'avocat l'a compris à ses dépens, soit on reste derrière la porte, soit on fait partie de la maisonnée.

Jean-Léopold Renard,
en bateau sur l'Océan, en famille...

Il a récupéré le cabinet de son père, qui avait repris celui de son grand-père, bâtonnier de Marseille en 1915 ; son grand-oncle, Léopold Dor, a été « le plus grand avocat maritime », qui représenta la France lors de la signature de la première convention internationale sur le sujet, à Bruxelles en 1924 ; son propre fils est avocat, et sa fille termine un doctorat de droit maritime : chez les Renard, les secrets de la mer relèvent du patrimoine familial. On se repasse de génération en génération les ficelles de ce droit très pointu dont les prémices remontent aux Grecs et aux Romains, mais dont la version contemporaine est on ne peut plus anglo-saxonne.

Ancre jetée par son père en haut de la Canebière, Jean-Léopold Renard, né en 1949, s'est bâti une réputation sur tous les océans comme avocat des armateurs. À Anvers on frappe à la porte du cabinet Boissière, à Gênes chez Carateglio, à Londres chez Hallman Felwiche, et à Marseille... chez Renard ! Depuis 1978, il conseille le plus gros armateur français (et numéro trois mondial), basé à Marseille : la CMA-CGM de Jacques Saadé. Navires, assurances, locations, affrètement, sinistres : l'avocat consacre à ce groupe près de la moitié de son temps...

La première règle, en droit maritime, c'est le partage des risques. Le propriétaire est responsable en fonction de la taille du bateau. Si la marchandise tombe à l'eau, elle est remboursée... au poids ! Si le capitaine commet une faute nautique, le transporteur ne doit rien. S'il faut jeter par-dessus bord 50 % de la cargaison pour sauver le navire, subtilité supplémentaire, l'avarie est à la charge du transporteur et du commanditaire : moitié/moitié...

Le « jeu » de ces spécialistes consiste à trouver la façon de payer le moins possible, par exemple en cas d'abordage. L'employé d'une plate-forme de forage qui perd une jambe en France devra toucher environ 100 000 euros ; aux États-Unis, il peut prétendre à 5 millions d'euros. Le tout est de parvenir à identifier clairement le responsable dans le brouillard des textes – une « bouillabaisse », dit Renard, hommage au plat qui fait la fierté des restaurants du Vieux-Port. Où l'on découvre que les périls de la mer, la force majeure, l'événement de mer et même l'« acte de Dieu » ont leur place, à l'exemple de ces vagues « scélérates » de dix mètres capables de faire chavirer un navire. Indemniser, oui, mais pas trop, surtout quand le « Supérieur », l'armateur du navire et ses clients, s'en mêle, sachant qu'un navire affrété, c'est au bas mot de 15 à 20 000 euros par jour, et qu'un abordage se chiffre vite en dizaine de millions de dollars...

Pour faire face aux avaries en tous genres, de la grève à la guerre en passant par le naufrage et la présence de passagers clandestins à bord, Jean-Léopold Renard travaille au sein d'une sorte de mutuelle regroupant de par le monde dix avocats britanniques, autant de scandinaves, un japonais et un chinois. Une garantie bancaire, et le navire immobilisé repart : dans ce milieu, on transige sans trop tarder, quand les marchandises en trop ou les clandestins indésirables ne finissent pas... à l'eau ! Une caisse de crevettes congelées a-t-elle éclaté ? Est-ce à cause de la tempête ou était-elle mal arrimée ? On transige à 100 000 euros, on paie la moitié, et vogue le cargo !

Un jour de 2011, l'avocat reçoit un fax d'un cabinet panaméen désireux d'engager en France une action contre une compagnie marocaine. L'histoire remonte au début des années 2000, quand un cargo en détresse dans les Caraïbes à la suite d'une tempête, l'*Imilchil*, chargé de produits congelés et de pièces détachées, appelle au secours un remorqueur. Au terme d'un contrat d'assistance rédigé dans le creux de la vague – « *no cure, no pay* » (pas de résultat, pas de règlement) –, le cargo est tiré d'affaire, sauf que le capitaine du remorqueur et son équipage ne voient jamais rien venir. Un jugement finit par condamner le remorqué à payer 2 millions de dollars, soit un quart du prix de la valeur de la marchandise transportée, sauf que les membres de l'équipage du remorqueur attendent toujours leur part...

Jean-Léopold Renard demande la saisie du navire marocain bloqué sur ordre du tribunal de commerce de Marseille, mais, comme souvent, il propose une transaction. On s'accorde sur la moitié de la somme, soit un million de dollars, mais les Panaméens rechignent. Il faudra donc attendre le jugement du tribunal. Mais l'avocat ne le « sent » pas et relance les négociations quelques jours avant le délibéré. Le protocole est signé à la dernière minute, et le million de dollars validé de justesse, car, le lendemain, le tribunal se déclarait incompétent et déboutait les Panaméens...

Entre les crevettes et le remorquage, entre la famille Cousteau et l'État de Malte pour le sombre *Erika*, Me Renard fait aussi escale du côté des guerres africaines. Le colonel Kadhafi a requis en l'occurrence les services de la compagnie Marseille-Fret pour acheminer de Benghazi au Kenya huit chars russes T52 destinés à soutenir le Néron noir Idi Amin Dada. Entre-temps, le dictateur a été renversé et s'est réfugié en Arabie Saoudite. Le navire finit par être arraisonné, et les tanks confisqués, mais, un an plus tard, les Libyens bloquent un cargo appartenant à l'affréteur, retenant par la même occasion l'équipage. « Rendez les chars, et on relâche votre bateau » : tel est le message qui tombe, entraînant près de dix-huit mois de chantage... jusqu'au jour où les Français saisissent à leur tour à Marseille un navire libyen !

Défenseur des intérêts libyens, l'avocat tente de plaider le fait que le navire retenu appartient à l'État, mais n'emporte pas le morceau. Il finit par négocier l'échange.

La mer est le théâtre de tous les soubresauts politiques de la planète. L'effondrement de l'ex-URSS est aussi celui de ses gigantesques flottes, comme Balting Shipping et ses trois cents navires. Faute de trafic, les bateaux sont loués à prix cassé, mais la mafia russe s'en mêle, le PDG est assassiné et les cargos et autres porte-conteneurs finissent par être saisis un à un à travers le monde entier, faute de payer les douanes, les assurances et les ports. Sauf que la compagnie qui opère les saisies se révèle être elle aussi une émanation de la mafia, armée de fausses créances et de jugements bidon. Objectif : racheter les bateaux aux enchères pour le profit d'anciens cadres du KGB, et les immatriculer à Chypre...

Parfois survient une histoire plus romanesque, où la chasse aux trésors recouvre ses droits. Un client se présente ainsi un jour au cabinet pour expliquer qu'il est sur les traces d'un bateau anglais coulé aux Comores au début du XVIIIe siècle avec, dans ses soutes, toute la solde de l'armée des Indes. Attaqué par surprise par des Français, il aurait démâté avant de sombrer, le capitaine ayant mis le feu au bâtiment. Le chasseur de galions envoie l'avocat négocier avec les Comores : en échange de l'autorisation de chercher l'épave, il propose d'en partager le contenu avec le pays. Le gouvernement comorien accepte le marché, mais la topographie des lieux empêche l'amateur de trésors de poursuivre ses recherches : autour de cette île volcanique, les fonds plongent à l'abrupt de 80 à plus de 100 mètres.

Loin de se décourager, l'homme présente déjà un autre dossier : il rêve de retrouver des bateaux qui auraient sombré au large de la Mauritanie pendant la Première Guerre mondiale. Leurs coques pèsent plus de 7 000 tonnes de cuivre, aujourd'hui si cher au kilo. Un jour, peut-être, la Canebière entendra parler d'une fabuleuse trouvaille...

Chapitre 22

Secrets de la Milice

« Touvier a été arrêté. »

C'est un juge qui appelle Jacques Trémolet de Villers.

« C'est qui, Touvier ? demande l'avocat. – Paul Touvier, le chef de la Milice de Lyon. – Et alors ? – Il t'a désigné comme avocat. »

Auprès de son « maître » et premier patron Jean-Louis Tixier-Vignancour, Jacques Trémolet de Villers, héritier d'une longue lignée d'avocats engagés à droite de la droite, a appris « à ne pas discuter ». Il se laisse désigner, et le client lui-même peine à le croire. « Vous acceptez ? questionne Paul Touvier une fois qu'il se retrouve devant lui. – Oui. – Demain, vous êtes un lépreux. – C'est le lot des avocats. »

« Défendre Touvier pendant sept ans, de 1989 à 1996, m'a coûté en argent et en réputation, mais je ne regrette rien », déclare aujourd'hui l'avocat. Malgré les quolibets et les menaces scandées aux portes du Palais : « Touvier, on t'a eu ; Trémolet, on t'aura ! »

« Les avocats sur lesquels Touvier aurait pu compter étaient morts ou n'étaient plus valides », précise-t-il ; il s'est alors attelé à la tâche.

« Lépreux », il n'avait pas tort, songe cependant l'avocat en montrant tout ce que l'ancien patron de la Milice lui a laissé en héritage : une relique composée d'une enveloppe jaunie sur laquelle on peut lire : « Centre pénitentiaire de Fresnes. Service Fouille. Touvier Paul. Libéré le 11/7/91. » Jouxtant ce souvenir carcéral, le carton d'invitation imprimé pour l'enterrement de Touvier. De quoi ajouter à l'ambiance un peu surannée qui règne dans cet appartement de la rue Copernic où l'avocat est arrivé avec ses parents en 1956, à l'âge de huit ans, et qui lui sert de bureau.

« La Lozère du Nord était blanche et buvait du rouge, la Lozère du Sud était rouge et buvait du pastis », lance Trémolet de Villers quand on le pousse sur le terrain politique. Né à Mende, Corse par sa mère, il a bien sûr grandi au nord, où son père a mené deux carrières de front : avocat et député.

Trémolet de Villers, *alias* « Trémolo de vipère », revendique un deuxième « maître » : Mᵉ Pierre-Antoine Berryer, né en 1790 et mort en 1868. « Si vous additionnez ses clients, vous avez tout ce qui a compté au XIXᵉ siècle, tous bords confondus. Royaliste et légitimiste, il a défendu les républicains sous l'Empire, les syndicalistes sous la monarchie de Juillet, Jules Ferry et les ouvriers. Il a tout le temps mené la grande vie et a fini ruiné. Quand Napoléon Bonaparte lui a envoyé 25 000 louis d'or, il les lui a réexpédiés. »

Berryer aurait certainement défendu Touvier, de même que Tixier-Vignancour, à qui son père l'adresse quand Jacques Trémolet de Villers devient avocat à vingt-deux ans. Il est « Algérie française », comme son patron, qui vouvoie tout le monde dans son cabinet du 95, boulevard Raspail, mais tutoie le jeune Trémolet de Villers dès qu'ils ont traversé la rue. Ils parlent la même langue : à la Corpo de droit, Trémolet a vu passer Jean-Marie Le Pen, qu'il ne connaissait pas encore, et quelques Corses virulents, dont pas mal sont tombés en Algérie pour l'OAS. Prolonger le métier d'avocat en faisant de la politique lui paraît « naturel » depuis qu'il a vu son père à l'œuvre au temps du régime parlementaire. Trémolet de Villers boit les bons mots de Tixier-Vignancour : « La vérité est extrémiste, donc je suis extrémiste » ; « Chacun sait que je ne suis pas de droite, mais d'extrême droite » ; ou encore celui-ci, récurrent : « La robe qui a défendu Salan va défendre Mouloud Benyaya, proxénète. »

Comme Gilbert Collard, Jacques Trémolet de Villers se vit en héritier de ce qu'il appelle la « tradition non conformiste » du Palais, dont les chefs de file seraient Jacques Isorni, Jean-Marc Varaut et Francis Gibault, « aussi fleuret que Tixier était mitraillette ». Il affiche aussi une « vraie fraternité » avec Jacques Vergès, « qui se fout d'être dans la ligne », comme lui, et « ne craint pas les coups ». Catholique pratiquant, il a noué une amitié avec Jean-Marie Le Pen, qui était proche de son père, mais assure n'avoir jamais adhéré à son parti parce qu'il « n'aime pas les partis ». Il a d'ailleurs viré royaliste en 2000 après une rencontre avec le prince Jean de France, et laissé la défense du Front national à un autre avocat, Wallerand de Saint-Just, par ailleurs conseiller régional.

Peut-on rester neutre quand on défend Paul Touvier ? Difficile, reconnaît l'avocat qui, à plusieurs reprises au cours de notre entretien, prend soin de rappeler que, étant né en 1944, il ne peut lui-même avoir appartenu à la Milice. Trois jours par semaine, durant l'instruction, il se tient auprès de son client. Ils épluchent ensemble le dossier qu'ils finissent par connaître par cœur, parlent de l'Occupation, de Pétain, de la Résistance, de l'Armée secrète, de sa condamnation à mort par contumace en 1946, de sa cavale sous un nom d'emprunt, des catholiques qui l'ont planqué pendant des années... et de Jacques Brel, dont Touvier raconte avoir été l'intendant durant près de dix ans, dans les années 1960...

L'ancien milicien se cachait chez son père, volets fermés à cause de sa condamnation à mort, lorsqu'un ami prêtre est venu lui faire écouter un disque du chanteur. Touvier se débrouille pour aller l'entendre en *live* à Lyon, puis pour le croiser dans un bistrot où il l'accoste à visage découvert : « Je suis Paul Touvier, condamné à mort. – Asseyez-vous », lui aurait répondu Brel. Touvier se retrouve gardien d'un chalet en Chartreuse et joue les imprésarios sous le nom de Paul Berthet ; ils produisent même ensemble un disque, *L'Amour et la Vie*, salué par la presse, de *La Croix* à *L'Humanité*...

Voilà les histoires que Touvier conte à son avocat, qui voit défiler « quarante ans de vie française sous le regard d'un clandestin ». Où il est question de l'archevêque de Lyon, mais aussi des visites qu'il rendait à Edmond Michelet dans son bureau de ministre de la Justice, lequel obtint du président Pompidou une grâce qui allait réveiller les familles des victimes en 1973...

L'avocat écoute ce Savoyard d'un naturel « peu disant », tout en conservant une certaine distance : « De tradition familiale, chez nous, on n'était pas miliciens, observe Trémolet. Mon père était anti-allemand, on avait même des cousins juifs. » Il n'en met pas moins en vente un livre qu'il intitule *Paul Touvier est innocent*, avant que l'Ordre des avocats ne l'exhorte à ajouter au titre un point d'interrogation. « Non, réplique-t-il, j'affirme ! Si son avocat doute, il est mort ! »

Le client, lui, ne doute pas. « Il ne se vivait pas comme coupable, précise Trémolet de Villers. Mais il se reprochait les sept exécutions de Rillieux-la-Pape, disant : "J'aurais dû arriver à zéro mort, mais, si j'étais parti, combien auraient été fusillés ?" »

La longue traque n'aura débouché que seize ans plus tard, tant les complicités dont a disposé l'ancien milicien ont été nombreuses et solides.

L'instruction est tendue. L'avocat se « bat pied à pied » avec le juge Jean-Paul Getti. Il plaide une heure durant la remise en liberté de Touvier, en vain, avant d'obtenir finalement satisfaction.

Paul Touvier est libre depuis un an lorsque la chambre d'accusation examine son cas au mois d'août 1992. Mᵉ Trémolet de Villers plaide cette fois pendant près d'une semaine, avec près de mille pages de mémoire sous le bras. Pour défendre non pas la Milice, précise-t-il, mais Touvier. Et c'est dans un tonnerre de protestations qu'il obtient un non-lieu général.

Le procureur général Pierre Truche dépose un pourvoi, et l'arrêt est cassé au mois de novembre suivant. Paul Touvier comparaît devant la cour d'assises de Versailles au printemps 1994. Absent, « bourré de médicaments », « il a l'univers entier contre lui », dit son avocat. Le tribunal le déclare complice des Allemands et le condamne à la perpétuité pour crimes contre l'humanité. Parmi les éléments à charge, la lettre qu'il a lui-même rédigée à l'intention de Georges Pompidou dans le cadre de sa demande de grâce, où il expliquait son rôle exact lors de l'exécution des sept juifs de Rillieux-la-Pape, le 29 juin 1944...

Paul Touvier meurt à la maison d'arrêt de Fresnes après le rejet de tous ses recours en grâce, le 17 juillet 1996, non sans avoir avoué à son avocat qu'il était « celui qui le connaissait le mieux ».

« Lépreux », l'avocat ne l'est pas pour tout le monde, car, il l'assure, dans le milieu judiciaire, jamais un confrère ne s'est permis à son endroit une remarque désagréable. Corsitude aidant, il sera par ailleurs l'avocat de Jean-Charles Marchiani[1] pendant quinze ans. Son père lui-même ne s'était-il pas vanté d'être à la fois l'avocat de l'évêché et celui du bordel ?

---

1. L'un des principaux collaborateurs de Charles Pasqua.

Chapitre 23

Secrets de com'

C'est l'« affaire *Paris-Match* ». L'histoire d'une photo de classe pas comme les autres, puisque l'hebdomadaire a décidé de réunir sur une même image les principaux ténors du barreau. Les robes noires entrent dans les pages *people* par la grande porte. On ne voit plus qu'eux, on n'entend plus qu'eux, *Match* les immortalise comme on fige la composition d'un nouveau gouvernement pour l'éternité, et honte à celui qui ne figurera pas sur la photo !

À l'un des heureux « élus » qui l'interroge sur cette abondance de robes, le photographe réplique : « J'ai préféré voir large, à cause des défections. – Vous ne connaissez pas les avocats ! » lui répond le curieux.

La scène se passe dans les locaux de l'Ordre, au Palais de Justice de Paris, transformés pour l'occasion en studio de stars.

Personne n'a appelé personne pour l'aviser de cette séance de pose, mais tous sont venus à l'heure, au petit matin, pile-poil à l'heure, même !

Georges Kiejman est probablement le seul à refuser de se prêter à l'exercice. « C'est trop tôt pour moi », a-t-il dit, peut-être parce qu'il aurait voulu avoir la page pour lui tout seul, comme en son temps Jacques Vergès qui posa nu dans sa baignoire moussante, un cigare à la bouche. Ou parce que, à 8 h 30, le « Félin » se repose.

Jean Veil, lui, a posé ses conditions : il ne veut pas être sur la photo si son confrère Olivier Pardo y figure. « Ma mère aurait aimé ne pas être sur la photo avec la tienne ! » réplique Pardo comme à la récré. Motif de cet ostracisme ? Un dossier russe qui aurait assez obscurément échappé à Me Veil... Pardo reste, Veil part alors qu'il est à l'occasion l'avocat de *Paris-Match*...

Olivier Morice a hésité à y aller. Il trouve cet étalage « ridicule ». « Allez-y ! » le poussent ses collaborateurs. « C'est la reconnaissance de ton courage », renchérit un ami. Il y va, mais se place au second plan, près d'Antoine Comte, parce qu'il est comme lui « un avocat de conviction ».

Tous les « monstres » du barreau sont là : Darrois, Forster, Leclerc, le « boss » Metzner, la brochette des bâtonniers. Jeu d'egos doublé de gros enjeux économiques.

Une seule femme a été sollicitée : Dominique de La Garanderie, et, comme le remarque avec humour sa consœur Frédérique Pons, « elle signe le crime ». « Je n'ai aucun ego, ajoute Me Pons comme pour remettre ces mâles à leur place. La seule chose qui m'intéresse, ce sont les idées débattues autour de la table. »

Voici donc venu le temps des avocats stars. Du *Grand Journal* (Canal Plus) à *Match*, ils sont plus souvent sous les feux médiatiques que dans la pénombre des prisons. Les raisons de cet engouement ? « Notre liberté de parole et le contenu des affaires que l'on traite », avance le pénaliste Hervé Temime, qui parle d'« hystérie » et prédit la prochaine explosion de cette bulle médiatique. Tandis que son confrère Emmanuel Marsigny souligne cet étrange paradoxe : « On fait des stars de ceux qui défendent les délinquants, eux-mêmes désignés comme les "moutons noirs"... »

Les avocats et leur image : tout un poème ! Mais il ne s'agit pas seulement d'être le premier de la classe *people*. La plupart des grandes affaires se jouent aujourd'hui dans les médias, qu'il soit question d'enquêtes politico-financières ou de faits divers retentissants. Nous avons sondé nos interlocuteurs sur leurs pratiques vis-à-vis des médias, leurs relations avec les journalistes, le poids de ce tribunal médiatique qui fait de l'ombre à l'enceinte judiciaire. Voici leurs réponses :

Daniel Soulez-Larivière et le journaliste :

Octobre 1966 : le jeune Daniel Soulez-Larivière est chargé de mission au sein du cabinet du ministre de l'Équipement et du Logement, Edgard Pisani. Chargé de la communication, il acquiert quelques réflexes qui ne vont pas tarder à lui servir dans l'exercice de la profession d'avocat.

Deuxième secrétaire de la Conférence du stage en mai 1968, il se voit confier la défense d'un adjudant du SDECE, comme on appelle à l'époque les services secrets français, un certain Eugène Rousseau. Son employeur l'accuse d'avoir trahi la France pendant quinze ans alors qu'il était en poste à Belgrade. L'avocat n'arrive pas exactement aux mêmes conclusions, mais son client est bien parti en Yougoslavie avec sa fille de seize ans, et elle a apparemment donné à l'ennemi les codes de l'ambassade.

Mᵉ Soulez-Larivière se fait épauler par un plus ancien, Mᵉ Jean-Louis Tixier-Vignancour, mais son client écope tout de même, à huis clos, d'une peine de quinze ans de prison.

« Quelques jours après le verdict, je me suis dit : ou tu le sors, ou tu t'en vas ! »

Une seule solution : Gilles Perrault, qui vient de publier un livre retentissant, *L'Orchestre rouge*. « Ce n'est pas un article qu'il faut faire, c'est un livre. Et ça ne peut pas attendre ! explique l'avocat, convaincu que cette arrestation cache en fait des règlements de compte au sein des services d'espionnage. – Je le ferai », répond le journaliste.

Le livre est publié chez Fayard, en 1971, sous le titre *L'Erreur*, mais l'avocat a déjà prévu le coup suivant. Il a mis sur pied un comité de soutien dont sont membres plusieurs hauts gradés de l'armée, et lance une véritable campagne. Georges Pompidou est bombardé de lettres, et René Pleven, le garde des Sceaux, convoque rapidement Me Soulez-Larivière. Le politique ne veut pas de ce scandale, l'adjudant sera libéré. « Il sortira le 24 décembre prochain, vous irez le chercher, lui annonce le ministre. On vous demande juste de mettre la pédale douce, autrement dit pas de battage. »

La veille de Noël, l'avocat s'en va chercher son client à la porte de la prison de Melun, accompagné de Gilles Perrault, lui-même ancien avocat, dont la machine à écrire est apparemment plus efficace que la robe noire.

« La presse est le dernier recours de la défense, confie presque un demi-siècle plus tard Daniel Soulez-Larivière. Je vais vivre pendant des années au rythme de ce qu'on appelait l'agit-prop et des pétitions.

« Les années 1980 ont été celles du retournement. La presse est devenue le premier recours de l'accusation, avec l'infanterie des juges derrière. Les procès-verbaux arrivaient dans les journaux avant même d'être signés. On lui refusait un supplétif? Le juge exposait son dossier dans les médias. On lui refusait encore ? Il recommençait !

« Aujourd'hui, ce sont les parties civiles qui balancent tout aux journaux, avec des avocats qui se comportent comme des procureurs *bis*, des sortes de petits parquets privés. Le "politiquement correct" progresse. Vous avez la ligne du "parti", et tout le monde s'y tient. Si vous êtes l'avocat des victimes, c'est toujours bien. »

THIERRY HERZOG (PÉNALISTE) :

« Certaines affaires te médiatisent tellement que des gens se disent : "Il n'aura pas le temps de s'occuper de moi." Le réflexe naturel, chez le client potentiel, c'est de prendre Hervé Temime quand il en a fini avec François-Marie Banier [le photographe, ami de Liliane Bettencourt] ou Roman Polanski [le cinéaste], et de désigner Herzog quand il en a terminé avec l'affaire Clearstream. C'est le revers de la popularité. »

JEAN-YVES LIÉNARD (PÉNALISTE) :

« Faut-il prendre un agent qui appellerait la presse pour "vendre" les affaires croustillantes ? Metzner a été le premier à comprendre l'intérêt de la médiatisation. Personnellement, je n'ai jamais appelé un journaliste, mais je n'ai jamais non plus mis à la porte un journaliste.

Il peut m'arriver de communiquer quand celui que je défends me demande de le faire ou m'y autorise. Certaines fois, tu ne peux pas faire autrement : la forêt de micros est là, tu dois donner ton sentiment, forcément partial, dans le cadre d'un discours général. On est en charge d'une défense, pas de la recherche de la vérité. Je trouve ridicules ceux qui disent : "J'ai une confiance terrible dans la justice de mon pays !" Pas moi ! Il y a aussi l'avocat qui "colle à son client" à la colle forte, pour être sur la photo et faire une déclaration d'innocence avant de dire qu'il fera appel.

L'impact de l'image est pharaonique ! Le JT, ce sont des millions de personnes. Qui parle ? le client ? l'avocat ? C'est le client qui décide. Un Rocancourt [célèbre escroc] ne laisse pas ses avocats parler à sa place, Dominique de Villepin non plus, Ziad Takieddine [intermédiaire dans les marchés d'armes] encore moins ! Il faut connaître les médias pour être utile. Bernard Tapie au 20 heures, c'est dix secondes. Tu parles dix secondes et tu es sûr que ton message est reproduit. Les plus sages coupent court à la communication. Quand on commence, on s'expose à une polémique avec contre-offensive. C'est jouer à l'apprenti sorcier. Le seul fait de se défendre est souvent considéré comme une présomption de culpabilité. Mieux vaut parfois laisser courir : la bête médiatique n'a plus rien à se mettre sous la dent et finit par mourir. »

PATRICK MAISONNEUVE (PÉNALISTE) :

« Avant que ne se mette en place le couple juge/journaliste, les avocats avaient tendance à attendre l'audience pour parler à la presse. On a vite compris que l'impact médiatique n'était pas neutre sur le déroulement d'une procédure judiciaire, soit qu'il la freine, soit qu'il l'accélère.

Pour autant, je ne cultive pas spécialement de relations avec la presse. La médiatisation a évidemment un effet bénéfique pour un cabinet, mais aussi un effet pervers. Quand je défends le même mois Yvan Colonna et l'Église de scientologie, ce sont les clients les plus fous qui assaillent le standard. À l'inverse, des gens se disent : "Il doit être tellement cher, celui-là...", et n'appellent pas.

La médiatisation ne doit pas conduire à tout faire. Il y a des émissions de variétés auxquelles je ne participerai jamais. Je ne veux pas faire le clown. Ce n'est pas ma place. »

CHRISTIAN SAINT-PALAIS (PÉNALISTE) :

« On peut avoir intérêt à déplacer une affaire sur le terrain médiatique. Ce n'est pas le même métier, mais on doit pouvoir faire les deux et travailler sur l'image d'un client. Il faut gérer, par exemple, la répercussion médiatique d'une convocation devant le tribunal, ou préparer l'opinion à un mauvais résultat. Pour autant, il ne faut pas s'illusionner sur les juges, qui le plus souvent restent hermétiques au tapage médiatique, à la différence des jurés qui en sont abreuvés, comme le reste de l'opinion publique.

Nous sommes aussi des commerçants et nous avons besoin de publicité. J'admets cependant mal le plaisir qu'il peut y avoir à être dans la lumière alors que le client, lui, est en prison ou à l'hôpital. La dérive commence lorsque l'on se dit : "Tiens, voilà un créneau pour montrer ma bobine." Je dois dire que j'ignorais cet aspect commercial en arrivant dans le métier. Il faut apprendre à ne pas épuiser notre parole au risque de l'amollir. »

Paul Lombard (généraliste) :

« On dit qu'il y a les avocats qui connaissent la loi et ceux qui connaissent les juges. Il y a aujourd'hui une troisième espèce : ceux qui connaissent les journalistes, engeance redoutable dans la mesure où ils peuvent faire et défaire une carrière. Si intouchables ont-ils été, les secrets ont volé en éclats. Polichinelle a remplacé d'Aguesseau, et le roi Midas a assuré son règne. On est passé de l'ère du secret à celui du bavardage.

Il arrive aussi aux avocats d'attaquer la presse. Avec Gaston Defferre [alors maire socialiste de Marseille], nous avons intenté cent treize procès en diffamation contre *Minute* [l'hebdomadaire d'extrême droite], où il y avait une rubrique "Gastounet". Son avocat était là pour protéger sa réputation et son honorabilité. Il m'appelait à 6 heures et demie du matin pour me signaler un article et me donner sa consigne : "Assignez !" Il avait la plainte à fleur de peau. Lorsqu'il est mort, la loi de 1881 sur la presse s'est mise en deuil. »

Claude Benyoucef (pénaliste) :

« Dupond-Moretti est une bête, mais la communication, ça n'est pas inné. On ne sait pas s'il faut accueillir les journalistes en groupe ou un par un, s'il faut beaucoup parler ou pas. On apprend en se trompant. Une mauvaise communication dans un dossier, c'est peut-être un procès foutu, avec l'opinion publique à dos.

Les médias, c'est une fenêtre ouverte sur l'opinion et l'inconscient collectif. On crée une sympathie ou une antipathie. La presse a fait acquitter Viguier, à Toulouse. L'affaire d'Outreau a basculé le jour où les journalistes ont compris que Myriam Badaoui était une manipulatrice. »

JEAN-YVES LE BORGNE (PÉNALISTE) :

« L'avocat peut en appeler à l'opinion, c'est pourquoi il fait peur. Mais, en vérité, c'est la presse qui se sert de lui, pas l'inverse. Comment instrumentaliser la presse ? Comment amener un journaliste à se pencher sur un sujet qui ne l'intéresse pas ? C'est cuit d'avance ! La présence médiatique de l'avocat ne lui confère aucun pouvoir. L'avocat n'est qu'un porte-parole. Il parle pour le compte de l'accusé qui ne peut se défendre. Il dit ce que son client ne peut pas dire, avec un avantage : il n'est pas culpabilisable.

L'avocat essaie d'expliquer à la presse que son client n'a rien fait. On l'entend plus rarement expliquer que les faits sont exacts, mais qu'il y a des circonstances atténuantes. On est le plus souvent dans la simplification : il a fait ou il n'a pas fait. Le pourquoi importe moins. S'il a fait, il faut qu'il paie. Les journalistes sont moins dans la nuance qu'ils ne l'ont naguère été. La peine de mort a disparu, mais l'idée de l'élimination du criminel reste très répandue dans l'opinion. On est passé de l'élimination physique à l'élimination sociale.

Vous avez des affaires avec deux procès : le procès médiatique et le procès judiciaire. Les questions ne sont pas les mêmes. Il y a des avocats qui ne veulent pas jouer ce rôle-là, qui estiment que leur job n'est pas de répondre à la presse. Faut-il défendre une thèse ou se faire valoir ? Un avocat dépourvu d'ego ne peut faire convenablement son métier, mais l'inverse est également vrai. Il faut être capable d'assumer cette exposition. Le souci qu'on a de l'image de soi est excellent tant que c'est au service du client. »

DIDIER MARTIN (AVOCAT D'AFFAIRES) :

« Dans le domaine qui est le mien, celui des affaires, la reconnaissance médiatique ne veut pas forcément dire "clientèle nouvelle". C'est dans l'ombre que cela se passe, à Bruxelles ou ailleurs, pas dans les journaux ! Le succès d'une offre publique d'achat passe par les recommandations des banques. Les journaux constituent un bruit de fond, certes audible des pouvoirs publics, mais un bruit de fond.

Des journalistes qui font le boulot afin de bien comprendre une affaire, qui se font leur propre idée avant d'écrire, il n'y en a pas beaucoup. J'en vois beaucoup, en revanche, qui se mettent au service de telle ou telle cause. Ils versent dans le copinage, le clanesque. On leur raconte une histoire et ne vérifient pas trop.

La presse est faible. Le copinage est roi. Les spécialistes de la presse économique ne sont pas les moins bricoleurs, à part ceux du *Herald Tribune* ou du *Times*. Ils n'ont pas d'éthique. Le plus souvent, on perd son temps à les recevoir. Ils ne lisent même pas les documents qu'on leur remet, prétextant qu'ils ne sont pas capables de les décrypter.

Un certain nombre de journalistes sont dans une telle proximité avec les communicants qu'ils ne cherchent pas à se faire leur propre opinion. Pourquoi ne prennent-ils pas leur temps ? Pourquoi vont-ils au plus rapide ? Les communicants choisissent les journalistes et leur font écrire n'importe quoi, en particulier dans la presse économique. Souvent, ils poussent également leurs clients à l'erreur. Le cas d'Éric Woerth dans l'affaire Bettencourt est à ce titre exemplaire. Alors que son affaire n'avait jusque-là rien de politique, les communicants l'ont trop vite poussé à réagir. Si le ministre du Budget de l'époque avait pris du recul, s'il avait admis ses liens avec Patrice de Maistre et expliqué cette Légion d'honneur qu'il lui avait remise, au lieu de nier, le cours de l'affaire aurait probablement été différent.

Je serais surpris que les communicants continuent longtemps encore à occuper le haut du pavé... La bonne nouvelle, c'est qu'ils ont moins prise sur internet, où l'on voit apparaître un contre-pouvoir difficile à maîtriser. »

GILLES-JEAN PORTEJOIE (GÉNÉRALISTE) :

« Quand tu es en nage, à la fin d'une plaidoirie, c'est que ça s'est bien passé. Ça n'est pas fini pour autant. Un jour, au sortir d'une plaidoirie formidable, le cheveu mouillé, je bredouille quelques mots pitoyables devant les micros et les caméras des journalistes qui m'attendaient à la sortie. Bon devant 50 personnes, j'ai été mauvais devant 2 millions de téléspectateurs ! J'avais décompressé trop vite. Et puis, passer d'une éloquence à une autre, ça se travaille...

Avocat, on n'est pas proche de tel ou tel journal, mais de tel ou tel journaliste. La presse, c'est le moyen de faire sortir un dossier. Un article est le levier idéal pour bousculer un procureur qui freine et pour débloquer une situation. Le dossier revient automatiquement sur le dessus de la pile. Il faut cependant trouver l'équilibre entre l'intérêt du client et la satisfaction de voir son nom dans le journal. Pas un pénaliste qui ne soit pas un tantinet mégalo ; l'important, c'est de s'en rendre compte. »

JEAN-MICHEL DARROIS (AVOCAT D'AFFAIRES) :

« La lumière des médias peut être dangereuse. Elle peut vous faire perdre vos repères. Le tribunal le plus rapide, c'est le tribunal de l'opinion publique. On est cependant parfois obligé de défendre le client devant les médias. Quand un client est emporté par une vague, l'avocat est même le seul à pouvoir s'adresser à la presse. On est là pour convaincre, pas pour attaquer d'autres gens. Mais c'est comme la langue d'Ésope : cela peut marcher tout comme cela peut se retourner. Olivier Metzner a su se concilier les médias dans la défense de Dominique de Villepin lors de l'affaire Clearstream, mais n'a pas obtenu les mêmes résultats dans le dossier Bettencourt.

Très peu d'avocats sont finalement confrontés aux médias, et il faut savoir les gérer. Je ne parle pas trop, mais, quand je parle, je ne raconte pas de carabistouilles aux journalistes. Si on leur ment, ils ne te croient plus. Je donne ma version et celle de l'adversaire.

Ces disputes d'avocats hirsutes et haineux que l'on a pu voir à la télévision ne sont pas bonnes, mais les jalousies sont parfois énormes. La confraternité est une haine vigilante, et c'était déjà comme ça du temps de Moro-Giafferi et de Maurice Garçon. C'est inhérent à ce métier. On se retrouve toujours comme les bonnes copines qui disent en privé du mal les unes des autres. Mais les médias, l'argent, la notoriété peuvent vous faire perdre le contrôle. »

HERVÉ TEMIME (PÉNALISTE) :

« Les médias ont pris une telle importance dans le processus judiciaire que certains avocats finissent par confondre l'exercice du métier et la promotion permanente de leur entreprise.

Être du côté des victimes, c'est facile. Quand on est du mauvais côté, il faut savoir faire le dos rond. Ceux qui communiquent le font par impulsivité ou pour eux-mêmes. Je pourrais faire parler davantage de moi, mais montrer sa gueule ne sert à rien. Il faut même parfois mutiler son message. La starification pousse certains vers des comportements risqués. On juge un avocat sur ses résultats, pas sur ses rodomontades. Ceux qui expliquent que l'aspect médiatique est un aspect essentiel de la défense privilégient leurs intérêts et leur ego.

Quand un client se trouve dans une ornière médiatique, c'est difficile. L'affaire DSK est un *digest* de tout ce qui peut se produire. Il est cloué au pilori. Ses avocats font le minimum en peu de mots, et attendent de disposer de tous les éléments. Dans certains cas, les meilleurs communicants ne peuvent rien faire, car l'opinion est monolithique.

Même Bernard Tapie, très fort sur le plan médiatique, n'a pas réussi à se défendre dans l'affaire OM-VA. Il est conscient de ces enjeux, mais n'en prend pas moins régulièrement des vestes. Lorsqu'il a défendu Jérôme Kerviel contre la Société Générale en première instance, Olivier Metzner a gagné la bataille de l'opinion, mais perdu son procès. En appel, Kerviel a confié ses intérêts à un avocat ambitieux qui est tout sauf un pénaliste, et il a perdu à la fois devant l'opinion et devant la justice...

Le manichéisme et l'unanimisme sont difficiles à combattre. Prenez l'affaire Bettencourt. Les médias ont manqué d'analyse critique quand le fameux accord a été signé entre la mère et la fille. Pas un journaliste n'a osé ironiser. Pourtant, si la mère était en état de vulnérabilité, elle l'était également au jour de signer cette transaction ! Les journalistes ne vérifient rien. L'avocat est pour eux une source rarement soumise à contradiction, et difficile à vérifier... »

JEAN VEIL (AVOCAT D'AFFAIRES) :

« J'engueule les journalistes si le papier est mauvais, mais je ne mens jamais. Je ne pratique pas non plus l'échange d'informations avec eux.

L'affaire Kerviel, dans laquelle j'ai défendu la Société Générale, est à ce titre un cas d'école. Quelle stratégie de communication fixer alors que l'on est détesté en tant que banquier ? Difficile de faire de la pédagogie au journal télévisé quand on dispose d'une minute et demie. On est forcément caricatural, déconcertant pour le téléspectateur, voire peu crédible. Je préfère avoir un quart d'heure chez Ruth Elkrief (BFM TV) qu'une minute au "20 heures". Le *off* ? Depuis que je me suis fait piéger par *Libération*, j'ai compris qu'il n'existait pas.

Un jour, Bernard Tapie a donné une leçon à ses avocats : "Ne sortez pas par-derrière, mais par la grande porte. N'écoutez pas la question, préparez quelques mots, balancez-les et disparaissez."

Il faut savoir synthétiser, dire les quatre mots qui comptent.

Le *trader* Jérôme Kerviel avait accès aux plateaux, mais je ne pouvais aller discuter avec lui, pas plus que Daniel Bouton ou Frédéric Oudéa, l'ancien et le nouveau patron de la Société Générale. Daniel Bouton ne pouvait davantage rivaliser avec Kerviel sortant de prison, vêtu d'une chemise mauve et saluant les journalistes comme la reine d'Angleterre ses sujets, l'image faisant la une du *Figaro* du lendemain, ce qui, au passage, correspond à une pure inversion des valeurs. Jean Peyrelevade n'est pas non plus allé débattre avec Tapie sur l'affaire du Crédit Lyonnais ! J'ajoute que les journalistes qui orchestrent les débats, s'ils sont toujours polis avec les invités, ne connaissent généralement rien à l'affaire.

La seule chose valable, si on nous laissait le temps, ce serait de faire de la pédagogie ; encore faudrait-il qu'on nous donne la parole. »

WILLIAM GOLDNADEL (GÉNÉRALISTE) :

« Avocat, c'est un métier de représentation. On est dans l'obligation de montrer sa gueule, et ça me nuit !

Avant, l'avocat était choisi selon deux critères : 1° ses résultats, 2° ses "touches" avec les magistrats. Radio-prison faisait le reste. On avait intérêt à gagner des affaires. Aujourd'hui, c'est la télévision qui est le meilleur vecteur, presque l'unique. Si l'on ne vous voit pas dans les journaux, c'est que vous êtes en perte de vitesse.

Dans le temps, le client vous remerciait si vous désamorciez une affaire. Aujourd'hui, si on le fait, on n'en bénéficie pas : voilà le côté diabolique des médias, c'est une dialectique, les journalistes cherchent la bonne affaire et l'avocat va choisir le journaliste avec lequel il a des rapports privilégiés.

La médiatisation peut casser une entreprise. Une affaire médiatisée est une affaire plus dangereuse. Je me suis occupé de carambouilles énormes qui n'ont débouché que sur de petites peines, parce que les médias n'étaient pas là. Pour certains magistrats, si l'on parle d'un dossier, c'est que l'affaire est grave. »

EMMANUEL MARSIGNY (PÉNALISTE) :

« Les journalistes qui suivent les affaires ne sont pas très nombreux. On apprend à savoir qui est qui, qui appartient à tel réseau, qui est en service commandé. On sait qu'on ne pourra pas les enfumer deux fois, que l'essentiel de la relation se construit sur la durée.

La bataille médiatique est souvent faite d'amalgames et de raccourcis, mais, si on ne la gagne pas, on est cuit ! Pour le client, la sanction est immédiate. »

FRANÇOIS SAINT-PIERRE (PÉNALISTE) :

« Vous avez une belle affaire criminelle ? Vous avez trois boîtes de production sur le dos ! On doit intégrer cette dimension publique. Les accusés sont parfois dans une telle souffrance que la caméra peut leur faire du bien.

Certains de mes confrères deviennent des *people*. On les voit dans *Elle* et sur Canal Plus. Le champ médiatique télévisuel ne m'intéresse pas. Être publié chez Odile Jacob est plus satisfaisant. »

RICHARD MALKA (SPÉCIALISTE DES MÉDIAS, PÉNALISTE) :

« Je refuse beaucoup d'invitations dans les médias pour éviter la surexposition. Comme dit Jean-François Kahn, on lèche, on lâche, on lynche.

J'ai du respect pour la profession de journaliste, je n'en ai jamais baladé un seul, mais quand on est avocat, les médias sont à utiliser avec doigté. Il faut être en confiance. Il faut connaître l'ADN des journaux, leur fonctionnement.

Le discours médiatique n'a rien à voir avec la plaidoirie. C'est quelques phrases, quelques idées simples, quelques mots qui font mal. On ne peut pas parler pour ne rien dire ; d'ailleurs, c'est de plus en plus le cas dans les tribunaux : il faut être efficace au détriment des grandes envolées. »

JÉRÉMIE ASSOUS (PÉNALISTE) :

« Au début, ça faisait plaisir à ma mère de me voir dans les journaux ou à la télé. Ce qui est amusant, c'est que cette médiatisation rend hystériques les confrères que vous n'aimez pas ! Ce n'est pas difficile d'être médiatique, si l'on a envie de l'être. Ce n'est pas désagréable non plus, mais cela crée des inimitiés.

L'impact médiatique ne vous rapporte rien. Ce n'est pas parce que vous passez à la télé qu'on vient vous voir, demandez à [David] Koubbi ! On vient vous voir parce que vous gagnez.

L'ivresse est d'ailleurs plus importante quand vous gagnez une affaire que quand vous faites la une de *Télérama*.

Cela dit, Thierry Lévy [son père spirituel] est plus cohérent que certains journalistes. Je pense à ceux qui ont mis en scène le rapport de la DCRI [Direction centrale du renseignement intérieur] sur Tarnac... avant de nous verser du baume, six mois plus tard, quand l'affaire s'est retournée. Les médias, dans cette affaire, se sont d'abord alignés sur la thèse de l'État, avant de contribuer à limiter les dérives de la justice antiterroriste. On ne peut nous reprocher de recourir à la communication, puisqu'ils s'en sont servis avant nous. Ils ont publiquement violé le secret de l'instruction ; alors, pourquoi ne pas en faire autant ? »

PASCAL GARBARINI (PÉNALISTE) :

« La médiatisation d'un dossier est capitale. La presse est dans le système judiciaire, elle fait partie du jeu. Exclure les médias, c'est signifier que l'on cache quelque chose. Le secret de l'instruction est une escroquerie intellectuelle.

Dans les procès de nationalistes corses, la presse sert de support à l'explication de l'acte. Pourquoi quelqu'un qui n'est pas une crapule, qui ne fait pas ça pour l'argent, commet-il un plasticage qui peut détruire sa vie ? La cause politique ne justifie pas l'acte, mais permet de le comprendre. On devient alors plus audible dans le périmètre judiciaire.

Le combat de l'avocat n'est pas seulement dans le prétoire, c'est un combat de tous les instants. C'est la seule façon de remettre en cause les réflexes corporatistes et les mécanismes bien huilés de la justice. »

William Bourdon (pénaliste) :

« La "peopolisation" est, pour les avocats, la plus mauvaise pub qui soit. On se met au niveau de *Gala* ! Je pourfends cette légende qui veut que plus on serait connu, plus on serait compétent. Certains se croient protégés parce qu'ils sont une source pour les journalistes, mais tout cela est illusoire.

Les hommes sont plus obsédés par leur visibilité que les femmes. Ça les rend parfois toxico-dépendants des médias. Certains, comme David Koubbi ou Jérémie Assous, sont caricaturaux tant ils veulent la une !

La presse doit être une alliée dans les combats de principe. Les batailles se mènent d'abord dans le champ public, puis dans le champ judiciaire pour faire avancer le droit. Je choisis évidemment mon média et mon journaliste.

La course à l'échalote nuit cependant aux journalistes. La chasse à l'information engendre une violence qui suscite parfois des attitudes surprenantes. La rapidité pousse aussi certains à n'écrire que des conneries... »

Georges Kiejman (généraliste) :

« Ces types qui se font de la pub, je m'en fous ! Il ne faut pas confondre sa notoriété et celle de ses clients. Pour moi, l'avocat type, c'est Henri Leclerc, courageux et désintéressé.

Autrefois, le procès était le cœur de la représentation médiatique de la justice ; aujourd'hui, les médias jugent avant le procès. »

JEAN-LOUIS SEATELLI (PÉNALISTE) :

« Pendant l'instruction, je n'aime pas trop parler avec la presse, ou alors en confiance. Je suis peut-être d'un autre temps, mais c'est comme ça : je plaide dans la salle d'audience, pas sur les marches du Palais. Je ne peux empiéter sur mon travail en déflorant tout. Je n'aime pas manipuler le journaliste, ni en être manipulé. Quand c'est une affaire politique, les PV se baladent partout !... Pendant le procès, je suis en revanche plus ouvert. »

JEAN-LOUIS PELLETIER (GÉNÉRALISTE) :

« Quand je suis monté à Paris, je me suis fait des amis parmi les journalistes, de Ladislas de Hoyos à Frédéric Pottecher, qui m'ont pris sous leur aile. J'incarnais une façon de plaider qui avait disparu, sauf chez les avocats du Midi. »

OLIVIER METZNER (PÉNALISTE) :

« La première fois que l'on voit son nom dans la presse, on est fou de joie.

Avec Twitter dans les salles d'audience, on sait tout en direct. La presse et la communication ont pris une importance considérable. Peut-on défendre quelqu'un sans gérer la com' ? C'est devenu impossible. Il faut cependant rester crédible.

Je n'accepte aucune émission hors du champ de l'information, aucun *talk show*. Je n'ai jamais joué les [Gilbert] Collard dans des émissions où l'avocat n'a pas sa place. Quand je suis à la télé, c'est pour défendre la cause de mon client, pas la mienne. J'ai plutôt envie de voir ma notoriété liée à mes compétences. Collard a bandé face à la caméra et ne s'en est jamais remis. Il est ridicule auprès des confrères, mais surtout des magistrats. Il s'est fait remarquer par le bruit qu'il faisait, pas par le travail.

Les affaires médiatiques, c'est 10 % des activités du cabinet, mais les rapports avec les journalistes prennent de plus en plus de place. Les affaires se jouent au-dehors avant d'arriver dans l'enceinte judiciaire. Villepin doit être relaxé par l'opinion publique avant le procès Clearstream. Quand je défends Jérôme Kerviel, la Société Générale est obligée de prendre la parole pour rappeler qu'elle est la victime, pas l'accusée.

Mieux vaut prendre la presse à bras le corps plutôt que de se laisser emporter par le mouvement médiatique. Je n'abuse pas de la presse, mais je m'en sers. Aucun procès-verbal ne sort de mon cabinet, mais il est toujours possible de les lire. Il y a cependant des journalistes avec lesquels je ne travaillerai jamais, surtout s'ils m'ont trahi.

Avec l'affaire Bettencourt, j'ai assisté en direct à des bagarres internes aux journaux. Au début, j'avais conseillé à la famille de laisser passer la tempête, puis j'ai commencé un an plus tard à travailler avec la presse. J'ai tenté de ne pas me laisser déborder, de tenir le calendrier. J'ai même réussi à convaincre le journaliste du *Figaro* qui suivait l'affaire, mais il a été « promu » au service politique et remplacé sur ordre d'Étienne Mougeotte [alors directeur de la rédaction]. La nouvelle presse a été utile et efficace : l'affaire a fait la réussite de *Mediapart*, mais aussi le bel été de *Marianne*. »

ÉRIC DUPOND-MORETTI (PÉNALISTE) :

« Il est parfois de bon ton de ne pas communiquer. On communique quand on a de vraies choses à dire et quand ça sert celui qu'on défend. Parfois, la com' est non seulement inopérante, mais nuisible.

Quand j'ai défendu [Jacques] Viguier [poursuivi à Toulouse pour le meurtre de sa femme], je n'ai pas communiqué du tout, et j'ai bien fait. La presse n'était pas favorable à mon client, elle s'autocensurait. »

THOMAS BIDNIC (PÉNALISTE) :

« Quand je suis entré à son cabinet, Pierre Haïk m'a dit : "Les journalistes, tu fais gaffe, c'est grisant." J'appelle le journaliste en cas de nécessité, quand les magistrats vont prendre une décision scandaleuse. La publicité est un facteur de qualité de la justice. La justice cachée n'est pas la justice. La présence des médias évite que les juges mettent la poussière sous le tapis.

J'appelle la presse si tel est l'intérêt de mon client. Mais, la plupart du temps, je me cache : la première page, c'est en général contre les intérêts de la cause que je plaide. Même pour la publicité, c'est moins bien que "Radio-taule". »

OLIVIER PARDO (AVOCAT D'AFFAIRES, PÉNALISTE) :

« La presse est déterminante. Les juges mènent une vie ascétique, ils ont des carrières dures, ils ne sont pas reconnus, mais ils lisent énormément les journaux qui parlent de leurs affaires. Si l'on veut faire bouger les lignes, mieux vaut une affaire "signalée" [dont la presse parle]. Les meilleurs gardiens de l'indépendance de la justice ne sont pas au CSM [Conseil supérieur de la magistrature], mais dans la presse.

Le vrai métier ne consiste pas à se faire de la pub et à faire la une du *Figaro*. Tu deviens alors [Gilbert] Collard, et n'est pas Collard qui veut. Cela dit, plus on nous voit, plus on est protégés. Se demander si l'on ne va pas apparaître dans *Le Canard enchaîné*, n'est-ce pas un signe de pouvoir ?

Si je parle à la presse, c'est évidemment que j'ai besoin d'elle. Les journalistes m'instrumentalisent, je les instrumentalise... Ils savent comment ça marche. Avec eux, le bluff ne fonctionne pas deux fois. À la différence des hommes de pouvoir, certaines personnes prises dans les affaires ne respectent pas les journalistes et pensent qu'elles peuvent leur raconter des billevesées. Elles se libèrent de leurs angoisses en allant voir une télé, et ça devient comme une drogue. Une parole trop galvaudée n'a plus de force devant le juge, qui relève facilement les contradictions.

Le rôle de l'avocat est de rendre une parole crédible. »

THIERRY DE MONTBRIAL (PÉNALISTE) :

« Je fais toujours attention à la com'. "On va dire ça à la presse", me dit un jour Gilbert Collard. Je proteste, car ce n'est pas vrai. "C'est pas grave, c'est l'effet d'annonce qui compte", me répond-il. Dire n'importe quoi, c'est négatif, comme le fait de trop apparaître. Nos prescripteurs, ce sont les autres avocats, les juges, les flics et les journalistes. On ne doit pas crier au loup avant de voir le loup, comme font certains confrères dans l'affaire Karachi. Une telle stratégie médiatique peut affaiblir un dossier, même si la médiatisation nous protège.

Je suis pour une communication professionnelle, loin de toute gaudriole. »

OLIVIER MORICE (PÉNALISTE) :

« De l'affaire Bettencourt, il restera des avocats qui ont fait les zozos pendant des mois sur les plateaux télé...

Je n'ai pas de ces entrées qui permettent à certains d'appeler directement un ministre. En revanche, s'il faut faire prospérer la vérité, je peux susciter une importante réaction des médias. Le contre-pouvoir passe par une synergie entre l'aiguillon que je suis et les chiens de garde que sont les journalistes. Chaque fois qu'il est utile de communiquer, je n'hésite pas. J'ai plus d'une cinquantaine de journalistes dans mon carnet d'adresses, et tous les jours ils me sollicitent.

Dans l'affaire Karachi, certaines rédactions se sont autocensurées, certains m'ont boycotté, d'autres ont été plus courageux. »

CAROLINE TOBY (PÉNALISTE) :

« Les médias ne s'intéressent qu'aux ténors. Ils veulent faire du plateau avec un type connu. Ma place, je dois me la faire ailleurs. »

JEAN-PAUL TEISSONNIÈRE
(SPÉCIALISTE DES AFFAIRES DE SANTÉ) :

« Je vais sur les plateaux télé quand c'est utile, mais je m'abstiens de toute démagogie. Je tiens le même discours devant les victimes de l'amiante, devant les médias et devant le tribunal. J'ai un souci de cohérence et de crédibilité. »

OLIVIER SCHNERB (PÉNALISTE) :

« Certaines affaires nécessitent un combat pied à pied dans une salle d'audience, ou malheureusement dans les journaux. Mais annoncer une stratégie de défense, c'est la fragiliser. Le mieux est d'attendre le bon moment pour effectuer sa mise au point et faire tomber l'accusation.

Pour certains d'entre nous, la presse devient une drogue. »

FRANCIS SZPINER (PÉNALISTE) :

« Le client peut être confronté à une double accusation : l'accusation judiciaire, qui a ses règles, et l'accusation médiatique, qui n'a plus de règles. La défense doit être double. L'homme politique, comme l'artiste, a une image de marque. Suspecté, il est diminué avant d'avoir pu se défendre. On peut perdre une bataille médiatique à perpétuité, même avec un acquittement. Une entreprise peut voir son cours chuter en Bourse – d'ailleurs, on assiste à des affaires entièrement montées pour fracasser une image.

Dominique Baudis attaqué dans *Libération* lors de l'affaire de Toulouse, c'est le prolongement du *Libé* de l'époque du notaire de Bruay-en-Artois : c'est le journal qui s'attaque aux notables. S'il n'avait pas pris le taureau par les cornes, la machine à broyer aurait continué son train-train. S'il ne va pas sur le plateau de télé pour s'expliquer, s'il est d'abord convoqué chez le juge, il devient définitivement inaudible.

La com' n'est cependant qu'un accessoire. Elle ne peut se substituer à une ligne de défense. Quand Alain Juppé passe en correctionnelle, on ne voit pas un avocat en robe à côté de lui. L'image de l'homme politique accompagné d'un type en robe est lourde de sens, elle signifie clairement qu'il est la proie de la justice.

Quand Thierry Herzog intervient dans le dossier Clearstream pour Sarkozy, il oublie la gestion de son image. Quand Jacques Chirac s'est fait tirer dessus en plein défilé du 14 juillet, je lui ai déconseillé de se constituer partie civile. François Mitterrand n'attaquait jamais : il envoyait ses amis. »

Emmanuelle Kneuzé (pénaliste) :

« On a besoin des médias, mais il y a trop de spectacle. L'avocat pense qu'il a besoin de faire du spectacle pour être vu, et je pense que ça n'aide pas son client. Se mettre en avant, je ne sais pas faire ; se montrer, c'est montrer les clients. Moins on parle d'eux, mieux ils se portent. Je privilégie leur intérêt plutôt que le mien.

Votre maman, votre boucher et votre concierge sont contents de vous voir à la télé, mais pas forcément celui que vous défendez. J'ai des amis journalistes, mais ils savent que je ne leur donnerai rien. »

Michel Konitz (pénaliste) :

« Charles Robaglia a tenu le haut du pavé sans s'exprimer dans les médias, mais c'était une autre époque... Éric Dupond-Moretti n'a pas été fabriqué par les médias, à la différence d'un Gilbert Collard...

Les médias, il en faut un peu parce que ça flatte l'ego, mais la médiatisation n'est pas synonyme de mansuétude. Et puis, en dehors de quelques mégalos, les gens n'ont aucune envie qu'on parle d'eux.

Je vois la presse quand j'ai affaire à des faits emblématiques d'une justice qui fonctionne mal. Mais, la plupart du temps, il n'y a pas de complot, pas de scandale, rien à dire sur les principes. »

Jean-Pierre Versini-Campinchi (pénaliste) :

« L'avocat qui détient une parcelle de pouvoir, c'est celui qui sait manier les médias...

Combien y a-t-il de journalistes qui comptent vraiment pour un avocat ? Au maximum deux par grand média. La télé, tu ne l'atteins qu'en cas d'affaire spectaculaire, mais j'ai sauvé la vie d'une cliente corse avec quatre pages dans *Paris-Match*. Si je n'ai pas le journaliste avec moi, je ne sers à rien !

L'avocat ne parle pas parce qu'il est bavard, mais parce qu'il défend son client. »

PIERRE HAÏK (PÉNALISTE) :

« Mes rapports avec les médias sont compliqués. J'ai du mal à parler des affaires que je traite. Certains disent que l'on gagne aussi un dossier par la médiatisation, mais ce n'est pas mon école. J'en perçois l'efficacité, mais aussi les conséquences néfastes. »

FRANÇOIS LASRY (AVOCAT D'AFFAIRES) :

« Quand les avocats parlent à la presse, c'est en partie pour se faire plaisir. C'est la mise en valeur du "20 heures", avec l'excuse classique : c'est bon pour le client. Je cultive exactement le contraire, car les clients attendent avant tout de moi la confidentialité. Et puis, les journalistes sont presque aussi menteurs que les avocats ! »

THIERRY LÉVY (PÉNALISTE) :

« L'accès aux médias est plus facile qu'autrefois. Quand on aime ça, les bras se tendent... Je me suis toujours méfié des médias. Je ne fais pas le même métier que les journalistes. Le mien est de défendre quelqu'un et de lui faire gagner des points. À quoi le journaliste va-t-il me servir ? »

Pierre-Olivier Sur (pénaliste) :

« On dit les avocats attirés par les micros. On dit qu'ils doivent réserver leur combat pour l'audience. On a la parano du secret... Je n'ai plus aucune pudeur de ce genre.

Le vrai problème, c'est d'être aussi bon devant les médias que dans l'enceinte judiciaire. On le fait encore trop sous le manteau, quand nos confrères américains organisent des conférences de presse. Il faut avoir le courage de l'accepter, avec les dangers que cela comporte. »

Frédérique Pons (pénaliste) :

« Quand tout est bloqué, il reste la presse, sauf que beaucoup de gens n'ont pas du tout envie que l'on parle d'eux dans les journaux. Je ne le fais qu'avec l'accord du client, et si c'est nécessaire à la défense. »

Lionel Moroni (pénaliste) :

« Un reportage à la télé où l'on vous voit, ce sont peut-être des dossiers nouveaux qui rentrent, mais, à la clef, ce sont aussi de possibles embrouilles, et des honoraires souvent ridicules. »

Jean-Léopold Renard (avocat maritime) :

« Mamoun Bradabi, ex-officier français, l'un des hommes d'affaires les plus riches des Comores, se présente un jour devant les électeurs de l'île. Un journaliste le traite de "sale colonialiste blanc" et de "nègre des colons". Alors qu'il veut porter plainte en diffamation, je lui conseille de ne pas tuer le seul journal de l'île, et lui suggère de leur demander de s'excuser publiquement, ce qu'ils font. J'ai été heureux de sauver ce journal dans une île si éloignée de la France, mais pas de ses affaires ! »

PHILIPPE NATAF (FISCALISTE) :

« L'avocat fiscaliste n'est pas un spécialiste de la relation avec les journalistes. »

Chapitre 24

Secrets comptables

« *Talk is cheap unless you are talking with a lawyer* », dit un petit écriteau, cadeau d'un confrère américain, posé sur une étagère dans le bureau de la spécialiste du divorce, Michèle Cahen.

Un bon avocat, combien ça coûte ? Pourriez-vous vous offrir les services d'une star du barreau ? À tous nos interlocuteurs, nous avons posé la même question : « Combien prenez-vous ? » Voici ce qu'ils nous ont répondu, silences compris. Mais, au préalable, cette anecdote véridique : un jour, l'avocat Éric Dupond-Moretti croise dans un train son confrère Gilbert Collard, alors au faîte de sa gloire. « Alors, ta marionnette aux *Guignols*[1], ça te fait quoi ? lui demande-t-il. – J'ai doublé mon chiffre d'affaires », répond, pragmatique, celui qui deviendra bientôt député apparenté au parti d'une autre avocate, Marine Le Pen.

PAUL LOMBARD (PÉNALISTE) :

« Je déambule dans des couloirs qui ne me rappellent pas ceux de mon enfance. Ce ne sont pas les couloirs de l'enfer, mais il est vrai que le côté messianique et

---

1. *Les Guignols de l'Info*, sur Canal Plus.

quelquefois angélique de la profession a été happé par le vent de l'Histoire. Saint Yves a cédé la place au dieu Rentabilité. Le Code des impôts a tendance à prendre le pas sur le Code pénal. Lorsque je suis entré dans la profession, l'argent n'était pas négligé, mais il était souvent négligeable. Comme ces temps-là sont lointains ! L'avocat a ajouté au Code un autre instrument : la machine à calculer. »

ÉMILE POLLAK (PÉNALISTE) :

Un jour, un client demande à l'avocat marseillais Émile Pollak : « Maître, quels sont vos tarifs ? – J'ai des plaidoiries à 1 000 francs et d'autres à 5 000 francs, avec les larmes », répond l'avocat. (Anecdote rapportée par son ami et admirateur Paul Lombard.)

THIERRY HERZOG (PÉNALISTE) :

« Jean-Louis Borloo me disait : avocat, on ne peut pas être riche, parce qu'on ne peut vendre que son temps.

Je gagne bien ma vie, mais je ne suis pas riche. Sur 100 euros d'honoraires, tu as 40 % d'impôts. Une fois payés les frais, la CSG, la TVA, il reste 25 euros. Il peut y avoir des espèces, mais on paie le loyer et la secrétaire avec des chèques ! »

JEAN-YVES LIÉNARD (PÉNALISTE) :

« L'honoraire, c'est l'épisode le plus noir. Je ne sais pas le demander, non par vertu, mais par lâcheté. C'est une démarche difficile. Vous avez des gens qui se mettent à pleurer...

L'argent n'a jamais été chez moi un moteur. Quand j'en ai assez, je ne viens pas en chercher davantage. »

LEF FORSTER (PÉNALISTE) :

« On vient me voir quand il n'y a plus grand monde derrière et plus beaucoup de sous non plus... Chacun paie en fonction de ses possibilités. Le coût horaire devrait être de 400 euros de l'heure, mais ce serait inaccessible à beaucoup de gens. Difficile de dire non à quelqu'un qui n'a pas de sous. C'est par le nombre que j'arrive à un équilibre. »

PATRICK MAISONNEUVE (PÉNALISTE) :

« La rentabilité d'un cabinet est en dents de scie. On défend le juge Fabrice Burgaud [juge d'instruction de l'affaire d'Outreau] ou Karim Achoui [avocat poursuivi après l'évasion du gangster Antonio Ferrara] sans contrepartie, parce que ce sont des combats. André Bellaïche [ancien du "gang des postiches"] ne peut évidemment pas payer d'honoraires, pas plus que la famille Colonna [le nationaliste corse accusé du meurtre du préfet Érignac] ne peut payer au tarif horaire. Celui-ci applicable à des sociétés n'est pas de mise avec une personne physique. »

YASSINE BOUZROU (PÉNALISTE) :

« On ne commence pas à travailler sans être payé. On ne se déplace pas sans être payé. C'est simple. Beaucoup de gens pensent qu'un avocat sera content de travailler gratuitement. Je suis cher par rapport aux confrères de mon âge, 300 euros de l'heure, mais je sais l'énergie que je vais consacrer au dossier. Les clients sont des pragmatiques, du moins au pénal. Si l'on est bien payé, on va multiplier les demandes de mise en liberté et faire sortir le primo-délinquant de prison. »

JACQUES-GEORGES BITOUN
(SPÉCIALISTE DE L'AUDIOVISUEL) :

« Quand j'ai commencé, on était honoré. Le client venait et disait : "Monsieur Bitoun, je suis très content de ce que vous avez fait", et il vous remettait un chèque dont vous ne regardiez même pas le montant.

Aujourd'hui, les avocats travaillent à l'heure, notent tout et envoient la facture. J'ai fait ça, à une certaine époque. J'ai failli fermer la boutique, car seuls pouvaient payer les plus fortunés. Je suis retourné à l'honoraire. J'ai défendu dans une affaire quatre dessinateurs qui auraient dû me payer 130 000 euros si je leur avais facturé le nombre d'heures ! Quand je défends des auteurs, je prends le train avec eux, et on voit ce qui se passe. »

GÉRARD BAUDOUX (PÉNALISTE) :

« 305 euros HT l'heure, c'est une moyenne. Le tarif dépend en fait des dossiers, du litige, du client. On a la liberté de défendre gratuitement, mais aussi de ne pas aller à une audience si l'on n'a pas été payé, et d'envoyer un collaborateur. »

PIERRE JOXE, ANCIEN MINISTRE (SOCIALISTE),
ANCIEN PRÉSIDENT DE LA COUR DES COMPTES,
DEVENU AVOCAT EN MARS 2010 :

« Je suis un auxiliaire de la justice. Je ne gagne rien, pas comme [Jean-François] Copé qui se veut avocat pour gagner de l'argent, à l'instar de tous ceux qui veulent monnayer leur carnet d'adresses. Membre de la Cour des comptes et du Conseil constitutionnel, j'aurais pu moi aussi monnayer ! Je ne prends que des commissions d'office pour mineurs. L'argent est symbolique. Les juges des enfants sont les grands oubliés, je leur donne une voix. Les avocats font ça par conviction militante ou pour se donner bonne conscience. Un dossier prend environ trois quarts d'heure. On n'encaisse pas 400 euros, mais 40 euros. »

DIDIER MARTIN (AVOCAT D'AFFAIRES) :

« On facture nos interventions à l'heure, mais certaines entreprises préfèrent qu'on leur annonce un budget, ce qui n'est pas toujours simple. On a vu des opérations durer jusqu'à deux ans sans que l'on émette la moindre facture. Le coût est alors fonction de la façon dont cela s'est passé. Si vous réussissez à sauver une filiale qu'il aurait fallu normalement sacrifier, c'est important pour l'entreprise. Cela entre en compte au moment de la facturation.

Un dossier lourd, c'est plusieurs millions d'euros sur la table. On est en général payé à la fin. L'entreprise est parfois reconnaissante, mais le risque est pour nous. En cas d'erreur, les honoraires peuvent passer de dix millions à un million d'euros pour le cabinet, où près de 150 personnes peuvent être mobilisées. »

HERVÉ TEMIME (PÉNALISTE) :

« Le pénal, c'est comme une drogue, on ne peut s'en passer. L'argent n'est pas le moteur. Mais je n'aurais pas les moyens de me prendre moi-même comme avocat !

Je gagne beaucoup d'argent, je suis très dépensier, et je ne dépends de personne. »

JEAN VEIL (AVOCAT D'AFFAIRES) :

« C'est compliqué de demander de l'argent. C'est difficile, parce que les sommes sont importantes et que le taux de TVA est très élevé. J'ai un taux horaire dément : 900 euros de l'heure. C'est insupportable pour une personne physique.

J'ajoute que je n'ai pas de stock-options, pas de retraite en vue, et que je fais gagner beaucoup d'argent à mes clients. Ma situation est beaucoup plus fragile que la leur, d'autant plus que je paie l'impôt sur le revenu. »

WILLIAM GOLDNADEL (GÉNÉRALISTE) :

« La partie "droit des affaires" se calcule scientifiquement, avec fiches horaires. On est autour de 500 euros de l'heure, 280 pour les collaborateurs. Mais il y a beaucoup de dossiers que je ne facture pas, et des dossiers où ça marche à la tête du client, avec facturation artistique. Et puis, il faut disposer de locaux pas trop mal ! »

JEAN-YVES DUPEUX (PÉNALISTE) :

« Les cabinets américains tournent facilement à 800 euros de l'heure hors taxes ; je suis autour de 480 euros. Mais les journaux et les éditeurs paient moins aujourd'hui qu'avant la crise, cependant que les tribunaux les condamnent à des sommes plus modestes. »

FRANÇOIS SAINT-PIERRE (PÉNALISTE) :

« Les avocats prennent l'argent là où il est. Si les riches n'étaient plus poursuivis, de quoi vivrions-nous ?

Les affaires politico-financières, c'est du bizness. Quand un chef d'entreprise est poursuivi, les pénalistes lui appliquent les tarifs des avocats d'affaires.

Je gagne plutôt bien ma vie depuis le passage à l'euro. Le principe, c'est une relation équitable avec le client, ce qui revient à prendre en compte sa propre situation financière.

Que l'on ait ou non de l'argent, la pression fiscale est telle qu'il faut encore en gagner. Certains confrèrent choisissent de boycotter les impôts, mais ça devient vite une névrose. »

RICHARD MALKA (GÉNÉRALISTE) :

« Il n'y a aucune corrélation entre la surface médiatique d'un avocat et ses revenus. »

JÉRÉMIE ASSOUS (GÉNÉRALISTE) :

« Prenez les revenus des pénalistes les plus connus, et vous verrez qu'aucun ne gagne la moitié de ce que gagnent les avocats d'affaires à Paris. »

PASCAL GARBARINI (PÉNALISTE) :

« J'ai été l'avocat du mouvement [nationaliste corse]. J'étais militant et prenais peu ou pas d'honoraires. Jusqu'au jour où l'un de mes clients est parti voir Jean-

Louis Pelletier, le maître absolu en matière d'assises, qui m'a fait la leçon : "Tu es ridicule : demande des honoraires !"

Le principe, c'est qu'il n'y a pas de demi-mesures : ou je fais payer le prix normal, ou je ne fais pas payer. La difficulté du dossier et la situation financière du client interviennent bien sûr dans le calcul. Je ne surfacture jamais, pour ne pas avoir de comptes à rendre. »

WILLIAM BOURDON (PÉNALISTE) :

« Il faut trouver la bonne distance critique et le bon ratio économique. On peut verser dans la petite escroquerie morale au quotidien dans le genre : "J'ai fait libérer votre fils, passez-moi 20 000 euros." Faire ce métier de manière intègre, ce n'est pas tous les jours facile. Un grand dossier médiatique, et l'on oublie celui qui pleure…

Les pénalistes qui sont allés vers le Pôle financier et l'argent sont sortis du cambouis. C'est plus simple de défendre des PDG à 800 euros de l'heure, avec une armée de conseillers et de beaux cd-roms, que la petite racaille. La clientèle des affaires politico-financières apporte une sécurité psychologique et financière que le pénal lourd n'apporte pas. Une vingtaine d'avocats se sont mis sur ce grand fromage, tandis que d'autres paient économiquement leur intégrité, comme Françoise Cotta.

Le barreau est de moins en moins tourné vers l'intérêt général, et de plus en plus vers le fric. »

JEAN-LOUIS SEATELLI (PÉNALISTE) :

« Un jour, j'ai demandé 500 francs à quelqu'un ; pendant vingt ans, il m'a descendu des merles pour Noël. Je n'ai jamais eu un impayé, mais mon maître de stage m'a appris à ne pas plaider avant d'avoir été réglé.

L'honoraire, c'est la première barrière : le respect de l'avocat commence là. Les clients ne respectent que ce qui est respectable. »

OLIVIER METZNER (PÉNALISTE) :

« Je vis très bien de mon métier, entouré de personnel : j'ai le chauffeur, le cuisinier et les revenus d'un chef d'entreprise. Je facture 750 euros de l'heure, le même prix pour tout le monde. »

ÉRIC DUPOND-MORETTI (PÉNALISTE) :

« Chacun paie selon la difficulté du dossier, selon ses moyens, selon le résultat et le temps passé. On peut résoudre un problème majeur rapidement ; parfois, il faut des années. J'ai une discussion avec le client avant et je mets les choses au clair. Il n'y a pas de surprise. Je me réserve le droit d'y aller au coup de cœur, et cela ne regarde que moi. »

MICHÈLE CAHEN (DIVORCE) :

« La base, c'est le tarif horaire, qui va de 250 à 500 euros. Je travaille souvent au forfait, car on passe beaucoup de temps dans les divorces. Le forfait, c'est moins pénalisant pour les gens. »

OLIVIER PARDO (AVOCAT D'AFFAIRES) :

« On ne doit pas attendre autre chose du client que les honoraires. On ne peut attendre de la reconnaissance, au risque de la frustration. Vous le défendez, il vous paie.

Vous n'êtes ni l'ami, ni le psychologue ; sinon, vous y laissez votre âme. Le seul remerciement, c'est l'honoraire. C'est 500 euros de l'heure. On ne peut être dans l'empathie – ou alors dans une empathie distanciée. Pour que votre compassion soit légitime, elle doit être rémunérée.

Ma trouille, en devenant avocat, c'était l'argent. Si l'on est dépendant économiquement, on est en danger, il ne faut jamais l'oublier. Cela dit, on ne va pas prendre le même argent à tout le monde. C'est pas comme chez le boucher. On peut prendre un dossier gratuitement, pour la pub ou pour l'ego. On peut aussi être militant, mais il faut être très clair dès le départ. »

GILLES AUGUST (AVOCAT D'AFFAIRES) :

« Dans la tradition de ceux qui ont inventé les cabinets d'affaires à la façon anglo-saxonne, on pratique le *prodomo* financier en défendant des gens qui n'ont pas les moyens. »

THIERRY DE MONTBRIAL (PÉNALISTE) :

« Pour répondre aux appels d'offres, certains avocats descendent à 50 euros de l'heure, alors que le point zéro, pour un cabinet, c'est entre 190 et 220 euros de l'heure. Pour contourner l'obstacle de l'appel d'offres, plutôt déplacé quand un maire entend travailler avec tel avocat plutôt qu'avec tel autre, on en voit qui saucissonnent et proposent dix prestations à 30 000 euros. Il ne faut pas se faire prendre. On en voit aussi qui se mettent à 70 euros de l'heure et qui triplent sous la table le nombre d'heures. Au Conseil de l'Ordre, un avocat s'est vu répondre que c'était ce qu'il fallait faire... »

OLIVIER SCHNERB (PÉNALISTE) :

« En prêtant serment, je me suis engagé à défendre l'impécunieux, je ne veux pas qu'il sache combien ça coûte. »

DOMINIQUE PIWNICA (DROIT DE LA FAMILLE) :

« Je me fais payer au temps passé, pas sur le montant des prestations compensatoires. Je gagne bien ma vie, mais je travaille quatorze heures par jour. Un divorce, c'est entre 15 000 et 200 000 euros ; plus, si ça dure. »

FRANCIS SZPINER (PÉNALISTE) :

« Sachant que 18 % des Français, soit 9 millions, gagnent plus de 3 000 euros par mois, et que 2 % à peine d'entre eux, selon l'économiste Thomas Piketty, gagnent plus de 10 000 euros par mois, que dire des 2 à 3 millions d'euros qui constituent le revenu annuel du patron d'un cabinet d'avocats franco-américain ?

Quand Hervé Temime déclare dans une émission de Canal Plus qu'il demande 600 euros de l'heure, il oublie de dire à combien revient l'heure d'avocat. [L'*escort girl*] Zahia prend plus, mais ça lui revient moins cher ! »

EMMANUELLE KNEUZÉ (PÉNALISTE) :

« Demander de l'argent, c'est très compliqué. On ne nous l'apprend pas. Les gens pleurent, mais après il faut leur dire qu'il va falloir payer. Dans le pénal financier, ce sont souvent les entreprises qui règlent. Les plus riches compensent pour les plus pauvres. Le barème, c'est entre 350 et 400 euros de l'heure.

L'expérience montre qu'il faut parler argent dès le premier jour, puis en demander régulièrement en fournissant la liste de tout ce qui a été fait. Les gens ne le savent pas, mais j'ai de 60 à 65 % de charges, ce qui signifie que je dois sortir autour de 12 000 euros tous les mois avant de me payer. »

MICHEL KONITZ (PÉNALISTE) :

« Ce qui nous fait vivre ? Le crime paie, c'est pour ça qu'il existe. Si l'on n'est pas payé, on n'y va pas. Si l'on m'apportait tout ce qu'on m'a promis, je pourrais cependant m'arrêter de travailler. »

JEAN-PIERRE VERSINI-CAMPINCHI (GÉNÉRALISTE) :

« L'inconvénient des honoraires libres, c'est que c'est chaque fois un combat. Le client te dit : "Mais tu es fou !" Résultat : tu es très souvent exploité !

On devient financièrement autonome tard, rarement avant cinquante ans. »

PIERRE HAÏK (PÉNALISTE) :

« On plaide sans un rond pendant des années...

Je suis le plus mauvais sur le plan financier. L'argent n'est pas un préalable pour moi. Ce qui me ravit, c'est quand les gens viennent à moi. Mon angoisse, c'est la peur que ça s'arrête, que l'on dise un jour : "On ne prendra plus Pierre Haïk." »

VÉRONIQUE LARTIGUE (GÉNÉRALISTE) :

« Le pénaliste peut travailler dans sa voiture ; nous, nous avons une entreprise avec 19 salariés et autour de 300 000 euros de charges. Au taux horaire, on est autour de 300 euros, ce qui n'est pas énorme. »

EMMANUEL LUDOT (PÉNALISTE) :

« Les pénalistes gagnent bien leur vie à condition de savoir se faire payer. Quand un chauffeur routier récupère son permis grâce à mon action, il est normal qu'il paie 3 000 euros. Si vous ne payez pas votre psy, ça n'est pas sain. Pareil pour l'avocat. Le savoir-faire est forcément payant.

L'acte gratuit existe aussi, il a sa noblesse. Il m'est arrivé de refuser les 246 euros de l'aide juridictionnelle, par exemple quand j'ai défendu une femme victime d'EDF. »

JEAN-PIERRE MIGNARD (PÉNALISTE) :

« Je préfère être pauvre, libre et menacé de disparition que riche et menacé de sujétion.

C'est un métier que l'on ne peut vivre éthiquement que dans la tension. Chaque mois, le cabinet doit faire rentrer 200 000 euros pour tourner. Je limite mes revenus à 12 000 euros par mois. »

Didier Seban
(avocat des collectivités locales et pénaliste) :

« Nous sommes parmi les moins chers. Nous facturons autour de 150 euros l'heure, alors qu'en face les cabinets anglo-saxons tournent autour de 500 euros de l'heure. »

Pierre Chaigne (fiscaliste et pénaliste) :

« Les domaines dans lesquels les avocats survivent financièrement sont ceux où la rémunération est opaque. La dérive absolue, c'est quand on devient agent d'affaires, autrement dit le factotum de son client, voire agent sportif, c'est-à-dire simple intermédiaire.

En dehors de ces cas, la profession se paupérise. On ne sait pas calculer nos charges. Trois semaines de procès pénal, c'est un mois de préparation pour les magistrats. Quel client peut payer pour que l'avocat avale les 12 000 pages d'un dossier ? Quand j'ai défendu le docteur Fouchard [poursuivi pour agressions sexuelles], une fois obtenus son acquittement et sa réintégration comme médecin, il me dit : "Je regrette, mais je ne paierai pas." On avait un contrat, une convention conforme aux règles habituelles. Je lui déconseille de vendre sa maison de l'île de Ré et, après arbitrage, sa compagnie d'assurances finit par payer. J'avais travaillé pour lui une année à temps plein. Il me devait 1 500 heures, soit 400 000 euros à raison de 500 euros de l'heure…

Le travail de l'avocat, en fait, n'est pas quantifiable. Les Américains nous ont imposé le paiement au temps passé, mais celui qui est payé à l'heure ne voit pas son talent reconnu, alors que le crétin peut accumuler les heures sans aucun résultat.

La rémunération au résultat pose une autre question : elle fait de l'avocat l'associé de son client. On ne peut payer le médecin que s'il vous guérit ! »

FRANÇOIS GIBAULT (PÉNALISTE) :

« Je n'ai jamais su me faire payer. Je suis effaré par les honoraires que les autres demandent. »

THIERRY LÉVY (PÉNALISTE) :

« Je suis devenu secrétaire de la Conférence du stage en 1970. Cela vous apporte jusqu'à 150 affaires pénales par an, mais on n'est pas payé. Cela relève du sacerdoce, mais c'est ce qu'il y a de plus agréable : défendre les gens sans être payé, cela vous insuffle une force incroyable... Plus tard, on s'habitue à être mercenaire. »

DANIEL SOULEZ-LARIVIÈRE (PÉNALISTE) :

« Je suis payé à l'heure, je ne sais plus très bien... Ou l'on travaille gratuitement, ou l'on fait payer, il ne faut pas mélanger les genres. Cela va de 120 à 600 euros de l'heure. Nos notes sont épluchées ligne à ligne par les grands groupes qui nous emploient. »

RÉGIS DE CASTELNAU
(AVOCAT DES COLLECTIVITÉS LOCALES) :

« L'argent, ce n'est pas bien, c'est sale, on n'en parle pas à table et l'on ne sait pas en faire. Après quarante ans de carrière, je ne suis pas assujetti à l'ISF. C'est une infirmité. »

PASCAL WILHELM (AVOCAT D'AFFAIRES) :

« Au sein du cabinet, les prix varient entre 300 et 600 euros de l'heure. »

ANONYME :

Un jour, dans le secret de son cabinet d'instruction, un juge décide de se « payer » l'avocat assis en face de lui.

« Dites-moi, maître, j'attends toujours que vous me remettiez la somme qui me revient », lance-t-il.

Dans une écoute téléphonique dont le magistrat vient de recevoir la transcription, l'avocat tient en effet à son client des propos plus qu'équivoques : « C'est 1 000 euros, mais il y en a 400 pour le juge. »

En fait, il n'avait aucunement l'intention de partager avec quiconque : l'intégralité de la somme qu'il réclamait était pour lui.

Pris au piège, l'avocat est exceptionnellement resté silencieux.

REMERCIEMENTS

Un merci chaleureux à tous les avocats qui ont bien voulu nous consacrer un peu de leur temps, si compté, au fil de ces deux ans et demi d'enquête

Une mention spéciale à ceux qui ne font qu'une fugace apparition dans ces pages, quand ils n'en ont pas complètement disparu, en effet un seul tome n'y aurait pas suffi. Ainsi des avocats parisiens : Sébastien Schapira, Vanessa Bousardo, Jean-Paul Baduel et Christophe Gerbet, des Bordelais Benoît Ducos-Ader et Pierre Blazy, du Rennais Thierry Fillion, du Toulousain Laurent de Caunes, de Dominique Boh-Petit à Metz, de Liliane Glock à Nancy, de Thierry Moser à Mulhouse, de Gérard Sabater à Draguignan, de Jean-Claude Guidicelli, à Toulon... et de Gilbert Collard, à Marseille, de rendez-vous impossibles lors d'une période agitée loin des prétoires.

TABLE DES MATIÈRES

Photocomposition Nord Compo
Villeneuve-d'Ascq

Impression réalisée par
CPI BRODARD ET TAUPIN
La Flèche

pour le compte des Éditions Fayard
en novembre 2012

Dépôt légal : novembre 2012
N° d'impression : 71067
35-57-4841-9/01

Imprimé en France